Hernandes Dias Lopes

MARCOS

O evangelho dos milagres

2ª edição ampliada e revisada

2ª edição: setembro de 2012
7ª reimpressão: janeiro de 2022

Revisão
Carlos Augusto Pires Dias
Edna Guimarães

Capa
Souto Design (layout)
Atis Design (adaptação)

Editor
Aldo Menezes

Coordenador de produção
Mauro Terrengui

Impressão e acabamento
Imprensa da Fé

Editora Hagnos Ltda.
Av. Jacinto Júlio, 27
04815-160 — São Paulo, SP
Tel.: (11) 5668-5668

E-mail: hagnos@hagnos.com.br
Home page: www.hagnos.com.br

Editora associada à:

Dados Internacionais de Catalogação na Publicação (CIP)
(Câmara Brasileira do Livro, SP, Brasil)

Lopes, Hernandes Dias
Marcos: o Evangelho dos milagres/ Hernandes Dias Lopes. 2. ed. — São Paulo: Hagnos, 2012. (Comentários Expositivos Hagnos).

ISBN 85-7742-002-7

Bibliografia.

1. Bíblia NT - Marcos - Comentários 2. Bíblia NT - Marcos - Crítica e interpretação I. Título.

06-2295 CDD-224.9907

Índices para catálogo sistemático:

1. Evangelho de Marcos: Comentários 226.307
2. Marcos: Evangelho: Comentários 226.307

Dedicatória

DEDICO ESTE LIVRO ao rev. Roberto Brasileiro, servo de Deus, pastor de almas, conselheiro sábio, líder forte, homem segundo o coração de Deus.

Sumário

Prefácio 9

1. As boas-novas do evangelho de Cristo 13
(Mc 1.1)

2. A legitimidade do ministério de Cristo 29
(Mc 1.2-11)

3. A tentação de Jesus 43
(Mc 1.12,13)

4. A pregação de Jesus Cristo 59
(Mc 1.14,15)

5. Pescadores de homens 77
(Mc 1.16-20)

6. A autoridade do Filho de Deus 93
(Mc 1.21-28)

7. As áreas do ministério de Jesus 107
(Mc 1.29-39)

8. Uma grande miséria diante do grande Deus 121
(Mc 1.40-45)

9. A história de um milagre 137
(Mc 2.1-12)

10. As bênçãos singulares do evangelho de Jesus 153
(Mc 2.13-28)

11. O valor de uma vida 169
(Mc 3.1-6)

12. Motivos decisivos para você vir a Jesus 183
(Mc 3.7-12)

13. A escolha da liderança espiritual da igreja 197
(Mc 3.13-19)

14. A blasfêmia contra o Espírito Santo 211
(Mc 3.20-35)

15. Diferentes respostas à Palavra de Deus 223
(Mc 4.1-20)

16. O poder da Palavra na implantação do Reino 237
(Mc 4.21-33)

17. Surpreendidos pelas tempestades da vida 253
(Mc 4.35-41)

18. Quanto vale uma vida 269
(Mc 5.1-20)

19. O toque da fé 283
(Mc 5.24-34)

20. Jesus, a esperança dos desesperançados 295
(Mc 5.21-24,35-43)

21. Portas abertas e fechadas 307
(Mc 6.1-29)

22. Um majestoso milagre 321
(Mc 6.30-44)

23. Quando Jesus vem ao nosso encontro nas tempestades 327
(Mc 6.45-56)

24. A verdadeira espiritualidade 347
(Mc 7.1-23)

25. A vitória de uma mãe intercessora 359
(Mc 7.24-30)

26. Um esplêndido milagre 369
(Mc 7.31-37)

27. Atitudes de Jesus diante de circunstâncias desfavoráveis 383
(Mc 8.1-21)

28. Discernimento espiritual, uma questão vital 395
(Mc 8.22-33)

29. Discipulado, o mais fascinante projeto de vida 407
(Mc 8.34-9.1)

30. Três tipos de espiritualidade 419
(Mc 9.2-32)

31. Os valores absolutos do Reino de Deus 435
(Mc 9.33-50)

32. O ensino de Jesus sobre casamento e divórcio 449
(Mc 10.1-12)

33. O lugar das crianças no Reino de Deus 463
(Mc 10.13-16)

34. Que lugar o dinheiro ocupa na sua vida? 477
(Mc 10.17-31)

35. A maior marcha da História 489
(Mc 10.32-45)

36. Uma trajetória das trevas para a luz 501
(Mc 10.46-52)

37. A manifestação pública do Messias 513
(Mc 11.1-33)

38. O drama de Jesus em Jerusalém 527
(Mc 12.1-44)

39. A segunda vinda de Cristo 543
(Mc 13.1-37)

40. Diferentes reações a Jesus 563
(Mc 14.1-31)

41. Getsêmani, a hora decisiva 575
(Mc 14.32-42)

42. A prisão, o processo e a negação 589
(Mc 14.43-72)

43. A humilhação do Filho de Deus 607
(Mc 15.1-47)

44. A ressurreição do Filho de Deus 625
(Mc 16.1-20)

Prefácio

TALVEZ A MAIOR NECESSIDADE da igreja brasileira hoje seja de pregação expositiva, aquela que expõe o texto da Bíblia aos ouvintes, dando o sentido das palavras inspiradas, tornando-as inteligíveis aos nossos dias, e aplicando-as ao coração do povo. É isso que o rev. Hernandes Dias Lopes faz com maestria. A ideia de colocar sob a forma de comentários bíblicos as suas pregações expositivas irá abençoar um número ainda maior de pessoas em nosso país por muito mais tempo.

As exposições do rev. Hernandes no Evangelho de Marcos, que tenho a honra de prefaciar, irão contribuir para o crescimento do povo evangélico brasileiro por vários motivos. Primeiro, porque transmitem uma visão elevada das Escrituras. Numa época em que muitos estudos e comentários nos Evangelhos questionam sua autenticidade e a historicidade dos milagres ali narrados, é renovador e edificante ler um comentário sobre Marcos que respeita a integridade do texto, recebe com fé os seus relatos e anuncia com autoridade a sua mensagem.

Segundo, essas exposições do rev. Hernandes ensinam o povo a ler a Bíblia procurando entender as lições e princípios de vida ali ensinados. Muita gente lê os Evangelhos apenas como histórias piedosas ou registros históricos de eventos antigos, sem significado ou sentido. O presente comentário procura mostrar a verdade de Deus ensinada no texto.

Terceiro, este comentário não visa apenas responder à pergunta, "o que o texto quis dizer aos seus primeiros leitores" – que é tarefa da exegese, propriamente dita -, mas, também, responder à outra pergunta igualmente importante, "o que o texto quer dizer hoje?" – tarefa da homilética e dos pregadores. Trata-se de um comentário de natureza devocional-prática, que não descura da boa teologia e de uma linha doutrinária histórico-conservadora.

Quarto, o rev. Hernandes está a par dos problemas textuais e interpretativos de várias passagens reconhecidamente difíceis do Evangelho de Marcos e não foge à luta: procura enfrentá-las com clareza, citando as opiniões de outros comentaristas e procurando estabelecer a sua própria, para orientação dos leitores.

Por esses motivos, é com gratidão ao Senhor que recomendo mais esta obra da pena ilustre do rev. Hernandes Dias Lopes, para a glória de Deus e para a bênção de seu povo.

São Paulo, outubro de 2006

Rev. Augustus Nicodemus Lopes, Th.M., Ph.D.
Chanceler da Universidade Presbiteriana Mackenzie

Capítulo 1

As boas-novas do evangelho de Cristo

(Mc 1.1)

MARCOS É CONSIDERADO um dos evangelhos sinóticos. O termo *sinótico* vem de duas palavras gregas, cujo significado é "ver conjuntamente".[1] Dessa maneira, Mateus, Marcos e Lucas tratam basicamente dos mesmos aspectos da vida e ministério de Cristo. Dos evangelhos sinóticos, Marcos é o mais breve.

O Evangelho de Marcos é geralmente considerado o primeiro evangelho que foi escrito, diz Darrell Bock.[2] Embora esse fato não tenha um consenso unânime, a maioria dos estudiosos crê que Marcos foi escrito antes dos outros evangelhos. J. Vernon McGee defende a tese de que Marcos foi escrito por volta do ano 63 da era cristã.[3] Sendo, assim, William Barclay o considerava o livro mais importante do mundo, visto que serviu de fonte para os outros evangelhos e é o primeiro relato da vida de Cristo que a humanidade conheceu.[4]

Dos 661 versículos de Marcos, Mateus reproduz 606. Há apenas 55 versículos de Marcos que não se encontram em Mateus, mas Lucas utiliza 31 destes. O resultado é que há somente 24 versículos de Marcos que não se encontram em Mateus ou Lucas. Isso parece provar que tanto Mateus quanto Lucas usaram o Evangelho de Marcos como fonte.[5]

No entanto, por que quatro evangelhos? Nós temos quatro evangelhos, porque cada um foi escrito a um público diferente.[6] Mateus foi escrito para os judeus e apresentou Jesus como o rei. Marcos escreveu para os romanos e apresentou Jesus como servo. Lucas escreveu para os gregos e apresentou Jesus como o homem perfeito. João escreveu um evangelho universal e apresentou Jesus como Deus, o verbo encarnado. Assim, os evangelhos foram endereçados a pessoas diferentes e com propósitos diversos.

O autor do Evangelho de Marcos

Duas coisas nos chamam a atenção:

A primeira é *a identidade de Marcos descrita nas Escrituras.* O nome completo do autor desse evangelho é João Marcos, sendo que João é seu nome hebraico e Marcos seu nome romano. Temos várias informações importantes sobre esse personagem nas Escrituras:

Em primeiro lugar, *Marcos era filho de Maria, uma cristã que hospedava cristãos em sua casa* (At 12.12). Isso significa que João Marcos procedia de uma família aquinhoada de bens materiais e tinha familiaridade com a igreja, desde sua juventude.

Em segundo lugar, *Marcos participou da primeira viagem missionária de Paulo e Barnabé* (At 12.25). Ele saiu de Jerusalém com Paulo e Barnabé e foi morar em Antioquia da Síria, de onde foi com eles para a primeira viagem missionária na região da Galácia. João Marcos era um auxiliar *hypērtēs* de Barnabé e Saulo nessa primeira viagem missionária (At 13.5).

Em terceiro lugar, *Marcos desistiu da primeira viagem missionária no meio do caminho* (At 13.13). Não sabemos precisamente as razões que levaram Marcos a desertar dessa viagem. Elencamos três sugestões: Paulo decidiu largar a região costeira e ir para o interior, onde os perigos eram imensos; Paulo passou a ocupar a liderança da viagem, até então ocupada por Barnabé; a insegurança característica de sua própria juventude e inexperiência.

Em quarto lugar, *Marcos é rejeitado por Paulo na segunda viagem missionária* (At 15.37-40). A rejeição de Paulo ao ingresso do jovem Marcos na segunda viagem missionária teve repercussões profundas na agenda missionária da igreja e no relacionamento dos dois grandes líderes Paulo e Barnabé. Houve tal desavença entre eles, que Barnabé deixou Paulo e partiu para uma nova frente missionária, levando consigo a Marcos para Chipre, sua terra natal.

Em quinto lugar, *Marcos era primo de Barnabé* (Cl 4.10). Esse fato revela que a família de Marcos era abastada. Sua mãe tinha uma casa que servia de lugar de encontro da igreja primitiva e Barnabé era homem de posses (At 4.37). Isso também lança uma luz sobre o fato de que Barnabé, além de sua característica de consolador, não desamparou a

Marcos, quando este foi barrado por Paulo no seu intento de participar da segunda viagem missionária.

Em sexto lugar, *Marcos esteve preso com Paulo em Roma* (Cl 4.10). Marcos tornou-se um grande líder cristão do século 1. Jerônimo disse que ele foi ao Egito e ali plantou a igreja de Alexandria.[7] Agora, ele está preso em Roma, com Paulo, durante a sua primeira prisão.

Em sétimo lugar, *Marcos tornou-se um cooperador de Paulo* (Fm 24). A Carta a Filemom foi escrita no interregno entre a primeira e a segunda prisão de Paulo em Roma. Paulo destaca que nesse tempo Marcos era seu cooperador.

Em oitavo lugar, *Marcos foi chamado por Paulo para assisti-lo no final da sua vida* (2Tm 4.11). Marcos estava em Éfeso quando Paulo foi preso pela segunda vez. Agora, Paulo está num calabouço romano, aguardando o seu martírio. Paulo reconhece que o mesmo jovem que ele dispensara no passado agora lhe é útil e deseja tê-lo como seu cooperador no momento final da sua vida. Isso nos prova a mudança de conduta de Paulo, bem como sua mudança do novo conceito acerca de Marcos.

Em nono lugar, *Marcos era considerado um filho de Pedro na fé* (1Pe 5.13). Marcos teve um estreito relacionamento com Pedro. O apóstolo o chama "meu filho". Possivelmente o próprio Pedro o tenha levado a Cristo e seja seu pai na fé. Quando Pedro saiu prisão, foi para a casa de Maria, mãe de Marcos, onde a igreja estava reunida.

Em décimo lugar, *Marcos é apontado pela maioria dos estudiosos como o jovem que se vestiu com um lençol para ver Jesus* (Mc 14.51,52). Nesse tempo, esse jovem era apenas um seguidor casual de Cristo. Era apenas um espectador curioso que queria acompanhar o desenrolar da prisão do rabi da Galileia, mas estava inadequadamente vestido no meio da multidão. Ao ser agarrado pela soldadesca que prendia a Jesus, fugiu desnudo.

A segunda coisa que nos chama a atenção é que *Marcos é considerado o autor do Evangelho que leva o seu nome.* Embora Marcos não tenha sido um discípulo de Cristo, seguramente presenciou muitos fatos da sua vida, visto que morava em Jerusalém e sua casa tornou-se um ponto de encontro da igreja.

Os pais da igreja unanimemente aceitaram a autoria de Marcos deste evangelho.[8] Papias, um dos pais da igreja do começo do século 2, afirma que o Evangelho de Marcos é a compilação do testemunho pessoal de Pedro acerca da vida e ministério de Cristo. Marcos não foi discípulo de Cristo, mas de Pedro. De acordo com Papias, Marcos foi o *hermēneutēs* (intérprete) de Pedro.[9] William Hendriksen diz que não temos nenhuma razão para rejeitar a tradição de que Marcos foi, essencialmente, o "intérprete" de Pedro, pois o conteúdo do livro confirma essa conclusão.[10] Esse relato de Papias, que aparece em uma obra de Eusébio, bispo de Cesareia, autor da primeira grande História da Igreja,[11] no século 4, é o mais antigo registro da autoria de Marcos,

> Marcos, que foi o intérprete de Pedro, escreveu acuradamente tudo o que ele relembrou, tanto sobre o que Cristo disse quanto o que Cristo fez, porém não em ordem. Embora Marcos não tenha ouvido nem acompanhado o Senhor, mais tarde acompanhou Pedro, de quem recebeu todas as informações, de tal maneira que ele não cometeu nenhum engano em seu relato, não omitindo nada do que ouviu nem acrescentando qualquer falsa afirmação acerca do que recebeu.[12]

Outros pais da igreja, incluindo Justino, o mártir, Tertuliano, Clemente de Alexandria, Orígenes e Eusébio, confirmam Marcos como o autor desse evangelho.[13] Também associam o evangelho de Marcos com o testemunho do apóstolo Pedro.[14] Irineu, outro pai da igreja, afirma: "Depois da morte de Pedro e Paulo, também Marcos, discípulo e intérprete de Pedro, nos legou por escrito as coisas que foram pregadas por Pedro".[15] Marcos é o mais aramaico dos evangelhos, o que evidencia ser um relato da palavra falada de Pedro. O esboço desse evangelho, ainda está afinado com o conteúdo do evangelho pregado por Pedro na casa de Cornélio (At 10).[16]

A data e o local em que o evangelho foi escrito

Robert Gundry afirma que Marcos foi o primeiro evangelho a ser escrito.[17] Não existe um consenso unânime acerca da data da sua redação; entretanto, ele deve ter sido escrito entre 55 e 70 d.C., ou seja, antes da destruição de Jerusalém no ano 70 d.C., uma vez que ele não faz qualquer menção desse fato predito por Jesus (13.1-23). Jerusalém foi destruída pelo exército romano sob a liderança de Tito, depois de 143 dias de cerco. Durante essa batalha, seiscentos mil judeus foram mortos e milhares levados cativos.

Irineu e outros pais da igreja defenderam a tese de que Marcos foi escrito depois do martírio de Pedro e Paulo. Contudo, essa posição contraria a tese de alguns estudiosos que afirmam que Marcos foi o primeiro evangelho que foi escrito, sendo a fonte primária dos demais.[18]

O local onde Marcos escreveu o seu evangelho é Roma, uma vez que Marcos está presente com Paulo em sua primeira prisão e é chamado para estar com ele em sua segunda prisão.

Nesse tempo, Roma era a maior cidade do mundo, com mais de um milhão de habitantes[19] e Nero era o imperador. Ele começou a reinar em 54 d.C. com a idade de 16 anos. Os primeiros anos de seu reinado foram de relativa paz e, por isso, por volta do ano 60 d.C., Paulo apelou para ser julgado em Roma (At 25.10,11).

Na primeira prisão de Paulo, ele tinha liberdade de pregar aos líderes judeus (At 28.17-28), bem como a todas as pessoas que o procuravam (At 28.30,31), inclusive à própria guarda pretoriana (Fp 1.13; 4.22). Depois dessa primeira prisão, Paulo foi solto. Mas no ano 64 d.C. Nero pôs fogo em Roma e colocou a culpa nos cristãos. Doravante, uma perseguição sangrenta foi iniciada contra os cristãos.

Nesse tempo de terrível perseguição, Paulo foi novamente preso, possivelmente em Nicópolis, onde ele intentava passar o inverno (Tt 3.12). Transferido para Roma, Paulo foi colocado numa masmorra, no calabouço Marmetine, no centro de Roma, perto do fórum.[20] Nesse tempo, Marcos não estava em Roma, visto que Paulo pede a Timóteo para trazê-lo consigo (2Tm 4.11).

Para quem Marcos escreveu o evangelho

O consenso geral entre os estudiosos é que Marcos foi escrito de Roma para os cristãos que viviam em Roma.[21] Segundo William Hendriksen, Marcos foi escrito para satisfazer o pedido urgente do povo de Roma por um resumo dos ensinos de Pedro.[22] As evidências podem ser destacadas como seguem:

Em primeiro lugar, *Marcos enfatiza mais as obras de Cristo que os seus ensinos.* Warren Wiersbe diz que o fato de Marcos ter escrito com os romanos em mente ajuda-nos a entender seu estilo e abordagem. A ênfase nesse evangelho é sobre atividade.[23] Os romanos estavam mais interessados em ação que em palavras, por isso Marcos descreve mais os milagres de Cristo que os seus ensinos. Marcos registra dezoito milagres e apenas quatro parábolas. O termo que liga como elo os acontecimentos é a palavra *imediatamente.* Jesus está sempre se movendo de uma ação para outra. Ele está curando os cegos, limpando os leprosos, erguendo os paralíticos, libertando os possessos, acalmando a tempestade, levantando os mortos. Graham Twelftree, nessa mesma linha de pensamento, afirma que Marcos é mais um evangelho de ação que de ensino. As coisas acontecem *logo* ou *imediatamente* – uma das expressões favoritas de Marcos. Marcos só tem dois discursos, um é sobre as parábolas do Reino (4.1-33), e o outro é escatológico (13.1-37). Há muitos milagres. Combinados com sumários de cura, essas unidades compreendem um terço do evangelho e quase metade dos primeiros dez capítulos.[24]

Em segundo lugar, *Marcos apresenta Jesus como servo.* Por esta causa o Evangelho de Marcos não se inicia com genealogia. Os romanos não estavam interessados em genealogia, mas em ação. Um servo não tem genealogia. Jesus apresenta-se como aquele que veio para servir e não para ser servido (Mc 10.45).

Em terceiro lugar, *Marcos se detém em explicar os termos judaicos aos seus leitores.* Quando Jesus ressuscitou a filha de Jairo, tomou-a pela mão e lhe disse: "Talita cume", que quer dizer: "Menina eu te mando, levanta-te".

Em quarto lugar, *Marcos preocupou-se em explicar os costumes judaicos.* Em várias ocasiões, ele explica os costumes judaicos para seus leitores (7.3,4; 7.11; 14.12).

Em quinto lugar, *Marcos usou várias palavras latinas.* Isso pode ser constatado observando alguns textos (5.9; 12.15, 42; 15.16, 39).

Em sexto lugar, *Marcos foi o evangelista que menos citou o Antigo Testamento.* Ele, por exemplo, não cita em seu evangelho o termo "lei".

Em sétimo lugar, *Marcos usou a contagem de tempo romano.* Podemos constatar isso em (6.48; 13.35). Portanto, todas as evidências nos indicam que Marcos escreveu esse evangelho para os romanos.

A situação de Roma no século 1

Quando o imperador Augusto morreu, no ano 14 d.C., Roma era uma cidade esplêndida. Ele chegou a gabar-se que tinha herdado uma cidade de barro e feito dela uma cidade de mármore.[25] A capital do império tinha cerca de um milhão de habitantes e hospedava várias culturas, povos e religiões. O porto de Roma, *Óstia*, tornou-se o centro do comércio mundial. Havia uma riqueza ostensiva na cidade de Roma. Construções monumentais eram erguidas e o luxo dos ricos era exorbitante. Ao mesmo tempo, havia também uma extrema pobreza e miséria. Os navios despejavam seus produtos por intermédio dos braços surrados dos escravos. Na cidade, prevaleciam a corrupção, a anarquia e a decadência moral. A bebedeira e a orgia faziam subir um mau cheiro da reluzente metrópole (Rm 13.11-14). Foi para essa cidade enfeitiçada pelo prazer que Marcos escreveu o seu evangelho.

Nessa cidade do prazer e do luxo, uma igreja foi plantada. Essa igreja foi duramente perseguida a partir do ano 64 d.C. Os cristãos eram queimados vivos, lançados nas arenas para serem pisoteados pelos touros, enrolados em peles de animais para serem devorados pelos cães raivosos.[26] Foi para essa igreja mártir que Marcos escreveu seu evangelho. Havia martírios atrás de si e à sua frente.

As características distintivas do Evangelho de Marcos

O Evangelho de Marcos tem algumas características peculiares:

Em primeiro lugar, *Marcos é totalmente kerigmático em sua ênfase.*[27] O livro começa focando o cerne da sua mensagem: "Princípio do evangelho de Jesus Cristo, Filho de Deus" (1.1). Jesus apresenta-se nesse evangelho como pregador (1.14, 15; 1.38, 39). Por essa mensagem deve-se dar a vida (8.35; 10.29). Essa mensagem deve ser pregada ao mundo inteiro (13.10; 14.9; 16.15).

Em segundo lugar, *Marcos enfatiza a popularidade do ministério de Jesus.* Quando Jesus ensinava e por onde andava, as multidões se reuniam ao seu redor (1.33, 45; 2.2,13,15; 3.7,9,20; 4.1,36; 5.21,24,31; 6.34; 8.1; 9.15,25; 10.1,46).

Em terceiro lugar, *Marcos enfatiza a questão da identidade de Jesus.*[28] O Pai lhe disse: *Tu és meu Filho amado* (1.11; 9.7). Seus discípulos perguntaram: *Quem é este que até o vento e o mar lhe obedecem?* (4.41). Seus contemporâneos interrogavam: *Não é este o carpinteiro, filho de Maria?* (6.3). Herodes pensa que ele é João Batista que ressuscitou. Outros: Ele é Elias, que voltou. Ainda outros: É um profeta! (6.15; 8.28). Os demônios confessam: *Tu és o santo de Deus* ou *Filho de Deus* (1.24; 3.11; 5.7). Seus parentes dizem: *Está fora de si* (3.21). Os rabinos dizem: *Está possesso* (3.22,30). Pedro confessa: *Tu és o Cristo* (8.29). Para Bartimeu, ele é o Filho de Davi (10.47). Até Judas o identifica: *É esse!* (14.44). Caifás pergunta oficialmente: *És tu o Cristo?*, e Pilatos: *És tu o rei dos judeus?* (14.61 e 15.2) e recebem a resposta: *Eu o sou, Tu o dizes!* (14.62; 15.2). O comandante ao pé da cruz confessa: *Verdadeiramente, este homem era o Filho de Deus!* (15.39). Na manhã da Páscoa, os mensageiros celestiais dizem: *Ele ressuscitou* (16.6).

Em quarto lugar, *Marcos é o evangelho da ação.* Jesus é apresentado nesse evangelho como servo que está sempre em atividade. Marcos descreve Cristo, ocupado, se deslocando de um lugar para outro, curando, libertando, pregando e ensinando as pessoas. As obras de Cristo têm mais ênfase que as suas palavras. Marcos contém somente uma parábola que não é encontrada em nenhum outro evangelho (4.26-29), enquanto Lucas tem dezoito parábolas que lhe são peculiares. Entre os seis grandes discursos de Mateus, somente um, o das últimas coisas (Mt 24 e Mc 13), acha-se igualmente relatado em Marcos, e mesmo assim, de forma resumida.[29] Movimento é mais fascinante que o discurso.[30] O advérbio *euthys* (imediatamente, logo, então) ocorre mais de quarenta vezes em Marcos.[31] Marcos descreve Jesus como um rei ativo, energético, que se move rapidamente como um conquistador vitorioso sobre as forças da natureza, da doença, dos demônios e da morte.

Em quinto lugar, *Marcos apresenta Jesus como Filho de Deus.* Jesus disse ao povo, para os discípulos, para os líderes religiosos e para os opositores que ele era o Filho de Deus. Ele demonstrou seu poder para perdoar, curar, libertar e deter as forças da natureza. Ele provou ser o Filho de Deus rompendo os grilhões da morte e saindo da sepultura.[32]

Em sexto lugar, *Marcos apresenta Jesus como servo.* A mais espantosa mensagem de Marcos é que o Filho de Deus veio para ser servo. Aquele que é perfeitamente Deus, também é perfeitamente homem. O Messias entrou na História não para conquistar os reinos do mundo com espada, mas para servir os homens, aliviar suas aflições, curar suas enfermidades, levantar os caídos, morrer na cruz para a remissão de seus pecados. Como servo, Jesus foi tentado, falsamente acusado, perseguido, ferido, cuspido, ultrajado, pregado na cruz.[33]

Em sétimo lugar, *Marcos apresenta Jesus como aquele que tem poder para operar milagres.* Marcos enfatiza mais os milagres de Cristo do que seus sermões. Em cada capítulo do evangelho, até seu ministério final em Jerusalém, há pelos menos o registro de um milagre. Ele realizou milagres para demonstrar sua compaixão pelas pessoas (1.41,42), para convencer as pessoas acerca de quem ele era (2.1-12) e para ensinar os discípulos acerca da sua verdadeira identidade como Deus (8.14-21).

Em oitavo lugar, *Marcos enfatiza o sofrimento de Cristo.* Nenhum outro evangelho deu tanta ênfase à paixão de Cristo quanto Marcos. Adolf Pohl registra esse fato de forma resumida:

> Jesus entra em cena de repente, sem que se diga uma só palavra sobre sua infância, juventude e vida adulta. Já no começo do capítulo 2 aparece a acusação de blasfêmia, cuja pena é a morte (2.7). No começo do capítulo 3, sua morte já está decidida (3.6). Na sequência,

um grupo após o outro o condena: os parentes (3.21), os teólogos (3.22), o povo (4.12), os gentios (5.17), a cidade natal (6.3), o rei (6.14s.) e os religiosos (7.5). O anúncio da própria morte de Jesus ocupa neste livro a posição central como nenhum outro assunto (8.31; 9.31; 10.33s.). [...] Os dias finais em Jerusalém ocupam um espaço superdimensionado (a partir do capítulo 11), mais ou menos um terço do livro. A ressurreição é descrita em poucos versículos (16.1-8).[34]

A mensagem central do Evangelho de Marcos (1.1)

O primeiro versículo desse evangelho é tanto o título do livro quanto a síntese do seu conteúdo.[35] Ele traz a sua mensagem central. Alguns comentaristas como William Hendriksen relacionam a palavra "princípio" com a atuação de João Batista nos versículos seguintes,[36] mas a melhor compreensão é que Marcos está introduzindo o conteúdo de todo o evangelho.[37]

J. Vernon McGee diz que há três começos mencionados na Bíblia: Primeiro, *no princípio era o verbo* (Jo 1.1). Esse princípio está antes do tempo, no bojo da eternidade. Ele não pode ser datado. Segundo, *no princípio criou Deus os céus e a terra* (Gn 1.1). Esse começo é quando nos movemos da eternidade para o tempo. Nenhum estudioso conseguiu precisamente datar esse princípio, embora ele esteja dentro do tempo. Terceiro, *princípio do evangelho de Jesus Cristo, Filho de Deus* (Mc 1.1). Esse princípio começa quando Jesus Cristo se fez carne. Jesus Cristo é o evangelho. Esse princípio pode ser datado.[38] Marcos fala do princípio do evangelho, porque o evangelho estende-se à obra de Cristo por meio do seu Espírito e sua igreja, conforme o ensino de Atos 1.1.

A parte mais importante do evangelho não é o que nós devemos fazer, mas o que Deus fez por nós em Cristo. O evangelho não é discussão nem debate, mas uma proclamação. O evangelho está centralizado na pessoa de Jesus Cristo. O conteúdo do evangelho é Jesus Cristo: sua vida, obra, morte, ressurreição, governo e segunda vinda.

James Hastings diz que Cristo criou o evangelho pela sua obra; ele pregou o evangelho pelas suas palavras, mas ele é o próprio evangelho.[39]

Como Marcos escreveu seu evangelho para os romanos, que davam grande importância à concisão, vai direto ao assunto, e já no primeiro versículo destaca o título pleno do Senhor, que abarca sua humanidade, sua missão redentora e sua divindade.[40] Ele é plenamente homem (Jesus). Ele é o ungido de Deus (Cristo). Ele é plenamente divino (Filho de Deus).

Marcos iniciou sua mensagem, revelando-nos a essência do evangelho. Sem essa gloriosa doutrina, diz John Charles Ryle, não teremos nada sólido debaixo dos nossos pés. Nossos corações são fracos, nossos pecados são muitos. Nós precisamos de um redentor que seja capaz de salvar completamente e libertar-nos da ira vindoura. Nós temos esse salvador em Jesus Cristo. Ele é o Deus forte (Is 9.6).[41]

Notas do capítulo 1

[1] Barclay, William, *Marcos.* Editorial La Aurora. Buenos Aires 1974, p. 11.

[2] Bock, Darrell L, *Jesus segundo as Escrituras.* Shedd Publicações, São Paulo, SP, 2006: p. 28.

[3] McGee, J. Vernon, *Mark.* Thomas Nelson Publishers. Nashville, Atlanta, 1991: p. vii.

[4] Barclay, William, *Marcos,* 1974: p. 11.

[5] Barclay, William, *Marcos,* 1974: p. 12.

[6] McGee, J. Vernon, *Mark,* 1991: p. viii.

[7] Harrison, Everett, *Introducción al Nuevo Testamento.* TELL. Grand Rapids, Michigan. 1980: p. 177; William Barclay. *Marcos,* 1974: p. 13.

[8] Barton, Bruce B, et all. *Life Application Bible Commentary – Mark.* Tyndale House Publishers. Wheaton, Illinois, 1994: p. xii.

[9] Gunthrie, Donald, *New Testament Introduction,* 1990: p. 83.

[10] Hendriksen, William, *Marcos.* Editora Cultura Cristã. São Paulo, SP, 2003: p. 24.

[11] Pohl, Adolf, *Evangelho de Marcos.* Editora Evangélica Esperança. Curitiba, PR, 1998: p. 19.

[12] Eusebius, *Ecclesiastical History III:* p. 39.

[13] Barton, Bruce B, et all. *Life Application Bible Commentary – Mark,* 1994: p. xii.

[14] Gundry, Robert H, *Panorama do Novo Testamento.* Edições Vida Nova. São Paulo, SP, 1978: p. 86.

[15] Contra as heresias III. i.1.

[16] Harrison, Everett, *Introducción al Nuevo Testamento.* TELL. Grand Rapids, Michigan, 1980: p. 177.

[17] Gundry, Robert H, *Panorama do Novo Testamento.* Edições Vida Nova. São Paulo, SP, 1978: p. 85.

[18] Barton, Bruce B, et all. *Life Application Bible Commentary – Mark,* 1994: p. xiii.

[19] Barton, Bruce B, et all. *Life Application Bible Commentary – Mark,* 1994: p. xiii, xiv.

[20] Barton, Bruce B, et all. *Life Application Bible Commentary – Mark,* 1994: p. xvi, xvii.

[21] Guthrie, Donald, *New Testament Introduction,* 1990: p. 73,74; Bruce B. Barton et all. *Life Application Bible Commentary – Mark,* 1994: p. xvi.

[22] Hendriksen, William, *Marcos.* Editora Cultura Cristã. São Paulo, SP, 2003: p. 28,29.

[23] Wiersbe, Warren, *Be Diligent.* Victor Books. Wheaton, Illinois, 1987: p. 10.

[24] Twelftree, Graham H, *Jesus the Miracle Worker: A Historical and Theological Study.* Downers Grove. Illinois. InterVarsity, 1999: p. 57.

[25] POHL, Adolf, *Evangelho de Marcos.* Editora Evangélica Esperança. Curitiba, PR, 1998: p. 27,28.

[26] POHL, Adolf, *Evangelho de Marcos,* 1998: p. 29.

[27] HARRISON, Everett, *Introducción al Nuevo Testamento,* 1980: p. 181.

[28] POHL, Adolf, *Evangelho de Marcos,* 1998: p. 33.

[29] HENDRIKSEN, William, *Marcos.* Editora Cultura Cristã. São Paulo, SP, 2003: p. 31-32.

[30] GUTHRIE, Donald, *New Testament Introduction.* Intervarsity Press. Downers Grove. Illinois, 1990: p. 61.

[31] HARRISON, Everett, *Introducción al Nuevo Testamento,* 1980: p. 182.

[32] 1.1,9-11,21-34; 2.1-12,23-28; 3.7-12; 4.35-41; 5.1-20; 8.27-31; 9.1-13; 10.46-52; 11.1-19; 13.24-37; 14.32-42,60-65; 16.1-8.

[33] 1.40-45; 3.1-12; 7.31-37; 8.22-26, 34-38; 9.33-50; 10.13-45; 12.38-44; 14.17-26,32-50; 15.1-5,12-47.

[34] POHL, Adolf, *Evangelho de Marcos,* 1998: p. 34.

[35] BARTON, Bruce B, et all. *Life Application Bible Commentary – Mark,* 1994: p. 1.

[36] HENDRIKSEN, William, *Marcos,* 2003: p. 49.

[37] POHL, Adolf, *Evangelho de Marcos,* 1998: p. 41.

[38] MCGEE, J. Vernon, *Mark,* 1991: p. 18.

[39] HASTINGS, James, *The Great Texts of the Bible. St. Mark Vol. IX.* Erdmans Publishing Company. Grand Rapids, Michigan. N.d.: p. 17.

[40] TRENCHARD, Ernesto, *Una exposición del Evangelio según Marcos.* ELB. Madrid, 1971: p. 12.

[41] RYLE, John Charles, *Mark.* Crossway Books. Wheaton. Illinois, 1993: p. 2.

Capítulo 2

A legitimidade do ministério de Cristo

(Mc 1.2-11)

O evangelista Marcos inicia o evangelho de Cristo apresentando várias testemunhas que legitimaram seu ministério. O próprio Marcos foi a primeira testemunha. Depois, ele cita o testemunho dos profetas, de João Batista, bem como o testemunho do Pai e do Espírito Santo.[42]

Legitimado pelas Escrituras (1.2,3)

A legitimidade do ministério de Cristo é atestada pelas Escrituras de três formas:

Em primeiro lugar, *a vinda de Cristo foi prometida pelo próprio Deus* (1.2).

A vinda de Cristo não foi um acidente, mas um apontamento. Adolf Pohl diz que aonde Jesus chegava, o Antigo Testamento vinha com ele, pois quem não conhece o Antigo Testamento não pode conhecer a Jesus completamente.[43] John Charles Ryle afirma que o evangelho de Cristo é o cumprimento das Escrituras.[44]

Jesus não entrou no mundo por acaso nem de moto próprio. Sua vinda foi prometida, profetizada e preparada. Jesus foi prometido desde os tempos eternos. Ele foi anunciado no Éden (Gn 3.15). Os patriarcas falaram dele. Todos os profetas apontaram para ele. O Antigo Testamento anuncia sua vinda: nascimento, vida, morte, ressurreição e segunda vinda. O Novo Testamento descreve o seu nascimento, vida, ministério, morte, ressurreição, ascensão e o estabelecimento da sua igreja por meio dos apóstolos cheios do Espírito Santo. Tudo estava escrito e determinado.

Jesus está presente em todo o Antigo Testamento. Ele mesmo disse: *Examinais as Escrituras, porque julgais ter nelas a vida eterna, e são elas mesmas que testificam de mim* (Jo 5.39).

Em segundo lugar, *a vinda de Cristo foi profetizada por Isaías* (1.2,3). Isaías, o profeta palaciano, sete séculos antes de Cristo, anunciou o precursor do Messias: *Voz do que clama no deserto: Preparai o caminho do Senhor, endireitai as suas veredas* (1.3). Essa é uma citação de Isaías 40.3. Deus preparou o mundo para essa vinda: o mundo grego por intermédio da língua grega e da cultura helênica; o mundo romano por meio da *pax romana*, a abertura de estradas por todo o império, permitindo as viagens missionárias e o mundo judaico, mantendo viva a profecia e a esperança da chegada do Messias.

Em terceiro lugar, *a vinda de Cristo foi profetizada por Malaquias* (1.2). Marcos cita Isaías, mas menciona em primeiro lugar, a profecia dada por Malaquias: *Eis que envio diante da tua face o meu mensageiro, o qual preparará o teu caminho* (1.2). Embora Marcos faça a citação de dois profetas, ele menciona apenas Isaías, o mais popular dos dois.[45]

Essa profecia foi anunciada quatrocentos antes de Cristo (Ml 3.1). Malaquias foi o último profeta do Antigo Testamento. A geração apóstata do período pós-exílico questionava a promessa da vinda do Messias. Malaquias diz que o Senhor vai enviar o seu mensageiro, mas quando ele vier, trará juízo para os impenitentes. Warren Wiersbe diz que as palavras *mensageiro* e *voz* referem-se a João Batista, o profeta que Deus enviou para preparar o caminho para o seu Filho.[46]

Legitimado pelo precursor (1.4-6)

Destacamos três fatos sobre o precursor do Messias:

Em primeiro lugar, *a natureza do ministério do precursor.* O evangelista Marcos ressalta três fatos:

Primeiro, ele vai adiante do Senhor, abrindo o caminho (1.2). Como um emissário do rei, ele vai adiante removendo o lixo e os obstáculos do caminho, tapando os buracos da estrada para a chegada do Rei. Adolf Pohl diz que João Batista era o mestre-de-obras da construção de estradas espirituais.[47] Warren Wiersbe diz que nos tempos antigos, antes de um rei visitar qualquer parte do seu reino, um mensageiro era enviado para preparar o caminho. Isso incluía a reparação de estradas e a preparação do povo.[48] João Batista preparou o caminho do Senhor ao conclamar a nação ao arrependimento. Sua tarefa era preparar o coração das pessoas para receber o Messias, diz William Hendriksen.[49]

João Batista é um homem humilde, embora tenha sido proclamado por Jesus como o maior de todos os profetas (Mt 11.11). Ele se sente indigno de fazer o papel de um escravo, ou seja, desatar as correias das sandálias de Cristo (1.7). Ele sabe quem ele é e sabe quem é Jesus. Ele se põe no seu lugar e alegra-se com a exaltação daquele a quem veio preparar o caminho. Ele é como uma telefonista, só abre o caminho para você entrar em contato com a pessoa que deseja falar, quando essa pessoa entra no cenário, ele sai de cena.

João Batista claramente exaltou a Jesus e não a si mesmo (1.7; Jo 3.25-30). Ele reconheceu a superioridade de Cristo quanto à sua pessoa e quanto à sua missão.

Segundo, ele é voz que clama no deserto (1.3). João Batista, embora seja da classe sacerdotal, um levita, foi chamado por Deus para ser profeta. Ele não prega no templo nem nas praças da cidade santa para a elite judaica. Ele prega no deserto da Judeia, as terras ruins e ondulosas localizadas entre as montanhas e o mar Morto. Ele não é um eco, é uma voz. Ele é boca de Deus.

O deserto era o lugar onde o povo de Deus nasceu. Foi ali que recebeu a lei e a aliança, presenciou os milagres de Deus e usufruiu a sua direção.[50] Bruce Barton diz que João escolheu pregar no deserto por quatro razões: distanciar-se de qualquer distração, chamar a atenção do povo, romper com a hipocrisia dos líderes religiosos que preferiam o conforto em vez de fazer a obra de Deus e cumprir a profecia de Isaías.[51]

A palavra "clamar", *boaō,* significa clamar com profundo sentimento.[52] João Batista era uma tocha acesa. Ele pregava com paixão, com profundo senso de urgência.

Terceiro, ele prepara o caminho do Senhor (1.3). O trabalho de João Batista era preparar o caminho para Jesus. O verbo *preparar* está no imperativo, representando que João está falando como um general aos seus comandados.[53] João Batista faz quatro coisas importantes nessa preparação:

Ele aterra os vales. Um vale é uma depressão que separa dois montes. João Batista veio para unir o que estava separado. Ele veio para converter o coração dos pais aos filhos e o coração dos filhos aos pais.

Ele nivela os montes. Os montes falam de soberba e incredulidade. Esses montes são obstáculos no caminho. Eles precisam ser removidos pelo arado da Palavra de Deus.

Ele endireita os caminhos tortos. O caminho torto fala de vida dupla, de ausência de integridade. Deus não se contenta com aparência, com uma máscara. João Batista veio chamar a nação a uma volta sincera para Deus, mais do que simplesmente uma expressão vazia da religião.

Ele aplaina os caminhos escabrosos. Escabroso é tudo aquilo que está fora do lugar. João Batista veio para colocar as coisas certas e exortar as pessoas a acertarem suas vidas com Deus.

Em segundo lugar, *o conteúdo do ministério do precursor.* Duas verdades fundamentais são proclamadas por João Batista: a primeira delas é o batismo de arrependimento (1.4). O arrependimento é o portal do evangelho. O arrependimento tem dois lados: dar as costas ao pecado e voltar a face para Deus. O arrependimento implica mudança de comportamento. É voltar-se do pecado para Deus.

Não há boas notícias do evangelho para aqueles que permanecem em seus pecados. Deus nos salva do pecado e não no pecado. Só aqueles que choram pelos seus pecados as lágrimas do arrependimento podem alegrar-se com a dádiva da vida eterna. O batismo não oferece perdão; ele é um sinal visível que revela que a pessoa está arrependida e recebeu o perdão de Deus para os seus pecados.[54]

O batismo era acompanhado de confissão de pecados. Confessar é concordar com o veredicto de Deus sobre o pecado e expressar o propósito de abandoná-lo para viver para Deus.[55] William Barclay fala que os pecados devem ser confessados a três pessoas distintas: a si mesmo, àqueles a quem ofendemos e a Deus.[56]

O pecado deve ser confessado para si mesmo. Somente quem tem convicção de pecado pode fazer uma sincera confissão. É mais difícil enfrentar a nós mesmos que os outros. O filho pródigo disse: *Pai, pequei contra o céu e diante de ti; já não sou digno de ser chamado teu filho* (Lc 15.21). Davi disse: *O meu pecado está sempre diante de mim* (Sl 51.3).

O pecado deve ser confessado àqueles a quem ofendemos. É necessário eliminar as barreiras humanas antes que caiam as barreiras que nos separam de Deus.

O pecado deve ser confessado a Deus. O fim do orgulho é o princípio do perdão. Deus tem prazer na misericórdia, é rico em perdoar e não rejeita o coração quebrantado.

A segunda verdade anunciada por João Batista é a remissão de pecados (1.4). O verdadeiro arrependimento não é remorso nem introspecção doentia. Ele não produz doença emocional, mas redenção, libertação, perdão e cura. A palavra *remissão* traz a ideia de mandar embora e nos recorda a gloriosa promessa de que Deus perdoa os nossos pecados e os dissipa (Lv 16), afastando-os de nós como o oriente afasta-se do ocidente (Sl 103.12), desfazendo-os como a névoa (Is 44.22), lançando-os nas profundezas dos mares (Mq 7.18,19).[57]

Em terceiro lugar, *os resultados do ministério do precursor.* O primeiro resultado foi o impacto sobre as pessoas (1.5). O evangelista Marcos registra: *Saíam a ter com ele toda a província da Judeia e todos os habitantes de Jerusalém; e confessando os seus pecados, eram batizados por ele no rio Jordão* (1.5). A mensagem de João trouxe um profundo despertamento em toda a nação judaica.

Depois de quatrocentos anos de silêncio profético, a mensagem de João acordou a nação de sua sonolência espiritual e trouxe uma poderosa movimentação das multidões em toda a Palestina. A nação estava cansada com os grupos religiosos sem vida que existiam em Israel: fariseus, saduceus e essênios. Nesse cenário de desesperança política e religiosa, a Palavra de Deus veio a João. O próprio Jesus disse acerca de João: *Ele era a lâmpada que ardia e alumiava, e vós quisestes, por algum tempo, alegrar-vos com a sua luz* (Jo 5.35).

Ele não tinha títulos, diplomas ou outros atrativos aplaudidos pelo mundo, mas tinha o poder de Deus e a unção do Espírito. Apesar da sua inigualável popularidade, a ponto de atrair para o deserto toda a nação, parece--nos que poucas foram as pessoas realmente convertidas. Charles Ryle alerta-nos sobre o perigo de sermos iludidos pela popularidade e o perigo de confundirmos multidão congregada na igreja com genuína conversão. Ele diz que não é suficiente ouvir e admirar pregadores populares.

Ele acrescenta que não é prova de conversão adorarmos num lugar onde uma multidão se congrega. Devemos nos certificar de que estamos ouvindo a própria voz de Cristo e o seguindo.[58]

Por que João impactou as pessoas?

Primeiro, porque João viveu o que pregou. A vida do pregador fala mais alto do que sua mensagem. O sermão mais eloquente é o sermão da vida. João não era um eco, mas uma voz. João não era a luz, mas era como uma vela, brilhou com a mesma intensidade enquanto viveu. João era corajoso e denunciou o pecado na vida do povo, dos líderes religiosos, dos soldados e do rei.

Segundo, porque João era um homem humilde. Apesar de sua popularidade, ser primo de Jesus, ser o precursor do Messias, ele se considerava menos que um escravo, indigno de desatar-lhe as correias das sandálias.

Outro fato digno de mencionar é a centralidade da mensagem anunciada pelo precursor (1.3). A centralidade da mensagem de João era Jesus. Ele exaltou a Cristo. Apontou para Cristo. Revelou que ele era mais poderoso do que ele. Afirmou que Jesus é aquele que batiza com o Espírito Santo. William Hendriksen diz que João destacou a majestade superior de Jesus (1.7) e a atividade superior de Jesus (1.8). Entre João e Jesus havia uma diferença qualitativa semelhante à que existe entre o Infinito e o finito, o Eterno e o temporal, a Luz Original do sol e a luz refletida pela lua (Jo 1.15-17).[59]

Essa é a tarefa de todo fiel ministro: apontar para Jesus como o único que pode salvar e para o Espírito Santo como aquele que transforma o pecador.

Ressaltamos ainda a peculiaridade do mensageiro (1.4,6). João era um mensageiro estranho por três razões:

Em primeiro lugar, *por causa do lugar onde pregava*. Ele não pregava na cidade, no templo, nas praças, mas num lugar estranho, distante, inóspito, inadequado. Mesmo assim, as multidões afluíam de todos os lados para ouvi-lo.

Em segundo lugar, *por causa da sua dieta alimentar.* João Batista não era homem dado aos finos banquetes. Viveu longe dos holofotes. Era homem de hábitos frugais. Ele alimentava-se de gafanhotos e mel silvestre. Gafanhotos eram considerados alimentos limpos para os judeus (Lv 11.22).

Em terceiro lugar, *por causa da sua vestimenta.* João não usava roupas finas. Ele rompeu com o elitismo da classe sacerdotal, a aristocracia burocrática dos saduceus. Ele assemelhou-se ao profeta Elias. Para o seu tempo, ele era um homem de hábitos estranhos e não convencionais que destoavam do padrão.

Legitimado pelo seu próprio ministério

Destacamos três fatos auspiciosos:

Em primeiro lugar, *ele é poderoso* (1.7). Diante de Jesus, o maior de todos os homens sente-se indigno de desatar-lhe as correias das sandálias. Jesus tem a preeminência. Diante dele, todo joelho se dobra no céu, na terra e debaixo da terra. João Batista reconheceu: *Após mim vem aquele que é mais poderoso do que eu* (1.7). Ele tem poder sobre a natureza, os demônios, a enfermidade e a morte. Ele tem toda autoridade e todo o poder no céu e na terra.

Em segundo lugar, *ele batiza com o Espírito Santo* (1.8). João batizava com água, mas Jesus batiza com o Espírito. A água é apenas símbolo do Espírito. Só Jesus pode dar o

Espírito Santo. Jesus é o agente do batismo com o Espírito Santo. Ele foi para o Pai para derramar o Espírito.

O batismo com o Espírito Santo é visto como o batismo pelo Espírito no corpo de Cristo, conforme 1Coríntios 12.13 e isso é sinônimo de conversão.

O batismo com o Espírito Santo é visto também como capacitação de poder para testemunhar o evangelho. Esse batismo é distinto de conversão. Isso é o que ensina Lucas 3.16; 24.49; At 1.4-8.

Em terceiro lugar, *ele se identifica com os pecadores* (1.9). O batismo de João era batismo de arrependimento. Jesus veio de Nazaré da Galileia, a cidade rejeitada pelos judeus. Sua origem é o primeiro choque. Ele não vem da Judeia nem da aristocracia religiosa de Jerusalém.

Por que ele foi batizado se não tinha pecado pessoal?[60] Ele foi batizado por causa da natureza do seu ministério, porque identificou-se conosco e o Senhor fez cair sobre ele a iniquidade de todos nós (Is 53.6).

William Barclay diz que o batismo de Jesus nos ensina quatro verdades importantes, como seguem:[61]

Primeira, o batismo de Jesus foi o momento da decisão. Durante trinta anos, Jesus viveu como carpinteiro na cidade de Nazaré. Desde a infância, entretanto, tinha consciência da sua missão. Aos doze anos, já alertara José e Maria acerca da sua missão. Contudo, agora era tempo de agir e iniciar o seu ministério. Seu batismo foi o selo dessa decisão.

Segunda, o batismo de Jesus foi o momento da identificação. Jesus veio ao mundo como nosso representante e fiador. Ele se fez carne e habitou entre nós. Ele se fez pecado e maldição por nós. Ele tomou sobre si as nossas enfermidades e carregou sobre o seu corpo, no madeiro, os nossos pecados

(1Pe 2.24). Ele não foi batizado por pecados pessoais, mas pelos nossos pecados imputados a ele. Jesus foi batizado a fim de expressar sua identificação com o povo, diz Ernesto Trenchard.[62]

Terceira, o batismo de Jesus foi o momento da aprovação. Quando Jesus saiu da água, o céu se abriu, o Pai falou e o Espírito Santo desceu. Ali estava a Trindade referendando o seu ministério. O Pai afirma sua filiação e declara que em Jesus e na sua obra ele tem todo o seu prazer. A pomba deu o sinal do término do julgamento após o dilúvio na época de Noé. A pomba agora dá o sinal da vinda do Espírito Santo sobre Jesus, abrindo-nos o portal da graça.

Quarta, o batismo de Jesus foi o momento da capacitação. Nesse momento, o Espírito Santo desceu sobre ele. Ele foi cheio do Espírito Santo. Jesus como homem precisou ser revestido com o poder do Espírito Santo. Ele foi batizado com esse poder no Jordão. Ele foi guiado pelo Espírito Santo ao deserto. Ele retornou à Galileia no poder do Espírito Santo. Ele agiu no poder do Espírito na sinagoga. Ele foi ungido pelo Espírito para fazer o bem e curar todos os oprimidos do diabo (At 10.38).

Legitimado pelo Pai (1.9-11)

Duas gloriosas verdades são destacadas pelo evangelista Marcos:

Em primeiro lugar, *Jesus é o Filho amado do Pai* (1.11). A Trindade é gloriosamente revelada nesse texto. Quando o Filho identifica-se com o seu povo no batismo, o céu se abre, o Espírito Santo desce e o Pai fala.

O concílio de Niceia em 325 d.C., declarou que o Pai e o Filho são coiguais, coeternos e consubstanciais. Eles sempre tiveram plena comunhão na eternidade. Agora, no conselho da redenção, na eternidade, no pacto da graça, o Pai envia o Filho. O Filho se dispõe a fazer-se carne, a se despojar da sua glória, a assumir um corpo humano.

A grande mensagem de Marcos é mostrar a estupenda verdade de que o Filho de Deus entrou no mundo como servo e veio para dar sua vida pelos pecadores.[63] Jesus nasce pobre, num lar pobre, de uma mãe pobre, numa cidade pobre, para identificar-se com homens pobres. O Pai declara o seu amor pelo Filho, autentificando o seu ministério. A palavra "amado" não somente declara afeição, mas também traz a ideia de singularidade.[64] *O Pai ama ao Filho, e todas as cousas tem confiado às suas mãos* (Jo 3.35). A voz do céu proclama o inefável amor que existe entre o Pai e o Filho. A voz do céu aponta a completa aprovação do Pai à missão de Cristo como mediador e substituto.

Em segundo lugar, *Jesus é o Filho em quem o Pai tem todo o seu prazer* (1.11). Nem todo filho amado é o deleite do pai. Davi amava a Absalão e foi capaz de chorar na sua morte amargamente, mas Absalão não era o deleite do seu pai. Jesus era o deleite do Pai, não apenas o Amado do Pai. De acordo com o adjetivo verbal *agapētos* usado aqui, esse amor é profundamente estabelecido, bem como continuamente ativo.[65]

Notas do capítulo 2

[42] Wiersbe, Warren W., *Be Diligent,* 1987: p. 10-12.

[43] Pohl, Adolf, *Evangelho de Marcos,* 1998: p. 48.

[44] Ryle, John Charles, *Mark,* 1993: p. 2.

[45] Barton, Bruce B., et. all. *Life Application Bible Commentary. Mark,* 1994: p. 4.

[46] Wiersbe, Warren W., *Be Diligent,* 1987: p. 11.

[47] Pohl, Adolf, *Evangelho de Marcos,* 1998: p. 49.

[48] Wiersbe, Warren W., *Be Diligent,* 1987: p. 11.

[49] Hendriksen, William, *Marcos,* 2003: p. 52.

[50] Pohl, Adolf, *Evangelho de Marcos,* 1998: p. 49.

[51] Barton, Bruce B., et. all. *Life Application Bible Commentary. Mark,* 1994: p. 6,7.

[52] Barton, Bruce B., et. all. *Life Application Bible Commentary. Mark,* 1994: p. 5.

[53] Ibid.: p. 5.

[54] Barton, Bruce B., et. all. *Life Application Bible Commentary. Mark,* 1994: p. 9.

[55] Barton, Bruce B., et. all. *Life Application Bible Commentary. Mark,* 1994: p. 10.

[56] Barclay, William, *Marcos,* 1974: p. 24-25.

[57] Hendriksen, William, *Marcos,* 2003: p. 55.

[58] Ryle, John Charles, *Mark,* 1993: p. 3,4.

[59] Hendriksen, William, *Marcos,* 2003: p. 59.

[60] João 4.46; 2Coríntios 5.21; Hebreus 4.15; 1João 3.5.

[61] Barclay, William, *Marcos,* 1974: p. 28-30.

[62] Trenchard, Ernesto, *Una Exposición del evangelio según Marcos,* 1971: p. 19.

[63] Marcos 1.1,11; 3.11; 5.7; 9.7; 12.1-11; 13.22; 14.61,62; 15.39.

[64] Wiersbe, Warren W., *Be Diligent,* 1987: p. 12.

[65] Hendriksen, William, *Marcos,* 2003: p. 63,64.

Capítulo 3

A tentação de Jesus

(Mc 1.12,13)

O EVANGELISTA MARCOS, nos primeiros onze versículos do capítulo primeiro, fala-nos sobre dois pontos importantes: as credenciais de Jesus e sua preparação. O ministério de Cristo foi confirmado pelas Escrituras, pelos profetas, pelo precursor, pelos seus próprios predicados e pelo Pai. Contudo, antes de Jesus começar efetivamente o seu ministério, foi conduzido pelo Espírito ao deserto para vencer o diabo.

Vejamos algumas verdades importantes sobre a tentação de Jesus:

A ocasião (Mc 1.12)

Marcos inicia, dizendo: *E logo o Espírito o impeliu para o deserto* (1.12). Esta expressão "e logo" *kai euthys* é uma das grandes palavras de Marcos. Ele a usa 41 vezes.[66] Não houve nenhum intervalo entre a glória do batismo de Cristo e a dureza da sua tentação. Jesus vai repentinamente do sorriso aprovador do Pai para as ciladas do maligno.[67] Jesus saiu da água do batismo para o fogo da tentação.[68] Jesus passou imediatamente da glória do batismo à prova da tentação.[69] Consagração e provação foram os dois elementos da inauguração do ministério de Jesus.[70] A tentação não foi um acidente, mas um apontamento. Não houve nenhuma transição entre o céu aberto do Jordão e a escuridão medonha do deserto. A vida cristã não é uma colônia de férias, mas um campo de batalhas. O fato de sermos filhos de Deus não nos isenta das provas, mas, às vezes, nos empurra para o centro delas.

A tentação de Jesus estava no plano eterno de Deus. No Jordão, o Pai testificou a seu respeito e ficou provado que ele era o Filho de Deus, mas no deserto, ele foi tentado para provar que era o homem perfeito. No Jordão, ele identificou-se com o homem a quem veio salvar. Mas no deserto, ele provou que podia salvar o homem, porque ali triunfou sobre o diabo.

A plenitude do Espírito e o agrado do Pai não são garantias de uma vida fácil nem um salvo-conduto para a comodidade. Em vez da unção do Espírito e o agrado do Pai o levar para uma vida palaciana, levou-o para o deserto da tentação. Muitas vezes, a vontade do Espírito de Deus nos conduzirá como conduziu a Jesus, para os lugares que nós precisamos ir, muito embora eles possam ser lugares perigosos.[71] Não obstante, esses lugares são o palco das nossas maiores vitórias.

O agente (Mc 1.12)

O Espírito Santo foi quem impeliu Jesus a ir ao deserto para ser tentado. William Hendriksen diz que podemos substituir a tradução "impeliu", *ekbállei,* por: encheu-o com uma grande urgência, moveu-o.[72] Esta palavra é extremamente forte. Ela foi usada onze vezes por Jesus para expelir os demônios (1.34,39).[73] Não devemos, com isso, pensar que Jesus estava relutante, mas que estava intensamente determinado a ir em consonância com a direção do Espírito.[74]

J. R. Thompson diz que o mesmo Espírito que desceu sobre Jesus como uma pomba, agora o impele para o deserto, com o impulso de um leão, na força das asas de uma águia para ser tentado. O propósito dessa batalha espiritual era para que Jesus não apenas tivesse a natureza humana, mas também a experiência humana.[75] O propósito era que ele fosse não apenas o nosso modelo, mas o nosso refúgio e consolador. O autor aos Hebreus esclarece:

> Por isso mesmo, convinha que, em todas as cousas, se tornasse semelhante aos irmãos, para ser misericordioso e fiel sumo sacerdote nas cousas referentes a Deus e para fazer propiciação pelos pecados do povo. Pois, naquilo que ele mesmo sofreu, tendo sido tentado, é poderoso para socorrer os que são tentados [...] foi ele tentado em todas as cousas, à nossa semelhança, mas sem pecado. Acheguemo-nos, portanto, confiadamente, junto ao trono da graça, a fim de recebermos misericórdia e acharmos graça para socorro em ocasião oportuna.[76]

É importante observar que a iniciativa da tentação foi do próprio Deus. Não é propriamente Satanás quem está atacando Jesus, é Jesus quem está invadindo o seu território. Jesus é quem está empurrando as portas do inferno. Jesus está atacando o dono da casa (3.27). Adolf Pohl diz que o Reino de Deus não pode vir a não ser com confronto, pois não penetra em espaço sem dono. Satanás é perturbado em seu covil, e ele não fica sem reagir. Mas nessa reação, ele é fragorosamente derrotado.[77]

Essa tentação não foi arranjada por Satanás, mas apontada pelo próprio Espírito de Deus. Jesus foi guiado ao deserto não por uma força maligna, mas conduzido pelo Espírito Santo. Se o diabo pudesse ter escapado daquele combate, certamente o faria. Ali no deserto foi lavrada sua derrota. A iniciativa dessa tentação, portanto, não foi de Satanás, mas do Espírito Santo.[78] A tentação de Jesus fazia parte do plano e propósito de Deus, visto que antes de Jesus iniciar seu ministério ele precisava apresentar a credencial de um vencedor.

A tentação de Jesus não procedia de dentro dele, da sua mente, mas totalmente de fora, da insuflação de Satanás.[79] Jesus em tudo foi semelhante a nós, exceto no pecado. Nós somos tentados por nossa cobiça (Tg 1.14). Quando Satanás sussurra em nossos ouvidos uma tentação, um desejo interior nos aguça a dar ouvido a essa tentação. A cobiça, dessa forma, nos atrai e seduz e nos leva a cair na tentação. Com Cristo não aconteceu assim, pois o incentivo interior ao mal, ou o desejo para cooperar com a voz tentadora, não existia, diz William Hendriksen.[80] A tentação de Jesus não procedia de Deus, porque ele a ninguém tenta nem procedia de dentro dele, porque não tinha pecado pessoal.

O espírito Santo conduziu Jesus ao deserto para ser tentado porque o deserto da prova seria transformado no campo da vitória.

Nós não devemos procurar a tentação, pensando que ela seja o propósito de Deus para nós, antes devemos orar: *Não nos deixes cair em tentação* (Mt 6.13). Todos os evangelhos mostram que Jesus não procurou a tentação, mas foi conduzido a ela pelo Espírito. Jesus não foi compelido contra sua vontade, ele foi conduzido pelo Espírito porque esta era a vontade do Pai.[81] Deus tem um único Filho sem pecado, mas nenhum filho sem tentação.[82]

O tentador (1.13)

Satanás não é um ser mítico e lendário, ele não é uma ideia subjetiva nem uma energia negativa. Ele é um anjo caído, um ser maligno, perverso, assassino, ladrão e mentiroso. Ele é a antiga serpente, o dragão vermelho, o leão que ruge, o destruidor, o deus deste século, o príncipe da potestade do ar, o espírito que atua nos filhos da desobediência. Esse ser maligno age sem trégua procurando, por todos os meios, atingir a todas as pessoas, em todos os lugares, em todos os tempos. Seu grande alvo é perseguir o amado Filho de Deus e sua noiva, a igreja. Sua obsessão é frustrar o soberano propósito de Deus.

Esse arqui-inimigo foi quem tentou Adão e Eva no jardim e os persuadiu a pecar. Foi ele quem tentou Jesus no deserto e foi derrotado. O primeiro Adão fracassou num jardim, o último Adão triunfou no deserto.[83] O verbo "sendo tentado", *peirazómenos,* descreve uma ação contínua, visto que Jesus foi tentado durante os quarenta dias.[84]

Depois de derrotado por Jesus no deserto, Satanás mudou de tática, mas não arriou suas armas (Lc 4.11).

O conteúdo

Marcos, pela celeridade de seu registro e laconicidade de suas palavras, não nos informa acerca do conteúdo da tentação. Adolf Pohl diz que em Marcos não vemos Jesus envolvido numa luta, como em Mateus e Lucas, mas como vitorioso.[85] Contudo, os outros evangelhos sinóticos, Mateus e Lucas, nos colocam a par de que foram três as setas principais do diabo na tentação:

A primeira tentação *apelou para as necessidades físicas.* Jesus estava jejuando havia quarenta dias. Seu corpo ficou debilitado e a fome o castigava. Satanás propôs a Jesus usar seu próprio poder para satisfazer sua necessidade, ou seja, fazer uma coisa boa, de um modo errado: mitigar a fome atendendo à voz do diabo. Satanás pôs em dúvida a bondade e a providência de Deus, abrindo-lhe outro caminho para atender a suas necessidades imediatas. Ele tentou a Jesus no ponto fraco, a fome e no ponto forte, a consciência de sua filiação divina. Jesus triunfa sobre Satanás, citando as Escrituras e dizendo que não só de pão vive o homem, mas de toda a palavra que procede da boca do Senhor (Dt 8.3).

A segunda tentação *apelou para o orgulho espiritual.* Na primeira tentação, Satanás tentou induzir Jesus a desconfiar da providência de Deus; na segunda, tentou levá-lo à presunção, à confiança falsa e temerária na proteção divina.[86] Satanás tentou induzir Jesus a pular do pináculo do templo para ser sustentado pelos anjos. Satanás torceu o sentido do texto bíblico e omitiu outra parte. Ele usou a Bíblia para tentar a Jesus.

A terceira tentação *apelou para a ambição e o amor ao poder*. Satanás percebeu que Jesus estava focado no Reino de Deus. Então, lhe ofereceu um reino sem cruz, desde que Jesus o adorasse. Jesus rebateu-o fortemente, empunhando a adaga do Espírito, citando as Escrituras, dizendo que só Deus é digno de ser adorado.

As circunstâncias

Destacamos cinco fatores hostis que Jesus enfrentou nessa tentação:

Em primeiro lugar, *o deserto*. O deserto para onde Jesus foi enviado era mais desconfortável, severo e agressivo do que o mencionado no versículo 4, diz William Hendriksen.[87] Era o deserto de Jericó, um lugar ermo, cheio de montanhas e cavernas, de areias escaldantes durante o dia e frio gélido à noite.[88] O deserto era um lugar de desolação e solidão. Os grandes homens caíram não em lugares ou momentos públicos, mas na arena da solidão e nos bastidores dos lugares secretos. O deserto é o lugar das maiores provas e também das maiores vitórias. O deserto é o campo de treinamento de Deus.

Em segundo lugar, *a permanência no deserto durante quarenta dias*. O número quarenta é o número da provação.[89] Quarenta dias durou o dilúvio (Gn 7.12), o jejum de Moisés no Sinai (Êx 34.28), a caminhada de Elias até o Horebe (1Rs 19.8). Quarenta anos Israel permaneceu no deserto (Sl 95.10). Quarenta dias Jesus foi tentado por Satanás no deserto (1.13). O texto de Marcos evidencia que

Jesus foi tentado durante os quarenta dias, o tempo todo.[90] Foi uma tentação sem pausa, sem trégua. O adversário usou todo o seu arsenal, todas as suas armas, todos os seus estratagemas para afastar Jesus da sua missão. Jesus não foi tentado dentro do templo nem em seu batismo, mas no deserto, onde estava cansado, sozinho, com fome e esgotado fisicamente. O diabo sempre procura nos atacar quando estamos vulneráveis, quando estamos passando por estresse físico ou emocional.[91]

Em terceiro lugar, *a solidão.* Jesus saiu de um lugar público, cercado por uma multidão, onde viu o céu aberto, experimentou o revestimento do Espírito Santo e ouviu a doce voz do Pai confirmando sua filiação e afeição e foi compelido a ir para um lugar solitário, onde lhe faltou a doce companhia de um amigo, a palavra encorajadora de alguém na hora da tentação. Jesus sempre teve fome de comunhão com seus discípulos. Ele os designou para estarem com ele (3.14). Jesus sempre viveu no meio da multidão, ele tinha cheiro de gente. Contudo, agora, está sozinho, mergulhado na mais profunda solidão.

Em quarto lugar, *a fome.* Jesus orou e jejuou durante quarenta dias (Mt 4.2; Lc 4.2). Suas forças físicas estavam estioladas. Seu corpo debilitado. Seu estômago vazio. A fome fazia latejar todo o seu corpo. Os efeitos físicos provocados por um jejum prolongado de quarenta dias são indescritíveis. Todo o corpo entra em profunda agonia.

Em quinto lugar, *as feras.* Aquele deserto era um lugar onde viviam hienas, lobos, serpentes, chacais, panteras e leões. William Hendriksen diz que a região onde Jesus jejuou e foi tentado constituía um cenário de abandono e perigo, um meio ambiente completamente oposto ao

Paraíso, onde o primeiro Adão foi tentado.[92] Feras perigosas agravavam ainda mais esse tempo de prova. Não apenas no reino espiritual Jesus estava sendo tentado, mas o reino animal também conspirava contra ele. Possivelmente, Satanás tentou Jesus pelo medo e urgente desejo de voltar à civilização. É digno mencionar que Adão e Eva caíram num jardim, onde todas as suas necessidades eram supridas e todos os animais eram dóceis. Jesus triunfou sobre o diabo num deserto, onde todas as suas necessidades não estavam supridas e todos os animais eram feras.[93]

O propósito

Por que o Espírito Santo impeliu Jesus ao deserto para ser tentado? Qual era o propósito? O Espírito impeliu Jesus ao deserto, onde Deus o colocou à prova, não para ver se ele estava pronto, mas para mostrar que ele estava pronto para realizar sua missão.[94] O propósito da tentação, visto pelo ângulo de Deus, não é nos fazer cair, mas nos fortalecer; não visa nossa ruína, mas nosso bem, diz William Barclay.[95] Quais são os propósitos da tentação de Jesus?

Em primeiro lugar, *Jesus foi tentado para provar sua perfeita humanidade.* Porque Jesus era perfeitamente homem, ele foi realmente tentado. Suas tentações foram reais. Ele se tornou semelhante a nós em todas as coisas, exceto no pecado (Hb 2.17). Ele foi tentado em todas as coisas, à nossa semelhança, mas sem pecado (Hb 4.15). Jesus não foi tentado para revelar-nos a possibilidade de pecar, mas para provar-nos sua vitória sobre o diabo e o pecado.

Em segundo lugar, *Jesus foi tentado para ser o nosso exemplo.* Jesus nos socorre em nossas fraquezas porque conhece o que passamos e também porque venceu as mesmas tentações que nos assediam. Assim, ele pode compadecer-se de nós.

Em terceiro lugar, *Jesus foi tentado para derrotar o diabo.* Lutamos contra um inimigo derrotado. Jesus já triunfou sobre ele. O evangelho de Marcos apresenta o rei vitorioso sobre a natureza, o diabo, as enfermidades e a morte. Porque Jesus venceu Satanás, podemos cantar enquanto lutamos.

As armas da vitória

Jesus, no Jordão, foi revestido com o Espírito Santo e conduzido por ele ao deserto, onde venceu Satanás. Quais foram as armas que ele usou nesse embate para ter a vitória?

Em primeiro lugar, *a oração.* A razão da vitória de Jesus estava na sua intimidade com o Pai. O que leva as pessoas à derrota não é a presença do inimigo, mas a ausência de Deus. Se estamos na presença do Pai, triunfamos sobre o inimigo. Jesus transformou o deserto da tentação em jardim da comunhão. Quando oramos, prevalecemos.

Em segundo lugar, *o jejum.* Jesus iniciou o seu ministério terreno com quarenta dias de oração e jejum. Quem jejua tem saudade de Deus e nele se deleita. O jejum tira os nossos olhos das outras coisas e nos faz concentrar em Deus. O jejum transformou a aridez do deserto num jardim de oração. Jejum é fome de Deus, é desespero por Deus. O apóstolo Paulo diz que nós comemos e jejuamos para a glória de Deus (1Co 10.31). Se comemos e jejuamos para a glória de Deus, qual é a diferença entre comer e jejuar? É que quando comemos, alimentamo-nos do pão da terra, o símbolo do pão do céu; mas quando jejuamos, alimentamo-nos do próprio Pão do céu. Charles Spurgeon diz que os tempos mais gloriosos vividos pela sua igreja em Londres foram nos períodos que a igreja se dedicou à oração e ao jejum.[96]

Em terceiro lugar, *a Palavra de Deus.* Jesus triunfou sobre o diabo com a espada do Espírito, a Palavra de Deus. Ele rebateu todas as tentações com a Palavra: Está escrito! Vivemos hoje o drama do analfabetismo bíblico. Crentes ignorantes são presas fáceis do diabo. Vivemos ainda o drama da substituição da Palavra pelo misticismo sincrético. Muitos crentes estão usando armas fabricadas pelo próprio homem, armas carnais e não aquelas que são poderosas em Deus para destruir fortalezas e anular sofismas (2Co 10.4).

A vitória sobre a tentação

A vitória de Jesus sobre a tentação revela-nos alguns pontos importantes:

Em primeiro lugar, *Jesus venceu a tentação por causa do seu caráter santo.* O príncipe deste mundo veio, mas nada tinha com ele. Robert McCheyne diz que um homem piedoso é uma poderosa arma nas mãos de Deus.[97]

Em segundo lugar, *Jesus venceu a tentação por uma resoluta e determinada resistência.* A Palavra de Deus ensina: *Resisti ao diabo, e ele fugirá de vós* (Tg 4.7). Não podemos deixar brechas em nossa vida nem abrigar pecado em nosso coração, se quisermos vencer essa batalha espiritual.

Em terceiro lugar, *Jesus venceu a tentação porque conhecia a Palavra de Deus.* Satanás venceu Eva no jardim, porque torceu a Palavra de Deus e ela não se acautelou. Satanás citou a Bíblia para Jesus e novamente ele torceu o texto do Salmo 91, mas Jesus o retrucou e o venceu dando a verdadeira interpretação das Escrituras. O diabo é um mau exegeta. Ele torce a Palavra. A Palavra de Deus na boca do diabo é palavra do diabo e não Palavra de Deus.

Em quarto lugar, *Jesus resistiu ao diabo e foi servido pelos anjos.* O ministério dos anjos é algo glorioso na vida de Jesus. Eles anunciaram o seu nascimento, serviram-no na sua tentação. Confortaram-no em sua agonia. Os anjos serviram a Jesus do seu nascimento à sua agonia, da sua agonia à sua ressurreição e ascensão.[98]

Embora os evangelhos não mencionem o tipo de serviço que foi executado pelos anjos, podemos inferir que esse serviço, *diekónoun,* incluiria provisão para a nutrição do corpo.[99] Adolf Pohl é mais enfático: "Servir aqui indica trazer alimento (1.31), não ajuda na luta. É tema para o fim do jejum. Ficamos, então, com o quadro do paraíso. Os anjos colocaram de lado as espadas desembainhadas de Gênesis 3.24 e trazem ao novo Adão as provisões do Pai celestial".[100] J. R. Thompson diz que os anjos serviram uma mesa para Jesus no deserto.[101] Eles devem ter sido os garçons de Jesus no deserto.

De acordo com Mateus 4.11, o serviço dos anjos foi prestado a Jesus depois que o diabo foi completamente derrotado. John Henry Burn diz que há conexão entre os três mundos: terra, céu e inferno estão mais próximos do que imaginamos. Devemos nos regozijar na onipotência do Pai, no socorro do Filho, na direção do Espírito e no ministério desses amigos invisíveis (Hb 1.14) a fim de banirmos todo medo dos nossos inimigos espirituais.[102]

Concluindo, podemos tirar algumas lições práticas:

Em primeiro lugar, *todo cristão deve esperar tempos de prova.* Deus nos prova, Satanás nos tenta. Satanás busca nos destruir, Deus nos edificar.

Em segundo lugar, *todo cristão deve estar atento aos diversos métodos de Satanás.* Satanás usou diversos estratagemas para tentar Jesus. Devemos ficar atentos às ciladas do diabo. Ele conhece os nossos pontos vulneráveis, bem como os nossos pontos fortes. Ele explora ambos.

Em terceiro lugar, *todo cristão deve acautelar-se acerca da perseverança de Satanás.* Ele tentou Jesus durante quarenta dias. Mesmo depois de derrotado em todas as investidas, voltou com outras armas em outras ocasiões.

Em quarto lugar, *todo cristão precisa estar preparado para os dias de provas.* Jesus estava cheio do Espírito e foi guiado pelo Espírito. Ele estava se deleitando no amor do Pai e tinha comunhão com o Pai pela oração e jejum, mas tudo isso não o isentou da tentação.

Em quinto lugar, *todo cristão deve buscar em Jesus exemplo e socorro na hora das tentações.* Jesus foi tentado em todas as coisas, à nossa semelhança, por isso Ele pode nos entender e nos socorrer.

Em sexto lugar, *todo cristão precisa compreender que Deus não nos permite sermos provados além das nossas forças.* Temos uma gloriosa promessa em relação às tentações de toda sorte: *Não vos sobreveio tentação que não fosse humana; mas Deus é fiel e não permitirá que sejais tentados além das vossas forças; pelo contrário, juntamente com a tentação, vos proverá livramento, de sorte que a possais suportar* (1Co 10.13).

Em sétimo lugar, *todo cristão precisa resistir ao diabo.* Devemos, também, seguir a orientação de Jesus: *Vigiai e orai para que não entreis em tentação* (Mt 26.41). De semelhante modo, Tiago nos exorta: *Resisti ao diabo, e ele fugirá de vós* (Tg 4.7).

Notas do capítulo 3

[66] Hastings, James, *The Great Texts of the Bible. Mark. Vol. 9.* nd.: p. 22.

[67] Hendriksen, William, *Marcos.* 2003: p. 66.

[68] Burn, John Henry, *The Preacher's Complete Homiletic Commentary in the Gospel according to St. Mark.* Baker Books. Grand Rapids, Michigan, 1996: p. 15.

[69] Gioia, Egidio, *Notas e Comentários à Harmonia dos Evangelhos.* JUERP. Rio de Janeiro, RJ, 1969: p. 51.

[70] Thompson, J. R, *The Pulpit Commentary – Mark and Luke.* Vol. 16. Eerdmans Publishing Company. Grand Rapids, Michigan, 1980: p. 12.

[71] Barton, Bruce B, et. all. *Life Application Bible Commentary – Mark,* 1994: p. 17.

[72] Hendriksen, William, *Marcos,* 2003: p. 67.

[73] Wiersbe, Warren W, *Be Diligent,* 1987: p. 13.

[74] Barton, Bruce B, et. all. *Life Application Bible Commentary – Mark,* 1994: p. 18.

[75] Simpson, J. R, *The Pulpit Commentary. Mark and Luke.* Vol. 16, 1980: p. 12.

[76] Hebreus 2.17,18; 4.15,16.

[77] Pohl, Adolf, *Evangelho de Marcos,* 1998: p. 61.

[78] HASTINGS, James, *The Great Texts of the Bible. Mark. Vol. 9.* nd.: p. 24.

[79] GIOIA, Egidio, *Notas e Comentários à Harmonia dos Evangelhos.* JUERP. Rio de Janeiro, RJ, 1969: p. 51.

[80] HENDRIKSEN, William, *Marcos,* 2003: p. 66.

[81] HASTINGS, James, *The Great Texts of the Bible. Mark. Vol. 9.* nd.: p. 27-28.

[82] BURN, John Henry, *The Preacher's Complete Homiletic Commentary on the Gospel according St. Mark,* 1996: p. 20.

[83] TRENCHARD, Ernesto, *Una exposición del evangelio según Marcos,* 1971: p. 21.

[84] BARTON, Bruce B, et all. *Life Application Bible Commentary. Mark,* 1994: p. 19.

[85] POHL, Adolf, *Evangelho de Marcos,* 1998: p. 60.

[86] GIOIA, Egidio, *Notas e Comentários à Harmonia dos Evangelhos,* 1969: p. 53.

[87] HENDRIKSEN, William, *Marcos,* 2003: p. 67.

[88] BURN, John Henry, *The Preacher's Complete Homiletic Commentary on the Gospel according St. Mark,* 1996: 15.

[89] POHL, Adolf, *Evangelho de Marcos,* 1998: p. 61.

[90] MCGEE, J. Vermon, *Mark,* 1991: p. 22.

[91] BARTON, Bruce B, et. all. *Life Application Bible Commentary. Mark,* 1994: p. 18.

[92] HENDRIKSEN, William, *Marcos,* 2003: p. 69.

[93] BARTON, Bruce B, et all. *Life Application Bible Commentary. Mark,* 1994: p. 20.

[94] BARTON, Bruce B, et all. *Life Application Bible Commentary. Mark,* 1994: p. 19.

[95] BARCLAY, William, *Marcos.* 1974: p. 31.

[96] PIPER, John, *A Hunger for God.* Crossway Books. Wheaton, Illinois, 1997: p. 52.

[97] BONAR, Andrew, *Memoirs of McCheyne.* Chicago, Illinois. Moody Press, 1978: p. 95.

[98] THOMPSON, J. R, *The Pulpit Commentary. Mark and Luke.* Vol. 16, 1980: p. 13.

[99] HENDRIKSEN, William, *Marcos,* 2003: p. 70.

[100] POHL, Adolf, *Evangelho de Marcos,* 1998: p. 62.

[101] THOMPSON, J. R, *The Pulpit Commentary. Mark and Luke.* Vol. 16, 1980: p. 13.

[102] BURN, John Henry, *The Preacher's Complete Homiletic Commentary on the Gospel according St. Mark,* 1996: p. 20.

Capítulo 4

A pregação de Jesus Cristo

(Mc 1.14,15)

A PREGAÇÃO É A OBRA mais importante que se pode fazer no mundo. Nenhum trabalho pode ser mais primordial e mais urgente do que a pregação. Jesus Cristo, o Filho de Deus, fez-se carne e tornou-se um pregador, e para isso foi que ele veio ao mundo (1.14,15; 1.38).

Jesus não apenas foi pregador, mas o pregador modelo. Aprendemos com ele pela pedagogia do seu ensino, pela grandeza dos seus temas, e pelo exemplo da sua vida. Jesus não foi um alfaiate do efêmero, mas um escultor do eterno. Ele não pregou banalidades, mas o evangelho de Deus. Ele não pregou para entreter as pessoas, mas para salvá-las.

A pregação é a maior necessidade da igreja e do mundo.

A pregação é o instrumento usado por Deus para chamar os pecadores

A fé vem pela pregação, e a pregação pela palavra de Cristo (Rm 10.17). Isso revela a supremacia da Palavra e a primazia da pregação. Devemos pregar não sobre a Palavra, mas a Palavra (2Tm 4.2). A Palavra é o conteúdo da mensagem e a autoridade do mensageiro. Deus não tem nenhum compromisso com a palavra do pregador, mas com a sua própria Palavra. Esta não volta vazia!

A pregação de Jesus constitui-se modelo para a pregação em todos os tempos

Jesus começa o seu ministério pregando. Ele é conhecido como pregador. Sua pregação deve nos inspirar e também nos servir de paradigma. Marcos 1.14,15 fala sobre quatro verdades básicas acerca da pregação de Jesus: a ocasião, o lugar, o seu tema geral e seu conteúdo particular.[103]

A ocasião da sua pregação

A pregação foi precedida de adequado preparo. Jesus só iniciou o seu ministério de pregação depois que foi revestido com o Espírito Santo e confirmado pelo Pai (1.10,11). Não há pregação sem capacitação divina. O próprio Filho de Deus não abriu mão do revestimento do Espírito Santo. Ele recebeu o Espírito no Jordão (1.10), foi conduzido pelo Espírito ao deserto (1.12). Retornou à Galileia no poder do Espírito Santo (Lc 4.14). Levantou--se na sinagoga de Nazaré afirmando que o Espírito do Senhor estava sobre ele

(Lc 4.16-18). Realizou todo o seu ministério sob a unção do Espírito (At 10.38).

Porém, Jesus também só iniciou a sua pregação depois que triunfou sobre o diabo no deserto (1.12,13). Jesus entrou no covil do inimigo, tirou-lhe a armadura, triunfou sobre ele e agora enceta de forma vitoriosa o seu ministério de pregação. Aqueles que querem ter um ministério de pregação precisam da unção do Espírito, a aprovação do Pai, o conhecimento da Palavra e a vitória sobre Satanás.

A pregação de Jesus evidencia que ele evitou embates desnecessários. A sabedoria determinou a estratégia de Jesus.[104] Ele deixou a Judeia depois da prisão de João para não entrar em disputas políticas que pudessem desviar o foco do seu ministério. Ele não entrou em conflito com as forças religiosas e políticas que certamente se levantariam contra ele na Judeia.

A jornada para a Galileia, na verdade, foi uma retirada estratégica da Judeia, onde o clima tenso acerca da prisão de João e o ciúme crescente dos fariseus ao levantamento do novo pregador renderiam a ele um perigoso e desnecessário confronto naquela época (Jo 4.1-3).[105]

William Hendriksen coloca essa retirada tática de Jesus para a Galileia nas seguintes palavras:

> Jesus sabia que a sua grande popularidade na Judeia provocaria um grande ressentimento nos líderes religiosos dos judeus, e que isso, no curso natural dos acontecimentos, provocaria uma crise prematura. Tão logo chegasse o momento apropriado para sua morte, Jesus, voluntariamente, entregaria sua vida (Jo 10.11,14,15,18;13.1). Ele

> faria isso quando o momento chegasse, mas não antes disso.[106]
>
> Embora a Galileia estivesse sob a jurisdição de Herodes Antipas, sua missão na Galileia não o exporia à interferência do tetrarca (Mc 6.14; Lc 13.31; 23.8). Era Jerusalém, e não a Galileia, que derramava o sangue dos profetas. Certamente, Jerusalém não toleraria a sua pregação. Então, Jesus busca um campo melhor para iniciar seu ministério de pregação (Jo 4.45).[107]

A pregação de Jesus começa após o seu precursor cumprir cabalmente o seu papel. João Batista foi levantado por Deus para cumprir um papel específico, preparar o caminho do Messias (1.2-40). Feito o seu trabalho, ele saiu de cena (Jo 3.22-30). Ele não era a luz. Ele não era o noivo. Ele não era o Cristo. João Batista disse acerca de Jesus: *Convém que ele cresça e que eu diminua* (Jo 3.30). Quando a voz de João cessou de ribombar no deserto, Jesus levantou a sua. O homem é imortal até terminar sua carreira e a missão que Deus lhe confiou. Nenhum poder na terra nem no inferno pode calar a voz daquele a quem Deus levanta até que os soberanos desígnios de Deus sejam cumpridos.

É importante destacar que o maior profeta, o precursor do Messias fecha as cortinas do seu ministério numa prisão, onde é degolado. O maior dos apóstolos termina o seu ministério numa masmorra, onde é decapitado. O próprio Jesus, o maior de todos os pregadores, é condenado à morte e morte de cruz. O pregador não ocupa uma posição popular, ele entra no covil do diabo e arromba as portas do inferno.

O lugar da sua pregação

Jesus evita os holofotes ou conflitos humanos. Possivelmente, qualquer pregador famoso gostaria de iniciar sua cruzada de pregação pela grande capital religiosa do mundo, a monumental cidade de Jerusalém.

Lá estava a sagrada história do povo de Deus, ali era o palco central da religião. Nesse lugar, Salomão levantou o magnificente templo. Lá, um novo templo fora reerguido por Zorobabel e embelezado por Herodes, e era onde os sacerdotes oficiavam cultos esplêndidos. Lá, estavam os zelosos fariseus, os cultos escribas e a aristocracia saduceia.

Em Jerusalém, estavam as lembranças mais doces e as mais amargas, e as emoções pulsavam mais forte. Jerusalém era o berço e palco dos profetas, reis, cantores, sacerdotes, bem como dos grandes atos libertadores de Deus. Aquele lugar era a morada de Deus. Era a cidade do grande rei, onde estava o decantado monte Sião, era a morada de Deus.

Atenas podia ser famosa pela sua cultura, Roma pelo seu poder, mas Jerusalém era a cidade da fé, o palco dos avivamentos, o berço das esperanças mais elevadas do povo da promessa.[108] Tudo levava a crer que Jerusalém seria a plataforma do ministério de Jesus, seu púlpito predileto, de onde proferiria seus sábios e poderosos sermões.

No entanto, Jesus se esquivou dos holofotes e também dos conflitos políticos e dos ciúmes religiosos. Ele, sabiamente, descartou qualquer situação que pudesse desviar o foco da sua missão. Não que ele temesse os conflitos ou se acovardasse de enfrentá-los. Ele marchou na direção deles na hora oportuna, no tempo de Deus. O que Jesus nos ensina é que nós não devemos antecipar crises nem desviar-nos da nossa meta. Ele nos ensina que não devemos alimentar o pecado humano, promovendo ciúmes e contendas desnecessariamente.

Jesus emboca seu ministério para uma região desprezada. A Galileia era considerada uma região de trevas. Era chamada Galileia dos gentios. Era terra de gente pobre, desprezada, enferma, possessa. Galileia era um lugar atrasado, o fim do mundo, longe dos holofotes da fama. Os preconceituosos chegavam a pensar que nada de bom poderia proceder dessa região (Jo 1.46).

Adolf Pohl diz que da perspectiva da cidade santa, esta Galileia – ainda mais separada pela Samaria semipagã – devia parecer uma ilha judaica sem esperança em meio às trevas pagãs (Mt 4.15).[109] Galileia ainda era o berço dos zelotes revoltosos. Quando Herodes ocupou o trono, no ano 39 a.C., a região já era um foco de distúrbios havia gerações (Lc 13.1-5). Foi nesse berço de trevas, conflitos, preconceitos e paganismo que o evangelho começou a ser proclamado.

Cafarnaum, na Galileia, tornou-se o quartel-general de Jesus durante os anos do seu ministério. Bruce Barton sugere três razões porque Jesus deixou Nazaré para instalar-se em Cafarnaum: Primeiro, para sair da intensa oposição em Nazaré. Segundo, para exercer um maior impacto sobre as pessoas, visto que Cafarnaum era uma cidade mais populosa e com maior trânsito de pessoas. Terceiro, para cumprir a profecia de Isaías 9.1,2.[110]

O tema geral da sua pregação

Jesus pregou o evangelho de Deus. O proclamado inicia seu ministério sendo o proclamador.[111] Jesus começou espalhando a alegria das boas-novas naquele berço de trevas e opressão. William Hendriksen diz que todos os verdadeiros servos de Deus contam a história, mas foi Deus (em Cristo) quem fez que houvesse uma história para ser contada.[112] O evangelho de Deus deve ser o tema de toda pregação cristã. Duas coisas precisam ser destacadas aqui:

Em primeiro lugar, *o evangelho.* Esta palavra significa boas-novas. Jesus veio trazer boas notícias. O evangelho nasceu na eternidade, foi preanunciado no Éden, profetizado pelos profetas, aguardado pelo povo da aliança. O evangelho é a promessa da vida, onde reinava a morte; a promessa da luz, onde reinava as trevas; a promessa da libertação, onde reinava a escravidão.

O evangelho fala de perdão e não de condenação; de salvação e não de perdição. O evangelho é a mais esplêndida notícia que já soou neste mundo. Quando Jesus nasceu, o anjo publicou em Belém: *Eis que vos trago boas-novas de grande alegria, e que o será para todo o povo, é que hoje vos nasceu na cidade de Davi, o Salvador, que é Cristo, o Senhor* (Lc 2.11).

William Barclay fala sobre os vários aspectos do evangelho no Novo Testamento.[113]

a) *Trata-se de boas-novas com respeito à verdade* (Cl 1.5). O diabo cegou o entendimento dos incrédulos (2Co 4.4). O homem sem o evangelho está em trevas. Sem o evangelho, o homem não podia conhecer quem é Deus.

Jesus veio para mostrar a verdade acerca de Deus. Jesus é a exegese de Deus.

b) *Trata-se de boas-novas de esperança* (Cl 1.23). O mundo sem o evangelho é profundamente marcado pelo pessimismo. A vida não faz sentido sem Jesus. As pessoas sem o evangelho entregam-se ao desespero e à própria morte.

c) *Trata-se de boas-novas de paz* (Ef 6.15). O homem sem o evangelho é uma guerra civil ambulante. É um ser em conflito, uma casa em ruínas. Robert Burns, o poeta escocês, disse acerca de si: "Minha vida é como as ruínas de um templo".[114] O evangelho traz restauração deste templo em ruína.

d) *Trata-se de boas-novas com respeito às promessas de Deus* (Ef 3.6). Fora do evangelho, a concepção que o homem tem de Deus é terrificante. Todas as religiões fora do cristianismo apresentam um deus iracundo e vingativo. Jesus veio para revelar-nos o coração amoroso de Deus.

e) *Trata-se de boas-novas com respeito à imortalidade* (2Tm 1.10). Para o pagão, a vida era o caminho para a morte. Porém, Jesus veio para vencer a morte e abrir-nos o caminho da vida eterna.

f) *Trata-se de boas-novas de salvação* (Ef 1.13). O evangelho traz a libertação da condenação do pecado e a oferta do dom precioso da vida eterna.

Em segundo lugar, *o evangelho de Deus*. Em Marcos 1.1, este evangelho é chamado evangelho de Cristo; agora, é chamado evangelho de Deus. A preposição *de* denota a fonte do evangelho, ou seja, o evangelho que vem de Deus e o evangelho de que Deus é o autor.[115] Warren Wiersbe diz que o evangelho de Deus revela que ele vem de Deus e nos leva para Deus.[116]

O evangelho de Deus não é uma religião. Todas as religiões foram tentativas do homem buscar a Deus. O evangelho é Deus buscando o homem. Todas as religiões tratam do que o homem pode fazer para agradar a Deus; o evangelho fala do que Deus fez pelo homem. As religiões são impotentes para reconciliar o homem com Deus, mas o evangelho nos aponta Jesus, o caminho vivo para Deus, em quem temos o perdão e a vida eterna.

O tema particular da sua pregação

O evangelho anunciado por Jesus possui três temas particulares:

A plenitude do tempo

Adolf Pohl diz que o próprio Deus põe um fim à espera. Agradou-lhe fazer soar a hora do perdão. Foi somente a sua boa vontade que decidiu: A medida está cheia, chegou a hora![117] Aquele momento que Deus havia ordenado desde a eternidade chegou, e o mistério dos séculos devia manifestar-se.[118]

Desde quando o homem pecou no Éden, Deus, na sua grande misericórdia, declarou seu plano eterno da salvação do pecador (Gn 3.15). O povo esperou a vinda do Messias milhares de anos. Finalmente, eis o dia chegado![119] Jesus veio ao mundo na plenitude dos6 tempos (Gl 4.4). Esse tempo mencionado por Jesus não é *kronos,* mas *kairós,* o tempo oportuno de Deus e não o tempo como uma mera duração. James Hastings diz que houve três coisas importantes na preparação para a vinda de Jesus ao mundo pagão:[120]

Em primeiro lugar, *o mundo foi preparado politicamente para a sua pregação.* Para que o evangelho de Deus pudesse espalhar-se pelo mundo, duas coisas eram necessárias: uma língua comum e uma sistema social comum, ou seja, leis comuns e governo comum. Isso Deus fez através da civilização grega e romana.

Em segundo lugar, *o mundo foi preparado religiosamente para a sua pregação.* As religiões pagãs, embora tivessem alguns sinais de verdade, estavam eivadas de erros graves. Elas não conheciam a pregação acerca do Deus Todo-poderoso, Criador e sustentador da vida. O paganismo não conhecia a figura do redentor. O evangelho trouxe uma mensagem absolutamente nova e revolucionária. O evangelho preenchia o vazio, satisfazia a alma, trazia libertação, cura, transformação, salvação.

Em terceiro lugar, *o mundo foi preparado moralmente para a sua pregação.* A moralidade pagã era deficiente. Ela não podia construir um novo homem, uma nova família e uma nova sociedade. Os pagãos viviam imersos em muitos vícios. Havia a degradação da mulher. Os filhos eram apenas objeto dos pais. Não havia uma ética sadia para a sexualidade. O mundo estava sem referência. O evangelho veio oferecer um novo modelo, uma nova vida para a construção de uma nova sociedade.

Semelhantemente, houve três coisas no mundo judaico que pavimentaram o caminho para a pregação do evangelho:

a) *Os judeus esperavam um tempo de mudança.* Eles aguardavam uma era messiânica em que seriam libertados dos seus opressores. Eles sonhavam com um tempo melhor, quando veriam a salvação de Deus.

b) *As profecias do Antigo Testamento apontavam para essa mesma direção.* Havia profecias claras acerca do nascimento, vida, ministério, morte e ressurreição de Messias. Ele seria o libertador do seu povo.

c) *Os judeus se preparavam moralmente para a pregação do evangelho.* Deus ofereceu a eles a Lei. Esta não podia salvá-los, mas os levaria ao Salvador. A Lei lhes deu parâmetros e balizas.

A chegada do Reino

Ernesto Trenchard diz que todos os reinos desde a queda do homem foram regidos pelas normas do diabo: o egoísmo, o domínio dos fortes, a violência, o orgulho, o lucro e a força truculenta dos exércitos. Toda vez que se levantava um novo reino, o povo estremecia. Mas o Reino que Jesus proclama é o Reino de Deus, que traz salvação aos homens.[121]

William Hendriksen diz que o Reino de Deus indica a soberania, o domínio ou o reinado de Deus, reconhecido no coração e ativo na vida do seu povo, efetuando completa salvação, sua constituição como uma igreja e, finalmente, um universo redimido.[122]

Destacamos aqui alguns pontos:

Em primeiro lugar, *a natureza do Reino.* O Reino de Deus significa toda esfera em que a vontade de Deus é reconhecida e obedecida.[123] O Reino veio em Jesus. Onde está o Rei, aí está o Reino. O Reino de Deus chegou com ele. Esse Reino está entre nós e dentro de nós. O Reino de Deus é espiritual. É o Reino do amor de Deus no coração do pecador arrependido e crente.[124]

Adolf Pohl diz que neste Jesus e em seus atos a realeza de Deus se pôs a caminho do futuro para adentrar no nosso mundo com uma ponta de lança (Mc 3:27). Jesus é a forma presente de encontro com o Reino.[125] Na linguagem de Orígenes, Jesus é o *autobasileia*. O Reino de Deus está presente, mas não ainda em sua plenitude. Este Reino chegará à sua plenitude quando todos os inimigos estiveram debaixo dos pés do Senhor e todo o mal for julgado.

O Reino de Deus inverte os valores dos reinos deste mundo: é um reino de ponta-cabeça. O maior no Reino de Deus é o menor, é o que serve.

O Reino de Deus não é político nem geográfico, mas espiritual. O apóstolo Paulo diz: *O Reino de Deus consiste não em palavras, mas em poder* (1Co 4.20). Diz ainda: *Porque o Reino de Deus não é comida nem bebida, mas justiça, e paz, e alegria no Espírito Santo* (Rm 14.17).

Em segundo lugar, *a proximidade do Reino.* Jesus estava dizendo que o Reino tinha chegado nele e para os homens. Onde Jesus está, aí está o Reino. Onde Jesus governa os corações, aí o Reino está presente.

As condições para se entrar no Reino

Jesus não tinha apenas uma boa-nova para pregar, mas também uma exigência a fazer. Ele aponta duas condições para se entrar no Reino: arrependimento e fé.

Essas palavras, arrependimento e fé, podem ser consideradas um sumário do método de salvação.[126] J. Vernon McGee alerta para o fato de que atualmente a igreja tem pregado fé sem arrependimento, ou colocado a fé antes do arrependimento.[127] Quem se volta para Deus, volta-se do pecado para ele. Quem não tem do que se arrepender, não demonstra verdadeira necessidade de crer. Onde não há verdadeiro arrependimento, não há fé autêntica. O arrependimento implica tristeza pelo pecado, confissão do pecado e fuga do pecado,[128] enquanto a fé implica confiança segura em Cristo. Vejamos, portanto, as condições para se entrar no Reino:

Em primeiro lugar, *arrependimento.* O arrependimento é aquilo que nos faz olhar para nós mesmos, enquanto a fé nos faz olhar para fora de nós. O arrependimento é a manchete de toda pregação evangélica. De Noé até as últimas testemunhas, o fardo que tem pesado sobre todos os pregadores é o mesmo: Arrependei-vos e crede![129]

Os profetas do Antigo Testamento, João Batista, Jesus, Pedro, Paulo chamaram o povo ao arrependimento.

Nós vivemos numa geração que não valoriza o arrependimento. Não vemos hoje os soluços que brotam dos Salmos, as confissões de Agostinho, ou a agonia do arrependimento dos puritanos.

O que é arrependimento? A palavra grega *metanoia* significa literalmente mudança de mente.[130] O arrependimento cnvolve a razão, a emoção e a vontade.

a) *O arrependimento envolve a razão.* O arrependimento é mudança de mente. É quando o pecador toma conhecimento da hediondez do seu pecado e da maravilhosa graça de Deus. É quando seus olhos são abertos e sua mente iluminada pela verdade. É a bondade de Deus que nos conduz ao arrependimento. Deus usa vários meios para levar-nos ao arrependimento: as obras da criação, o clamor da consciência, as calamidades da vida, a enfermidade, a morte física. Sobretudo, porém, o arrependimento é produzido pela obra do Espírito Santo, pois só ele nos convence de pecado.

b) *O arrependimento envolve a emoção.* Arrependimento é tristeza segundo Deus (2Co 7.10). Ele envolve o elemento da penitência. É choro pelo pecado. Davi disse:

Pequei. Contra ti, contra ti somente pequei. Isaías disse: *Ai de mim.*

c) *O arrependimento envolve a vontade.* Arrependimento é dar meia-volta, é voltar-se do pecado para Deus, é mudança de atitude. Não é arrependimento e novamente arrependimento, mas arrependimento e frutos de arrependimento. Faraó disse: "pequei", apenas para se ver livre do terror e logo depois endurecer ainda mais o coração. Acã disse: "pequei", como um criminoso que é flagrado no seu delito. Balaão disse: "pequei", mas continuou vendendo sua consciência por dinheiro. Judas disse: "pequei", mas enforcou-se. O arrependimento não é apenas tristeza pelas consequências do pecado, mas tristeza pelo pecado em si, diz William Barclay.[131]

O arrependimento não é apenas um sentimento, mas um ato da vontade, é abandonar o pecado e voltar-se para os braços do Pai. O filho pródigo caiu em si e voltou para a casa do Pai. Os 120 mil habitantes de Nínive voltaram-se para Deus em profundo quebrantamento. A multidão que ouviu o sermão de Pedro em Jerusalém perguntou: *Que faremos, irmãos?* A resposta imediata foi: *Arrependei-vos...*

Em segundo lugar, *crer no Evangelho.* Com a graça do arrependimento, Deus dá ao pecador o dom da fé salvadora. A fé não é meritória, mas o meio de apropriação daquilo que foi providenciado pela graça divina.[132] Adolf Pohl diz que em toda a Bíblia ninguém crê por si, simplesmente; só crê aquele com quem Deus falou. Onde não há nada para ouvir, não há nada para crer.[133]

Crer no evangelho significa acreditar que o que Jesus disse acerca do Pai e da sua gloriosa salvação é absolutamente verdadeiro. O que significa crer no evangelho? Egidio Gioia responde:

> Significa crer em Deus, porque o evangelho é de Deus. Significa crer no Filho de Deus, porque Jesus pregou o evangelho de Deus. Significa crer no Espírito Santo, porque o Espírito Santo ungiu a Jesus para pregar o evangelho. Significa crer nas Escrituras Sagradas, porque são a revelação da Trindade ao homem perdido. Significa crer nas promessas de Deus ao homem, porque são a verdade infalível. Significa crer que Jesus Cristo veio ao mundo para dar a sua vida no sacrifício vicário da cruz, a fim de que todo aquele que nele crer tenha a vida eterna. Crer no evangelho é crer em Cristo crucificado, ressuscitado e glorificado. Crer em Cristo é ter a vida eterna.[134]

Crer não é apenas um assentimento intelectual, que deságua em profunda emoção. Os demônios creem e tremem (Tg 2.19). A questão não é a fé, mas o objeto da fé. Crer implica confiança firme em Deus e numa entrega sem reservas a Jesus, descansando na sua obra sacrificial em nosso lugar e em nosso favor. A fé honra a Palavra de Deus e o Filho de Deus. A fé é a mão do mendigo estendida para receber o presente do Rei.

No dia 1º de julho de 1958, o grande equilibrista Charles Blondin estendeu um cabo de aço sobre a cachoeira de Niágara, e diante de uma multidão assustada e expectante, passou por sobre a cachoeira. Ganhou aplausos ruidosos e efusivos. Então, ele perguntou: "Vocês acreditam que eu possa levar alguém comigo sobre o cabo de aço?" A multidão, eufórica, afirmou positivamente. Então, ele convidou seu empresário para a inédita aventura. Quando estava no meio do abismo, um aventureiro maldoso cortou uma das cordas que sustentavam o cabo de aço. A multidão, estarrecida, percebeu a tragédia inevitável. Blondin, entretanto, disse ao seu empresário: "Agora você e eu somos um. O que eu fizer, faça também. Agarre-se a mim". Sob o olhar fixo e a respiração suspensa da multidão, Blondin caminhou resolutamente sobre as pedras pontiagudas e as águas espumentas do caudaloso rio e chegou a salvo do outro lado. A multidão foi ao delírio e aplaudiu demorada e ruidosamente o grande herói. Entre o céu e a terra há um grande abismo. Somente Jesus pode nos transportar em segurança para o céu. Precisamos confiar nele e agarrar-nos a ele e, então, seremos levados salvos para o seu Reino de luz!

Notas do capítulo 4

[103] James Hastings. *The Great Texts of the Bible – Mark – Vol. 9.* n.d.: p. 69-89.

[104] Warren W. Wiersbe. *Be Diligent.* 1987: p. 14.

[105] James Hastings. *The Great Texts of the Bible – Mark – Vol. 9.* n.d.: p. 69-70.

[106] William Hendriksen. *Marcos.* 2003: p. 76.

[107] James Hastings. *The Great Texts of the Bible – Mark – Vol. 9.* n.d.: p. 70.

[108] James Hastings. *The Great Texts of the Bible – Mark – Vol. 9.* n.d.: p. 71.

[109] Adolf Pohl. *Evangelho de Marcos.* 1998: p. 68.

[110] Bruce B. Barton et all. *Life Application Bible Commentary – Mark.* 1994: p. 21-22.

[111] Adolf Pohl. *O Evangelho de Marcos.* 1998: p. 69.

[112] William Hendriksen. *Marcos.* 2003: p. 76.

[113] William Barclay. *Marcos.* 1974: p. 35-36.

[114] William Barclay. *Marcos.* 1974: p. 35.

[115] James Hastings. *The Great Texts of the Bible – Mark – Vol. 9.* n.d.: p. 72.

[116] Warren W. Wiersbe. *Be Diligent.* 1987: p. 14.

[117] Adolf Pohl. *Evangelho de Marcos.* 1998: p. 70.

[118] Ernesto Trenchard. *Una Exposición del Evangelio según Marcos.* 1971: p. 22.

[119] Egidio Gioia. *Notas e Comentários à Harmonia dos Evangelhos.* 1969: p. 83.

[120] James Hastings. *The Great Texts of the Bible – Mark – Vol. 9* – n.d.: p. 73-74.

[121] Ernesto Trenchard. *Una Exposición del Evangelio según Marcos.* 1971: p. 21-22.

[122] William Hendriksen. *Marcos.* 2003: p. 77.

[123] James Hastings. *The Great Texts of the Bible – Mark – Vol. 9.* n.d.: p. 75.

[124] Egidio Gioia. *Notas e Comentários à Harmonia dos Evangelhos.* 1969: p. 83.

[125] Adolf Pohl. *Evangelho de Marcos.* 1998: p. 71.

[126] E. Bickersteth. *The Pulpit Commentary. Mark. Vol.16.* 1980: p. 3.

[127] J. Vernon McGee. *Mark.* 1991: p. 23.

[128] John Henry Burn. *The Preacher's Complete Homiletic Commnetary on the Gospel according St Mark. Vol. 22.* 1996: p. 24.

[129] John Charles Ryle. *Mark.* 1993: p. 5.

[130] William Barclay. *Marcos.* 1974: p. 36.

[131] William Barclay. *Marcos.* 1974: p. 36.

[132] J. R. Thompson. *The Pulpit Commentary. Mark. Vol.* 16. 1980: p. 14.

[133] Adolf Pohl. *Evangelho de Marcos.* 1978: p. 71.

[134] Egidio Gioia. *Notas e Comentários à Harmonia dos Evangelhos.* 1969: p. 84.

Capítulo 5

Pescadores de homens

(Mc 1.16-20)

À GUISA DE INTRODUÇÃO, três verdades nos chamam a atenção:

Em primeiro lugar, *Jesus chama cooperadores para fazer a sua obra.* O Reino de Deus está sendo estabelecido e Jesus está recrutando trabalhadores. Os que são chamados à salvação são também convocados para um treinamento a fim de alcançar outros.

J. Vernon McGee diz que os evangelhos registram três ocasiões em que os discípulos foram chamados:[135]

A primeira, foi a chamada para a salvação. Essa chamada aconteceu na Judeia e está registrada em João 1.35-51. Jesus chamou André e Pedro e estes deixaram as fileiras de João Batista e o seguiram. Mas nessa ocasião, eles ainda voltaram para a Galileia e continuaram com sua atividade pesqueira.

A segunda, foi a chamada para o discipulado. Essa ocasião é descrita em Marcos 1.16-20, no mar da Galileia, quando Jesus chamou Pedro e André, Tiago e João para segui-lo. Esse é o chamado para o discipulado. Eles seriam treinados para serem pescadores de homens. Contudo, somos informados em Lucas 5.1-11, que eles ainda voltaram à pescaria no mar da Galileia. Foi nessa ocasião que Pedro disse para Jesus: *Senhor, afasta-te de mim, porque eu sou pecador.* Em outras palavras, estava pedindo para Jesus desistir dele e buscar alguém mais adequado para a grande missão. Mas Jesus não desistiu de Pedro.

A terceira, foi a chamada para o apostolado. Esse chamado está registrado em Marcos 3.14-21, quando Jesus separou, dentre seus discípulos, doze apóstolos para estarem com ele e para os enviar a pregar e expulsar demônios. Esse foi o chamado para o apostolado.

Em segundo lugar, *Jesus chama para o seu trabalho pessoas ocupadas*. Pessoas escolhidas por Deus para uma missão especial normalmente não são pessoas desocupadas e ociosas.[136] O trabalho de Deus exige energia e disposição. Quem coloca a mão no arado e olha para trás não é apto para o Reino de Deus. O Senhor chamou a Moisés quando ele estava pastoreando as ovelhas no Sinai (Êx 3.1-14). Chamou a Gideão, quando estava malhando trigo no lagar (Jz 6.11). Chamou a Amós quando estava nos prados de Tecoa cuidando do gado (Am 7.14,15). Tirou Davi detrás das ovelhas para o colocar no palácio (Sl 78.70-72). Jesus chamou esses discípulos quando estavam pescando e consertando as suas redes.

William Barclay, citando o historiador Josefo, diz que nesse tempo havia muitos pescadores e podia-se ver no mar da Galileia cerca de 330 barcos de pesca.[137] A pescaria era a principal indústria para cerca de trinta cidades ao redor do mar da Galileia durante os dias de Jesus.[138] Dentre esses pescadores, Jesus chamou esses quatro homens para uma missão especial.

Em terceiro lugar, *Jesus chama para o seu trabalho pessoas humildes*. Jesus não foi buscar seus discípulos entre os estudantes de teologia das escolas rabínicas[139] nem dentre a elite sacerdotal. Nem mesmo chamou aqueles de refinado saber, ou possuidores de riquezas, mas recrutou-os das classes operárias, no meio dos pescadores. Deus escolheu as coisas loucas do mundo para envergonhar os sábios (1Co 1.26,27).

William Barclay diz que ninguém como Jesus creu no homem comum.[140] É bem conhecida a frase de Abraão Lincoln: "Deus deve amar as pessoas comuns, pois fez muitas delas".

Jesus chamou homens iletrados e com eles revolucionou o mundo. Deus não precisa de estrelas, precisa de homens preparados por ele e capacitados pelo Espírito Santo. João Wesley disse: "Dê-me cem homens que não temam nada senão a Deus e com eles abalarei o mundo".

John Charles Ryle disse que os primeiros seguidores de Cristo não foram os grandes deste mundo. Eles não tinham riquezas, fama nem poder. Isso prova que o Reino de Deus não depende dessas coisas. A causa de Cristo avança não por força nem por poder, mas pelo Espírito Santo (Zc 4.6). A igreja que começou com poucos pescadores e espalhou-se pelo mundo, só poderia ter sido fundada pelo próprio Deus.[141]

A natureza do chamado para serem pescadores de homens

Destacamos cinco verdades fundamentais acerca da natureza do chamado de Jesus:

Em primeiro lugar, *o chamado de Cristo é soberano.* O chamado de Cristo se dá verticalmente. Jesus os viu com um olhar de qualidade especial. Abrangeu-os não só com os olhos, mas também com o coração. E abrangeu-os com o coração para não mais perdê-los de vista.[142]

"Vinde após mim" é uma expressão, onde Jesus exercita sua soberania sobre Simão e André. Ele mostra que tem o poder de chamá-los para o serviço do seu reino.[143] Jesus pesca esses homens para serem pescadores de homens. Eles foram pescados para fora do anonimato. Eles foram pescados para serem colunas da igreja, luzeiros do mundo, ganhadores de almas.

O chamado de Cristo é direto, imperativo e soberano. Jesus não deu explicações nem ofereceu vantagens; simplesmente os chamou e os chamou soberanamente.

Em segundo lugar, *o chamado de Cristo é para uma relação pessoal com ele.* A expressão "segue-me" é o principal termo para descrever o chamado para o discipulado no Evangelho de Marcos (2.14; 8.34; 10.21).[144] Jesus não os chamou para prioritariamente fazerem um trabalho, mas para um relacionamento. Ir a Cristo, seguir a Cristo, estar com Cristo é mais importante do que fazer a obra de Cristo. Jesus está mais interessado em quem nós somos do que no que fazemos. Relacionamento precede o desempenho. A vida precede o trabalho. A vida com Cristo precede o trabalho para Cristo.

William Barclay comenta esse chamado. Jesus não diz aos pescadores: "Tenho um sistema teológico que gostaria que vocês investigassem; tenho algumas teorias que gostaria que vocês conhecessem; tenho desenvolvido um sistema de ética que gostaria de discutir com vocês. Antes lhes disse: Sigam-me".[145]

A vida com Cristo precede o trabalho para Cristo. Santidade pessoal precede ministério cristão. Primeiro damos ao Senhor o nosso coração, depois consagramos a ele tudo o que temos. Inverter essa ordem é o mesmo que trocar a raiz pelo fruto, a causa pelo efeito.[146]

Em terceiro lugar, *o chamado de Cristo exige pronta e imediata resposta.* O que esses discípulos responderam em palavras ao chamado de Cristo, nós não sabemos; mas a ação deles é cheia da melhor eloquência.[147] Os discípulos não hesitaram, não objetaram, não discutiram, não pediram tempo para pensar, não duvidaram, não questionaram, não impuseram condições, eles simplesmente obedeceram e atenderam ao chamado imediatamente.[148]

O chamado de Cristo para o discipulado é radical e urgente. Uma pessoa deve deixar tudo para trás para seguir a Jesus.[149] O chamado de Cristo exige a renúncia do trabalho, da família, de si mesmo. A decisão dos discípulos não foi apenas pronta, mas definitiva e final, foi para toda a vida.

Em quarto lugar, *o chamado de Cristo passa por uma preparação. Vinde após mim, e eu vos farei pescadores de homens* (1.17). O tempo do verbo *fazer* está no futuro. Seguir a Cristo ainda não é ser enviado; isto vem depois, diz Adolf Pohl.[150] Jesus os chama para a obra, mas antes os prepara para a obra. É Jesus quem os faz pescadores de homens. Ele é quem os ensina, os equipa, os prepara e os capacita para o trabalho. Eles deixam as redes encorajados pela promessa do Senhor de treiná-los para uma tarefa muito superior à que estavam engajados.[151]

Aqueles discípulos frequentaram a melhor escola do mundo, com o maior Mestre do mundo, sobre o mais importante assunto do mundo. O ensino de Jesus não era limitado a uma sala de aula. Ele não era um artesão do efêmero, mas um escultor do eterno. Não era um Mestre de banalidades, mas o Salvador do mundo. Ele não apenas transmitia informações, mas transformava vidas.

Nessa preparação Jesus andou com os discípulos, comeu com eles, socorreu-os nas suas aflições, exortou-os nas suas dúvidas, encorajou-os em suas fraquezas. Jesus não apenas os treinou com palavras, mas sobretudo, com exemplo. O exemplo não é uma forma de ensinar, mas a única eficaz.

Simão, o inconstante e covarde, haveria de tornar-se um intrépido apóstolo. João, o filho do trovão, haveria de ser o discípulo amado. Aqueles iletrados pescadores haveriam de revolucionar o mundo. O vaso é de barro, mas o poder é de Deus. Os instrumentos são frágeis, mas a mensagem é poderosa. Os pescadores são limitados, mas a pesca será gloriosa.

Em quinto lugar, *o chamado de Cristo para pescar homens é um trabalho de consequências eternas.* Jesus não os chamou para o ócio, mas para o serviço. Chamou-os para um trabalho, um glorioso trabalho: serem pescadores de homens. Aqueles que já haviam sido chamados para a salvação na Judeia (Jo 1.37-40), agora são chamados para serem pescadores de homens. Ganhar almas e vidas para Cristo é a sublime vocação desses primeiros discípulos.[152]

Pescar homens não é um *hobby* nem um passatempo. Não é um esporte nem algo que fazemos para nos distrair. É o mais importante e mais urgente trabalho que se pode fazer no mundo.

Pescar homens é arrebatá-los do fogo. É tirá-los das trevas para a luz, da casa do valente para a liberdade, do reino das trevas para o reino da luz, da potestade de Satanás para Deus.

Jesus não chama esses homens para um trabalho burocrático ou apenas para uma posição de liderança, mas sobretudo para um trabalho de ganhar almas, de buscar os perdidos, de arrancar pessoas da morte para a vida.

As exigências do chamado para ser pescador de homens

Jesus fala sobre três exigências fundamentais para o chamado de um pescador de homens:

Em primeiro lugar, *o chamado de Cristo implica rompimento com o passado.* Aqueles quatro pescadores deixaram imediatamente as redes, o barco, o trabalho secular e seus empregados. Os irmãos Tiago e João deixaram até o próprio pai, Zebedeu, e seguiram a Jesus.[153] Pedro e André deixaram as redes.

Fazer parte do projeto de Deus exige renúncia. Eles deixaram para trás o trabalho, a profissão, a empresa e os sonhos financeiros. Eles abriram mão de tudo para investir o tempo, o coração e a vida no Reino de Deus.

A nova vocação liberou-os da vocação que tinham até então, e com isso, naturalmente, também da sua segurança econômica. Eles renunciaram a tudo para seguirem a Jesus.

Não há discipulado sem renúncia. Primeiro, é preciso deixar para trás os nossos sonhos e projetos para abraçar os projetos de Deus. É preciso cortar as pontes que nos prendem ao passado como fez o profeta Eliseu ao ser chamado por Elias. Depois vem a recompensa, o Senhor nos transforma em vasos de honra, em instrumentos úteis, em embaixadores do seu Reino, em ministros da reconciliação, em pescadores de homens.

Em segundo lugar, *o chamado de Cristo implica consagração do presente.* Seguir a Cristo é o mais fascinante projeto de vida. O Reino de Deus é a maior bandeira e a maior causa pela qual devemos viver. Devemos buscar em primeiro lugar o Reino de Deus. O Reino é como uma pérola, como um tesouro que exige nosso total desapego de outras coisas.

Chamar os pecadores ao arrependimento e oferecer a eles o dom da vida eterna é a mais sublime missão que podemos ocupar na vida. Os próprios anjos gostariam de abraçar esse mister. Jesus deixou a glória e veio ao mundo para revelar o amor do Pai e morrer na cruz a favor do seu povo. Ele tem um profundo amor pelos perdidos, por isso veio buscá-los. Ele não levou em conta a ignomínia da cruz, antes, suportou-a pela alegria que lhe estava proposta. Ele viu o penoso trabalho da sua alma e ficou satisfeito. Seu amor pelo homem é tão grande que ele recrutou outros trabalhadores para chamar os homens à salvação. Engajar-se nesse projeto deve ser a maior aspiração da nossa vida, o maior projeto da nossa história.

Em terceiro lugar, *o chamado de Cristo implica investimento do futuro.* Os discípulos seguiram a Cristo num projeto sem volta. Eles abraçaram uma causa que mudou o rumo da vida deles e a história do mundo. Eles deixaram as redes para abraçar um ministério de consequências eternas.

Eles tornaram-se os pilares da igreja. O caminho do discipulado é uma estrada sem volta.

A missão deles doravante era pescar homens. Jesus utiliza uma ponte, um gancho entre o trabalho deles e a nova vocação. Agora, a missão deles não era mais pescar peixes, mas homens; não era ganhar dinheiro, mas almas. O Senhor aproveita as experiências do passado como fatores pedagógicos em nosso trabalho para ele.[154] Ganhar almas é o maior negócio deste mundo, o maior investimento. Quem ganha almas é sábio (Pv 11.30), quem a muitos conduz à justiça brilhará como as estrelas no firmamento (Dn 12.3).

O aprendizado prático para tornar-se um pescador de homens

A figura usada por Jesus é profundamente instrutiva. Jesus foi o maior Mestre na arte de usar coisas simples para ensinar verdades profundas. O que tem a ver a pescaria com o ganhar almas? Que conexão existe entre o peixe e o homem? O que tem a ver a arte de pescar com os métodos evangelísticos?

Rick Warren diz que o segredo do evangelismo efetivo não é somente compartilhar a mensagem de Cristo, mas também seguir a metodologia que ele usou.[155] Um bom pescador precisa entender os peixes. Precisa saber onde os peixes estão no lago, a que hora os peixes gostam de comer, qual a isca a usar com os diferentes tipos de peixes e quando mudar de isca.

Há peixes que gostam de águas profundas, outros ficam no raso; outros, ainda, escondem-se nas pedras. Não existe uma estratégia padronizada para a pescaria.

Na evangelização é a mesma coisa. Jesus usou métodos diferentes de evangelismo para alcançar as diversas pessoas. A abordagem de Jesus com Nicodemos foi diferente da sua abordagem feita ao paralítico de Betesda. A metodologia que ele usou com a mulher samaritana foi diferente da que usou para alcançar Zaqueu. Jesus não mudou a essência da mensagem, mas variou seus métodos.

O evangelismo aborda tanto o conteúdo quanto o método. Ele orienta não apenas o que falar, mas também como falar. Quando Jesus chamou os discípulos para serem pescadores de homens, estava lhes conferindo uma missão e lhes oferecendo uma metodologia.

Antes de enviar os discípulos para evangelizar, Jesus deu instruções específicas sobre com quem eles deveriam passar o seu tempo, a quem eles deveriam ignorar, o que deveriam fazer e como deveriam compartilhar o evangelho (Mt 10; Lc 10).

Rick Warren identifica algumas regras que devem nortear os pescadores de homens:[156]

Em primeiro lugar, saiba o que você está pescando. Nem todos os peixes são pescados da mesma forma. Para cada tipo de peixe precisamos usar uma isca própria e o método certo. Esse mesmo princípio Jesus usou no evangelismo. Vejamos a instrução de Jesus: *A estes doze enviou Jesus, dando-lhes as seguintes instruções: Não tomeis rumo aos gentios, nem entreis em cidades de samaritanos; mas de preferência, procurai as ovelhas perdidas da casa de Israel* (Mt 10.5,6). Jesus mirou no tipo de pessoas que seus discípulos teriam mais chances de alcançar: pessoas como eles mesmos. O Senhor não estava sendo preconceituoso, mas estratégico. Ele definiu o alvo dos seus discípulos para que eles pudessem ser eficientes e não para que se tornassem exclusivistas.[157]

Somos chamados a sermos pescadores de homens. Precisamos compreender três coisas fundamentais: Primeiro, o homem tem um valor infinito para Deus. Segundo, o homem pode perecer ou ser salvo eternamente. Terceiro, na missão de pescar homens, não usamos truques, mas a verdade.

Em segundo lugar, *vá onde os peixes estão famintos.* Os peixes não estão com fome o tempo todo. Pescar onde os peixes não estão beliscando a isca é perda de tempo. O que podemos aprender dessa lei da pescaria?

Primeiro, o princípio da receptividade. Na parábola do semeador, Jesus falou sobre quatro tipos de pessoas: insensíveis, superficiais, distraídas e receptivas (4.1-20). Devemos tirar proveito dos corações receptivos que o Espírito Santo prepara.[158]

Segundo, há tempo de pescar e tempo de parar de pescar. Os discípulos não deveriam permanecer ao redor de pessoas não receptivas. Não devemos colher frutos verdes. Devemos concentrar o nosso maior esforço onde há portas abertas e campos maduros para a ceifa. Observe a instrução de Jesus:

> E, em qualquer cidade ou povoado em que entrardes, indagai quem neles é digno; e aí ficai até vos retirardes. Ao entrardes na casa, saudai-a; se, com efeito, a casa for digna, venha sobre ela a vossa paz; se, porém, não o for, torne para vós outros a vossa paz. Se alguém não vos receber, nem ouvir as vossas palavras, ao sairdes daquela casa ou daquela cidade, sacudi o pó dos vossos pés.[159]

O apóstolo Paulo tinha a estratégia de aproveitar as portas abertas e não perder tempo batendo em portas fechadas.[160] Continuamente ele pedia as orações da igreja para que Deus abrisse portas à pregação.

Terceiro, precisamos atrair os peixes. Precisamos atrair os peixes se quisermos apanhá-los. Precisamos criar apetite nas pessoas e sermos receptivos a elas. Precisamos criar pontes para a pregação do evangelho. Precisamos demonstrar amor sincero pelas pessoas se quisermos ganhá-las para Cristo. Jesus atendia as necessidades das pessoas, alimentando-as, curando-as, libertando-as. Precisamos atraí-las, também, ensinando-as de forma prática e criativa. Hoje, a maior reclamação das pessoas é que as mensagens são entediantes, desagradáveis e sem nenhuma conexão com a vida. Hoje, estamos transformando pão em pedra.

Quarto, é preciso pescar em alto-mar, onde os peixes estão. Mudamos a ênfase bíblica, queremos que os peixes pulem na nossa rede. Queremos que os pecadores venham para os nossos templos, enquanto a ordem de Cristo é irmos a eles. Devemos ir lá fora onde os pecadores estão e ganhá-los para Jesus. O próprio Senhor Jesus não ficou dentro do templo, nem dentro da sinagoga, mas percorreu as cidades, vilas e povoados. Ele estava onde estava o povo.

Em terceiro lugar, *certifique-se de que está usando o método certo.* Há dois grandes riscos no evangelismo: o primeiro é mudar a mensagem; o segundo é engessar os métodos. O maior inimigo do sucesso no futuro é o nosso sucesso no passado. Não ouse mudar a mensagem, ouse mudar os métodos. Precisamos ler o texto e observar o povo. Conhecer a mensagem e conhecer o público que desejamos alcançar. Precisamos ser sensíveis às pessoas que estamos evangelizando. Alguns princípios são essenciais se quisermos lograr êxito em pescar homens:

Primeiro, devemos ser sensíveis à cultura local. Jesus disse: *Quando entrardes numa cidade e ali vos receberem, comei do que vos for oferecido* (Lc 10.8). Jesus estava dando mais do que um conselho sobre dieta aos apóstolos. Ele estava dizendo que eles deveriam ser sensíveis à cultura local.

Segundo, o nosso alvo deve determinar o nosso método. O apóstolo Paulo foi um grande pescador de homens. Ele nunca mudou sua mensagem, mas sempre variou seus métodos. Vejamos seu testemunho:

> Porque, sendo livre de todos, fiz-me escravo de todos, a fim de ganhar o maior número possível. Procedi, para com os judeus, como judeu, a fim de ganhar os judeus; para os que vivem sob o regime da lei, como se eu mesmo assim vivesse, para ganhar os que vivem debaixo da lei, embora não esteja eu debaixo da lei. Aos sem lei, como se eu mesmo o fosse, não estando sem lei para com Deus, mas debaixo da lei de Cristo, para ganhar os que vivem fora do regime da lei. Fiz-me fraco para com os fracos, com o fim de ganhar os fracos. Fiz-me tudo para com todos, com o fim de, por todos os modos, salvar alguns. Tudo faço por causa do evangelho, com o fim de me tornar cooperador com ele.[161]

Alguns críticos podem dizer que Paulo estava sendo um camaleão, agindo diferente com cada grupo, de uma forma hipócrita. Não é verdade. Ele estava sendo estratégico. Sua motivação era o desejo de ver as pessoas salvas.[162]

Terceiro, comece a abordagem evangelística onde as pessoas estão. Jesus mostrou a necessidade de conhecermos as necessidades e ansiedades das pessoas se quisermos fazer um evangelismo efetivo. A mensagem precisa estar conectada com a vida. John Stott diz que o sermão é uma ponte entre dois mundos; ele liga o texto antigo ao ouvinte contemporâneo. Precisamos começar onde as pessoas estão, focando em suas necessidades, abrindo, assim, portas para o testemunho do evangelho. Jesus disse: *Curai enfermos, ressuscitai mortos, purificai leprosos, expeli demônios; de graça recebestes, de graça daí* (Mt 10.8). Quando o leproso foi a Jesus e ajoelhou-se pedindo misericórdia, ele não começou dando uma aula sobre as leis de purificação, ele apenas curou o homem.

Quarto, use mais de um método para apanhar um número maior de peixes. Devemos usar todos os meios disponíveis para alcançar o maior número possível de pessoas. Jesus usou todos os tipos de evangelismo e todos os métodos de abordagem. Precisamos usar o evangelismo pessoal, evangelismo de grupos pequenos, evangelismo de massa. Precisamos pregar no púlpito, na sala de Escola Dominical, nos lares, nas empresas, nas escolas, nos hospitais, em todo lugar, em todo tempo, para todas as pessoas. Precisamos usar a literatura, a televisão, o rádio, a internet e todos os meios legítimos para alcançar o maior número possível.

Quinto, pescar homens é a coisa mais séria, necessária e urgente do mundo. A pescaria é somente um esporte ou um *hobby* para a maioria das pessoas. Pescar homens, entretanto, não é um programa que fazemos num dia de folga. Deve ser um estilo de vida. Pescar homens é uma tarefa imperativa, intransferível e impostergável. Nesse negócio de consequências eternas, devemos investir nosso tempo, dinheiro e a própria vida.

Notas do capítulo 5

[135] McGee, J. Vernon, *Mark,* 1991: p. 24.

[136] Barton, Bruce B, *Life Application Bible Commentary. Mark,* 1994: p. 25.

[137] Barclay, William, *Marcos,* 1974: p. 37.

[138] Barton, Bruce B, et all. *Life Application Bible Commentary. Mark,* 1994: p. 24.

[139] Trenchard, Ernesto, *Una exposición del Evangelio según Marcos,* 1971: p. 22.

[140] Barclay, William, *Marcos,* 1974: p. 38.

[141] Ryle, John Charles, *Mark,* 1993: p. 6.

[142] Pohl, Adolf, *Evangelho de Marcos,* 1998: p. 74.

[143] Hendriksen, William, *Marcos,* 2003: p. 82.

[144] Barton, Bruce B, *Life Application Bible Commentary. Mark,* 1994: p. 25.

[145] Barclay, William, *Marcos,* 1974: p. 39.

[146] Burn, John Henry, *The Preacher's Homiletic Commentary. Mark. Vol. 22,* 1996: p. 26.

[147] Burn, John Henry, *The Preacher's Homiletic Commentary. Mark. Vol. 22,* 1996: p. 26.

[148] Thompson J. R, *The Pulpit Commentary. Mark and Luke. Vol. 16,* 1980: p. 15.

[149] Barton, Bruce B, et all. *Life Application Bible Commentary. Mark,* 1994: p. 26.

[150] Pohl, Adolf, *Evangelho de Marcos,* 1998: p. 75.

[151] Hendriksen, William, *Marcos,* 2003: p. 82.

[152] Gioia, Egidio, *Notas e Comentários à Harmonia dos Evangelhos,* 1969: p. 89.

[153] Gioia, Egidio, *Notas e Comentários à Harmonia dos Evangelhos,* 1969: p. 89.

[154] Barton, Bruce B, et all. *Life Application Bible Commentary. Mark,* 1994: p. 24.

[155] Warren, Rick, *Uma Igreja com Propósitos.* Editora Vida. São Paulo, SP, 1997: p. 226.

[156] Warren, Rick, *Uma Igreja com Propósitos,* 1997: p. 227-247.

[157] Warren, Rick, *Uma Igreja com Propósitos,* 1997: p. 227,228.

[158] Warren, Rick, *Uma Igreja com Propósitos,* 1997: p. 228.

[159] Mateus 10:11-14.

[160] Warren, Rick, *Uma Igreja com Propósitos,* 1997: p. 229.

[161] 1Coríntios 9.19-23.

[162] Warren, Rick, *Uma Igreja com Propósitos,* 1997: p. 240.

Capítulo 6

A autoridade do Filho de Deus

(Mc 1.21-28)

ADOLF POHL DIZ QUE esse trecho esboça, com os três seguintes, algo como um dia de trabalho dc 24 horas de Jesus na cidade de Cafarnaum. Ele inicia com o culto de sábado, que ocorre no começo da manhã (1.21b), segue na casa de Pedro (1.29), à noite na rua (1.32), continua antes do raiar do sol (1.35) e termina durante a manhã com a partida da cidade (1.38). Aos quatro períodos do dia correspondem quatro cenários (sinagoga, casa, rua e deserto) e quatro plateias (judeus piedosos, grupo dos discípulos, multidão e tentador).[163]

Esse texto tem lições importantes que merecem ser destacadas:

Em primeiro lugar, *Jesus é um pregador estratégico.* Expulso de Nazaré, Jesus não insiste numa cidade cujas portas estavam fechadas (Lc 4.29-31). Ele desce a Cafarnaum e faz dessa cidade seu quartel-general. Isso porque Cafarnaum era a maior e mais populosa das muitas cidades pesqueiras que estavam ao redor do mar da Galileia. Essa cidade vivia entre a riqueza e a decadência, visto que era o ponto de apoio das tropas romanas, campo de fértil influência gentílica. Esse era um lugar apropriado para Jesus desafiar os judeus e os gentios com o evangelho do Reino de Deus.[164]

Em segundo lugar, *Jesus é um pregador que usa pontes para ensinar a Palavra.* Jesus usou a sinagoga como lugar oportuno para iniciar o seu ministério de ensino, pois ali o povo estava reunido com o propósito de estudar a Palavra de Deus. Jesus sempre caminhou na direção do povo.

A sinagoga foi criada no período do cativeiro babilônico, depois que o templo foi destruído[165] e tornou-se o principal lugar de culto do povo judeu. Nela o culto tinha apenas três elementos: oração, leitura da Palavra de Deus e sua exposição ou explicação. Não havia música nem sacrifícios.[166]

William Barclay diz que a sinagoga era primordialmente uma instituição de ensino.[167] A sinagoga era mais influente do que o templo, porque este era único, entretanto, as sinagogas se multiplicaram. Para cada grupo de dez famílias havia uma sinagoga.[168] Assim, onde quer que houvesse uma colônia judia, ali havia uma sinagoga.[169]

A sinagoga era também o lugar de reuniões da comunidade e servia como tribunal e escola.[170] Elas eram dirigidas por leigos e não por rabinos e mestres ou pregadores permanentes. Dessa maneira, os mestres visitantes sempre eram convidados para ensinar.[171] Isso foi uma porta aberta para Jesus. O apóstolo Paulo também utilizou essa porta aberta para anunciar o evangelho (At 13.14-16; 14.1; 17.1-4). Foi só no século 2 que o ensino tornou-se uma prerrogativa de teólogos estudados.[172]

Em terceiro lugar, *Jesus é um pregador que tinha o hábito de estar na Casa de Deus.* Jesus tinha o costume de ir assiduamente à sinagoga (Lc 4.16). Ele não ia apenas quando estava ensinando, mas também para adorar o Pai e ouvir sua Palavra. Ele cresceu em Nazaré frequentando a sinagoga, por isso, desenvolveu, também, o hábito de ensinar nela (Jo 18.20).

Em quarto lugar, *Jesus é um pregador que une conhecimento e poder espiritual.* Marcos, mais do que qualquer outro evangelista, enfatiza o poder de Jesus para expulsar demônios. Jesus é poderoso em palavras e também em obras. A ênfase de Marcos tem a ver com o seu público. Ele escreve para os romanos, povo que vivia atormentado pela ideia de espíritos malignos opressores e que valorizava mais o poder que as palavras.

A maior crítica contra a igreja hoje é que lhe falta autoridade e poder. Os pregadores falam, mas não têm autoridade.[173] Eles proferem a Palavra, mas não são boca de Deus. Eles pregam aos ouvidos, mas não aos olhos.

A autoridade de Jesus para ensinar (Mc 1.21,22)

Destacamos três verdades acerca da autoridade de Jesus para ensinar:

Em primeiro lugar, *Jesus tem autoridade para ensinar porque ele é a própria verdade.* Os escribas eram os especialistas da lei nos dias de Jesus.[174] Eles foram os precursores do rabinato e os professores da lei. Eles deixavam o templo para os sacerdotes e a influência política para os sumos sacerdotes, forjando a nação nas sinagogas. Ali tudo estava na mão deles: o ensino, a jurisprudência, a interpretação e a tradição.[175]

Para dar credibilidade ao seu ensino, eles precisavam citar alguma autoridade. Mas Jesus não precisava citar nenhum mestre ou especialista na lei para dar credibilidade ao seu ensino. Ele não precisava recorrer a nenhuma outra fonte. Ele era a fonte. Ele é a verdade. Jesus nunca precisou recorrer a outra autoridade fora de si mesmo. Ele é o próprio Deus, de onde as Escrituras emanam. Ele conhece a Palavra, seu significado e sua correta interpretação. No sermão do monte, ele contrastou o ensino que o povo ouviu com o seu ensino, dizendo: "Eu, porém, vos digo".

Adolf Pohl comenta que o ensino de Jesus rompendo a tradição dos escribas chocou profundamente o povo:

> Para horror de todos, Jesus quebrou essa corrente de tradição. Ele não invocava os pais, mas o Pai. Falava não como rabino, mas como Filho. Pronunciou um novo início da revelação. Isso era algo monstruoso: Ele trazia a revelação em pessoa [...]. Ele não só considerava a tradição dos rabinos ultrapassada, mas até um corpo estranho. O judaísmo tinha deformado Moisés, violado a vontade original de Deus [...]. Perguntaram atônitos de onde vinha sua autoridade (1.27; 11.27 s.). Com base em que ele tomava essa liberdade? Ele não tinha estudo nem formação (Jo 7.15), não vinha de família importante

> (6.1-5), nem pertencia a um dos partidos judaicos [...]. A isto se ajuntou mais tarde sua amizade com os pecadores, seus adeptos suspeitos, seus sofrimentos e, por fim, foi pendurado na cruz (15.32).[176]

As pessoas estavam completamente maravilhadas da sua doutrina e da sua autoridade (1.22). O Evangelho de Marcos enfatiza a autoridade de Jesus para ensinar (1.22,27), autoridade sobre os demônios (1.25; 5.6,7); autoridade para perdoar pecados (2.10); autoridade sobre o templo e sua administração (11.28-32); autoridade para continuar por intermédio dos seus discípulos a atacar o poder demoníaco (3.15; 6.7).[177]

Em segundo lugar, *Jesus tem autoridade para ensinar porque ensina com fidelidade a Palavra de Deus.* Os escribas acabaram torcendo as Escrituras, escamoteando a verdade e ensinando doutrinas de homens em lugar de exporem a verdade de Deus. Muito embora os escribas tenham sido os especialistas no estudo da lei, eles acabaram reduzindo os princípios da lei em intermináveis regras que, em vez de libertarem o povo, escravizavam-o ainda mais. A religião judaica tornou-se um pesado legalismo.[178]

Os escribas falharam como mestres em três aspectos: Primeiro, falharam quanto ao conteúdo. Eles pregaram doutrinas de homens, e não a Palavra de Deus. Segundo, falharam quanto ao método. Ensinaram de forma fria e não com zelo. Terceiro, falharam quanto ao propósito. Eles ensinaram com orgulho e ambição, procurando sua própria glória e não a de Deus.[179]

Os escribas acabaram se tornando os mais hostis inimigos de Cristo, perseguindo-o durante todo o seu ministério.

Das dezenove passagens em que aparecem nesse evangelho, em quinze eles aparecem como inimigos consumados de Jesus. A eles seguem os fariseus (2.18), os herodianos (3.6), os principais sacerdotes e anciãos (15.1), o sumo sacerdote (14.47), Pilatos (15.1), o povo (15.11) e os soldados (15.16).[180]

Em terceiro lugar, *Jesus tem autoridade para ensinar porque não é um alfaiate do efêmero, mas um escultor do eterno.* Jesus não foi um mestre de banalidades. Ele ensinou as coisas mais importantes acerca da vida, da morte e da eternidade. William Hendriksen faz um contraste entre os métodos de ensino de Jesus e o dos escribas:[181]

Ele falava a verdade (Jo 14.6; 18.37). Em contraste, uma argumentação corrupta e evasiva marcava os sermões de muitos escribas (Mt 5.21s.).

Ele falava acerca de assuntos de grande importância, como vida, morte e eternidade. Eles, com frequência, passavam o seu tempo com trivialidades (Mt 23.23; Lc 11.42).

Ele despertava a curiosidade dos seus ouvintes, por fazer uso constante e generoso de ilustrações (Mc 4.2-9,21,24,26-34; 9.36; 12.1-11). O discurso deles era seco como poeira.

Jesus falava com autoridade porque a sua mensagem vinha diretamente do coração e da mente do Pai (Jo 8.26) e, portanto, do seu próprio ser divino e das Escrituras. Eles estavam constantemente citando fontes falíveis – um escriba citava outro. Eles estavam tentando encontrar água em cisternas rotas.

A autoridade de Jesus sobre os demônios (Mc 1.23-28)

Destacamos algumas verdades sobre essa questão:

Em primeiro lugar, *a possessão demoníaca é um fato inegável* (1.23). Há dois extremos que falseiam a verdade quanto a este assunto: o primeiro deles nega a realidade da possessão; o segundo, diz que toda insanidade mental é evidência dela.

Há ainda outros dois extremos: o primeiro é a afirmação de que o fenômeno da possessão foi limitado, quase que exclusivamente ao período de manifestação divina especial, durante o qual a igreja do Novo Testamento nasceu[182] e o segundo é a generalização indiscriminada da possessão, confundindo-a com perturbações mentais de toda a ordem. Tratar uma pessoa doente como possessa é um terrível engano e uma perversa atitude. Alguém já disse que é melhor chamar diabo de gente do que gente de diabo.

A possessão é um fato inegável tanto pelo registro infalível das Escrituras, quanto pelo testemunho inequívoco da experiência histórica. A possessão é uma realidade confirmada pela experiência e não apenas pelos dogmas.[183] Tanto a negação quanto sua confusão com doenças mentais estão em desacordo com o ensino das Escrituras.

Em segundo lugar, *na possessão, espíritos malignos assumem o controle da personalidade humana.* O diabo sempre quis imitar a Deus. Porque Deus é trino, o diabo também se manifestará ao mundo numa tríade maligna: o dragão, o anticristo e o falso profeta. Porque Deus se encarnou, ele também vai criar um simulacro da encarnação, na manifestação do anticristo. Porque Jesus ressuscitou, o diabo vai curar a ferida mortal do anticristo num simulacro da ressurreição. Porque Deus tem um povo selado, o diabo vai selar também os seus súditos com a marca da besta. Porque Deus habita no coração dos homens pelo Espírito, ele também entra nas pessoas através da possessão.

Uma pessoa possessa está sob o controle do espírito imundo que habita nela (1.23,24). Há vários espíritos em um só homem (1.24). O endemoninhado de Gadara tinha uma legião de demônios, ou seja, seis mil demônios dentro de si (5.9).

A manifestação dos demônios na vida das pessoas é uma dramática realidade. Esses espíritos imundos arrastam as pessoas a toda sorte de imundície moral, pervertendo, corrompendo, enlameando. Apocalipse 9.1-11 fala de um bando de gafanhotos que saem do abismo e criam um ambiente lôbrego, atormentando os homens. Vivemos numa geração que obedece a ensinos de demônios, que cultua o satanismo e flerta com as trevas.

Em terceiro lugar, *os demônios, muitas vezes, se infiltram no meio da congregação do povo de Deus.* Havia um homem possesso na sinagoga. Os demônios não o levaram para os antros do pecado, mas para dentro do lugar sagrado de ensino da Palavra. Ele estava ali escondido, camuflado. Para muitos, talvez, era apenas mais um adorador e mais um estudioso das Escrituras.

Precisamos nos acautelar. É uma infantilidade pensar que nós estaremos protegidos da ação dos demônios dentro da igreja.[184] O demônio que estava aninhado nesse homem não temeu estar onde se falava do nome de Deus. Os demônios procuram constantemente, por todos os meios e em todos os lugares, mesmo na Casa de Deus, destruir os homens.[185] Porém, onde Jesus está presente, os demônios não podem permanecer nem prevalecer.

Em quarto lugar, *os demônios procuram levar os homens a pecarem contra Deus.* Eles são espíritos imundos (1.23). Eles trabalham sem trégua para induzirem os homens a pecar contra Deus. Eles são anjos caídos que se uniram a Satanás em sua rebelião e assim tornaram-se pervertidos e maus.

Esses espíritos imundos provocam grande sofrimento: eles levam seus súditos a serem capachos de sua vontade maligna, induzindo as pessoas ao pecado, à vergonha, ao opróbrio. Há pessoas que oferecem sacrifícios de animais. Há outras que ingerem sangue. Há aqueles que fazem despachos e oferendas nas ruas, encruzilhadas e até mesmo nos cemitérios para agradar ou aplacar a fúria desses espíritos opressores.

Muito embora nem todas as doenças procedam de Satanás, algumas vezes, demônios podem causar nas pessoas mudez, surdez, cegueira e insanidade.[186]

Em quinto lugar, *as trevas não toleram a manifestação da luz* (1.23). Jesus é a luz do mundo. Quando ele chegou, as trevas não puderam ficar mais escondidas. A luz denuncia e espanca as trevas. Os demônios não podem se manter anônimos onde Jesus está presente. A presença manifesta de Deus torna-se insuportável para os demônios. Aquele frequentador disfarçado da sinagoga misturado no meio da congregação estava possuído pelo demônio, mas na presença de Jesus, aquela simbiose de profano com o religioso se rompeu.[187]

Em sexto lugar, *os demônios sabem quem é Jesus.* O espírito imundo que estava naquele homem disse a Jesus: *Bem sei quem és* (1.24). Jesus é conhecido no céu, na terra e no inferno (At 19.15). Enquanto o povo da sinagoga estava espantado acerca do que Jesus falava, e de quem Jesus era, o demônio não estava; ele sabia quem era Jesus. Os demônios sabiam que a vinda de Jesus estava quebrando o seu poder sobre os homens. Eles tinham perfeita compreensão de quem era Jesus, bem como de sua missão:

Primeiro, eles confessam a humanidade de Jesus. Chamam-no de Jesus Nazareno.

Segundo, eles confessam a divindade de Jesus. Eles sabiam que Jesus é o Santo de Deus.

Terceiro, eles sabem que Jesus é o libertador dos homens e o flagelador dos demônios. Os demônios sabem que Jesus vai um dia lançá-los todos no lago de fogo (Mt 25.41) e temem que Jesus antecipe esse fato (Mt 8.29). O endemoninhado de Gadara exclamou em alta voz: "Que tenho eu contigo, Jesus, Filho do Deus Altíssimo? Conjuro-te por Deus que não me atormentes!" (Mc 5.7).

Quarto, eles confessam que Jesus é o juiz que vai condená-los. Perguntaram: "Vieste para perder-nos?" (1.24). O verbo *vieste* não deve ser entendido com a conotação de procedência geográfica. William Hendriksen diz que é melhor assumir o significado de "vieste do céu à terra...".[188] Os demônios sabiam que Jesus veio para atormentá-los e derrotá-los (Mt 8.29) e lançá-los no abismo (Mt 25.41).

Em sétimo lugar, *Jesus não aceita diálogo com os demônios* (1.25,26). Jesus repreende e ordena. Ele decreta uma ordem clara, concisa, peremptória e imediata: cala-te e sai desse homem! Larry Richards diz que o significado literal da palavra é "seja amordaçado". Apesar de o demônio poder gritar, ele não pronunciou nenhuma palavra.[189] O demônio obedeceu prontamente, pois isso era tudo o que podia fazer. Ele obedeceu, apesar de o fazer, como é evidente no texto, de má vontade: *Então, o espírito imundo, agitando-o violentamente e bradando em alta voz, saiu dele* (1.26).[190] A palavra de repreensão de Jesus não deixa acontecer a guerra de palavras que o espírito imundo tinha iniciado. Adolf Pohl assim descreve essa cena:

> Preste atenção na brevidade assombrosa: Jesus não pergunta o nome, não faz uma oração relâmpago, não fica fora de si em êxtase, não murmura fórmulas, não recorre a objetos como os exorcistas judeus, não usa raízes medicinais nem vapores anestésicos – nada além dessa ordem nua.[191]

A palavra grega usada para o verbo "repreendeu" significa reprovar ou envergonhar.[192] Jesus julgou o demônio e o expeliu. Jesus não usou encantamento ou palavras mágicas, simplesmente ordenou com autoridade e o demônio saiu. Os demônios estão debaixo da autoridade de Jesus. Eles só podem agir até onde Jesus o permitir. Ao fim, Satanás e todos os seus demônios serão lançados no lago do fogo e serão atormentados para sempre (Ap 20.10).

Hoje, muitos pregadores entabulam longas conversas com os demônios na prática do exorcismo. Outros, até dão credibilidade à revelação dos demônios, mesmo sabendo que o diabo é o pai da mentira. Isso está em desacordo com o ensino das Escrituras.

Em oitavo lugar, *Jesus não aceita o testemunho dos demônios* (1.24,25). Não obstante o testemunho desse espírito imundo acerca de Jesus ter sido verdadeiro, confessando sua humanidade, divindade e seu papel de juiz, Jesus o mandou calar e sair. Jesus não aceita o reconhecimento que vem de um demônio corrupto (1.34). O Salvador não deseja nem necessita da ajuda dos demônios para anunciar ao povo quem ele é. O apóstolo Paulo, de igual forma, não aceitou esse testemunho dos demônios (At 16.16-24).

É espantoso que os demônios davam testemunho acerca da messianidade de Jesus, enquanto os líderes religiosos rejeitaram esse fato glorioso. Os demônios tinham um grau de fé mais elevado que esses religiosos. Os demônios creem e tremem (Tg 2.19), enquanto os religiosos rejeitam e perseguem.

Concluímos, enfatizando que a autoridade de Jesus produz espanto entre os homens e derrota entre os demônios (1.27). Os homens de Cafarnaum estavam impactados com a autoridade de Jesus para ensinar a Palavra e também para expulsar os demônios. Quanto ao ensino, Jesus impactava pelo conteúdo, método e exemplo; quanto ao exorcismo, Jesus impactava pelo poder irresistível. Eles estavam profundamente impressionados com as palavras e ações de Jesus. A palavra *thambeō* enfatiza o medo causado por um acontecimento surpreendente.[193]

J. R. Thompson diz que a autoridade de Jesus era absoluta. Ela foi reconhecida pelo próprio Satanás que foi vencido no deserto e despojado na cruz. Ela foi reconhecida pelos anjos que o serviram e o honraram. Ela foi sentida pelos demônios que precisaram bater em retirada sob o poder de suas ordens. Ela foi conhecida pela natureza, pois o vento e o mar lhe obedeceram às ordens. Ela foi admitida pelos inimigos que muitas vezes ficaram calados diante da sua sabedoria e poder. Seus discípulos reconheceram sua autoridade, deixando para trás o trabalho e a própria família para segui-lo. Suas obras testificaram também a sua autoridade. Mas de todos os testemunhos, o maior é o testemunho do próprio Pai.

Ele, do céu, selou seu ministério, dizendo que era o Filho amado, em que se deleitava.[194]

Outrossim, a autoridade de Jesus espalha-se entre os homens (1.28). A autoridade de Jesus não pode ficar confinada a uma sinagoga, a uma cidade, a um país. Ele tem toda autoridade no céu e na terra (Mt 28.18)

John Charles Ryle diz que podemos tirar desse texto, três lições práticas:[195]

Primeira, a inutilidade do mero conhecimento intelectual da religião. Os mestres da lei têm a cabeça cheia de luz, mas o coração cheio de sombras. Eles têm conhecimento, mas rejeitam a Jesus. O conhecimento sem a fé salvadora não nos salvará.

Segunda, o mero conhecimento de fatos e doutrinas do cristianismo não nos salvará. Tal crença não é melhor do que a crença dos demônios. Os demônios sabem que Jesus é o Cristo (1.24,34). Eles creem que um dia ele julgará o mundo e os lançará no inferno. Há algumas pessoas que têm uma fé inferior à fé dos demônios. Não há descrença entre os demônios. Eles creem e tremem (Tg 2.19).

Terceira, precisamos nos certificar de que a nossa fé é uma fé do coração e também da cabeça. Precisamos conhecer a Cristo e também amá-lo. Os demônios conhecem a Cristo, mas não o amam. Temem-no, mas não o obedecem com prazer. Os escribas conheciam a lei, mas negavam o Senhor da lei. Eles em vez de ensinarem o povo o caminho da verdade, desviaram o povo. Em vez de darem glória a Deus, exaltaram-se a si mesmos; em vez de reconhecerem o Salvador, perseguiram-no.

Notas do capítulo 6

[163] Pohl, Adolf, *Evangelho de Marcos,* 1998: p. 78.
[164] Barton, Bruce B, et all. *Life Application Bible Commentary. Mark,* 1994: p. 28.
[165] Wiersbe, Warren W, *Be Diligent,* 1987: p. 15.
[166] Barclay, William, *Marcos,* 1974: p. 40.
[167] Barclay, William, *Marcos,* 1974: p. 40.
[168] Barton, Bruce B, et all. *Life Application Bible Commentary. Mark,* 1994: p. 28.
[169] Pohl, Adolf, *Evangelho de Marcos,* 1998: p. 79.
[170] Pohl, Adolf, *Evangelho de Marcos,* 1998: p. 79.
[171] Barton, Bruce B, et all. *Life Application Bible Commentary. Mark,* 1994: p. 28-29.
[172] Pohl, Adolf, *Evangelho de Marcos,* 1998: p. 80.
[173] McGee, J. Vernon, *Mark,* 1991: p. 25.
[174] Barton, Bruce B, et all. *Life Application Bible Commentary. Mark,* 1994: p. 29.
[175] Pohl, Adolf, *Evangelho de Marcos,* 1998: p. 79.
[176] Pohl, Adolf, *Evangelho de Marcos,* 1998: p. 81.
[177] Barton, Bruce B, et all. *Life Application Bible Commentary. Mark,* 1994: p. 29.
[178] Barclay, William, *Marcos,* 1974: p. 42.
[179] Burn, John Henry, *The Preacher's Homiletic Commentary. Mark.* Vol. 22, 1996: p. 32.
[180] Pohl, Adolf, *Evangelho de Marcos,* 1998: p. 79.
[181] Hendriksen, William, *Marcos,* 2003: p. 86.
[182] Hendriksen, William, *Marcos,* 2003: p. 88.
[183] Champlin, Russell Norman, *Mateus e Marcos.* A Voz Bíblica. Guaratinguetá, SP. n.d.: p. 667.
[184] Barton, Bruce B, et all. *Life Application Bible Commentary. Mark,* 1994: p. 31.
[185] Gioia, Egidio, *Notas e Comentários à Harmonia dos Evangelhos,* 1969: p. 90.
[186] Barton, Bruce B, et all. *Life Application Bible Commentary. Mark,* 1994: p. 30.
[187] Pohl, Adolf, *Evangelho de Marcos,* 1998: p. 81.
[188] Hendriksen, William, *Marcos,* 2003: p. 89.
[189] Richards, Larry, *Todos os Milagres da Bíblia. United Press.* Campinas, SP, 2003: p. 203.
[190] Hendriksen, William, *Marcos,* 2003: p. 90.
[191] Pohl, Adolf, *Evangelho de Marcos,* 1998: p. 82.
[192] Barton, Bruce B, et all. *Life Application Bible Commentary. Mark,* 1994: p. 31.
[193] Richards, Larry, *Todos os Milagres da Bíblia,* 2003: p. 204.
[194] Thompson, J. R, *The Pulpit Commentary. Mark and Luke.* Vol. 16, 1980: p. 17.
[195] Ryle, John Charles, *Mark,* 1993: p. 8.

Capítulo 7

As áreas do ministério de Jesus

(Mc 1.29-39)

O MINISTÉRIO DE JESUS foi marcado por duas grandes plataformas:

Em primeiro lugar, *profunda intimidade com o Pai.* Jesus veio do céu à terra, mas jamais perdeu o contato com o céu. Ele veio do Pai, mas nunca abriu mão da intimidade com o Pai. Toda a sua vida foi conduzida por um intenso senso da presença do Pai.

Em segundo lugar, *profunda compaixão pelos necessitados.* Jesus sacrificava seu descanso para atender às multidões aflitas e para socorrer os necessitados. As pessoas tinham sempre prioridade em sua agenda.

Veremos quatro áreas do ministério de Jesus:

O ministério de cura (Mc 1.29-34)

Destacamos quatro fatos dignos de observação:

Em primeiro lugar, *Jesus usa seu dia de descanso para socorrer os aflitos.* Jesus nunca esteve demasiado cansado para ajudar as pessoas. A necessidade delas era mais importante do que seu próprio desejo de descanso.[196] Ele foi à sinagoga de manhã, ensinou e libertou e, agora, vai à casa de Pedro para curar sua sogra. Na sinagoga, o milagre foi público, na casa de Pedro, longe dos holofotes. Ele não precisava de público para fazer uso do seu poder.[197]

Em segundo lugar, *os discípulos levaram seus problemas a Jesus. E logo lhe falaram a respeito dela* (1.30). *E rogaram-lhe por ela* (Lc 4.38). Pedro era um homem casado e sua sogra morava com ele. Quando esta ficou enferma, os discípulos levaram o problema a Jesus. Falaram para ele sobre a enfermidade. Nós, de igual modo, devemos levar nossas causas ao Senhor. Podemos cantar com o poeta sacro: "Quando tudo perante o Senhor estiver, e todo o meu ser, ele controlar. Só então, hás de ver, que o Senhor tem poder, quando tudo deixares no altar".

Isso nos prova que eles criam que Jesus era compassivo e poderoso. Jesus se importa com os problemas das pessoas e tem poder para socorrê-las.

Nós devemos, semelhantemente, contar para Jesus aquilo que nos aflige e levar nossas causas a ele. Warren Wiersbe diz que não devemos deixar Jesus na igreja, mas devemos levá-lo também à nossa casa e repartir com ele nossas alegrias e nossos fardos.[198] Essa expressão: "e logo lhe falaram a respeito dela" dá-nos confiança para vir a Jesus com nossas necessidades e problemas. Geralmente, nós buscamos todos os outros recursos antes de irmos ao Senhor. Devemos, buscá-lo em primeiro lugar. A Bíblia nos ensina a falarmos com Jesus sobre nossas necessidades. Todas as soluções para os nossos problemas devem começar pela oração.[199]

Quando ficamos doentes, procuramos um médico. Quando temos problemas, com a lei, procuramos um advogado. Quando precisamos de ajuda, procuramos um amigo, mas acima de tudo e em qualquer circunstância, devemos procurar primeiro o Senhor Jesus. Jacó clamou pelo socorro divino quando se viu com um problema (Gn 32.11). O rei Ezequias colocou a afrontosa carta de Senaqueribe diante de Deus e orou (2Rs 19.19). Quando Lázaro ficou doente suas irmãs procuraram a Jesus (Jo 11.3). A Bíblia nos ensina a lançar sobre ele toda a nossa ansiedade (1Pe 5.7).[200]

Em terceiro lugar, *as nossas causas impossíveis são possíveis para Jesus.* A sogra de Pedro estava acamada. A palavra "acamada", *katakeimai,* pode ser traduzida por "estar prostrada". A palavra grega para "febre" é a mesma palavra para fogo. Mateus diz que ela estava ardendo em febre (Mt 8.14). Lucas, que era médico, usando um termo mais técnico, diz que ela estava com uma febre muito alta (Lc 4.38).

Na Palestina havia três tipos de febres: 1) A febre de Malta – acompanhada de grande anemia e debilidade; 2) A febre tifoide – era uma febre intermitente; 3) A febre malária – as regiões pantanosas do Jordão eram infestadas de mosquitos da malária. Em Cafarnaum abundavam os casos de malária. O enfermo tinha acessos de febre e calafrios. Adolf Pohl diz que na região pantanosa ao redor de Cafarnaum, com seu clima subtropical, é provável que a sogra de Pedro tivesse sido acometida de malária. Essa não era uma enfermidade simples. Era chamada de febre mortal (Jo 4.52).[201]

Os discípulos estavam diante de uma causa impossível, mas eles levaram-na a Jesus. Eles contaram para Jesus e confiaram nele e o milagre aconteceu. Embora essa seja uma cura na família de um discípulo, é a história de cura mais curta e mais singela dos evangelhos.

Em quarto lugar, *nenhuma enfermidade pode resistir ao poder de Jesus.* Ele curou o homem possesso na sinagoga num ambiente religioso, curou a sogra de Pedro em casa, num ambiente familiar e também uma multidão na rua, num ambiente aberto.

Jesus tocou a sogra de Pedro, deu ordem à febre e a mulher levantou. A doença ouve sua voz. O vento obedece à sua voz. O mar atende à sua voz. Os anjos obedecem às suas ordens. Os demônios batem em retirada à autoridade de sua voz. Nada pode resistir ao seu poder. William Hendriksen diz que a febre, ventos, as ondas, as tempestades, nada disso fazia diferença para Jesus. Ele exercia completo controle sobre tudo isso.[202]

O resultado foi que a febre a deixou. Todos os sintomas da febre desapareceram imediatamente. Ela se levantou e passou a servi-los. Não houve nenhum truque, nenhum engodo, nenhuma palavra mágica nem expediente para impressionar os circunstantes. A cura foi imediata: *e a febre a deixou* (1.31); totalmente: *logo se levantou* (Lc 4.38,39) e permanente: *passando ela a servi-los* (1.31).

A grande ênfase de Marcos nesse capítulo 1 é à vitória de Jesus sobre Satanás (1.12,13), sua autoridade sobre os demônios (1.23-26) e sua autoridade sobre todas as doenças humanas (1.30,31).

A notícia da expulsão do demônio na sinagoga e da cura da sogra de Pedro correu célere e muitas pessoas renovaram as suas esperanças de cura para os seus entes queridos.[203] Depois da cura familiar, dentro da casa de Pedro, uma multidão é trazida a Jesus. Agora, ele está na rua. Marcos fala de "todos os enfermos". Diz também que "curou a muitos" de toda "sorte de enfermidades". Para Jesus não há causa perdida.

Lucas faz um registro importante deste texto: *Ao pôr-do--sol, todos os que tinham enfermos de diferentes moléstias lhos traziam; e ele os curava, impondo as mãos sobre cada um* (Lc 4.40). Jesus não apenas curou toda sorte de enfermidade, mas teve um cuidado especial com cada pessoa de *per si*. Ele nunca tratou as pessoas como um número numa massa. Ele sempre valorizou as pessoas mais marginalizadas. Ele impôs as mãos sobre cada pessoa.

O ministério de libertação (1.32-34)

No fim do sábado, quando o sol já declinava, o povo da cidade de Cafarnaum afluiu em massa para o local onde Jesus estava. Havia na multidão aqueles que apenas queriam ver as coisas acontecerem (1.33). Havia também pessoas escravizadas por poderes malignos e ainda pessoas enfermas. Há três coisas aqui que merecem destaque:

Em primeiro lugar, *as pessoas traziam os endemoninhados a Jesus* (1.32,33). A palavra grega "trouxeram" é *pherō,* que significa "carregar um fardo.[204] Muitas pessoas enfermas e endemoninhadas foram trazidas a Jesus, doutra sorte jamais poderiam vir. Eram levadas, ou pereceriam sem esperança. Devemos trazer os cativos a Jesus. Ele é o libertador dos homens e o flagelador dos demônios. O verbo grego está no tempo imperfeito, indicando, ainda, que eles "continuavam trazendo" as pessoas a Jesus, significando uma ação contínua.[205]

Marcos faz uma clara distinção entre enfermos e endemoninhados. Enquanto Satanás pode causar doenças físicas, nem toda doença é causada pelo poder demoníaco.[206]

Egidio Gioia, de outro lado, considera a possessão como uma enfermidade tríplice: espiritual, mental e física. É um gênero de enfermidade produzida por agentes espirituais demoníacos, quando demônios aninham-se no corpo do ser humano. É uma estranha complicação de desordens físicas, morais e espirituais.[207]

Com um toque hiperbólico, Marcos diz que toda a cidade estava reunida à porta (1.33). A palavra grega "reunida à porta", *episynegmen,* literalmente significa "ir com outros e permanecer junto em um grupo".[208] Havia nessa multidão três grupos: Aqueles que eram necessitados de ajuda; aqueles que trouxeram seus amigos doentes e endemoninhados e aqueles que eram apenas curiosos e estavam ali para observar o que ia acontecer.[209]

Em segundo lugar, *Jesus libertava os endemoninhados* (1.34). Jesus libertava os possessos por algumas razões:

Primeiro, porque ele veio para libertar os cativos. Seu ministério foi definido por ele desde que começou sua agenda pública na sinagoga de Nazaré, como um ministério de libertação dos cativos e oprimidos (Lc 4.18). Lucas diz que ele foi ungido para libertar os oprimidos do diabo (At 10.38).

Segundo, porque ele veio para desfazer as obras do diabo. Jesus veio ao mundo para desbancar o diabo e suas hostes. Ao mesmo tempo em que liberta os cativos, ele aflige os demônios. Ele venceu o diabo na tentação, venceu-o libertando os endemoninhados, venceu-o nas outras diversas investidas e finalmente triunfou sobre ele na cruz, despojando-o e expondo-o ao desprezo (Cl 2.15). Jesus se manifestou para desfazer as obras do diabo (1Jo 3.8).

Terceiro, porque ele sentia profunda compaixão pelas pessoas oprimidas. Os milagres de Jesus não eram realizados para chamar a atenção para si, mas para demonstrar sua compaixão pelos outros. Sua motivação não era a vaidade, mas o amor.

Em terceiro lugar, *Jesus não permitia que os demônios falassem* (1.34). Os demônios sabiam quem era Jesus. Sabiam que ele é o Filho de Deus, o Santo de Deus, mas Jesus jamais aceitou o testemunho dos demônios. Estes não são mensageiros de Jesus.

Por que Jesus não permitiu que os demônios falassem? Bruce Barton alista três motivos: Primeiro, para silenciar os demônios. Jesus, assim, demonstrou sua autoridade e poder sobre eles. Segundo, Jesus desejou que as pessoas cressem que ele era o Messias por causa do que disse e fez e não por causa das palavras dos demônios. Terceiro, Jesus queria revelar sua identidade como Messias no seu tempo certo e não de acordo com o tempo escolhido por Satanás. Este queria que as pessoas seguissem a Cristo com o motivo errado. Queria que as pessoas seguissem a Cristo por aquilo que poderiam receber dele e não por quem de fato ele é, o Salvador do mundo.[210]

O ministério de oração (1.35-37)

Três fatos são dignos de observação acerca do ministério de oração de Jesus:

Em primeiro lugar, *o cansaço físico não impedia Jesus de orar* (1.35). Jesus se levantou alta madrugada, depois de um dia intenso de trabalho, e foi para um lugar deserto para orar. Ali ele derramou o seu coração em oração ao seu Pai celestial. Ele tinha plena consciência que não podia viver sem comunhão com o Pai, por meio da oração. Jesus entendia que intimidade com o Pai precede o exercício do ministério.

Jesus dava grande importância à oração. Ele mesmo orou quando foi batizado (Lc 3.21). Orou uma noite inteira antes de escolher os doze apóstolos (Lc 6.12). Ele se retirava para orar quando a multidão o procurava apenas atrás de milagres (Lc 5.15-17). Ele orou antes de fazer uma importante pergunta aos discípulos (Lc 9.18) e também orou no monte de Transfiguração, quando o Pai o consolou antes de ir para a cruz (Lc 9.28). Ele orou antes de ensinar seus discípulos a "Oração do Senhor" (Lc 11.1). Jesus orou no túmulo de Lázaro (Jo 11.41,42). Orou por Pedro, antes da negação (Lc 22.32). Orou durante a instituição da Ceia do Senhor (Jo 14.16; 17.1-24). Orou no Getsêmani (Mc 14.32-39), na cruz (Lc 23.34) e também após a ressurreição (Lc 24.30). Hoje, ele está orando por nós (Rm 8.34; Hb 7.25).

John Charles Ryle diz que um mestre tão comprometido com a oração não pode ter servos descomprometidos com ela. Um servo sem oração é um servo sem Cristo, inútil, na estrada da destruição. Quando há pouca oração, a graça, a força, a paz e a esperança são escassas. Ryle pergunta:

> Se Jesus que era santo, inculpável, puro e apartado dos pecadores orou continuamente, quanto mais nós que somos sujeitos à fraqueza? Se ele foi encontrado necessitando orar com alto clamor e lágrimas (Hb 5.7), quanto mais nós devemos clamar por nós, que ofendemos a Deus diariamente de tantas formas?[211]

Nós devemos orar com mais empenho se quisermos ter comunhão com o Pai. Devemos orar com mais fervor se quisermos fazer sua obra. Trabalho sem oração é presunção. Sigamos as pegadas do nosso Mestre!

Em segundo lugar, *a oração para Jesus era intimidade com o Pai e não desempenho diante dos homens* (1.35). Jesus buscava mais intimidade com o Pai do que popularidade. Ele era homem do povo, mas não governado pela vontade do povo. Sempre que os homens o buscaram apenas como um operador de milagres, viu nisso uma tentação, mais do que uma oportunidade e refugiava-se em oração.

Marcos registra três momentos quando Jesus preferiu o refúgio da oração: Primeiro, depois do seu bem-sucedido ministério de cura em Cafarnaum, quando a multidão o procurava apenas por causa dos milagres (1.35-37); Segundo, depois da multiplicação dos pães, quando a multidão o queria fazer rei (6.46). Terceiro, no Getsêmani, antes da sua prisão, tortura e crucificação (14.32-42).

Em terceiro lugar, *Jesus dava mais valor à comunhão com o Pai do que ao sucesso diante dos homens* (1.37). A multidão desejava ver a Jesus novamente, mas não para ouvir sua Palavra, porém, para receber curas e ver operações de milagres.[212] Certamente Pedro não discerniu a superficialidade da multidão, sua incredulidade e sua falta de apetite pela Palavra de Deus. Todo pregador é fascinado com a multidão, mas Jesus algumas vezes fugiu dela para refugiar-se na intimidade do Pai através da oração. O pregador que busca intimidade com Deus mais do que popularidade diante dos homens sabe ir ao encontro das multidões e também fugir delas. A intimidade com Deus em oração é mais importante do que sucesso no ministério. Em 1997, estive visitando a Igreja do Evangelho Pleno em Seul, na Coreia do Sul. Certa feita, o presidente da Coreia do Sul ligou para o pastor da igreja, Paul Yong Cho. A secretária lhe disse: "O pastor não pode atender ao senhor, pois ele está orando". O presidente, inconformado, retrucou: "Eu sou o presidente da Coreia do Sul e quero falar com ele, agora!". A secretária, firmemente respondeu: "Ele não vai atender ao senhor, pois ele está orando". Mais tarde, o presidente ligou para o pastor em tom de reprovação, por não ter sido atendido, mas o pastor lhe disse: "Eu não o atendi, porque estava falando com alguém muito mais importante do que o senhor. Eu estava falando com o Rei dos reis e Senhor dos senhores".

O ministério de pregação (Mc 1.38,39)

Destacamos três fatos sobre a pregação de Jesus:

Em primeiro lugar, *a pregação ocupava lugar central no ministério de Cristo* (1.38). Jesus revelou que ele veio ao mundo para pregar e ensinar. Ele deixou a glória que tinha com o Pai desde toda a eternidade para ser um evangelista.[213] Jesus veio ao mundo para proclamar libertação aos cativos (Lc 4.18). Ele é o divino missionário enviado pelo Pai, para evangelizar e salvar o mundo perdido. Em sua primeira viagem missionária, ele a fez preceder por uma silenciosa madrugada de oração. Jesus nos ensina que a oração nos conduz à fonte do poder divino, é a chave que abre os tesouros celestiais e o segredo da vitória na esfera espiritual.[214]

Ele demonstrou sua confiança na supremacia da Palavra e na primazia da pregação. Ele veio para pregar. A pregação estava no centro do seu ministério. Deve estar também no centro da agenda dos apóstolos (At 6.4). É pela pregação que vem a fé salvadora (Rm 10.13-17).

Não há nenhum privilégio mais elevado que este, ser pregador da Palavra de Deus, embaixador do céu, ministro da reconciliação, portador de boas-novas. Spurgeon dizia aos seus alunos: "Se os reis vos convidarem para serdes ministros de Estado, não vos rebaixeis, deixando o honrado posto de embaixadores de Deus".

Jesus fez uma cruzada de pregação pelas sinagogas da Galileia. A frase por "toda a Galileia" indica que Jesus e seus discípulos visitavam todos os povoados e aldeias sistemática e ordenadamente, pregando o evangelho do Reino nas sinagogas e fazendo os milagres que ilustravam tanto seu amor quanto o seu poder.[215] Esse giro está registrado apenas num versículo (Mc 1.39), mas deve ter durado semanas ou até meses.[216] Jesus afirmou que era mais importante pregar o evangelho em outros lugares do que permanecer em Cafarnaum e curar os doentes. Ele não permitiu que o clamor popular mudasse suas prioridades.[217]

Em segundo lugar, *a pregação para Jesus era mais importante do que os milagres* (1.38). Jesus não veio de Nazaré ou Cafarnaum, mas do céu[218] e isto não apenas para resolver os problemas temporais, mas para salvar o homem da condenação eterna. Sua obra vicária e expiatória era mais importante que suas curas. Ele quis ser lembrado por sua morte e não por seus milagres.

Os discípulos, cheios de entusiasmo, disseram para ele que a multidão o procurava, mas ele dava mais importância à oração e ao ministério da Palavra do que à popularidade. Jesus nunca permitiu que o povo ou seus discípulos dissessem o que ele deveria fazer.[219]

Foi pela pregação que a igreja começou e foi estabelecida. É pela pregação que ela cresce saudavelmente. Pela pregação os pecadores são despertados. Pela pregação os santos são edificados. A pregação coloca o mundo de ponta-cabeça e lança ao chão os monumentos do paganismo. O Rei dos reis e o Senhor dos senhores foi um pregador.[220]

Em terceiro lugar, *a pregação de Jesus era dirigida aos ouvidos e aos olhos* (1.39). Jesus pregava e curava, pregava e expulsava demônios, falava e fazia. Ele pregava com sabedoria e também com poder. Palavra e ação para Jesus andam juntas. William Barclay disse que havia três pares de coisas que Jesus nunca separou:[221]

Primeiro, ele nunca separou palavra de ação. O homem que emprega todas as suas energias em falar, mas nunca chega a fazer o que diz não é um discípulo de Cristo.

Segundo, ele nunca separou o corpo da alma. Jesus tratou do corpo e da alma. Ele perdoou pecados e curou enfermidades. Ele deu aos famintos o pão da terra e também o pão do céu. A tarefa do cristianismo é redimir o homem integralmente. Devemos levar aos homens não apenas o evangelho, mas também educação, medicina, escolas e hospitais.

Terceiro, ele nunca separou a terra do céu. Há pessoas que estão tão preocupadas com o céu que esquecem da terra e se convertem em visionários e idealistas pouco práticos. Há, de outro lado, aqueles que esquecem do céu e só pensam nas cousas terrenas. Jesus ensinou que a vontade de Deus deve ser feita na terra como ela é feita no céu. O céu e a terra precisam estar conectados.

Notas do capítulo 7

[196] Barclay, William, *Marcos,* 1974: p. 47.

[197] Barclay, William, *Marcos,* 1974: p. 47.

[198] Wiersbe, Warren W, *Be Diligent,* 1987: p. 18.

[199] Barton, Bruce B, et all. *Life Application Bible Commentary. Mark,* 1994: p. 34.

[200] Ryle, John Charles, *Mark,* 1993: p. 9.

[201] Pohl, Adolf, *Evangelho de Marcos,* 1998: p. 83.

[202] Hendriksen, William, *Marcos,* 2003: p. 93.

[203] Hendriksen, William, *Marcos,* 2003: p. 94.

[204] Barton, Bruce B, et all. *Life Application Bible Commentary. Mark,* 1994: p. 35.

[205] Barton, Bruce B, et all. *Life Application Bible Commentary. Mark,* 1994: p. 36.

[206] Wiersbe, Warren, *Be Diligent,* 1987: p. 18.

[207] Gioia, Egidio, *Notas e Comentários à Harmonia dos Evangelhos,* 1969: p. 94.

[208] Barton, Bruce B, et all. *Life Application Bible Commentary. Mark,* 1994: p. 36.

[209] Barton, Bruce B, et all. *Life Application Bible Commentary. Mark,* 1994: p. 36.

[210] Barton, Bruce B, at all. *Life Application Bible Commentary. Mark,* 1994: p. 37.

[211] Ryle, John Charles, *Mark,* 1993: p. 12.

[212] Wiersbe, Warren W, *Be Diligent,* 1987: p. 19.

[213] Ryle, John Charles, *Mark,* 1993: p. 13.

[214] Gioia, Egidio, *Notas e Comentários à Harmonia dos Evangelhos,* 1969: p. 93.

[215] Trenchard, Ernesto, *Una Exposición del evangelio según Marcos,* 1971: p. 30.

[216] Barclay, William, *Marcos,* 1974: p. 52.

[217] Wiersbe, Warren W, *Be Diligent,* 1987: p. 19.

[218] João 1.11,12; 6.38; 8.42; 13.3; 18.37.

[219] Hendriksen, William, *Marcos,* 2003: p. 98.

[220] Ryle, John Charles, *Mark,* 1993: p. 14.

[221] Barclay, William, *Marcos,* 1974: p. 52,53.

Capítulo 8

Uma grande miséria diante do grande Deus

(Mc 1.40-45)

ESSE TEXTO É UM dos mais tocantes do Novo Testamento. Mais do que um fato, é um símbolo, um emblema da nossa vida. Ele nos mostra dois pólos distintos:

Em primeiro lugar, *a miséria extrema a que o homem pode chegar.* Esse texto pinta com cores vivas a dolorosa situação a que um ser humano pode chegar. Certo homem na Galileia começou a ter sintomas estranhos no seu corpo. Um dia, verificou que sua pele estava ficando escamosa e cheia de manchas. Sua esposa, assustada, recomendou-o a ir ao sacerdote. Ele foi, e recebeu o sombrio diagnóstico: "Você está com lepra, está impuro, imundo". Aquele homem voltou cabisbaixo, vestiu-se de trapo e sem poder abraçar sua família, retirou-se para uma caverna ou uma colônia de leprosos, fora da cidade.

Os anos se passaram, sua doença agravou-se. Agora, desenganado, coberto de lepra, corpo deformado, aguarda num total ostracismo social a chegada da morte. Até que um dia fica sabendo que Jesus de Nazaré estava passando pela Galileia. A esperança reacendeu no seu coração. Ele rompeu o bloqueio da aldeia, esgueirou-se pelas ruas e prostrou-se aos pés de Jesus.

Em segundo lugar, *a compaixão infinita do Filho de Deus.* A atitude natural de qualquer judeu seria escorraçar aquele leproso e atirar pedras nele. O leproso estava infringindo a lei, pois era impuro e não podia sair do seu isolamento. Mas Jesus sente compaixão por aquele homem chagado, toca-o, cura-o e devolve-o à sua família, restaurando-lhe a dignidade da vida.

Esse incidente é um exemplo solene da sombria condição humana afetada pela doença mortal do pecado. Também é um retrato da compaixão e do poder absoluto de Jesus, para curar e salvar.

Uma grande necessidade

Enquanto Jesus percorria as cidades da Galileia pregando o evangelho, apareceu um homem leproso. O evangelista Lucas, que era médico, usando uma linguagem mais precisa, diz que ele estava coberto de lepra (Lc 5.12). O mal já estava em estado avançado.

A palavra lepra vem de *lepros,* do verbo *lepein,* que significa descascar. Um leproso é alguém com a pele descascando. Naquela época, a lepra abrangia alergias de pele em geral, das quais os rabinos tinham relacionado 72, tanto de curáveis quanto incuráveis.[222] A palavra grega para lepra era usada para uma variedade de doenças similares; algumas delas eram contagiosas, degenerativas e mortais.[223] A lepra descrita no texto em apreço era deste tipo: uma doença insidiosa, repulsiva, lenta, progressiva, grave e incurável. Ela transformava o enfermo numa carcaça repulsiva. O leproso era considerado um morto-vivo. A cura da lepra era considerada como uma ressurreição.[224] Só Deus podia curar um leproso (2Rs 5.7).

A lepra era a pior enfermidade do mundo: a mais temida, a mais sofrida, a de consequências mais graves. O filme Ben-Hur retrata esse drama, quando Messala envia para a prisão a mãe e a irmã de Ben-Hur e elas ficam leprosas e são levadas para uma colônia de leprosos já com os corpos desfigurados pela doença contagiosa.

A lepra era um símbolo da ira de Deus contra o pecado. Os rabinos consideravam a lepra um castigo de Deus.[225] Ela foi infligida por Deus para punir rebelião (Miriã), mentira (Geazi) e orgulho (Uzias).

A lepra era um símbolo do pecado[226] e como tal, possui várias características:

Em primeiro lugar, *a lepra é mais profunda que a pele* (Lv 13.3). A lepra não era apenas uma doença dermatológica. Ela não ataca meramente a pele, mas, também, o sangue, a carne e os ossos, até o paciente começar a perder as extremidades do corpo.[227] Semelhantemente, o pecado não é algo superficial. Ele procede do coração e contamina todo o corpo. O homem está em estado de depravação total, ou seja, todos os seus sentidos e faculdades foram afetados pelo pecado. O pecado atinge a mente, o coração e a vontade.[228] Ele atinge os pensamentos, as palavras, os desejos, a consciência e a alma.

Em segundo lugar, *a lepra separa.* Larry Richards diz que o impacto social da lepra era ainda maior do que seus problemas físicos. Além do sofrimento infligido por tal doença, a pessoa deveria ficar isolada da comunidade.[229] A lepra afligia física e moralmente, pois os leprosos tinham de enfrentar a separação de seus queridos e o isolamento da sociedade.[230] O leproso precisava ser isolado, separado da família e da comunidade. Ele não poderia frequentar o templo nem a sinagoga. Precisava viver numa caverna ou numa colônia de leprosos. Todo contato humano era proibido.

A lei de Moisés proibia terminantemente a um leproso se aproximar de qualquer pessoa e quando alguém se aproximava, precisava gritar: Imundo! Imundo!, a fim de que nenhuma pessoa dele se aproximasse. A lei de Moisés diz: *As vestes do leproso, em quem está a praga, serão rasgadas, e os seus cabelos serão desgrenhados; cobrirá o bigode e clamará: Imundo, Imundo!* (Lv 13.45).

Assim é o pecado. Ele separa o homem de Deus (Is 59.2), do próximo (ódio, mágoas e ressentimentos) e de si mesmo (complexos, culpa e achatada autoestima).

Em terceiro lugar, *a lepra insensibiliza.* William Barclay fala de dois tipos de lepra que haviam no período do Novo Testamento: Primeiro, *a lepra nodular* ou *tubercular.* Este tipo de lepra começa com dores nas juntas e com nódulos avermelhados e escuros na pele. A pele torna-se rugosa e as cartilagens começam a necrosar. Os pés e as mãos ficam ulcerados e o corpo deformado. Segundo, *a lepra anestésica.*

Esse tipo de lepra afetava as extremidades nervosas. A área afetada perdia completamente a sensibilidade. O paciente só descobria que estava doente quando sofria uma queimadura e não sentia dores. Com o avanço da doença, as cartilagens iam sendo necrosadas e o paciente perdia os dedos das mãos e dos pés.[231] A lepra atinge as células nervosas e deixa o doente insensível.

De forma semelhante, o pecado anestesia e calcifica o coração, cauteriza a consciência e mortifica a alma. Como a lepra, o pecado é progressivo. Um abismo chama outro abismo. É como um sapo num caldeirão de água. Levado ao fogo, o sapo vai se adaptando à temperatura da água e acaba morrendo queimado.

Em quarto lugar, *a lepra deixa marcas.* A lepra degenera, deforma, deixa terríveis marcas e cicatrizes. Quando a lepra atinge seu último estágio, o doente começa a perder os dedos, o nariz, os lábios, as orelhas. A lepra atinge os olhos, os ouvidos e os sentidos.

O pecado também deixa marcas no corpo (doenças), na alma (culpa, medo), na família (divórcio, violência). David Wilkerson, trabalhando com jovens drogados na cidade de Nova Iorque, fala de jovens que, sob o efeito avassalador das drogas, arrancavam as unhas e os próprios olhos, mutilando-se.

Em quinto lugar, *a lepra contamina.* A lepra é contagiosa, ela se espalha. O leproso precisava ser isolado, do contrário ele transmitiria a doença para outras pessoas.

O pecado também é contagioso. Um pouco de fermento leveda toda a massa (1Co 5.6). Uma maçã podre num cesto apodrece as outras. Davi nos ensina a não andarmos no conselho dos ímpios, a não nos determos no caminho dos pecadores nem nos assentarmos na roda dos escarnecedores (Sl 1.1). O pecado é como o rio Amazonas; até uma criança pode brincar na cabeceira desse rio. Contudo, na medida em que avança para o mar, novos afluentes vão se juntando a ele e então, transforma-se no maior rio do mundo em volume de água. Nenhum nadador, por mais audacioso, se aventuraria a enfrentá-lo. O pecado é como uma jiboia que o domador domesticou. Um dia essa serpente venenosa vai esmagar os seus ossos. A Bíblia diz que quem zomba do pecado é louco. O pecador será um dia apanhado pelas próprias cordas do seu pecado.

Em sexto lugar, *a lepra deixa a pessoa impura*. A lepra era uma doença física e social. Ela deixava o doente impuro. O leproso era banido do lar, da cidade, do templo, da sinagoga, do culto. Ele deveria carregar um sino no pescoço e gritar sempre que alguém se aproximasse: Imundo! Imundo![232] Os dez leprosos curados por Jesus gritaram de longe, pedindo ajuda (Lc 17.13). Eles não ousaram se aproximar dele.

O pecado também deixa o homem impuro. A nossa justiça aos olhos de Deus não passa de trapos de imundícia (Is 64.6). Nós somos como o imundo.

Em sétimo lugar, *a lepra mata*. A lepra era uma doença que ia deformando e destruindo as pessoas aos poucos. Elas iam perdendo os membros do corpo, ficando chagadas, malcheirosas e acabavam morrendo na total solidão. Um leproso era como um morto-vivo.

O pecado mata. O salário do pecado é a morte (Rm 6.23). O pecado é o pior de todos os males. Ele é pior que a lepra. A lepra só atinge alguns, o pecado atingiu a todos; a lepra só destrói o corpo, o pecado destrói o corpo e a alma;

a lepra não pode separar o homem de Deus, mas o pecado o separa de Deus no tempo e na eternidade.

Um grande desejo

O leproso demonstra quatro atitudes:

Em primeiro lugar, *o leproso demonstrou grande determinação* (1.40). Ele venceu o medo, o autodesprezo, os complexos e o repúdio das pessoas. Ele venceu os embargos da lei e saiu do leprosário, da caverna da morte. Ele venceu a revolta, a dor, a mágoa, a solidão, a frustração e a desesperança. Adolf Pohl faz o seguinte comentário:

> Do versículo 45 entende-se que o miserável leproso forçou a passagem até Jesus no meio de um povoado. Ele simplesmente rompeu a zona de proteção que os sadios se cercaram. Quando ele surgiu, para horror dos circundantes, num piscar de olhos os lugares ficaram vazios. Só Jesus não fugiu. Jesus o deixou aproximar-se. Até aqui se falou que Jesus "veio" (v. 7,9,14,21,24,29,35,38); agora alguém vem a ele (v. 10,45), demonstrando que entendeu a vinda dele.[233]

O leproso aproximou-se de Jesus e levou sua causa perdida a ele. Ele se aproximou tanto de Jesus a ponto do Senhor poder tocá-lo. Isso é digno de nota porque a lei ordenava: [...] *habitará só; a sua habitação será fora do arraial* (Lv 13.46). Esse leproso não se escondeu, mas correu na direção de Jesus. Não corra de Deus, corra para ele. Não fuja de Jesus, prostre-se aos seus pés. Ele convida: *Vinde a mim, todos os que estais cansados e oprimidos, e eu vos aliviarei* (Mt 11.28).

Ele furou o bloqueio, transcendeu, fez o que não era comum fazer. Ele contrariou os clichês sociais e quebrou paradigmas. Dispôs-se a enfrentar o desprezo, a gritaria ou mesmo as pedradas da multidão.

Ele rompeu com a decretação do fracasso imposto à sua vida. Ele estava fadado à morte, ao abandono, ao opróbrio, à caverna, ao leprosário. Contudo, ele se levantou e foi ao Salvador. Ele esperou contra a esperança e não desanimou.

Em segundo lugar, *o leproso demonstrou profunda humildade* (1.40). Ele se ajoelhou (1.40), prostrou-se com o rosto em terra (Lc 5.12) e adorou o Senhor (Mt 8.2). Ele reconheceu a majestade e o poder de Jesus e o chamou de Senhor. Ele demonstrou que tinha necessidade não apenas de cura, mas do próprio Senhor. Adorar ao Senhor é maravilhar-se com quem ele é mais do que com o que ele faz. Adoramos a Deus pelas suas virtudes e damos graças pelos seus feitos.

Em terceiro lugar, *o leproso demonstrou genuína fé* (1.40). Ele se aproximou de Jesus não com dúvidas, mas cheio de convicção. Ele sabia que Jesus podia todas as coisas. Ele sabia que para Jesus não havia impossíveis. Ele creu e confessou: *Se quiseres, podes purificar-me* (1.40). A fé vê o invisível, toca o intangível e torna possível o impossível. Pela fé, pisamos o terreno dos milagres. Pela fé vivemos sobrenaturalmente. Pela fé, podemos ver a glória, de Deus.

Corrie Ten Boon, passando pelas agruras indescritíveis de um campo de concentração nazista, dizia: "Não há abismo tão profundo que a graça de Deus não seja mais profunda". O limite do homem não esgota as possibilidades de Deus. O deserto, onde Ismael desfalecia na antessala da morte, tornou-se a porta da sua oportunidade. Deus transforma o vale da ameaça em porta da esperança.

Em quarto lugar, *o leproso demonstrou plena submissão* (1.40). O leproso não exige nada, mas suplica com fervor. Ele não decreta, roga. Ele não reivindica direitos, mas clama por misericórdia. Ele não impõe o seu querer, mas demonstra plena submissão à vontade soberana de Jesus.

O próprio Jesus praticou esse princípio no Getsêmani. A vontade de Deus é sempre boa, perfeita e agradável. É a vontade dele que deve ser feita na terra e não a nossa no céu.

Um grande milagre

Quatro atitudes de Jesus são aqui destacadas nesse milagre:

Em primeiro lugar, *uma compaixão profunda* (1.41). Marcos nos leva até o coração de Jesus e revela o que o levou a agir. *Jesus, profundamente compadecido, estendeu a mão, tocou-o, e disse-lhe: Quero, fica limpo!* (1.41). Literalmente, a tradução seria: "tocado em suas entranhas ou em seu íntimo" diz William Hendriksen.[234]

Jesus é a disposição poderosa de Deus para ajudar. Em Jesus, Deus fez uma ponte entre ele e os excluídos.[235] Jesus sentiu compaixão pelo leproso em vez de pegar em pedras para o expulsar da sua presença. Jesus sentiu profundo amor por esse pária da sociedade em vez de sentir náuseas dele. Todos tinham medo dele e fugiam dele com náuseas, mas Jesus compadeceu-se dele e o tocou.

O real valor de uma pessoa está em seu interior e não em sua aparência. Embora o corpo de uma pessoa possa estar deformado pela enfermidade, o seu valor é o mesmo diante de Deus. William Hendriksen diz que Jesus não considerava ninguém indigno, quer leproso, ou cego, surdo ou paralítico. Ele veio ao mundo para ajudar, curar e salvar.[236] John Charles Ryle diz que as pessoas não estão perdidas porque elas são muito más para serem salvas, mas estão perdidas porque não querem vir a Cristo para serem salvas.[237]

Mesmo que todos o rejeitem, Jesus se compadece. Ele sabe o seu nome, seu problema, sua dor, suas angústias, seus medos. Ele não o escorraça.

Em segundo lugar, *um toque generoso* (1.41). O toque de Jesus quebrou o sistema judaico em um lugar decisivo, porque o puro não ficou impuro; entretanto, o puro purificou o impuro.[238] Segundo a lei, quem tocasse em um leproso ficava impuro, mas em vez de Jesus ficar impuro ao tocar o leproso, foi o leproso quem ficou limpo. A imundícia do leproso não pôde contaminar a Jesus, mas a virtude curadora de Jesus removeu todo o mal do leproso.[239]

J. Vernon McGee diz que há um lado psicológico tremendo nesse milagre, pois ninguém toca um leproso.[240] Fazia muitos anos que ninguém tocava naquele leproso. Quando dava um passo para a frente, os outros davam um passo para trás. Aquele homem não sabia mais o que era um abraço, um toque no ombro, um aperto de mão.

Jesus poderia curá-lo sem o tocar. Mas Jesus viu que aquele homem tinha não apenas uma enfermidade física, mas também uma profunda carência emocional. Jesus tocou a lepra. Mostrou sua autoridade sobre a lei e sobre a enfermidade. Jesus curou as suas emoções, antes de curar a sua enfermidade. O toque de Jesus curou a sua alma, a sua psiquê, a sua autoestima, a sua imagem destruída.

Os Evangelhos falam do toque curador das mãos de Cristo. Algumas vezes era o doente quem tocava em Jesus. Isso não era nenhuma mágica. O poder de curar não se originava em seus dedos ou vestimentas. Ele vinha direto da sua poderosa vontade e do seu coração compassivo.[241]

Jesus pode tocar você também. Basta um toque de Jesus e você ficará curado, libertado, purificado. Ele não se afasta de nós por causa das nossas mazelas.

Em terceiro lugar, *uma palavra extraordinária* (1.41,42). Jesus atendeu prontamente ao clamor do leproso: *Se quiseres, podes purificar-me.* Ele respondeu: *Quero, fica limpo! No mesmo instante, desapareceu a lepra, e ficou limpo* (1.41,42). O toque e a palavra trouxeram cura. William Hendriksen diz que a introdução condicional do leproso: "Se quiseres", é suplantada pela esplêndida prontidão do Mestre: "Eu quero". Aqui a vontade junta--se ao poder, e a subtração do "se", com a adição do "fica limpo" transformam uma condição horrível de doença numa situação de saúde estável.[242]

A cura foi completa e instantânea. O milagre de Jesus foi público, imediato e completo. O sacerdote poderia declará--lo limpo (1.44), mas só Jesus poderia torná-lo limpo.

Hoje, há muitos milagres sendo divulgados que não resistem a uma meticulosa investigação. Mas quando Jesus cura, a restauração plena é imediata e pública. Não há embuste nem propaganda enganosa.

Em quarto lugar, *um testemunho necessário* (1.44). Jesus disse ao homem: [...] *vai, mostra-te ao sacerdote e oferece pela tua purificação o que Moisés determinou, para servir de testemunho ao povo* (1.44). O sacerdote era a autoridade religiosa e sanitária que fornecia o atestado de saúde e pronunciava a purificação (Lv 14.1-32). Ele deveria dar o atestado de reintegração daquele homem na sociedade. O sacerdote deveria atestar a legitimidade do milagre. O verdadeiro milagre é verificável. Como já foi dito, o sacerdote poderia declará-lo limpo, mas só Jesus poderia torná-lo limpo.[243]

Ele deveria ir ao sacerdote para dar testemunho ao povo. Precisamos anunciar o que Deus fez por nós. O testemunho desse milagre poderia gerar fé no coração dos líderes religiosos de Israel. Isso era um testemunho para eles. Contudo, no caso de persistente incredulidade, esse milagre seria um testemunho contra eles.

Uma grande advertência (Mc 1.44,45)

O propósito de Jesus ao percorrer as cidades da Galileia era pregar o evangelho (1.38,39). Jesus estava fugindo da busca infrene da multidão de Cafarnaum por milagres (1.35-37). No entanto, agora, por compaixão, cura um homem coberto de lepra, mas faz uma advertência. Vejamos três fatos dignos de observação:

Em primeiro lugar, *uma ordem expressa*. Jesus lhe disse: *Olha, não digas nada a ninguém...* (1.44). Por que Jesus deu essa ordem? Por duas razões:

Primeiro, porque sua campanha na Galileia era evangelística e não uma cruzada de milagres. Jesus estava percorrendo as cidades da Galileia com o propósito de pregar o evangelho. Ele acabara de fugir da multidão de Cafarnaum que o buscava para receber milagres. Jesus não quer ser conhecido apenas como um operador de milagres. Ele veio para buscar o perdido, para remir os homens de seus pecados e não apenas para curar suas enfermidades. Jesus, doutra feita, denunciou esse interesse apenas temporal e terreno das pessoas que o buscavam: *Em verdade, em verdade vos digo que me buscais, não porque vistes sinais, mas porque comestes do pão e vos saciastes* (Jo 6.26). Jesus queria ser conhecido como um portador de boas-novas e não como um realizador de milagres.[244] O diabo sempre quis distrair Jesus da sua missão, fazendo-o escolher o caminho da fama em vez do caminho da cruz. Muitas vezes, o diabo escondeu-se atrás da multidão ávida por milagres.[245]

Segundo, porque não queria despertar precocemente a oposição dos líderes judeus. Os líderes judeus tinham inveja de Jesus. O Senhor sabia que eles estavam se levantando contra ele e não queria apressar essa oposição. Jesus não queria provocar uma crise prematura, diz William Hendriksen.[246]

Em segundo lugar, *uma desobediência flagrante.* O homem curado não conteve sua alegria e entusiasmo. Diz o texto: *Mas, tendo ele saído, entrou a propalar muitas cousas e a divulgar a notícia...* (1.45). O verbo grego está no tempo presente, evidenciando que o homem estava propalando e divulgando continuamente acerca da sua cura.[247] Certamente ele tinha motivos para abrir a sua boca e falar das maravilhas que Jesus havia feito nele e por ele. Contudo, isso não lhe dava o direito de desobedecer a uma ordem expressa do Senhor que o libertara do cativeiro da morte.

Jesus mandou aquele homem ficar calado e ele falou. Hoje, Jesus nos manda falar e nós rebeldemente nos calamos.[248] A desobediência desse leproso purificado não é tão condenável quanto a nossa desobediência atualmente. Somos ordenados a falar as boas-novas do evangelho a todos e não falamos a ninguém.[249]

Em terceiro lugar, *uma consequência desastrosa*. A desobediência sempre produz resultados negativos. Diz o evangelista Marcos: *Mas, tendo ele saído, entrou a propalar muitas coisas e a divulgar a notícia, a ponto de não mais poder Jesus entrar publicamente em qualquer cidade, mas permanecia fora, em lugares ermos; e de toda parte vinham ter com ele* (1.45).

O entusiasmo daquele homem foi um estorvo na campanha evangelística de Jesus. Era uma espécie de zelo sem entendimento. A apresentação de Jesus nas sinagogas da província foi interrompida. O Senhor não alimentou a curiosidade da multidão que o buscava apenas para ver ou receber os seus milagres, por isso permaneceu fora das cidades em lugares afastados.

Concluindo, podemos afirmar que Jesus curou o leproso física, emocional, social e espiritualmente. Aquele homem recobrou sua saúde e sua dignidade. Ele foi reintegrado à sua família, à sinagoga e ao convívio social. Ele deixou de ser impuro e tornou-se aceito.

Jesus ainda hoje continua curando os enfermos, limpando os impuros, restaurando a dignidade daqueles que estão com a esperança morta. Venha hoje mesmo a Jesus. Coloque a sua causa aos seus pés. Ela pode estar perdida para os homens, mas Jesus é o Senhor das causas perdidas. Ele pode restaurar, sua vida, seu casamento, sua família e fazer de você uma bênção.

Notas do capítulo 8

[222] Pohl, Adolf, *Evangelho de Marcos,* 1998: p. 91.

[223] Barton, Bruce B, et all. *Life Application Bible Commentary. Mark,* 1994: p. 41.

[224] Pohl, Adolf, *Evangelho de Marcos,* 1998: p. 91.

[225] Richards, Larry, *Todos os Milagres da Bíblia,* 2003: p. 212.

[226] Gioia, Egidio, *Notas e Comentários à Harmonia dos Evangelhos,* 1969: p. 96.

[227] Ryle, John Charles, *Mark,* 1993: p. 15.

[228] Ryle, John Charles, *Mark,* 1993: p. 15.

[229] Richards, Larry, *Todos os Milagres da Bíblia,* 2003: p. 211.

[230] Gioia, Egidio, *Notas e Comentários à Harmonia dos Evangelhos,* 1969: p. 95.

[231] Barclay, William, *Marcos,* 1974: p. 54,55.

[232] Barclay, William, *Marcos,* 1974: p. 56.

[233] Pohl, Adolf, *Evangelho de Marcos,* 1998: p. 92.

[234] Hendriksen, William, *Marcos,* 2003: p. 105.

[235] Pohl, Adolf, *Evangelho de Marcos,* 1998: p. 93.

[236] Hendrisekn, William, *Marcos,* 2003: p. 104.

[237] Ryle, John Charles, *Mark,* 1993: p. 16.

[238] Pohl, Adolf, *Evangelho de Marcos,* 1998: p. 93.

[239] Trenchard, Ernesto, *Una Exposición del evangelio según Marcos,* 1971: p. 32.

[240] McGee, J. Vernon, *Mark,* 1991: p. 29.

[241] Hendriksen, William, *Marcos,* 2003: p. 106.

[242] Hendriksen, William, *Marcos,* 2003: p. 107.

[243] Barton, Bruce B, et all. *Life Application Bible Commentary. Mark,* 1994: p. 41.

[244] Hendriksen, William, *Marcos,* 2003: p. 108.

[245] Pohl, Adolf, *Evangelho de Marcos,* 1998: p. 94.

[246] Hendriksen, William, *Marcos,* 2003: p. 108.

[247] Barton, Bruce B, et all. *Life Application Bible Commentary. Mark,* 1994: p. 44.

[248] Wiersbe, Warren W, *Be Diligent,* 1987: p. 20.

[249] McGee , J. Vernon, *Mark,* 1991: p. 31.

Capítulo 9

A história de um milagre

(Mc 2.1-12)

William Hendriksen diz que há um grande contraste entre o capítulo 1 de Marcos e o capítulo 2. O primeiro é o capítulo da glória e o segundo da oposição.[250] Essa oposição que começou com Satanás e seus demônios veste-se agora de pele humana. Os escribas, fariseus, doutores da lei e herodianos vão se mancomunar para perseguir e matar Jesus (2.6,7,16,24; 3.6,22).

Jesus poderia ter concentrado o seu ministério em curar os enfermos e alimentar os famintos, pois havia uma multidão carente ao seu redor, mas os milagres eram apenas meios e não o fim último do seu ministério. Os milagres de Jesus tinham o propósito de provar sua identidade e missão e abrir portas para a mensagem da salvação. Essa multidão reunida é diferente daquela que Jesus deixara para trás (1.37,38). Aquela buscava seus milagres, esta vem para ouvir a sua mensagem.[251]

Jesus acabara de chegar a Cafarnaum, vindo de sua cruzada evangelística, onde pregara a Palavra pelas cidades e vilas da Galileia (1.38,39). Ele está de volta à sua própria cidade (Mt 9.1). Jesus nasceu em Belém, foi educado em Nazaré, mas escolheu Cafarnaum para habitar desde que foi expulso pelos nazarenos (Mt 4.13). Essa cidade tornou-se o quartel-general de Jesus durante os seus três anos de ministério terreno.

Jesus é como um ímã irresistível.[252] Onde Ele chegava, a multidão logo o procurava pelo deslumbramento causado por suas palavras e obras. A casa onde estava encheu-se de gente: uns para ouvir seus ensinos, outros movidos por curiosidade; alguns ainda motivados pela inveja e certamente outros desejosos de serem por ele curados.

Jesus está em Cafarnaum para pregar a Palavra. Para isso ele veio (1.38) e foi isso o que ele fez pelas cidades da Galileia (1.39) e é isso que está fazendo novamente em Cafarnaum (2.1). Aqui o povo se reúne para ouvir a sua pregação.

Dentro dessa casa apinhada de gente, um glorioso milagre acontece. Warren Wiersbe analisa esse texto sob a perspectiva do olhar de Jesus:[253]

Primeiro, Jesus olha para cima e vê quatro homens que se esforçam para trazer um paralítico aos seus pés. Ele vê que esses homens têm iniciativa, união, perseverança e fé.

Segundo, Jesus olha para baixo e vê um homem doente do corpo e da alma, aleijado, desanimado e esmagado pela dor e pela culpa. Antes de curar seu corpo, Jesus pronuncia palavras de paz para a sua alma. O perdão é o maior milagre de Jesus, porque atende à maior necessidade, custa o maior preço, traz a maior bênção e o mais duradouro resultado.

Terceiro, Jesus olha ao redor e vê os críticos que tinham vindo para vigiá-lo e contradizê-lo.

Quarto, Jesus olha para dentro e vê o coração dos críticos arrazoando pensamentos hostis a seu respeito, acusando-o de blasfêmia.

Vejamos a história desse milagre e seus personagens circunstantes.

Aqueles que levam alguém a Jesus

Marcos nos informa que quatro homens levaram um paralítico a Jesus. Esse homem não poderia, por si mesmo, chegar onde Jesus estava. Ele estava impedido de se mover, pois era coxo e entrevado. Suas pernas não se moviam, seus músculos estavam atrofiados e sua coluna vertebral estava paralisada. A doença havia atingido as áreas motoras do seu cérebro. Ele jazia como um morto. Aquele homem tinha de ser carregado; então, os seus amigos o ajudaram a ir a Jesus. Ainda hoje há muitas pessoas que não irão à Casa de Deus a não ser que sejam levadas e colocadas aos pés de Jesus. Vejamos quatro atitudes desses amigos, dignas de serem imitadas:

Em primeiro lugar, *eles tiveram visão* (2.3). Lucas nos informa que esses quatro homens queriam introduzir o paralítico dentro da casa e pô-lo diante de Jesus (Lc 5.18). Aquele coxo precisava de ajuda. Ele não poderia ir por si mesmo a Jesus. Ou era levado ou, então, estaria fadado ao desespero. Entretanto, esses quatro amigos tiveram a visão de levá-lo e pô-lo diante dele. Eles compreenderam que se aquele paralítico fosse colocado diante de Jesus seria curado e libertado do seu mal.

A visão determina a maneira de viver. A visão nasce da pesquisa e da informação. Eles sabiam que Jesus era poderoso. Eles estavam informados das notícias que corriam em Cafarnaum a respeito de Jesus. Então, pensaram: nosso amigo ficará livre se ele estiver aos pés de Jesus.

A visão determina a ação. O homem sem Jesus está só, doente, perdido. Não há esperança para os aflitos a menos que os levemos a Jesus. Nós não podemos converter as pessoas, mas podemos levá-las a Jesus. Não podemos realizar milagres, mas podemos deixar as pessoas aos pés daquele que realiza milagres.

Em 1958, Paul Yong Cho teve a visão de plantar uma igreja num bairro pobre de Seul. Essa igreja alargou suas fronteiras e, hoje, é a maior igreja local do mundo com mais de setecentos mil membros.

William Wilberforce teve a visão de libertar os escravos da Inglaterra em 1789. Dedicou a sua vida a essa causa. Em 1833, quatro dias antes da sua morte, a escravidão foi abolida na Inglaterra.

Martin Luther King, em 1963, em pé nos degraus do memorial de Lincoln, em Washington, levantou sua voz diante de uma grande multidão e disse: "Eu tenho um sonho, em que um dia os meus filhos sejam julgados pela dignidade do seu caráter e não pela cor da sua pele". Esse pastor batista morreu como mártir dessa causa, mas sua visão libertou milhões de negros da segregação racial nos Estados Unidos.

Billy Graham teve a visão de evangelizar o mundo e viu estádios lotados de pessoas sedentas do evangelho. Sua visão transformou-o no maior evangelista do século e possivelmente nenhum homem da História falou a tantas pessoas do evangelho de Cristo.

Bob Pierson viu crianças famintas pelas ruas da cidade e esse quadro triste deu-lhe a visão de fundar a *Visão Mundial*, que cuida hoje de milhares de crianças carentes ao redor do mundo.

Meu amigo Wildo dos Anjos, quando era adolescente, viu os mendigos da sua cidade, deitados ao relento, sem pão, sem teto e sem dignidade. Essa visão mudou sua vida e ele investiu seu dinheiro, seu futuro e sua alma num dos mais extraordinários projetos sociais e missionários do Brasil, criando a *Missão Vida*, que tem resgatado centenas de mendigos, devolvendo-os às suas famílias como pessoas completamente restauradas. Muitos desses mendigos tornaram-se pastores e missionários e hoje são obreiros da própria Missão Vida.

Precisamos pedir visão ao Senhor. Visão de ver os perdidos salvos, de ver os famintos sendo alimentados, de ver os presos sendo resgatados e devolvidos à família e à sociedade com dignidade, de ver a igreja crescer.

Em segundo lugar, *eles agiram com determinação* (2.4). Aqueles quatro homens tiveram várias dificuldades para levar o paralítico a Jesus. Mas eles não desistiram. Vejamos quais obstáculos enfrentaram:

Primeiro, o peso do paralítico. Se quisermos ajudar as pessoas a irem a Jesus, precisaremos carregá-las na mente, no coração, na alma, nos braços.

Segundo, a multidão não abriu espaço para eles (2.4). Eles poderiam se justificar dizendo ao amigo: "olha, nós chegamos até aqui, mas agora não dá mais. A multidão nos impede de prosseguir. Já fizemos tudo que poderíamos fazer".

Terceiro, eles não acharam lugar nem mesmo junto à porta (2.2). A multidão tornou-se uma muralha intransponível de impedimento ao projeto. Eles queriam deixar o paralítico diante de Jesus, mas agora, nem perto da porta conseguem deixá-lo.

Quarto, eles subiram com o paralítico para o telhado da casa (2.4). Eles foram ousados na determinação de levar aquele homem a Jesus. Eles fizeram algo inédito e inesperado. O projeto deles era arriscado, difícil e engenhoso, mas não lhes faltou disposição.

Quinto, eles destelharam a casa (2.4). Isso revela a coragem, o esforço e os riscos do empreendimento. Estavam dispostos a tudo, menos a abandonar aquele homem ao seu desalento.

Sexto, eles desceram o paralítico onde Jesus estava (2.4). Se carregar uma geladeira escada acima já é algo complicado, quanto mais subir com um homem aleijado num telhado e descê-lo com cordas. O homem deve ter alertado aos amigos: "cuidado, gente, eu não quero ressuscitar!"

A persistência engenhosa daqueles homens nos ensina que quando um caminho está bloqueado, devemos buscar outro.[254] Eles não desistiram por nada. Eles nos ensinam que devemos ter perseverança na oração e na evangelização. Não podemos desistir nem afrouxar nossas mãos quando se trata de levar uma vida a Cristo. Nada deve nos deter de levar as pessoas aos pés de Jesus.

Em terceiro lugar, *eles tiveram criatividade* (2.4). No manual de como levar um paralítico a Jesus não dizia assim:

"Quando não tiver jeito, faça isto ou aquilo". Eles estão enfrentando um problema novo e precisam achar uma solução. Então, pensaram: "Vamos subir, abrir o teto e descê-lo aos pés de Jesus". O telhado provavelmente era formado por vigas e pranchas por cima das quais esteiras, ramos, e galhos, cobertos por terra batida, eram colocados.[255] Eles destelharam o telhado e desceram o homem no seu leito onde Jesus estava. Cada geração precisa encontrar respostas para o seu tempo.

Eles mudaram de método, inovaram e foram ousados. Tem gente que diz: "Nós sempre fizemos assim. Não pode mudar". E aí, perdemos a geração. Temos de ter coragem de quebrar paradigmas. Deus é criativo. Precisamos ter criatividade na abordagem, na comunicação, nos métodos. A mensagem é sempre a mesma, mas os métodos podem e devem ser adaptados de acordo com as circunstâncias.

Em quarto lugar, *eles exercitaram uma fé verdadeira* (2.5). Esse texto diz que Jesus é poderoso para fazer algo extraordinário. Eles creram que Jesus ia fazer o milagre e isso os motivou. Apesar de nenhum desses homens ter falado coisa alguma, todos confiaram. E foi isso que realmente importou.[256] A fé dos homens tocou o coração do Senhor, levando o evangelista a registrar: *Vendo-lhes a fé, Jesus disse ao paralítico: Filho, os teus pecados estão perdoados* (2.5). Adolf Pohl, citando Calvino e Bengel, diz que a fé do paralítico está aqui incluída.[257] Eles não poderiam fazer o milagre nem salvar o homem, mas eles poderiam levá-lo a Jesus. Levar o paralítico a Jesus era tarefa deles, perdoar e curar o coxo era obra exclusiva de Jesus.

A fé não é complacente nem inativa. Essa fé não é um salto no escuro, como pensava o filósofo existencialista

Kirkegaard, mas uma fé operosa, que atua pelo amor. O milagre é Jesus quem faz, mas nós somos cooperadores de Deus. Levar as pessoas aos pés de Jesus é nossa missão. Precisamos ter fé que Jesus vai salvá-las, curá-las, libertá-las. Precisamos evangelizar e ter fé que a igreja vai crescer.

Aqueles que bloqueiam o caminho para Jesus

Esse texto nos apresenta dois obstáculos que o paralítico enfrentou para chegar aos pés de Jesus:

Em primeiro lugar, *a multidão* (2.2,4). A multidão sempre se acotovelou disputando um lugar perto de Jesus. Sua motivação nem sempre era clara. Na maioria das vezes, a multidão foi um empecilho para as pessoas irem a Jesus. Em Jericó, a mesma multidão que impedia Zaqueu de ver a Jesus, tentou calar a voz súplice de Bartimeu. Aqui em Cafarnaum, a multidão encheu a casa e postou-se junto à porta, formando uma espécie de cordão de isolamento, impedindo que as pessoas fossem levadas a Jesus.

A multidão fechava a porta, bloqueava o caminho e impedia a entrada. Nessa multidão uns foram para ouvir, outros para serem curados, outros ainda por curiosidade e os demais para criticar.

Em segundo lugar, *os escribas, fariseus e doutores da lei* (2.6). Três verdades são destacadas pelo evangelista Marcos:

Primeira, os escribas não eram ouvintes sinceros (2.6). Uma delegação de fariseus, escribas e mestres da lei, constituída de rabinos da Galileia, Judeia e Jerusalém foi a Cafarnaum investigar os ensinos de Jesus.[258] Eles eram uma comissão de inquérito enviada pelo sinédrio, portanto estavam ali em caráter oficial.[259] William Barclay diz que o sinédrio era a Corte Suprema dos judeus e uma de suas funções era ser guardião da ortodoxia.[260] É estranho que os mais informados eram os mais céticos, mais duros e mais hostis a Cristo. Ernesto Trenchard diz que as multidões ignorantes tinham mais discernimento espiritual que eles.[261] Aqueles que mais conheciam teologia tornaram-se os maiores inimigos de Cristo. Lucas nos informa que além dos escribas estavam também em Cafarnaum participando dessa comitiva os fariseus e doutores da lei (Lc 5.17,21).

Eles eram os fiscais da religião, os farejadores de heresias. Estavam ouvindo Jesus não de coração aberto, mas para o criticar. A motivação deles não era aprender, mas apanhar Jesus em alguma contradição. Não obstante terem o melhor cabedal teológico, foram os inimigos mais hostis de Cristo. Ainda hoje, há pessoas que vêm a igreja e saem piores, pois vêm como juízes do mensageiro e não como servos da mensagem.

Segunda, os escribas estavam certos e errados ao mesmo tempo (2.6,7). A teologia que eles subscreviam estava certa, pois dizia que só Deus tem autoridade para perdoar pecados (Êx 34.6,7; Sl 103.12; Is 1.18; 43.25; 44.22; 55.6,7; Jr 31.34; Mq 7.19); porém, a compreensão deles acerca da Pessoa e Obra de Jesus estava errada. Deixaram de ver a Jesus como o Messias prometido, o Filho de Deus, e passaram a julgá-lo como um blasfemo (2.7). Jesus, então, fez uma pergunta àqueles que o julgavam: *Qual é mais fácil? Dizer ao paralítico: Estão perdoados os teus pecados, ou dizer: Levanta-te, toma o teu leito e anda?* (2.9). J. Vernon McGee diz que embora eles não tenham respondido, certamente devem ter pensado que ambas as coisas eram impossíveis, pois só Deus poderia perdoar e curar.[262] O raciocínio cético dos escribas os torna inimigos não só de Jesus mas também do paralítico. Esse é um raciocínio, além de anticristão, também profundamente anti-humano.[263]

Terceira, os escribas tropeçaram na sua própria teologia (2.6-10). Os judeus faziam uma relação entre pecado e sofrimento. Os rabinos entendiam que nenhum enfermo poderia ser curado de sua enfermidade até que Deus perdoasse a todos os seus pecados. Eles estabeleciam uma relação causal entre o pecado e a enfermidade.[264] Eles acreditavam que ninguém poderia ser curado sem ser antes perdoado. Acreditavam que a cura espiritual precisava preceder à cura física. Jesus, contudo, rejeitou expressamente essa dedução automática da doença a partir do pecado (Jo 9.3).

Os escribas foram apanhados pela sua própria teologia, porque ao mesmo tempo em que rejeitavam a divindade de Cristo, acreditavam piamente que só Deus poderia perdoar pecados. Jesus, então se dirige ao paralítico, dizendo: *Filho, os teus pecados estão perdoados* (2.5) e logo, curou o homem da sua paralisia (2.10-12). Dentro da teologia dos escribas, a cura era a prova insofismável do perdão. Assim, Jesus provou que não era um charlatão, mas o próprio Filho de Deus, pois fez as duas coisas que só Deus poderia fazer: perdoar e curar. Os professores da lei estavam presos na armadilha, pois quando Jesus deu movimento àquele corpo paralisado, ficou evidente que ele antes movera o coração de Deus e colocara a graça em movimento. De acordo com Isaías 35.6, o fato de os paralíticos andarem significava mais que a restauração da capacidade de movimento do corpo; era a chegada dos dias messiânicos.[265]

William Barclay comenta esse fato assim:

> Os doutores da lei foram bombardeados com seus próprios petardos. Segundo suas próprias crenças aquele homem não poderia ser curado a menos que lhe fossem perdoados seus pecados. Jesus, então, o curou e, portanto, ele foi perdoado. Isso queria dizer que a reivindicação de Jesus de ser capaz de perdoar pecados deveria ser autêntica. O grupo de doutores da lei deve ter ficado completamente confundido e, o que era pior, enfurecido.[266]

A divindade de Jesus é provada por quatro evidências claras: Primeiro, ele demonstrou o poder de ler os pensamentos (2.8; Mt 17.25; Jo 1.47,48; 2.25; 21.17); segundo, ele demonstrou autoridade para perdoar pecados (2.5); terceiro, ele demonstrou poder para curar (2.10-12); quarto, ele se autointitulou *o Filho do Homem* (2.10). Esse é um termo messiânico usado quatorze vezes em Marcos e oitenta vezes nos evangelhos, corroborando com a verdade incontroversa de que Jesus é verdadeiramente o Filho de Deus.

Aqueles que são levados a Jesus

Sempre que levamos alguém a Jesus, algo extraordinário acontece. Não foi diferente com esse paralítico. Marcos destaca três preciosas verdades:

Em primeiro lugar, *o paralítico foi cativo e voltou livre* (2.3,12). Aquele paralítico era doente, pobre, desamparado e oprimido. Ele vivia num completo ostracismo social, abandonado à sua triste sorte. O seu corpo estava surrado pela doença e sua alma assolada pela culpa. A debilidade e a imobilidade eram as marcas da sua vida. Era um homem cativo da doença, prisioneiro de esperança. Vivia na prisão do seu leito, vítima de sua triste enfermidade física, emocional, existencial e espiritual. Mas ao ser levado a Jesus, ficou livre, perdoado e curado.

Em segundo lugar, *o paralítico foi carregado e voltou carregando* (2.3,12). O paralítico precisou ser carregado, pois não tinha saúde, nem força nem ânimo. Contudo, agora, recebe ânimo, perdão, cura, força e dignidade. Jesus o restaura publicamente, libertando-o física, emocional e espiritualmente. Jesus devolve-o à sua família, à vida, à sociedade. Agora deixou de ser um peso para as pessoas e poderia carregar seu próprio leito.

Em terceiro lugar, *o paralítico foi buscar uma bênção e recebeu duas* (2.5,10-12). Aquele homem foi buscar cura e encontrou também salvação. Ele foi a Jesus, para resolver um problema imediato e achou a solução para a eternidade. Ao ser colocado aos pés de Jesus, estava doente e perdido. Ao sair, estava curado e salvo.

Muitos são levados a Jesus por causa da enfermidade, depressão, desemprego, conflito conjugal e problema com os filhos. Mas quando chegam buscando uma bênção temporal, recebem de Jesus também o perdão, a libertação e a salvação eterna.

A intervenção de Jesus na vida daqueles que vão a ele

A obra de Jesus é completa: ele perdoou e curou; cuidou da alma e do corpo; resolveu as questões do tempo e da eternidade. Vejamos o que Jesus fez pelo paralítico:

Em primeiro lugar, *Jesus curou o paralítico emocionalmente*. A primeira palavra que Jesus disse ao paralítico foi:

Tem bom ânimo (Mt 9.2). Escondidos atrás da paralisia estavam a depressão, o desespero, a autoimagem destruída, as emoções amassadas, os sonhos quebrados. Jesus diagnosticou que as emoções estavam mais enfermas que o corpo. Antes de aprumar o seu corpo, Jesus restaurou as suas emoções. Jesus sempre nos dá o que precisamos!

Em segundo lugar, *Jesus curou o paralítico psicologicamente*. Jesus disse para o paralítico: *Filho, os teus pecados estão perdoados* (2.5). Jesus levantou sua autoimagem. Aquele pobre paralítico era como uma cana quebrada, que vivia no desalento, dependendo de esmolas para sobreviver. Ele se julgava sem valor e sem prestígio. Não se sentia amado. Mas seus amigos investiram nele e Jesus, o Senhor do universo, o chamou de "filho". Não é pouca coisa ser amado por Deus!

Em terceiro lugar, *Jesus curou o paralítico espiritualmente*. Jesus lhe disse: *Filho, os teus pecados estão perdoados* (2.5). O pecado é a pior tragédia. Ele é a causa primária de todas as nossas mazelas. O pecado não perdoado é o maior amigo de Satanás e o pior inimigo do homem. O pecado é a pior doença. É o veneno doce que mata o corpo e a alma. O pecado é pior do que a solidão, que a pobreza, que a doença, que a própria morte. Todos esses males não podem nos separar de Deus, mas o pecado nos separa de Deus agora e também na eternidade.

Jesus nunca tratou a questão do pecado com leviandade, diz William Hendriksen.[267] Ele não lidou com o pecado apenas como um tênue sentimento de culpa ou traumas psicológicos. Para Jesus, o pecado, é um desvio indesculpável da santa lei de Deus (12.29,30), que tem um efeito drástico sobre a alma (4.19) e que está entranhado no coração e não apenas nas obras exteriores (7.6,7,15-23). Jesus ofereceu o único remédio eficaz para essa questão do pecado: seu perdão completo e restaurador. O perdão é a maior força curadora do mundo, ele cura as feridas do corpo e lanceta os abcessos da alma. Enquanto o pecado adoece e a culpa esmaga, o perdão cura e restaura.

Só Jesus tem poder para perdoar pecados. Só Jesus, mediante o seu sacrifício, pode tornar você libertado. John Charles Ryle diz que o perdão é algo que só Deus pode dar. Nenhum anjo no céu, nenhuma pessoa na terra, nenhuma igreja ou concílio, nenhum ministro ou denominação, podem apagar da consciência do pecador o peso da culpa e dar a ele paz com Deus.[268] Hoje, você pode ficar libertado, perdoado, salvo e experimentar a alegria da salvação por meio de Jesus.

Em quarto lugar, *Jesus curou o paralítico fisicamente* (2.10-12). Jesus curou o homem fisicamente. Seus pés se firmaram, seus artelhos ganharam força, seus nervos atrofiados voltaram a funcionar, seus músculos explodiram com nova vitalidade e o homem entrevado saltou da sua cama cheio de vigor. A cura do paralítico foi imediata, completa, perfeita e gratuita. Jesus tem autoridade para perdoar e para curar ainda hoje. Ele é o mesmo ontem, hoje e o será para sempre. Ele é o Jeová-Rafá, aquele que sara todas as nossas enfermidades. Ele foi quem levou sobre si as nossas dores e as nossas enfermidades. Pelas suas pisaduras nós somos sarados.

Quando Jesus operou esse milagre, três coisas aconteceram:

Primeiro, houve grande admiração entre as pessoas (2.12). Marcos registra a admiração do povo. Mateus diz que as multidões ficaram "possuídas de temor" e Lucas diz que todos "ficaram atônitos e possuídos de temor". A multidão, na verdade, ficou atônita, assombrada, fora de si.[269] Cafarnaum, como nenhuma outra cidade, presenciou as maravilhas realizadas por Jesus. Ele pregou-lhes aos ouvidos e aos olhos. Eles ouviram e viram coisas gloriosas. Contudo, embora ficassem extasiados, não foram transformados. Nada endurece mais o coração do que ouvir a Palavra e não a colocar em prática, diz John Charles Ryle.[270] Eles ouviram uma das mais pesadas sentenças de Jesus mais tarde:

> Tu, Cafarnaum, elevar-te-ás, porventura, até ao céu? Descerás até ao inferno; porque, se em Sodoma se tivessem operado os milagres que em ti se fizeram, teria ela permanecido até ao dia de hoje. Digo-vos, porém, que menor rigor haverá, no dia do juízo, para com a terra de Sodoma do que para contigo.[271]

Segundo, houve exaltação ao nome de Deus (2.12). Todos exaltaram a Deus exceto os escribas. Estes continuaram hostis e endureceram ainda mais os seus corações (2.16,24; 3.2,6,22). Quando a mão onipotente de Jesus age com poder, o nome de Deus é glorificado.

Terceiro, houve reintegração na família (2.11). Jesus curou o paralítico e lhe ordenou a voltar para casa. Um novo tempo haveria de acontecer agora naquele lar. Você hoje, agora mesmo, pode também voltar para sua casa perdoado, curado e libertado!

Notas do capítulo 9

250 Hendriksen, William, *Marcos,* 2003: p. 114.

251 Barton, Bruce B, et all. *Life Application Bible Commentary. Mark.* 1994: p. 46.

252 Pohl, Adolf, *Evangelho de Marcos.* 1998: p. 100.

253 Wiersbe, Warren W, *Be Diligent.* 1987: p. 22-24.

254 Champlin, Russell Norman, *O Novo Testamento Interpretado Versículo por Versículo.* Vol. 1. nd: p. 672.

255 Rienecker, Fritz e Rogers, Cleon, *Chave Linguística do Novo Testamento Grego.* Edições Vida Nova. São Paulo, SP. 1985: p. 69.

256 Hendriksen, William, *Marcos.* 2003: p. 118.

257 Pohl, Adolf, *Evangelho de Marcos.* 1998: p. 100.

258 Richards, Larry, *Todos os Milagres da Bíblia.* 2003: p. 213.

259 Pohl, Adolf, *Evangelho de Marcos.* 1998: p. 102, 103.

260 Barclay, William, *Marcos.* 1974: p. 60.

261 Trenchard, Ernesto, *Una Exposición del evangelio según Marcos.* 1971: p. 37.

262 McGee, J. Vernon, *Mark.* 1991: p. 37.

263 Pohl, Adolf, *Evangelho de Marcos.* 1998: p. 104.

264 Barclay, William, *Marcos.* 1974: p. 59.

265 Pohl, Adolf, *Evangelho de Marcos.* 1998: p. 105.

266 Barclay, William, *Marcos.* 1974: p. 61.

267 Hendriksen, William, *Marcos.* 2003: p. 119.

268 Ryle, John Charles, *Mark.* 1993: p. 21.

269 Rienecker, Fritz e Rogers, Clen, *Chave Línguística do Novo Testamento Grego.* 1985: p. 69.

270 Ryle, John Charles, *Mark.* 1993: p. 20.

271 Mateus 11.23,24.

Capítulo 10

As bênçãos singulares do evangelho de Jesus

(Mc 2.13-28)

Jesus atraía as multidões (2.13). Ele foi o homem mais amável que já pisou no mundo. Sua personalidade, ensino e obras sempre atraíram as pessoas. Onde ele estava, sempre havia a esperança de um novo começo. Em Jesus as pessoas encontravam alívio para seus fardos, cura para suas enfermidades e perdão para seus pecados.

Contudo, também, Jesus atraía a oposição (2.6,16,18,24; 3.6). A verdade sempre incomoda a mentira e a luz sempre denuncia as trevas. Na mesma proporção que Jesus atraía a multidão, despertava a inveja dos escribas e fariseus. A oposição a Jesus tornou-se progressiva. Marcos destaca os cinco estágios dessa oposição:

Primeiro, os escribas arrazoavam em seu coração (2.6). Eles demonstraram uma oposição velada, silenciosa e íntima.

Segundo, os escribas perguntavam aos discípulos de Jesus (2.16). Agora, eles falavam, mas não com Jesus. Eles destilavam suas críticas de forma indireta.

Terceiro, os fariseus perguntavam diretamente a Jesus (2.18). A pergunta deles era uma censura e uma denúncia enrustida. A intenção deles não era aprender, mas acusar. Eles sempre vinham com perguntas de algibeira para apanhar Jesus no contrapé.

Quarto, os fariseus advertiram a Jesus (2.24). A oposição tornou-se explícita, ganhando um contorno denso de uma crítica aberta. Agora o inimigo colocava as unhas de fora e destilava todo o seu veneno contra Jesus.

Quinto, os fariseus se unem aos herodianos para tramarem a morte de Jesus (3.6). Veja a progressão dessa oposição: de um pensamento íntimo de censura, eles caminharam para uma pergunta indireta. Desta a uma pergunta pessoal e daí a uma censura verbal. Agora, se mancomunam com os herodianos, a quem consideravam indignos, para tramarem a morte de Cristo.

Nesse contexto de ensino à multidão e pressão da oposição dos escribas e fariseus, Jesus nos fala sobre as bênçãos singulares do evangelho.

O evangelho abre as portas do Reino para os rejeitados (2.14)

Jesus chamou a Levi, filho de Alfeu, para ser seu discípulo (2.14). Esse Levi trabalhava em uma coletoria e era um publicano (Lc 5.27). Também era chamado de Mateus (Mt 9.9).

William Hendriksen diz que certos romanos, membros da cavalaria, pagavam uma grande soma de dinheiro ao tesouro romano para coletar os impostos públicos sobre os produtos exportados e importados da província. Esses "generais da fazenda" sublocavam esse privilégio para "chefes de publicanos" do distrito como Zaqueu (Lc 19.2), que por seu turno, distribuíam a tarefa da coleta para outros publicanos menos graduados. O termo publicano tornou-se, assim, um sinônimo de coletor de impostos.[272]

Esses coletores de impostos ganharam fama de inimigos e traidores do povo, pois além de estarem a serviço de Roma, também extorquiam o povo, cobrando mais que o estipulado, enriquecendo-se, assim, de forma desonesta. Dessa forma passaram a ser odiados pelo povo.[273] Um judeu que aceitasse tal ofício era expulso da sinagoga e envergonhava a família e amigos. Um fariseu que se tornasse coletor era execrado e sua esposa poderia divorciar-se dele. Um coletor de impostos era visto como alguém que amava mais o dinheiro que a reputação. Certamente Mateus era um homem odiado por seus contemporâneos.

Cafarnaum, onde Mateus morava, era uma cidade aduaneira, uma ponte entre a Europa e a África.[274] Cafarnaum era a sede da secretaria da fazenda na rota entre Damasco ao nordeste e o mar Mediterrâneo no oeste.[275] Esses postos de alfândega cobravam impostos não apenas nas fronteiras, mas também na entrada e saída de povoados, nas encruzilhadas e nas pontes. Produtos não declarados poderiam ser confiscados pelos publicanos. Esses cobradores eram tidos como ladrões e assaltantes por definição, diz Adolf Pohl.[276]

Diante desses fatos, o chamado de Jesus a Levi nos ensina algumas verdades:

Em primeiro lugar, *Jesus chama soberanamente* (2.14a). Jesus chamou um homem execrado publicamente e não deu nenhuma explicação a ele nem ao povo. Jesus tem autoridade para chamar quem ele quer para a salvação e para o serviço. Sem o divino chamado, ninguém pode ser salvo, pois jamais nos tornaremos para Deus a menos que ele nos chame por sua graça, diz John Charles Ryle.[277] Na verdade, Jesus não fez um convite, ele deu uma ordem.[278] ele chama a quem quer e isso, soberanamente (3.13). Não somos nós quem escolhemos a Cristo, foi ele quem nos escolheu (Jo 15.16). Não fomos nós quem o achamos, mas foi ele quem nos buscou (Lc 19.10). Nós o amamos, porque ele nos amou primeiro.

Embora não possamos afirmar com segurança que Mateus tenha sido um homem desonesto,[279] há fortes indícios de que tenha sido escravo da avareza, pois havia vendido o seu patriotismo com o propósito de ganhar dinheiro.[280] Jesus chama a quem quer e isso, soberanamente (3.13).

Em segundo lugar, *Jesus chama eficazmente* (2.14b). Quando Cristo chama, ele chama eficazmente (Rm 8.30). Jesus disse que as suas ovelhas ouvem a sua voz e o seguem (Jo 10.27). Levi atendeu pronta e imediatamente ao chamado de Jesus. Ele não argumentou nem adiou sua decisão. Sua obediência decisiva e imediata é solenemente registrada. Lucas 5.28 diz que ele deixou tudo.

O chamado de Cristo foi irresistível, pois o mesmo que chama é aquele que muda as disposições íntimas da alma. Ele não apenas chama, mas atrai com cordas de amor.

Mateus deixou a coletoria imediatamente e seguiu a Jesus. Essa resposta pronta ao chamamento do Senhor foi um grande milagre e poderosa libertação. Mateus deixou sua profissão e o lucro e queimou todas as pontes do seu passado. Ele trocou o lucro fácil pela consciência limpa, as glórias do mundo pelas riquezas do Reino de Deus.

O chamado de Mateus deve nos encorajar a esperar a salvação daqueles que julgamos mais difíceis. O mesmo Jesus que chama quebra as cadeias e abre os corações. O vento do Espírito sopra aonde quer. O tempo dos milagres ainda não passou. Ele continua chamando pecadores a si!

Em terceiro lugar, *Jesus chama graciosamente* (2.15,16). Os chamados devem chamar outros. Levi deu um grande banquete a Jesus e convidou numerosos publicanos e pecadores para estarem com ele em sua casa (Lc 5.29,30). Ele abriu não só o coração para Jesus, mas também sua casa. Levi, ao mesmo tempo em que celebra a festa da sua salvação, abre sua casa para que seus pares conheçam também a Jesus e sejam salvos. Ele transformou seu lar num grande instrumento de evangelização. Ele queria que os seus colegas de profissão e os pecadores também se tornassem seguidores do Senhor Jesus.

Os escribas e fariseus, verdadeiros espiões de plantão, consideravam pecadores aqueles que quebravam tanto a lei moral de Deus quanto aqueles que infrigiam as inumeráveis regras e preceitos por eles criados.[281] Assim eram considerados pecadores tanto os que cometiam adultério quanto aqueles que comiam sem lavar as mãos.[282] Aos olhos dos fariseus, todos os que não eram fariseus eram "pecadores". Eles disseram aos guardas que foram prender a Jesus: *Quanto a esta plebe que nada sabe da lei, é maldita* (Jo 7.49).

Os escribas, mediante uma pergunta aos discípulos de Jesus, censuram-no por comer com os publicanos e pecadores (2.16). A religião deles era a religião do *apartheid*. Eles se consideravam justos e os demais como pecadores, indignos do amor de Deus.

O evangelho abre as portas da salvação para os que se consideram pecadores (2.17)

O evangelista Marcos diz: *Tendo Jesus ouvido isto, respondeu-lhes: Os sãos não precisam de médico, e sim os doentes; não vim chamar justos, e sim pecadores* (2.17).

Consideremos primeiro o que Jesus não quis dizer. Essa figura usada por Jesus tem sido interpretada de forma equivocada por alguns. Vejamos, então, o que Jesus não quis dizer:

Em primeiro lugar, *Jesus não quis dizer que há alguns que são sãos e justos aos olhos de Deus*. A Bíblia é clara em afirmar que todos pecaram e destituídos estão da glória de Deus (Rm 3.23). Aqueles que se consideram sãos e justos estão em um estado mais avançado da sua doença e iniquidade. O pior enfermo é aquele que não reconhece sua doença e o maior pecador é aquele que não se vê como tal.

Em segundo lugar, *Jesus não quis dizer que estes não necessitam do Salvador*. Os escribas e fariseus se consideravam sãos e bons aos olhos de Deus, mas na verdade, eles estavam tão necessitados de salvação quanto os publicanos. Não importa quão alta é a avaliação que temos de nós mesmos, somos totalmente carentes da graça de Deus.

Em terceiro lugar, *Jesus não quis dizer que seu amor pelos pecadores implica falta de amor com os justos*. A lógica de

Jesus é: se ele encarna a vontade divina de ajudar até as pessoas totalmente condenáveis, então há esperança e ajuda para todos.[283]

Consideremos, agora, o que Jesus quis dizer. A figura usada por Jesus tem uma mensagem clara:

Em primeiro lugar, *só os que se reconhecem doentes e pecadores têm consciência da necessidade da salvação.* Só uma pessoa doente procura o médico. Só uma pessoa consciente do seu pecado busca a salvação. Não há fé sem arrependimento nem salvação sem conversão. Ninguém busca água sem sentir sede nem anseia pelo pão da vida sem fome. Uma pessoa, antes de vir a Cristo, precisa primeiro sentir-se carente da graça de Deus. A salvação não é para aqueles que se consideram dignos, mas para os indignos que estão em situação desesperadora. Jesus veio para salvar os pecadores, perdidos, pobres, sofredores, famintos e sedentos (Mt 5.6; 11.28-30; 22.9,10; Lc 14.21-23; 19.10; Jo 7.37,38). Jesus não veio ao mundo apenas para ser um legislador, um mestre ou rei. Ele veio como o médico da nossa alma e como nosso redentor. Ele nos conhece, ama, cura, perdoa e salva.

Em segundo lugar, *só os que se humilham podem ser salvos.* A atitude dos escribas e fariseus era de soberba e altivez. Eles se consideravam bons e justos. Eles olhavam com desdém os publicanos e pecadores e se vangloriavam diante de Deus por suas virtudes (Lc 18.11). Contudo, a única pessoa pela qual Jesus nada faz é aquela que se julga tão boa que não necessita de que ninguém a ajude.[284] Essa pessoa levanta uma barreira entre ela e Jesus e assim fecha a porta do céu com suas próprias mãos.

Warren Wiersbe diz que há três tipos de pacientes que Jesus não pode curar: 1) aqueles que não o conhecem;

2) aqueles que o conhecem, mas se recusam a confiar nele e 3) aqueles que não admitem que necessitam dele.[285]

O evangelho abre as portas para uma vida de jubilosa celebração (2.18-20)

A religião judaica havia transformado a vida num fardo pesado e os ritos sagrados em instrumentos de tristeza e opressão. Os discípulos de João e os fariseus ficaram escandalizados com o estilo de vida dos discípulos de Jesus. Os fariseus jejuavam para mostrar sua piedade, os discípulos de João para mostrar sua tristeza pelo pecado. A palavra aramaica para "jejuar" tem o sentido de "estar de luto".[286] Os judeus, quando jejuavam e ficavam tristes, tinham a intenção de conseguir algo de Deus: *Por que jejuamos nós, e tu não atentas para isso?* (Is 58.3).

Os fariseus e discípulos de João perguntaram a Jesus num tom de provocação e censura:

> Por que motivo jejuam os discípulos de João e os dos fariseus, mas os teus discípulos não jejuam? Respondeu-lhes Jesus: Podem, porventura, jejuar os convidados para o casamento, enquanto o noivo está com eles? Durante o tempo em que estiver presente o noivo, não podem jejuar. Dias virão, contudo, em que lhes será tirado o noivo; e, nesse tempo, jejuarão (2.18-20).

Esse episódio nos enseja duas lições importantes:

Em primeiro lugar, *a religião pode se transformar num fardo pesado em vez de ser um instrumento libertador* (2.18,19). O jejum é uma prática bíblica legítima. Havia um único jejum anual exigido na lei, o dia da expiação (Lv 16.29-34; Jr 36.6). Nesse dia o povo afligia a sua alma e sentia profunda tristeza. Os escribas e fariseus, entretanto, acrescentaram à lei de Deus a tradição dos homens e impuseram outras práticas de jejum. Um fariseu jejuava duas vezes por semana (Lc 18.12). Eles jejuavam para serem vistos pelos homens e para atraírem a atenção de Deus. Eles faziam do jejum o palco de um teatro onde apresentavam o *show* de uma piedade que deveria encantar a Deus e impressionar os homens.

É bom destacar que Jesus não estava contra o jejum. Ele mesmo jejuou quarenta dias e ratificou o jejum voluntário (Mt 9.15). Moisés jejuou quarenta dias no Horebe. Patriarcas, profetas, reis e sacerdotes jejuaram. Deus ordenou o jejum como um importante exercício devocional. Jesus e os apóstolos jejuaram. A igreja de Deus ao longo dos séculos tem jejuado. Mas Jesus denunciou o jejum dos hipócritas que desfiguravam o rosto com o fim de parecer aos homens que jejuavam (Mt 6.16). O jejum dos escribas e fariseus era um ritual para a sua própria exibição e não a expressão de um coração quebrantado.[287]

Em segundo lugar, *a vida que Jesus oferece é como uma festa de efusiva alegria* (2.19). A vida cristã é como uma festa de casamento e não como um enterro. A festa de casamento era uma celebração de alegria e não de tristeza. A piedade farisaica era medida pela tristeza do jejum; a piedade cristã manifesta-se na alegria da presença do noivo com a igreja. As bodas de casamento era a semana mais feliz da vida de um homem. Para essa semana de felicidade, os convidados especiais eram os amigos do noivo e da noiva, chamados de os filhos da câmara nupcial.[288]

Adolf Pohl diz que ser convidado para uma festa de casamento era motivo de uma alegria desmedida, que ofuscava tudo o mais. Professores da lei interrompiam seu estudo da Torá, inimigos se reconciliavam, mendigos e quem mais aparecesse poderiam comer de graça. Rufavam tambores, nozes eram jogadas aos convivas, a procissão dançava diante da noiva e louvava a sua beleza.[289]

Os convidados às festas de bodas estavam dispensados da obrigação de jejuar. Jesus compara os seus discípulos com os convidados para essa festa das bodas.[290] Jesus veio para nos trazer vida abundante (Jo 10.10). A vida cristã deve ser a fruição de uma alegria inexplicável e cheia de glória. A vida cristã é como um casamento com Cristo. Estamos comprometidos com ele. O casamento judeu tinha quatro estágios: 1) o noivado; 2) a preparação; 3) a chegada do noivo; 4) as bodas.

A igreja não é apenas o grupo dos amigos do noivo, a igreja é a própria noiva (Is 54.5; Jr 31.32; Ap 19.7,8). Hoje, celebramos a alegria da salvação, mas um dia entraremos na Casa do Pai, na glória celeste, e então, essa festa nunca vai acabar. Estaremos para sempre com ele.

Essa nova ordem trazida por Jesus deixa para trás o legalismo farisaico e inaugura um novo tempo de liberdade e vida plena. A vida que Jesus oferece está trazendo alegria para o triste, cura para o enfermo, libertação para o endemoninhado, purificação para o leproso, pão para o faminto e salvação para o perdido.

O evangelho abre as portas para uma vida radicalmente nova (2.21,22)

Jesus usou três figuras em sua conversa com os fariseus. A primeira figura já tratamos: a figura do doente e do médico.

Agora, vamos examinar as outras duas: a figura do remendo novo em tecido velho e do vinho novo em odres velhos. Quais são as lições que essas figuras nos ensinam?

Em primeiro lugar, *a vida cristã não é um remendo ou reforma do que está velho, mas algo totalmente novo* (2.21). Um remendo novo num pano velho abre uma fissura ainda maior. O cristianismo não é uma reforma do judaísmo nem um remendo das práticas judaicas. A vida cristã não é apenas um verniz, uma caiação de uma estrutura rota, mas uma nova vida, algo radicalmente novo. Na época de Lutero, não era possível remendar os abusos doutrinários da igreja romana. Era necessário iniciar uma volta ao cristianismo primitivo. Na época de João Wesley o tempo de pôr remendo à Igreja Anglicana havia passado.[291]

O vestido velho era o antigo sistema da lei e os velhos costumes do povo judeu.[292] A salvação que Cristo oferece são as vestes alvas e a justiça de Cristo, o linho finíssimo. Em Cristo todas as coisas são feitas novas (2Co 5.17). A vida cristã não é uma mistura do velho com o novo. É algo completamente novo. O evangelho transforma e liberta. O evangelho é a palavra de vida; o judaísmo com seus preceitos legalistas era letra morta. O evangelho liberta, o legalismo mata; o evangelho salva, o legalismo faz perecer.

Em segundo lugar, *a vida cristã não pode ser acondicionada numa estrutura velha e arcaica* (2.22). Na Palestina, o vinho era guardado em odres de couro. Quando esses odres eram novos possuíam certa elasticidade, mas à medida que iam envelhecendo, ficavam endurecidos e perdiam a elasticidade. O vinho novo ainda está em processo de fermentação. Isso significa que os gases liberados aumentam a pressão. Se o couro é novo, cederá à pressão, mas se é velho e sem elasticidade, é possível que se rompa e se perca tanto o vinho quanto o odre.[293] O vinho do cristianismo não pode ser acondicionado nos odres velhos do judaísmo.

O cristianismo requer novos métodos e novas estruturas. Não podemos ter o coração duro como os odres ressecados pelo tempo. Precisamos manter nosso coração aberto à mensagem transformadora do evangelho.

O evangelho abre as portas da liberdade para os prisioneiros do legalismo (2.23-28)

O sábado judaico tinha se transformado num carrasco do homem. Ele era um fardo insuportável em vez de um elemento terapêutico. Ele era um fim em si mesmo, em vez de ser um instrumento de bênção para o homem. Por essa causa, os fariseus ao verem os discípulos de Jesus colhendo e comendo espigas nas searas em dia de sábado, debulhando-as com as mãos (2.24; Lc 6.2), advertiram a Jesus nesses termos: *Vê! Por que fazem o que não é lícito aos sábados?*

Esse incidente foi uma oportunidade para Jesus ensinar várias lições importantes:

Em primeiro lugar, *os discípulos não estavam fazendo algo proibido* (2.23,24). A prática de colher espigas nas searas para comer estava rigorosamente de conformidade com a lei de Moisés (Dt 23.24, 25). Mas os escribas e fariseus estavam escondendo a verdadeira lei de Deus debaixo da montanha de tradições tolas que eles tinham fabricado.[294] Eles tinham acrescentado à lei 39 regras sobre a maneira de guardar o sábado, tornando a sua observância um fator escravizante e opressor. Segundo as estritas normas dos fariseus, os discípulos haviam quebrado a lei do sábado e isso era um pecado mortal.[295]

Em segundo lugar, *o conhecimento da Palavra é o meio de nos livrarmos do legalismo* (2.25,26). Jesus cita a Escritura para os fariseus e mostra como Davi quebrou a lei cerimonial comendo com seus homens os pães da proposição só permitidos aos sacerdotes (1Sm 21.1-6). Só os sacerdotes podiam comer esse pão da proposição (Lv 24.9), mas a necessidade humana prevaleceu sobre a lei cerimonial. Warren Wiersbe, analisando esse episódio na perspectiva de Mateus, afirma que Jesus usou três argumentos para defender os seus discípulos: o que Davi fez (Mt 12.3,4), o que os sacerdotes fizeram (Mt 12.5,6) e o que o profeta Oseias diz (Mt 12.7-9).[296]

William Hendriksen diz que se Davi tinha o direito de ignorar as provisões cerimoniais, divinamente ordenadas, quando a necessidade exigia, não teria Jesus, o Filho de Deus, num sentido muito mais evidente, o direito, sob as mesmas condições de necessidade, de deixar de lado os regulamentos sabáticos não autorizados, feitos pelo homem?[297]

O pão da proposição nunca foi tão sagrado quanto quando foi utilizado para alimentar um grupo de homens famintos. O sacerdote entendeu que a necessidade dos homens é mais importante do que os regulamentos cerimoniais.[298] O dia do descanso nunca é tão sagrado como quando é usado para prestar ajuda aos necessitados. O árbitro final com respeito ao ritos sagrados não é o legalismo, mas o amor.[299]

Em terceiro lugar, *o homem vale mais do que os ritos sagrados* (2.27). John Charles Ryle diz que Deus fez o sábado para Adão no paraíso e o renovou para Israel no monte Sinai. Ele foi feito para toda a humanidade e não apenas para o povo judeu. Ele foi feito para o benefício e felicidade do homem. O sábado foi feito para o bem físico, mental e espiritual do homem. Ele foi dado como uma bênção e não como um fardo. Esse foi o propósito que o sábado foi criado por Deus.[300]

Deus não criou o homem por causa do sábado, mas o sábado por causa do homem. O homem não foi criado por Deus para ser vítima e escravo do sábado, mas o sábado foi criado para que a vida do homem fosse mais plena e feliz. Na verdade, o sábado foi instituído para ser uma bênção para o homem: para mantê-lo saudável, útil, alegre e santo, dando-lhe condições de meditar calmamente nas obras do seu Criador, podendo deleitar-se em Deus (Is 58.13,14) e olhar adiante, com grande expectativa, para o repouso que resta para o povo de Deus (Hb 4.9).[301]

Jesus está dizendo com isso que a religião cristã não consiste de regras. As pessoas são mais importantes que o sistema. A melhor maneira de adorar a Deus é ajudando as pessoas. A melhor maneira de fazer uso das coisas sagradas é pondo-as a serviço dos que padecem necessidade. Esse é o único modo autêntico de dá-las a Deus, diz William Barclay.[302]

Em quarto lugar, *o senhorio de Cristo traz liberdade e não escravidão* (2.28). Jesus é o Senhor do sábado. Seu senhorio não é escravizante nem opressor. O legalismo é um caldo mortífero que envenena, asfixia e mata as pessoas. Ele é vexatório e massacrante. Chegou a ponto de transformar o que Deus criou para aliviar o homem, o sábado, num tirano cruel. Jesus veio para estabelecer sobre nós seu senhorio de amor. Agostinho disse que quanto mais servos de Cristo somos, mais livres nos sentimos. Jesus é maior do que o templo (Mt 12.6), maior que Jonas (Mt 12.41), maior que Salomão (Mt 12.42) e maior que o sábado (2.28).

Notas do capítulo 10

[272] Hendriksen, William, *Marcos,* 2003: p. 125.

[273] Marcos 2.15,16; Mt 11.19; 21.31,32; Lc 7.34; 15.1; 19.7.

[274] Barclay, William, *Marcos,* 1974: p. 64.

[275] Barton, Bruce B, et all. *Life Application Bible Commentary. Mark,* 1994: p. 55.

[276] Pohl, Adolf, *Evangelho de Marcos,* 1998: p. 109.

[277] Ryle, John Charles, *Mark,* 1993: p. 22.

[278] Barton, Bruce B, et all. *Life Application Bible Commentary. Mark,* 1994: p. 56.

[279] Wiersbe, Warren W, *Be Diligent,* 1987: p. 25.

[280] Trenchard, Ernesto, *Una exposición del evangelio según Marcos,* 1971: p. 38.

[281] Hendriksen, William, *Marcos,* 2003: p. 127.

[282] Barclay, William, *Marcos,* 1974: p. 69.

[283] Pohl, Adolf, *Evangelho de Marcos,* 1998: p. 113.

[284] Barclay, William, *Marcos,* 1974: p. 69.

[285] Wiersbe, Warren W, *Be Diligent,* 1987: p. 25.

[286] Pohl, Adolf, *Evangelho de Marcos,* 1998: p. 115.

[287] Barclay, William, *Marcos,* 1974: p. 71.

[288] Rienecker, Fritz e Rogers, Cleon, *Chave Linguística do Novo Testamento Grego,* 1985: p. 70.

[289] Pohl, Adolf, *Evangelho de Marcos,* 1998: p. 116.

[290] Barclay, William, *Marcos,* 1974: p. 72.

[291] Barclay, William, *Marcos,* 1974: p. 74.

[292] Gióia, Egidio, *Notas e Comentários à Harmonia dos Evangelhos,* 1969: p. 101.

[293] Barclay, William, *Marcos,* 1974: p. 74.

[294] Hendriksen, William, *Marcos,* 2003: p. 140.

[295] Barclay, William, *Marcos,* 1974: p. 76.

[296] Wiersbe, Warren W, *Be Diligent,* 1987: p. 30.

[297] Hendriksen, William, *Marcos,* 2003: p. 141.

[298] Barton, Bruce B. et all, *Life Application Bible Commentary. Mark,* 1994: p. 65.

[299] Barclay, William, *Marcos,* 1974: p. 79.

[300] Ryle, John Charles, *Mark,* 1993: p. 29.

[301] Hendriksen, William, *Marcos,* 2003: p. 144.

[302] Barclay, William, *Marcos,* 1974: p. 77.

Capítulo 11

O valor de uma vida

(Mc 3.1-6)

HÁ DOIS TIPOS DE RELIGIÃO no mundo: a religião da vida e a religião da morte. A primeira tem como finalidade adorar a Deus e salvar o homem; a segunda, é prisioneira de ritos e escraviza as pessoas. A primeira adora a Deus e serve aos homens; a segunda, centraliza-se em regras humanas e oprime os aflitos. William Barclay diz que para o fariseu a religião era um ritual que consistia em obedecer a certas leis e normas; para Jesus, era servir a Deus e ao próximo.[303]

Jesus nos ensina sobre a verdadeira religião, a religião da vida. Ele tinha três compromissos fundamentais em seu ministério:

Em primeiro lugar, *ir à Casa de Deus* (3.1). Jesus tinha o costume de ir à sinagoga (Lc 4.16). Era assíduo à Casa de Deus. Hoje ele está no meio da sua igreja (Ap 1.16; 2.1). Ele prometeu estar presente no meio do seu povo (Mt 28.20).

Quando Jesus entrou naquela sinagoga, ele viu duas classes de pessoas:

Primeiro, ele viu gente mirrada. Havia um homem doente, encolhido, machucado pela vida, com a mão direita seca naquela sinagoga. Possivelmente aquele homem foi trazido pelos próprios fariseus, com o objetivo de o acusarem.[304] O melhor que ele tinha estava seco e mirrado. Há pessoas mirradas ainda hoje no meio da congregação, gente com deformidades físicas, emocionais e morais. Gente que carrega o peso dos traumas e das avassaladoras deficiências.

Segundo, ele viu gente cética. Ali estavam os escribas e fariseus observando Jesus (Lc 6.7). Esses fiscais da vida alheia o seguiam por onde quer que ele fosse a fim de encontrar um motivo para acusá-lo (2.6,7,16,24; 3.2). Eles eram detetives e não seguidores de Jesus. Eram acusadores e não adoradores. Eles não estavam na sinagoga para adorar a Deus nem para aprender a sua Palavra. Eles não estavam na sinagoga para buscar a Deus nem para ajudar o próximo. Eles foram à Casa de Deus para criticar e acusar em vez de alegrar-se com a libertação dos cativos. Há muitas pessoas que ainda hoje lotam as igrejas não para adorar a Deus, mas para observar a vida alheia.

Muitos vão à igreja e saem libertados, salvos e perdoados; outros, vão e saem piores, mais duros e mais culpados.

Em segundo lugar, *ensinar a Palavra de Deus* (Lc 6.6). Jesus veio ao mundo para pregar o evangelho (1.38). Ele chama a si mesmo de o Mestre (Jo 13.13). Ele tinha um alto conceito da Escritura: ela é a verdade (Jo 17.17). Ela é espírito e vida (Jo 6.63). Ela testifica sobre Jesus (Jo 5.39). Ela liberta (Jo 8.32). Mais uma vez, Jesus entra na sinagoga em Cafarnaum com o propósito de ensinar (Lc 6.6).

Em terceiro lugar, *socorrer os necessitados* (3.1-3). O ministério de ensino não pode ser separado do ministério de socorro. Precisamos falar e fazer, ensinar e agir. Jesus não apenas ensinava a Palavra, ele também socorria os aflitos. Ele não via as pessoas apenas como um auditório, mas como pessoas que precisavam ser socorridas em suas aflições. Jesus curou o homem da mão ressequida, ainda que isso tenha despertado a fúria dos fariseus contra ele.

Quanto vale uma vida para os fariseus (Mc 3.2)

O texto nos mostra que os fariseus não valorizavam a vida humana. Destacamos três fatos:

Em primeiro lugar, *eles dão mais valor aos rituais que à vida humana* (3.2). Jesus já havia ensinado que o sábado fora criado por causa do homem (2.27) e que ele era o Senhor do sábado (2.28), mas os fariseus se importavam mais com suas tradições que com a vida humana. Os fariseus não viram um homem necessitado, mas apenas uma oportunidade para acusarem a Jesus como violador do sábado. Era mais importante para eles proteger as suas leis do que libertar um homem do sofrimento.[305]

É importante enfatizar que o zelo deles não era pela Palavra de Deus, mas pela tradição dos homens. Eles haviam acrescentado 39 regras do que não se podia fazer no sábado e entre elas estava o curar um enfermo. Só o perigo de vida teria servido como exceção.[306] William Hendriksen diz que os fariseus estavam valorizando muito mais os rituais criados pelos rabinos do que a ordem divina de amar e zelar pelo bem-estar do próximo.[307]

John Charles Ryle pontua a maldade do coração humano: era um dia de sábado, dentro de uma sinagoga e mesmo sendo no dia de Deus, na hora da adoração a Deus, os fariseus estavam tramando todo o mal contra Jesus (Pv 5.14).[308]

O entendimento embotado dos fariseus, ao verem Jesus curando um homem no sábado, levaram-nos à conclusão de que a sua autoridade não procedia de Deus. Mas Jesus revelou que suas tradições eram ridículas. Deus é Deus de pessoas e não de tradições engenhosamente fabricadas pelos homens. O melhor tempo para socorrer alguém é quando ele está passando por uma necessidade.[309]

Antes de defendermos nossas tradições, precisamos perguntar: elas servem aos propósitos de Deus? Revelam o caráter de Deus? Ajudam as pessoas a entrar na família de Deus ou as mantêm fora dessa relação? Têm fortes raízes bíblicas? Tradições saudáveis precisam passar por esses testes.[310]

Em segundo lugar, *eles dão mais valor à aparência do que à verdade* (3.2,6) . Eles estavam de espreita para acusar Jesus caso ele curasse o enfermo. Consideraram isso um pecado mortal. Eles atacaram Jesus por fazer o bem, mas saíram da sinagoga para tramarem a sua morte. Eles achavam que Jesus estava quebrando o sábado ao fazer o bem, mas não se viam transgressores do sábado ao praticarem o mal.

Eles coavam um mosquito e engoliam um camelo. Eles eram mais leais ao seu sistema religioso do que a Deus.[311] O que era pior: restaurar a saúde de uma pessoa enferma no dia do sábado como, Jesus fez, ou tramar a morte e alimentar ódio por uma pessoa inocente como os fariseus? Deveria Jesus estar envergonhado por fazer o bem? E eles, não estavam envergonhados de fazer o mal? Diante dessa situação, eles nada responderam, mas saíram para agir com maquinação diabólica contra Jesus.

Jesus apanhou os fariseus com uma pergunta perturbadora: "É lícito nos sábados fazer o bem ou fazer o mal? Salvar a vida ou tirá-la?" Adolf Pohl diz que eles não conseguem abrir a boca, depois não querem e, por fim, eles a mantêm fechada com raiva. Trata-se de um processo de endurecimento.[312]

Nenhum cristão deve hesitar em fazer o bem no dia do Senhor. O exercício da misericórdia, a cura do enfermo, o alívio da dor do aflito deve ser sempre praticado sem receio. Fazer o bem no dia do Senhor não é certamente buscar o nosso próprio prazer ou o nosso próprio lucro, alerta John Charles Ryle.[313]

Em terceiro lugar, *eles dão mais valor a um animal do que ao ser humano* (Mt 12.11,12). Os fariseus haviam perguntado a Jesus se era lícito curar no sábado (Mt 12.10), ao que Jesus respondeu: *Qual dentre vós será o homem que, tendo uma ovelha, e, num sábado esta cair numa cova, não fará todo o esforço, tirando-a dali? Ora, quanto mais vale um homem que uma ovelha? Logo, é lícito, nos sábados, fazer o bem* (Mt 12.11,12).

Os fariseus socorriam uma ovelha, mas não um homem. Eles davam mais valor a um animal que a um homem doente. Eles tinham mais compaixão de uma ovelha do que de um homem. Valorizavam mais os ritos, os animais e o dinheiro do que o ser humano.

Quanto vale uma vida para Jesus (Mc 3.3-5)

Destacamos três aspectos da valorização de Jesus à vida humana:

Em primeiro lugar, *uma vida vale mais do que o legalismo religioso* (3.2). Nos quatro evangelhos nos são relatados sete casos de curas milagrosas de Jesus em dia de sábado.[314] Os escribas e fariseus estavam preocupados com leis e ritos sagrados engendrados por eles mesmos e não com a salvação dos perdidos. A religião deles oprimia em vez de libertar. Quanto mais zelosos da religião, mais longe de Deus e dos homens. Eles se julgavam melhores do que os outros mortais (Lc 18.11). Eles tinham medo de se envolver com as pessoas necessitadas (Lc 10.31-33).

Jesus tocou no âmago da questão quando perguntou aos fariseus: *É lícito nos sábados fazer o bem ou fazer o mal? Salvar a vida ou tirá-la? Mas eles ficaram em silêncio* (3.4). Jesus não revogou a lei, mas a interpretou com autoridade (Mt 5.17-20; Rm 3.31). Jesus traz o sábado para a sua luz, enfatizando que o bem sempre deve ser feito no sábado e o mal proibido. Adolf Pohl comenta:

> Para Jesus o sábado é para fazer o bem. O sábado pretende ser uma festa de amor a Deus e aos outros [...]. O essencial do descanso objetivado por Deus não consiste em estar livre do fazer, mas em estar livre do fazer sob a pressão da produtividade [...]. Quem está preocupado só em não fazer nada no dia de descanso, é culpado de parar de fazer o bem. Contudo, onde se para de fazer o bem não surge um espaço sem ação, mas o mal entra desfilando (Tg 4.17).[315]

Os fariseus transformaram o lícito em transgressão e o ilícito em liturgia. A intenção de Jesus de curar confronta a intenção dos fariseus de matar. O sábado deles não tem mais poder para curar, só para matar. Na defesa do sábado, eles o estavam transgredindo da forma mais gritante.

Em segundo lugar, *uma vida vale mais do que os bens materiais* (Mt 12.11,12). Os escribas e fariseus estavam prontos a tirar uma ovelha de um buraco, no sábado, mas não aceitavam que aquele homem fosse curado no sábado. Para eles, uma ovelha valia mais que um homem. Hoje, muitos valorizam mais as coisas que as pessoas. Usam as pessoas e amam as coisas. Hoje, a sociedade valoriza mais o ter do que o ser. Temos mais pressa em cuidar dos animais do que das almas que perecem. Tem gente que ama mais um cachorrinho de estimação do que as pessoas doentes, necessitadas e aflitas. Temos mais pressa em ganhar dinheiro do que ver os perdidos alcançados.

Em terceiro lugar, *uma vida vale a sua própria vida* (3.1-6). Jesus sabia que a cura daquele homem da mão mirrada desencadearia uma perseguição a ele, que culminaria em sua morte na cruz. A partir dali, os fariseus começaram a perseguir a Jesus e a orquestrar com os herodianos a sua morte.

Marcos é o único evangelista que fala dessa coligação espúria entre escribas e fariseus com os herodianos para tramarem a morte de Jesus. Os herodianos eram um partido político judeu radical que esperava restaurar ao trono a linha de Herodes, o grande. Eles apoiavam o domínio de Roma sobre a Palestina e assim estavam em direto conflito com os líderes judeus. Os fariseus e herodianos não tinham nada em comum até Jesus ameaçá-los. Jesus ameaçou a autoridade dos fariseus sobre o povo e ameaçou os herodianos ao falar do seu reino eterno. Assim os fariseus e herodianos, inimigos históricos, se uniram para tramarem a morte de Jesus.[316] As facções inimigas entre os judeus foram esquecidas momentaneamente de suas rivalidades, unidas por seu ódio ao Senhor.[317] Foi o inimigo comum, Jesus, quem uniu esses dois grupos rivais.[318] William Hendriksen diz que aquela foi uma estranha coalizão entre os falsos santos e os sacrílegos.[319]

Adolf Pohl diz que o amor de Jesus pelo ser humano deformado é maior que a preocupação com sua própria segurança.[320] Jesus se dispôs a morrer para salvar aquele homem. Jesus está dizendo que valeu a pena dar a sua vida para que aquele homem fosse libertado. Jesus deu a sua vida por você. Ele se entregou por você. Por trazer liberdade e vida, ele tinha de morrer. Morrendo, ele realizou sua missão.[321]

Sua morte nos trouxe vida. Ele não poupou a sua própria vida. Ele foi perseguido, preso, açoitado, cuspido, surrado, humilhado, crucificado por amor a você. Ele suportou a cruz com alegria não levando em conta sua ignomínia para salvar você.

O método usado por Jesus para curar o homem

Destacamos cinco aspectos do método usado por Jesus:

Em primeiro lugar, *relevou os motivos secretos do coração dos críticos* (Lc 6.8). Jesus não apenas está presente na sinagoga, ele também está examinando os corações. Seus olhos são como chama de fogo (Ap 1.14; 2.18).

Jesus está aqui vendo não apenas nossa presença, mas investigando nossas motivações. Ele sonda nosso coração, perscruta nossa consciência. Ele discerne no meio da assembleia o crítico e o atrofiado.

O conhecimento de Jesus o levou a ter dois sentimentos:

Primeiro, indignação. Jesus sentiu-se indignado com aqueles que não valorizavam a vida nem a salvação dos perdidos. Ele sentiu indignação com a dureza do coração dos fariseus. A ira de Jesus sempre indica a presença do satânico (1.43; 3.5; 8.33). Jesus usou sua ira para encontrar soluções construtivas e corrigir o problema, curando o enfermo,[322] em vez de usá-la para destruir as pessoas.

Segundo, compaixão. Jesus sentiu compaixão daquele homem que tinha a mão direita mirrada e também se condoeu da dureza do coração dos seus críticos pelo seu estado de endurecimento, cegueira e morte.[323] De acordo com os tempos verbais usados no original, o olhar irado ou indignado foi momentâneo, enquanto a profunda tristeza foi contínua.[324]

Em segundo lugar, *encorajou o homem da mão atrofiada a assumir publicamente sua condição* (Lc 6.8). Jesus disse para o homem da mão mirrada: *Levanta-te.* Aquele homem estava prostrado, caído, cabisbaixo, derrotado, vencido sem se expor no meio da sinagoga.

Antes da cura, é preciso assumir a sua condição de doente. Não se esconda, rompa com os embaraços, saia da caverna, do anonimato. Reconheça suas necessidades e declare-as publicamente. Diz Lucas: *Ele se levantou e permaneceu em pé* (Lc 6.8).

Em terceiro lugar, *encorajou o homem da mão atrofiada a vencer os seus complexos* (3.3). Jesus disse para o homem da mão atrofiada: *Vem para o meio.* Aquele homem vivia se escondendo. Tinha vergonha da sua mão seca. Tinha complexos de inferioridade. Tinha vergonha do seu corpo. Tinha traumas não curados. Ele vivia na periferia, escanteado, se escondendo por causa de suas emoções amassadas e de uma autoestima achatada.

Antes de curar-nos, Jesus quer que nos despojemos de toda máscara. Antes de Eliseu curar Naamã, ele mandou-o mergulhar no rio Jordão sete vezes. Por quê? Para que ele se despojasse de sua armadura, e assumisse publicamente que era leproso.

Em quarto lugar, *encorajou o homem da mão atrofiada a exercitar sua fé* (3.5). Jesus lhe disse: *Estende a mão.* O médico Lucas nos informa que era a sua mão direita e ela estava ressequida (Lc 6.6). A palavra grega traz a ideia de secar, ficar seco, murchar, ficar murcho. O imperfeito indica um estado ressequido e talvez demonstre que não era de nascimento, mas que era o resultado de lesões causadas por acidente ou por enfermidade.[325] Aquela era uma causa perdida, mas Jesus lhe dá uma ordem. Aquele homem deveria exercitar sua fé e fazer o impossível mediante a Palavra de Jesus. À ordem de Jesus, o membro crispado relaxou-se, o que estava imóvel se moveu.

Depois de uma pescaria fracassada, Jesus disse a Pedro: *Faze-te ao largo, e lançai as vossas redes para pescar* (Lc 5.4). Pedro atendeu a ordem de Jesus e apanhou grande quantidade de peixes (Lc 5.5,6).

No tanque de Betesda, Jesus disse para um homem que estava preso à sua cama como paralítico havia 38 anos: *Levanta-te, toma o teu leito e anda* (Jo 5.8). Diz o evangelista João: *Imediatamente, o homem se viu curado e, tomando o leito, pôs-se a andar* (Jo 5.9).

Lázaro estava morto havia quatro dias, mas Jesus dirige-se ao morto e clama em alta voz: *Lázaro, vem para fora!* (Jo 11.43). O morto ouviu a voz de Jesus e voltou à vida.

Em quinto lugar, *realizou na vida do homem da mão atrofiada um grande milagre* (3.5). À semelhança do que aconteceu com o leproso (1.42) e com o paralítico (2.11,12), Jesus deu a esse homem sua vida de volta (3.6). Jesus curou sua autoestima e seu corpo. A cura foi instantânea e completa. Tratamentos subsequentes e outros exames não se fizeram mais necessários.[326]

O evangelista Marcos nos informa que no mesmo momento que o homem atendeu à ordem de Jesus, a sua mão foi restaurada: *Estende a mão. Estendeu-a e a mão lhe foi restaurada* (3.5). Jesus tem todo poder e autoridade para sondar os corações (Lc 6.8) e para curar o enfermo (3.5).

Jesus não mudou. A sua palavra tem a mesma autoridade hoje. Se você crer, algo extraordinário pode acontecer com você. Talvez seu caráter esteja mirrado. Talvez sua vida emocional esteja amassada e atrofiada. Talvez seus relacionamentos estejam ressecados e sem vida. Talvez seu casamento já perdeu a alegria e o entusiasmo. Talvez sua vida financeira esteja mirrada e seca. Jesus pode dar vida nova ao que está morto e vitalidade ao que está ressecado.

A obediência a uma ordem de Jesus ainda produz milagres.

Esse episódio na sinagoga de Cafarnaum revela duas reações, dois auditórios, duas atitudes de Jesus e dois resultados: daquela sinagoga, naquele culto, onde Jesus ensinou, um homem saiu curado e os escribas e fariseus saíram cheios de inveja e ódio. O mesmo sol que amolece a cera, endurece o barro.

Aquele que reconheceu sua necessidade saiu salvo, aqueles que estavam cheios de prejulgamento saíram mais endurecidos e mais perdidos.

Quem é você: mirrado ou crítico? Necessitado ou julgador? Como você vai sair deste episódio: curado, perdoado, salvo ou mais endurecido?

Notas do capítulo 11

[303] Barclay, William, *Marcos,* 1974: p. 82,83.

[304] McGee, J. Vernon, *Mark,* 1991: p. 44.

[305] Barton, Bruce B, et all. *Life Application Bible Commentary. Mark,* 1994: p. 70.

[306] Pohl, Adolf, *Evangelho de Marcos,* 1998: p. 126.

[307] Hendriksen, William, *Marcos,* 2003: p. 154.

[308] Ryle, John Charles, *Mark,* 1993: p. 32.

[309] Barton, Bruce B, et all. *Life Application Bible Commentary. Mark,* 1994: p. 72.

[310] Barton, Bruce B, et all. *Life Application Bible Commentary. Mark,* 1994: p. 73.

[311] Barton, Bruce B, et all. *Life Application Bible Commentary. Mark,* 1994: p. 74.

[312] Pohl, Adolf, *Evangelho de Marcos.* 1998: p. 127.

[313] Ryle, John Charles, *Mark,* 1993: p. 33.

[314] Marcos 1.21; 1.29; 3.1-6; João 5.9; 9.14; Lc 13.14; 14.1.

[315] Pohl, Adolf, *Evangelho de Marcos,* 1998: p. 126,127.

[316] Barton, Bruce B, et all. *Life Application Bible Commentary. Mark,* 1994: p. 74.

[317] Trenchard, Ernesto, *Una Exposición del Evangelio según Marcos,* 1971: p. 42.

[318] Wiersbe, Warren W, *Be Diligent,* 1987: p. 32.

[319] Hendriksen, William, *Marcos,* 2003: p. 156.

[320] Pohl, Adolf, *Evangelho de Marcos,* 1998: p. 126.

[321] Pohl, Adolf, *Evangelho de Marcos,* 1998: p. 128.

[322] Barton, Bruce B, et all. *Life Application Bible Commentary. Mark,* 1994: p. 74.

[323] Pohl, Adolf, *Evangelho de Marcos,* 1998: p. 127.

[324] Hendriksen, William, *Marcos,* 2003: p. 155.

[325] Rienecker, Fritz e Rogers, Cleon, *Chave Linguística do Novo Testamento Grego,* 1985: p. 70.

[326] Hendriksen, William, *Marcos,* 2003: p. 155.

Capítulo 12

Motivos decisivos para você vir a Jesus

(Mc 3.7-12)

DESTACAMOS, À GUISA de introdução, cinco pontos importantes:

Em primeiro lugar, *uma conspiração odiosa* (3.6). Jesus está no auge da sua popularidade. Ele está andando por toda parte, fazendo o bem e curando todos os oprimidos do diabo (At 10.38). Contudo, ao mesmo tempo, as forças hostis se mancomunam contra ele para matá-lo. Fariseus e herodianos eram inimigos, mas se unem para persegui-lo (3.6). Houve um concubinato espúrio da religião com a política para matar Jesus.

Jesus, então, se retira porque ainda tinha muitas lições a ensinar aos discípulos e ao povo. E também, porque ainda não era o seu tempo de morrer.[327]

Em segundo lugar, *uma fuga estratégica* (3.7). Jesus não se retirou das multidões necessitadas que o seguiam por toda parte, mas dos inimigos.[328] Esse episódio da perseguição leva Jesus a romper completamente com a sinagoga judaica.[329] Dewey Mulholland diz que, após o confronto em Marcos 3.1-6, Jesus retira-se do judaísmo oficial, simbolizado pela sinagoga (com exceção de 6.1-6) e volta-se para as pessoas; até chegar ao templo em Jerusalém (11.11), conduzindo o seu ministério em lares e ao ar livre.[330]

Em Marcos, vemos quatro tipos de retiro de Jesus: 1) Para escapar da perseguição dos seus inimigos (3.7); 2) Para descansar (6.31); 3) Para orar (6.46); 4) Para ensinar aos seus discípulos (7.24). Há momentos que o confronto não é o melhor caminho. No tempo certo, Jesus enfrentou esses inimigos e marchou para Jerusalém resolutamente. Precisamos ter discernimento para saber a hora de retirar e a hora de enfrentar os inimigos.

Em terceiro lugar, *uma procura geral.* Ao mesmo tempo em que os poderosos rejeitam a Cristo, ele alcança grande popularidade entre o povo e este o busca por todos os lados. Até mesmo os gentios da Fenícia o buscavam: 1) Do Norte – Tiro e Sidom (gentios); 2) Do Sul – Judeia, Jerusalém e Idumeia (descendentes de Esaú, os edomitas); 3) Do Leste – Além do Jordão e 4) Do Oeste – Galileia. Enquanto alguns homens se tornam endurecidos, até mesmo os demônios se prostram e confessam que Jesus é o Filho de Deus.

Em quarto lugar, *uma motivação variada.* As motivações da multidão eram variadas: 1) Alguns foram a Cristo por curiosidade, para ver os seus milagres; 2) Outros foram atraídos por interesses imediatos (pão ou cura); 3) Outros ainda foram atraídos para ouvir os seus ensinos, mas não estavam dispostos a crer nele; 4) Outros, contudo, foram a Cristo para ouvir os seus ensinos, serem curados e crerem nele.

É verdade incontroversa que nem todos os que vêm para ouvir o evangelho o receberão. Assim como Jesus subiu imediatamente ao monte e chamou os seus discípulos para segui-lo, hoje, também, da imensa assembleia dos que ouvem a Palavra Jesus chamará aqueles que nele hão de crer para serem seus discípulos.

Em quinto lugar, *um testemunho rejeitado* (3.11,12). Os demônios demonstraram mais discernimento que os fariseus e herodianos. Aqueles negavam a divindade de Cristo, enquanto os demônios a proclamavam. Os demônios reconheceram Jesus e o temeram (Tg 2.19). Eles conheciam seu poder e sabiam que Jesus tinha autoridade para expulsá-los (5.8-10). Ironicamente, os demônios compreenderam quem era Jesus, enquanto o povo não o compreendeu. A natureza espiritual dos demônios é mais perspicaz que a razão humana.[331]

Jesus proíbe os demônios de darem testemunho a seu respeito. Ele força o silêncio dos demônios para garantir a revelação completa e pura.[332] Jesus deseja que os homens o conheçam pelo testemunho das Escrituras e pelo testemunho das suas palavras e obras.[333]

Jesus rejeitou o testemunho dos demônios por duas razões: Primeiro, porque não deseja nem necessita que os demônios o credenciem.[334] Segundo, porque não aceita ser desviado do foco de sua missão. Ao proclamarem sua verdadeira identidade, os demônios procuram fomentar a multidão para que Jesus seja tentado a deixar de cumprir o propósito de Deus.[335] Jesus veio não para ser um líder político ou milagreiro, mas o redentor da humanidade. A multidão oprimida por Roma esperava um Messias político que viesse quebrar o jugo da escravidão e colocar a nação judaica no topo do governo mundial. Bruce Barton diz que o Reino de Cristo é espiritual. Ele começa não com o destronamento dos governos humanos, mas com o destronamento do pecado no coração dos homens.[336]

Charles Haddon Spurgeon auxilia-nos a entender esse texto, em sua exposição de Marcos 3.7-12. Vejamos, então, as principais lições do texto:

O eco das ações de Jesus atrai os pecadores em grande número (Mc 3.8-10)

Aquela multidão que veio a Jesus é um espelho das multidões que se reúnem hoje nos templos. As pessoas vêm porque já ouviram quantas coisas Jesus já fez, está fazendo e fará.

Chamamos a atenção para quatro fatos:

Em primeiro lugar, *essas pessoas tinham ouvido testemunhos de alguns que haviam sido curados.* Histórias se multiplicavam daqueles que eram cegos e agora viam; daqueles que eram surdos e agora ouviam; daqueles que eram leprosos e agora estavam limpos; daqueles que eram paralíticos e agora andavam. Essas pessoas ouviram esses poderosos testemunhos e aceitaram-nos como verdadeiros. Um homem paralítico contou como fora curado. Um cego contou como Jesus tocou em seus olhos.

E assim, essas maravilhas foram passando de pessoa para pessoa.

Você tem ouvido também muitos testemunhos de pessoas que foram libertadas, de pessoas que foram salvas e transformadas pelo evangelho. Talvez você tenha exemplos na sua própria família: bêbados que se tornaram sóbrios; viciados que foram libertados; pessoas que viviam uma vida desregrada e que agora vivem uma vida de testemunho irrepreensível.

Oh! que Deus desperte você hoje, para que não apenas conheça esses testemunhos, mas também se arroje aos pés do Senhor e toque-o pela fé (3.10).

Em segundo lugar, *essas pessoas tiraram do que tinham ouvido um argumento de esperança.* Elas pensaram: Se Cristo fez grandes coisas por aquelas pessoas, ele pode fazer em nossa vida também. Vamos até ele. Se ele fez os paralíticos andarem, fez os cegos verem, purificou os leprosos, então, ele pode nos curar, libertar e salvar também.

Esse foi o raciocínio de Bartimeu em Jericó. Ele ouviu falar de quantas coisas Jesus fazia. Ele aguardou o dia do seu encontro com Cristo. Ele gritou, insistiu e foi chamado, curado e salvo por Cristo.

Aquelas pessoas foram informadas não apenas dos grandes milagres de Cristo, mas de que ele também se alegrava em ser misericordioso. Que ele se deleitava em socorrer, curar, perdoar e salvar as pessoas. Assim, elas vieram a Cristo por causa da sua fama. Elas ouviram que ele não esmaga a cana quebrada nem apaga a torcida que fumega. Ele não condena aquele que já está quebrantado.

Em terceiro lugar, *essas pessoas vieram a Cristo com urgência por causa de seus próprios sofrimentos.* Algumas delas estavam cheias de dor e sofrimento: Havia cegos, paralíticos, surdos: gente ferida, sem esperança, sem recurso, sem socorro humano. Eram pessoas aflitas e ansiosas para serem curadas e libertadas. Sendo convencidas de que seus casos eram semelhantes àqueles que Jesus já havia atendido, elas vieram a Cristo para também serem curadas.

Eu posso clamar a vocês para virem a Cristo até exaurir as minhas forças, contudo, ninguém virá senão aqueles que sentirem a necessidade de Jesus. Mas você precisa dele tendo consciência disso ou não. Você tem uma doença mortal e crônica que nenhum médico da terra pode curar. Essa doença é o pecado. Por mais religioso e moralista que você seja, está contaminado por essa doença mortal. A menos que Jesus o perdoe, o liberte e o salve, você está condenado. Não há nenhuma esperança para você a não ser que venha a Cristo.

Em quarto lugar, *essas pessoas vieram a Cristo não apenas por causa de seus sofrimentos, mas porque sabiam que Jesus podia curá-las e salvá-las.* Meu caro leitor, venha a Cristo sem demora. Somente ele pode perdoar aos seus pecados, preencher o vazio da sua alma e satisfazer os anseios do seu coração. Ele pode tirar o seu coração endurecido e dar-lhe um coração sensível. Ele pode abrir os seus olhos para que você veja a glória de Deus. Ele pode tirar você do poço profundo em que se encontra. Ele pode dar a você um novo nome, um novo coração, uma nova mente, uma nova esperança, uma nova vida.

Jesus já tem transformado vidas que estavam na sua mesma condição. Ele é o mesmo sempre. Seus braços não estão encolhidos para que não possam salvar nem seus ouvidos surdos que não possam ouvir ao seu clamor. Portanto, venha a Jesus. Toque-o pela fé.

As necessidades humanas levam as multidões a Jesus (Mc 3.8,10)

Destacamos seis verdades fundamentais quanto a essa questão:

Em primeiro lugar, *aquelas pessoas não se contentaram apenas em ouvir testemunhos de outros, elas mesmas foram a Jesus.* Eu gostaria que essa fosse a realidade de todos os nossos leitores. Essas pessoas ouviram as histórias do que Cristo tinha feito. Elas certamente disseram: Essas são as grandes notícias, fala-nos de novo sobre esses milagres. Mas elas não se contentaram apenas em ficar ouvindo o que Cristo havia feito na vida dos outros. Elas mesmas quiseram ter um encontro com Cristo. Elas seriam tolas se apenas se contentassem em ouvir os grandes feitos de Cristo. Os cegos que ouviram que Jesus abrira os olhos daqueles que estavam nas trevas desejaram ir a Jesus. Os paralíticos desejaram ser lançados aos pés de Jesus. Os leprosos desejaram ser tocados por Jesus.

Preocupo-me pensando que alguns de vocês se contentem em apenas ouvir as boas-novas. Alguns de vocês se contentam em apenas vir à igreja, pensando que isso é o bastante. Não basta você ser um ouvinte regular da Palavra de Deus. Não basta você estar todos os domingos na Casa de Deus. Você precisa pessoalmente ter um encontro com Cristo.

Uma pessoa faminta se contentaria em apenas ouvir falar sobre o lugar que tem pão com fartura? Uma pessoa doente se contentaria apenas em ouvir testemunhos de cura enquanto ela perece? Não seja descuidado com a sua própria alma. Não seja apenas um ouvinte. Venha a Jesus. O tempo urge, hoje é o dia oportuno. Agora é o tempo da salvação.

Em segundo lugar, *aquelas pessoas não esperaram Cristo vir até elas, elas foram a Jesus.* Muitas pessoas usam a ortodoxia reformada de forma equivocada. A visão hipercalvinista matou o ardor evangelístico da igreja. As pessoas pensam: Deus já tem os seus escolhidos. Eu não preciso evangelizar. Os eleitos virão. Eu não preciso pregar, os eleitos crerão. Eu não preciso me preocupar em salvar minha alma, se eu for um eleito, jamais vou me perder. A soberania de Deus não anula a responsabilidade humana. A Bíblia diz que você deve ter pressa. Há um abismo. Há um perigo. Há um tempo oportuno.

O evangelho é uma mensagem urgente: Amanhã pode ser tarde. Hoje é o tempo de Deus. O evangelho que você está ouvindo é a voz de Jesus. Venha a Jesus. Aquelas pessoas não ficaram esperando até Jesus ir às suas cidades. Elas vieram a Jesus. Elas tinham pressa. Elas se arrojavam aos seus pés para o tocar.

Em terceiro lugar, *aquelas pessoas não pararam nos discípulos de Jesus.* Satanás tenta manter os homens longe de Cristo, fazendo-os parar nos ministros, evangelistas e outros crentes eminentes. Nenhum homem, nenhuma igreja, nenhuma denominação, nenhum concílio, nenhuma doutrina pode salvar você. Só Jesus! Não há salvação em nenhum outro nome dado entre os homens pelo qual importa que sejamos salvos. O ministério dos pregadores não é exaltar a si mesmos, mas gritar: Eis o Cordeiro de Deus que tira o pecado do mundo!

Em quarto lugar, *aquelas pessoas para virem a Cristo tiveram de deixar seus negócios.* Muitas daquelas pessoas tiveram de deixar suas propriedades, suas lavouras, seu gado, seus olivais, suas lojas para ir a Jesus. Muitas pessoas deixam de vir a Cristo por causa do trabalho, do sucesso, do dinheiro, dos negócios. Mas o que adianta você ganhar o mundo inteiro e perder a sua alma? O jovem rico perdeu a oferta da salvação pelo seu amor ao dinheiro. Outros deixam o banquete da salvação por causa dos bens, do trabalho, do lucro, do sucesso, do casamento, dos amigos, dos prazeres. Que a sua primeira preocupação seja com a salvação da sua alma e não com as coisas que perecem.

Em quinto lugar, *muitas daquelas pessoas vieram de grandes distâncias.* Embora rejeitado pelos líderes religiosos e políticos, as multidões vinham de toda a Palestina e também da Fenícia para serem curadas por Jesus. Algumas pessoas vieram do Sul: Judeia e Jerusalém. Outras vieram do Norte: Tiro e Sidom. Outras vieram do Leste: Dalém do Jordão e outras vieram do Oeste: Galileia.[337] Estradas empoeiradas, desertos e rios profundos não mantiveram aquelas pessoas longe de Cristo. Nenhuma dificuldade manteve aquelas pessoas longe de Cristo. Nenhum obstáculo impediu aquelas multidões de virem a Cristo. Não deixe que nenhuma dificuldade impeça você de vir a Cristo: família, amigos, prazeres, dinheiro, preconceito.

Em sexto lugar, *aquelas pessoas vieram a Cristo com todas as suas carências e necessidades.* J. Vernon McGee diz que a família humana é uma família carente e necessitada e nós pertencemos a essa família.[338] Elas se lançavam aos pés de Cristo para tocá-lo. Elas queriam ser curadas e salvas.

Imagine se elas pensassem: "Não, nós só iremos a Cristo quando nossa vida estiver certa. Vamos dar mais um tempo". Se assim fosse, elas não precisariam de Cristo e Cristo não seria necessário a elas.

Não, mas deixe o cego vir enquanto é cego. Deixe o paralítico vir mesmo se arrastando. Deixe o leproso vir coberto de sua lepra. As pessoas devem vir como estão. Cristo veio chamar pecadores. O médico veio para os doentes. Venha como você está: endividado, desonesto, bêbado, drogado, impuro. É Jesus quem vai curá-lo, perdoá-lo e salvá-lo. Você não pode fazer nada para a sua salvação. Jesus o recebe como você está. *Conhecereis a verdade e a verdade vos libertará.* Erga a sua voz e cante:

Eu venho como estou
Eu venho como estou
Porque Jesus por mim morreu
Eu venho como estou.

Como as multidões necessitadas foram tratadas por Jesus? (Mc 3.10-12)

Ressaltamos cinco atitudes de Jesus em relação àquelas multidões:

Em primeiro lugar, *de todos os que vieram a Cristo nenhum foi mandado embora.* Desde que o mundo começou, nenhum pecador se chegou a Deus, nenhuma alma foi a Cristo sem ser recebida. Jesus disse: *O que vem a mim, jamais lançarei fora* (Jo 6.37). Jesus Cristo jamais quebrou sua promessa. Desafiamos o céu, a terra e o inferno para levantar uma prova sequer de uma pessoa que tenha vindo a Cristo com seu coração quebrantado que tenha sido rejeitada por ele. É ele mesmo quem convida: *Vinde a mim, todos vós que estais cansados e sobrecarregados... Se alguém tem sede venha a mim e beba.*

Em segundo lugar, *todas as pessoas que vieram a Cristo foram atendidas por ele.* Os enfermos foram curados, os possessos foram libertos, os perdidos foram encontrados, os que estavam em trevas viram a luz, os que estavam aflitos foram consolados e os que estavam sem esperança receberam uma nova razão para viver.

As pessoas vieram a Cristo não apenas para ouvir os seus ensinos, serem curadas e libertas. Elas se lançaram aos pés de Jesus, tocaram nele e se derramaram diante dele. Hoje, eu convido você a vir a Jesus. Só ele pode curar, libertar, perdoar e salvar você.

Mateus 12.15-21, o texto paralelo, afirma que Jesus não esmaga a cana quebrada nem apaga a torcida que fumega. Jesus alivia as pessoas do fardo que as oprime. Ele não esmaga aquele que já está caído. Foi assim que Jesus fez com a mulher apanhada em flagrante adultério. Ele não a apedrejou, antes, perdoou-a, restaurando-lhe a dignidade da vida.

Em terceiro lugar, *cada pessoa tocada, curada e salva por Jesus era mais uma testemunha de Jesus.* Imagine que estava no meio daquela multidão duzentas pessoas que foram curadas. Eram mais duzentas testemunhas de Jesus a testemunhar o seu poder. O círculo daqueles que eram salvos aumentava. O número daqueles que testemunhavam crescia. Cada nova pessoa curada e salva era uma voz a mais a chamar as outras pessoas a virem a Jesus.

Hoje, depois de dois mil anos, milhões e milhões de vidas já foram tocadas, curadas e transformadas por Jesus. Você não pode desculpar-se. Cada nova vida salva por Jesus é um forte argumento para você de que ele é suficiente para ser o seu salvador. Oh! amigo, há uma nuvem de testemunhas ao seu redor proclamando para você que Jesus é o único salvador, a única esperança para a sua alma. Venha a ele agora mesmo.

Em quarto lugar, *Jesus não apenas cura os enfermos, mas prioriza o ensino* (3.9). Esse anseio descontrolado por cura (3.8,10), principal ou exclusivamente por cura, Jesus corrige com sua atitude (1.37s., Jo 6.26). Ele não quer ser apenas um curandeiro, por isso cria espaço para o ensino da verdade (4.1).[339] Esse barco usado por Jesus tinha duas finalidades: proteção e maior alcance.[340] Jesus tem para você palavras de vida eterna que satisfazem a sua mente, aquietam o seu coração e lhe darão segurança eterna.

Em quinto lugar, *por que você deve vir a Cristo agora mesmo?*

Primeiro, porque o próprio nome de Jesus convida você. Seu nome é Jesus, que significa Salvador. Você é pecador, mas ele é o Salvador. Você tem sede, mas ele é a água da vida. Você tem fome, mas ele é o pão da vida. Você está perdido, mas ele é o caminho. Você está morto, mas ele é a ressurreição e a vida.

Segundo, porque o poder de Jesus encoraja você a vir a ele. Jesus tem todo o poder no céu e na terra. Os astros lhe obedecem. O vento escuta a sua voz. As ondas do mar se acalmam diante da sua palavra. A doença atende a sua ordem. Os demônios se rendem à sua autoridade. Os inimigos se prostram diante dos seus pés. Ele tem poder para libertar e salvar você. Portanto, venha a ele agora mesmo.

Terceiro, porque o amor de Jesus encoraja você a vir a ele. Ele ama você e importa-se com você. Ele foi à cruz por você. Suas mãos foram rasgadas, seus pés foram pregados na cruz e ele foi transpassado no madeiro por amor a você. Ele ama você com amor eterno. Por isso, venha a ele.

Quarto, porque o banquete da salvação já está preparado para receber você. Deus já fez tudo. A mesa já está preparada. Os céus estão prontos para festejar a sua volta para Deus. Os anjos se alegram com a sua salvação. A noiva de Cristo, a igreja, convida você: Vem. O Espírito do Deus eterno, diz a você: Vem! Se você tem sede, venha e beba de graça da água da vida.

Nada neste mundo pode impactar e transformar tanto a sua vida quanto o evangelho. Você não pode ficar indiferente ao evangelho. Os fariseus e os herodianos se posicionaram contra Jesus para matá-lo. Contudo, ao mesmo tempo multidões de todos os lados vieram a Jesus e ele as recebeu, curou os enfermos e libertou os endemoninhados.[341]

De que lado você está? Do lado daqueles que rejeitam a Cristo ou do lado daqueles que vêm a Cristo para serem curados, libertados e salvos?

NOTAS DO CAPÍTULO 12

[327] BARTON, Bruce B, et all. *Life Application Bible Commentary. Mark,* 1994: p. 75.

[328] TRENCHARD, Ernesto, *Una Exposición del Evangelio según Marcos,* 1971: p. 44.

[329] POHL, Adolf, *Evangelho de Marcos,* 1998: p. 130.

[330] MULHOLLAND, Dewey M, *Marcos: Introdução e Comentário.* Edições Vida Nova. São Paulo, SP., 2005: p. 68.

[331] POHL, Adolf, *Evangelho de Marcos,* 1998: p. 132.

[332] POHL, Adolf, *Evangelho de Marcos,* 1998: p. 132.

[333] BURN, John Henry, *The Preacher's Complete Homiletic Commentary on the Gospel according to Mark,* 1996: p. 98.

[334] BARTON, Bruce B, et all. *Life Application Bible Commentary. Mark,* 1994: p. 78.

[335] MULHOLLAND, Dewey M, *Marcos: Introdução e Comentário,* 2005: p. 69.

[336] BARTON, Bruce B, et all. *Life Application Bible Commentary. Mark,* 1994: p. 78.

[337] BURN, John Henry, *The Preacher's Complete Homiletic Commentary on the Gospel according to Mark,* 1996: p. 98.

[338] MCGEE, J. Vernon, *Mark,* 1991: p. 46.

[339] POHL, Adolf, *Evangelho de Marcos,* 1998: p. 131.

[340] HENDRIKSEN, William, *Marcos,* 2003: p. 159.

[341] WIERSBE, Warren W, *Be Diligent,* 1987: p. 32.

Capítulo 13

A escolha da liderança espiritual da igreja

(Mc 3.13-19)

JESUS TINHA MUITOS DISCÍPULOS, mas ele separou doze para serem apóstolos. Discípulo é um aprendiz, apóstolo é um enviado com uma comissão, um embaixador em nome do Rei.[342] Os apóstolos foram chamados dentre os discípulos, isto porque a conversão precede o ministério. A ordem é: primeiro converter, depois ordenar.[343]

Jesus só teve doze apóstolos. Os apóstolos foram os instrumentos para receberem a revelação de Deus e foram inspirados por Deus para o registro das Escrituras. Não há sucessão apostólica. Os apóstolos não tiveram sucessores depois que morreram.[344] Um apóstolo precisava ter visto a Cristo ressurreto (1Co 9.1), ter tido comunhão com Cristo (At 1.21,22) e ter sido chamado pelo próprio Cristo (Ef 4.11). Os apóstolos receberam poder especial para realizar milagres como prova de sua credencial (At 2.43; 5.12; 2Co 12.12; Hb 2.1-4).

Dewey Mulholland diz que a decisão de Jesus de escolher os doze apóstolos foi uma das decisões mais cruciais da História. Ele não escreveu livros, não ergueu monumentos nem construiu instituições. Ele discipulou pessoas do modo mais eficaz para perpetuar o seu ministério. A existência da igreja prova a correção de sua decisão.[345]

Jesus escolhe soberanamente (Mc 3.13)

Três verdades são dignas de observação nesse aspecto da soberania de Jesus na escolha dos líderes da igreja:

Em primeiro lugar, *Jesus escolheu a liderança da igreja segundo a expressa vontade do Pai.* Lucas informa-nos que antes de Jesus chamar os apóstolos, dedicou-se à oração: *Naqueles dias, retirou-se para o monte, a fim de orar, e passou a noite orando a Deus. E, quando amanheceu, chamou a si os seus discípulos e escolheu doze dentre eles, aos quais deu também o nome de apóstolos* (Lc 6.12,13).

A oração de Jesus tem quatro marcas distintas: Primeiro, ele orou secretamente: "retirou-se para o monte, a fim de orar". Segundo, ele orou insistentemente: "e passou a noite orando". Terceiro, ele orou submissamente: "orando a Deus". Quarto: ele orou objetivamente: "e quando amanheceu, chamou a si os seus discípulos e escolheu doze dentre eles, aos quais deu também o nome de apóstolos".[346]

Em segundo lugar, *Jesus escolheu a liderança da igreja soberana e eficazmente.* O chamado de Cristo é soberano e eficaz. Jesus chama e chama irresistivelmente. Jesus não apenas chamou soberanamente, mas também eficazmente, pois chamou os que ele mesmo quis e eles vieram para junto dele. O evangelista Marcos registra: *Depois, subiu ao monte e chamou os que ele mesmo quis, e vieram para junto dele* (Mc 3.13). Jesus não fez uma pesquisa de opinião entre a multidão para escolher os doze. Ele não escolheu a liderança da igreja por critérios humanistas.

Jesus chama a quem quer. Ele é soberano. Ninguém pode frustrar os seus desígnios. Sua vontade e não a nossa deve prevalecer. Ele chamou 12 e não 60. Por quê?

Primeiro, porque ele chamou os que ele mesmo quis! Na noite que Jesus foi traído, ele disse aos seus discípulos: *Não fostes vós que me escolhestes a mim; pelo contrário, eu vos escolhi a vós outros e vos designei para que vades e deis frutos...* (Jo 15.16).

Segundo, porque ele tinha em mente o novo Israel, pois o antigo Israel tinha doze patriarcas e doze tribos. Agora, o novo Israel, representado pelos doze apóstolos, seria formado por pessoas de todas as nações, tanto judeus quanto gentios.[347]

Em terceiro lugar, *Jesus escolheu a liderança da igreja incondicionalmente.* O chamado de Cristo é também incondicional. Os homens que Jesus escolheu não possuíam qualidades especiais. Não eram endinheirados, não desfrutavam uma posição social influente nem tinham recebido educação especializada. Também não eram líderes eclesiásticos de alto nível. Eram doze homens comuns.[348] Na verdade, Jesus escolheu homens limitados, pobres, iletrados, de temperamentos explosivos. Nós jamais escolheríamos esses homens. Contudo, Jesus os escolhe, os ensina, os equipa e os reveste de poder. Com esses homens, ele transforma o mundo. Famosos reis tiveram seus nomes apagados da História, mas esses iletrados homens têm seus nomes relembrados todos os dias por milhões e milhões de cristãos ao redor do mundo.

O líder espiritual é alguém vocacionado. Vocação, segundo John Jowett, é como ter algemas invisíveis; o vocacionado não pode retroceder. O profeta Jeremias quis deixar o ministério, mas isso foi como fogo em seus ossos.

Jesus escolheu propositalmente (Mc 3.14,15)

William Hendriksen diz que a tarefa para a qual Jesus os indicou era tríplice: associação, educação e missões e expulsão de demônios.[349]

Em primeiro lugar, *chamou-os e designou-os para estarem com ele*. Marcos registra: *Então, designou doze para estarem com ele* (Mc 3.14). O Senhor da obra é mais importante do que a obra do Senhor. Ter comunhão com Jesus é mais importante do que ativismo religioso. Antes de proclamarmos o evangelho ao mundo, precisamos como Maria, assentar-nos aos pés do Senhor para ouvir a sua Palavra. Nós precisamos aprender dele, imitá-lo, beber do seu Espírito e andar em seus passos.[350] Como João, precisamos dizer: nós proclamamos o que temos visto e ouvido (1Jo 1.3).

Jesus não chama os apóstolos para ocuparem um cargo ou tomarem parte em uma instituição: Ele os chama para si mesmo. Eles têm muito a aprender sobre ele e sobre si mesmos. Jesus é o modelo de caráter. Porque o caráter determina a qualidade do serviço prestado, a formação do caráter precede o serviço.[351]

Deus está mais interessado em quem somos do que no que fazemos. Quando o apóstolo Paulo descreve as características do presbítero, ele faz quatorze referências à vida do presbítero e apenas uma referência à sua capacidade de ensinar. A vida precede o ministério. A vida é o próprio ministério.

A vida do líder é a vida da sua liderança, enquanto os pecados do líder são os mestres do pecado.

A maior necessidade do líder é ter intimidade com Jesus. Quem não anda na presença de Jesus não tem credencial para ser líder na igreja de Jesus.

Em segundo lugar, *chamou-os e designou-os para os enviar a pregar.* Marcos escreve: *Então, designou doze* [...] *para os enviar a pregar* (Mc 3.14). O ministério dos apóstolos derivou sua origem não da igreja ou do povo, mas de Cristo.[352] Os apóstolos deveriam ser mensageiros de Deus. Eles eram embaixadores e arautos com uma mensagem do Rei. Eles foram chamados do mundo para serem enviados de volta ao mundo como ministros da reconciliação. A comissão dos apóstolos está em contraste com a comunidade de Qumran, isolada no deserto, e os fariseus separados das impurezas das pessoas comuns.[353] William Barclay diz que a ênfase de Jesus era oposta à ênfase dos fariseus, pois enquanto estes pregavam a separação das pessoas comuns, Jesus enviava seus apóstolos ao mundo, de onde foram chamados.[354]

A autoridade dos apóstolos era tão real que Jesus diria: *Quem vos recebe a mim me recebe; e quem me recebe, recebe aquele que me enviou* (Mt 10.40).

O ministério dos apóstolos deveria ser exercido no mundo inteiro. Eles foram inicialmente enviados para as ovelhas perdidas da casa de Israel (Mt 10.5,6); mais tarde, para todas as nações (Mt 28.19) e por todo o mundo (Mc 16.15).[355]

A pregação da Palavra é a espinha dorsal do ministério. É mais importante do que a própria administração dos sacramentos (1Co 1.17). Os apóstolos deixaram de servir às mesas para se consagrarem exclusivamente à oração e ao ministério da Palavra (At 6.4). Um ministro que não prega a Palavra é como uma lamparina sem luz, uma trombeta silenciosa, um vigia adormecido, um fogo apenas pintado na parede.[356]

Em terceiro lugar, *chamou-os e designou-os a exercer autoridade de expelir demônios.* [...] *e a exercer a autoridade de expelir demônios* (3.15). O líder espiritual é alguém que tem intimidade com Cristo, proclama a Palavra de Cristo e tem autoridade espiritual para resistir às forças do mal que oprimem as pessoas.

O líder da igreja precisa conhecer a autoridade que tem o nome de Jesus. Diante desse nome, todo joelho se dobra no céu, na terra e debaixo da terra. O líder precisa ser uma pessoa de discernimento espiritual para distinguir aquilo que oprime as pessoas.

A autoridade não é do líder, ela é uma autoridade delegada. Ele apenas a exerce em nome de Cristo. Essa autoridade vem do alto. Ela está no poderoso nome de Jesus!

Jesus escolheu surpreendentemente (Mc 3.16-19)

Dois fatos marcantes nos chamam a atenção:

Em primeiro lugar, *Jesus escolheu pessoas heterogêneas.* Os doze apóstolos são um espelho da nova família de Deus.

Ela é composta de pessoas diferentes, de lugares diferentes, profissões diferentes, ideologias diferentes. São pessoas limitadas, complicadas e imperfeitas, que frequentemente discordam sobre muitos assuntos. Havia no grupo de Jesus desde um empregado de Roma até um nacionalista que defendia a guerrilha contra Roma. Esse grupo tão heterogêneo aprendeu a viver sob o senhorio de Cristo e tornou-se uma bênção para o mundo.

Quanto mais estudamos essa lista dos apóstolos, mais seguros ficamos de que sua escolha foi soberana, baseada na graça e não nos méritos. Jesus não escolheu os doze por causa da sua fé, pois ela geralmente falhou. Ele não os escolheu por causa da sua habilidade, eles eram muito limitados. A única coisa que destacamos deles é a prontidão para seguir a Jesus.[357]

Adolf Pohl diz que por trás dos doze estão os 120 de Atos 1.15, os 3.000 de Atos 2.41 e os 5.000 de Atos 4.4, a multidão, para nós incontável de Apocalipse 7.4,9 e, por fim, os povos abençoados na nova terra de Apocalipse 21.3,26. Os doze, portanto, são o cerne de um Israel restaurado e de uma raça humana renovada.[358]

A história desses doze apóstolos tem muitas lições preciosas. Vejamos quem eram esses homens:

Pedro. Chamado Simão, era um pescador por profissão. Era de Betsaida (Jo 1.44), mas morava em Cafarnaum (1.21,29). Era um homem que falava sem pensar. Era inconstante, contraditório e temperamental. No início, não era um bom modelo de firmeza e equilíbrio. Ao contrário, ele estava constantemente mudando de um extremo para outro.

William Hendriksen diz que ele mudou da confiança para a dúvida (Mt 14.28,30); de uma profissão de fé clara em Jesus Cristo para a negação desse mesmo Cristo (Mt 16.16,22); de uma declaração veemente de lealdade para uma negação vexatória (Mt 26.33-35,69-75; Mc 14.29-31,66-72; Lc 22.33,54-62); de "nunca me lavarás os pés" para "não somente os pés, mas também as mãos e a cabeça" (Jo 13.8,9).[359] Vivia sempre nos limites extremos, ora fazendo grandes declarações: *Tu és o Cristo, o Filho do Deus vivo;* ora repreendendo a Cristo. Pedro fazia promessas ousadas sem poder cumpri-las: *Por ti darei minha vida,* logo depois negou a Cristo. Pedro, o homem que fala sem pensar, que repreende a Cristo, que dorme na batalha, que foge e segue a Cristo de longe, que nega a Cristo. Mas Jesus chama pessoas não por aquilo que elas são, mas por aquilo que elas virão a ser em suas mãos.

Tiago e João. Eles eram explosivos, temperamentais, filhos do trovão. Um dia pediram a Jesus para mandar fogo do céu sobre os samaritanos. Eles eram também gananciosos e amantes do poder. A mãe deles pediu a Jesus um lugar especial para eles no Reino. Tiago foi o primeiro a receber a coroa do martírio (At 12.2). Enquanto ele foi o primeiro a chegar ao céu, o seu irmão, João, foi o último a permanecer na terra.[360] Enquanto Tiago não escreveu nenhum livro da Bíblia, João escreveu cinco livros: o evangelho, três epístolas e o Apocalipse.

André. Era um homem que sempre trabalhava nos bastidores. Foi ele quem levou seu irmão Pedro a Cristo. Foi ele quem disse para Natanael sobre Jesus. Foi ele quem levou o garoto com um lanche a Jesus.

Filipe. Era um homem cético, racional. Quando Jesus perguntou: *Onde compraremos pães para lhes dar a comer?* (Jo 6.5). Ele respondeu: *Não lhes bastariam duzentos denários de pão, para receber cada um o seu pedaço* (Jo 6.7). Ele disse: o problema não é ONDE? Mas QUANTO? Quando Jesus estava ministrando a aula da saudade, no Cenáculo, no último dia, Filipe levanta a mão no fundo da classe e pergunta: *Senhor, mostra-nos o Pai, e isso nos basta* (Jo 14.8).

Bartolomeu. Era um homem preconceituoso. Foi ele quem perguntou: *De Nazaré pode sair alguma coisa boa?* (Jo 1.46).

Mateus. Era empregado do império romano, um coletor de impostos. Era publicano, uma classe repudiada pelos judeus. Tornou-se o escritor do evangelho mais conhecido no mundo.

Tomé. Era um homem de coração fechado para crer. Quando Jesus disse: *E vós sabeis o caminho para onde eu vou* (Jo 14.4), Tomé respondeu: *Senhor, não sabemos para onde vais; como saber o caminho?* (Jo 14.5). Tomé não creu na ressurreição de Cristo e disse, [...] *se eu não vir nas suas mãos o sinal dos cravos, e ali não puser o meu dedo, e não puser minha mão no seu lado, de modo algum acreditarei* (Jo 20.25). Contudo, quando o Senhor ressurreto apareceu a ele, Tomé prostrou-se em profunda devoção e disse: *Senhor meu e Deus meu!* (Jo 20.28).

Tiago filho de Alfeu e Tadeu. Nada sabemos desses dois apóstolos. Eles faziam parte do grupo. Eles pregaram, expulsaram demônios, mas nada sabemos mais sobre eles. Eles não se destacaram.

Simão, o zelote. Ele era membro de uma seita do judaísmo extremamente nacionalista.[361] Os zelotes eram aqueles que defendiam a luta armada contra Roma. Eles eram do partido de esquerda radical. Ele estava no lado oposto de Mateus. Estavam em lados radicalmente opostos. Os zelotes opunham-se ao pagamento de tributos a Roma e promoviam rebeliões contra o governo romano.[362]

Judas Iscariotes. Era natural da vila de Queriot, localizada no sul da Judeia.[363] Era o único apóstolo não galileu. Ocupou um lugar de confiança dentro do grupo. Era o tesoureiro do grupo e administrador do patrimônio do "colégio apostólico", mas ele não era convertido. Ele era ladrão e roubava da bolsa (Jo 12.6).

Ele vendeu o seu Senhor por trinta moedas de prata. Judas era mesquinho, infiel, avarento, traidor e diabólico. Judas foi um instrumento do diabo (Jo 6.70,71). Depois de ter recebido as trinta moedas de prata como uma recompensa para entregar a Jesus (14.10,11), Judas ainda teve chance de arrepender-se, pois Jesus disse ao grupo apostólico: *Um dentre vós me trairá* (Mt 26.21). Mas ele ainda teve a audácia de perguntar a Jesus: *Porventura, sou eu?* (14.19). Judas serviu de guia para a soldadesca armada até os dentes que foi prender a Jesus no Getsêmani (14.43-45), traindo o Filho de Deus com um beijo. Judas traiu a Jesus e não se arrependeu. Preferiu o suicídio ao arrependimento (Mt 27.3-5; At 1.18). William Hendriksen diz que a tragédia chocante da vida de Judas é prova, não da fraqueza de Cristo, mas da impenitência do traidor.[364]

Em segundo lugar, *Jesus transformou homens limitados e fez deles grandes instrumentos para transformar o mundo.* John Henry Burn diz que muitos dos apóstolos não tiveram seus nomes destacados nem é registrada qualquer obra que tenha sido realizada por Cristo.[365] Isso enfatiza algumas lições:

Primeira, o verdadeiro trabalhador na edificação da igreja não é o homem, mas o próprio Cristo. Os homens são apenas instrumentos, mas Cristo é tudo em todos. Não podemos superestimar os homens.

Segunda, nem sempre um trabalho fiel e abnegado é contabilizado na terra. Não servimos para agradar a homens nem buscamos glória humana. Devemos servir com fidelidade a Deus, sabendo que dele vem a recompensa.

Terceira, mesmo que os homens esqueçam o nosso trabalho, Jesus jamais o fará. Até um copo de água fria que dermos a alguém em nome de Cristo não ficará sem recompensa.

William Hendriksen diz que o que realça a grandeza de Jesus é que ele escolheu homens como esses, e os uniu numa comunidade muito influente, que provaria ser não somente um elo digno com o passado de Israel, mas também um fundamento sólido para a igreja do futuro. Jesus foi capaz de juntar ao redor de si, e unir em uma família, homens de criação e temperamento diferentes, às vezes, completamente opostos. Incluídos nesse pequeno bando estava Pedro, o otimista (Mt 14.28; 26.33,35), mas também estava Tomé, o pessimista (Jo 11.16; 20.24,25); Simão, o zelote, inflamado com o alvo de derrubar o poderio romano; mas também Mateus, que era um funcionário do governo, um coletor de impostos. Pedro, João e Mateus que estavam destinados a se tornarem famosos pelos seus escritos, mas também Tiago, o menor, que permanece obscuro e deve ter cumprido a sua missão.[366]

Adolf Pohl disse que criar um grupo como esse era um risco incrível. Mas em Cristo, não há galileu nem judeu, nem conservador nem progressista, nem pescador nem cobrador nem zelote. Foi feito algo novo![367]

Todos nós temos limitações. Jesus pode transformar um Pedro medroso num ousado pregador. Ele pode transformar um João explosivo no discípulo do amor. Ele pode transformar um Tomé cético e incrédulo, num homem crente. Ele pode usar gente como você e eu na sua obra.

Notas do capítulo 13

[342] Wiersbe, Warren W, *Be Diligent,* 1987: p. 34.

[343] Ryle, John Charles, *Mark,* 1993: p. 36.

[344] Ryle, John Charles, *Mark,* 1993: p. 37.

[345] Mulholland, Dewey M, *Marcos: Introdução e Comentário,* 2005: p. 70.

[346] Gióia, Egidio, *Notas e Comentários à Harmonia dos Evangelhos,* 1969: p. 109.

[347] Mt 8.10-12; 16.18; 28.19; Mc 12.9; 16.15,16; Lc 4.25-27; Jo 3.16; 10.16; Ap 21.12,14).

[348] Barclay, William, *Marcos,* 1974: p. 87.

[349] Hendriksen, William, *Marcos,* 2003: p. 163.

[350] Ryle, John Charles, *Mark,* 1993: p. 37.

[351] Mulholland, Dewey M, *Marcos: Introdução e Comentário.* 2005: p. 70.

[352] Burn, John Henry, *The Preacher's Complete Homiletic Commentary on the Gospel according to Mark,* 1996: p. 100.

[353] Mulholland, Dewey M, *Marcos: Introdução e Comentário,* 2005: p. 70.

[354] Barclay, William, *Marcos,* 1974: p. 87.

[355] Hendriksen, William, *Marcos,* 2003: p. 163.

[356] Ryle, John Charles, *Mark,* 1993: p. 37.

[357] Barton, Bruce B, et all. *Life Application Bible Commentary. Mark,* 1994: p. 80.

[358] Pohl, Adolf, *Evangelho de Marcos,* 1998: p. 134.

[359] Hendriksen, William, *Marcos,* 2003: p. 165.

[360] Hendriksen, William, *Marcos,* 2003: p. 166.

[361] Unger, Merrill F, *The New Unger's Bible Handbook,* 1984: p. 387.

[362] Hendriksen, William, *Marcos,* 2003: p. 168.

[363] Hendriksen, William, *Marcos,* 2003: p. 168.

[364] Hendriksen, William, *Marcos,* 2003: p. 169.

[365] Burn, John Henry, *The Preacher's Complete Homiletic Commentary on the Gospel according to Mark,* 1996: p. 101.

[366] Hendriksen, William, *Marcos.* 2003: p, 169,170.

[367] Pohl, Adolf, *Evangelho de Marcos,* 1998: p. 137.

Capítulo 14

A blasfêmia contra o Espírito Santo

(Mc 3.20-35)

HÁ TRÊS POSIÇÕES DISTINTAS sobre a pessoa de Jesus que introduzem esse solene assunto da blasfêmia contra o Espírito Santo:

Em primeiro lugar, *a posição da multidão* (Mt 12.22,23). Jesus acabara de curar um endemoninhado cego e mudo. Diante desse sinal evidente do poder de Jesus, a multidão ficou admirada e começou a ponderar sobre o fato de que Jesus era o Messias. A admiração da multidão desencadeou a hostilidade dos escribas.

Em segundo lugar, *a oposição da família* (3.21). A família de Jesus vem para prendê-lo, por julgar que estava fora de si. Eles querem colocar Jesus debaixo de uma custódia protetora.[368] Jesus estava tão atarefado que não tinha tempo nem para comer (3.20). Por essa razão, sua família chegou a duvidar da sua sanidade mental. Para eles, quem serve aos outros sem ter tempo para si mesmo é incompetente para cuidar da própria vida.[369]

Em terceiro lugar, *a posição dos inimigos* (3.22). Os escribas, tomados de inveja, diante da crescente popularidade de Jesus, resolvem dar mais um passo na direção de impedir que o povo o seguisse. Eles já haviam censurado Jesus de ser blasfemo pelo fato de ele ter perdoado pecados. Consideraram-no um transgressor do sábado. Eles aliaram-se aos herodianos para matá-lo. Agora, dizem que Jesus está endemoninhado e possesso do maioral dos demônios. Os escribas acusam Jesus não apenas de estar possesso de um espírito imundo (3.30), mas de estar dominado por Belzebu, o maioral dos demônios (3.22). Belzebu é a contração de dois nomes: *Baal,* que significa senhor; e *zebu* que significa mosca: o senhor das moscas. Dizer que Jesus expulsava demônios em nome desse monstro horrível era de fato um pecado imperdoável contra o Espírito Santo.[370] Os escribas estavam transformando a encarnação do Deus misericordioso que visa redimir seu povo, em encarnação do maligno. Transformam Jesus num diabo que faz o bem, num diabo ainda mais ardiloso.[371]

O que não é blasfêmia contra o Espírito Santo

Alistamos seis fatos que não podem ser confundidos com a blasfêmia contra o Espírito Santo:

Em primeiro lugar, *não é incredulidade final.* Billy Graham em seu livro, *O Espírito Santo,* diz que a blasfêmia contra o Espírito Santo é a rejeição total e irrevogável de Jesus Cristo.[372] Não obstante o fato de que a incredulidade até a hora da morte seja um pecado imperdoável, visto que não há oportunidade de salvação depois da morte, o contexto prova que Jesus está falando que o pecado imperdoável é um pecado que se comete não no leito da enfermidade, mas antes da morte.[373]

Em segundo lugar, *não é rechaçar por um tempo a graça de Deus.* Muitas pessoas vivem na ignorância, na desobediência por longos anos e depois são convertidas ao Senhor. Por um tempo Paulo rejeitou a graça de Deus (At 26.9; 1Tm 1.13). Os próprios irmãos de Jesus não criam nele (3.21; Jo 7.5).

Em terceiro lugar, *não é negação de Cristo.* Paulo perseguiu a Cristo (At 9.4). Pedro negou a Cristo (Mt 26.69-75). Os irmãos de Cristo no início não criam nele (Jo 7.5). Cristo disse que quem blasfemasse contra o Filho seria perdoado (Lc 12.10). Um ateu não necessariamente cometeu o pecado imperdoável.[374]

Em quarto lugar, *não é negação da divindade do Espírito Santo.* Se assim fosse, nenhum ateu poderia ser convertido. Se fosse essa a interpretação, nenhum membro da seita *Testemunha de Jeová* poderia ser salvo.

Em quinto lugar, *não é a mesma coisa que os pecados contra o Espírito Santo.* A Palavra de Deus menciona alguns pecados contra o Espírito Santo que não são blasfêmia contra ele:

Primeiro, não é entristecer o Espírito Santo (Ef 4.30). Um crente pode entristecer o Espírito Santo, mas jamais pode cometer o pecado imperdoável. Davi entristeceu o Espírito Santo, mas arrependeu-se.

Segundo, não é apagar o Espírito Santo (1Ts 5.19). Um crente pode apagar o Espírito Santo, deixando de obedecê-lo, deixando de honrá-lo, mas jamais pode blasfemar contra o Espírito Santo.

Terceiro, não é resistir ao Espírito Santo (At 7.51). Muitas pessoas que durante um tempo resistem ao Espírito Santo, depois se humilham diante dele, como alguns dos sacerdotes que rejeitaram a mensagem de Estêvão, mas posteriormente foram convertidos a Cristo.

Quarto, não é mentir ao Espírito Santo (At 5.3). Ananias mentiu ao Espírito Santo por intermédio da dissimulação. Muitas pessoas ainda hoje tentam impressionar as pessoas para ganhar o aplauso delas e mentem ao Espírito Santo, aparentando ser quem não são.

Em sexto lugar, *não é a queda dos salvos.* Os salvos não podem blasfemar contra o Espírito Santo, pois quem o pratica é réu de pecado eterno (Mc 3.29), enquanto o ensino claro das Escrituras é que uma vez salvo, salvo para sempre (Jo 10.28). É impossível uma pessoa salva cair permanentemente e perecer (Fp 1.6). O texto de Hebreus 6.4-6 não se refere às pessoas salvas, mas aos réprobos, aqueles que deliberadamente rejeitam a graça e por isso, estão incluídos no pecado da blasfêmia contra o Espírito Santo.[375]

O que é a blasfêmia contra o Espírito Santo

A palavra blasfêmia significa injuriar, caluniar, vituperar, difamar, falar mal. A blasfêmia contra o nome de Deus era um pecado imperdoável no Antigo Testamento (Lv 24.10-16). Por isso, os fariseus e escribas julgaram Jesus passível de morte porque dizia ser Deus e isto para eles era blasfêmia (2.7; 14.64; Jo 10.33). A alma que pecava por ignorância trazia oferenda pelo pecado, mas a pessoa que pecava deliberadamente era eliminada, cometia um pecado imperdoável (Nm 15.30).

Pecar consciente e deliberadamente contra um conhecimento claro da verdade é evidência da blasfêmia contra o Espírito Santo, e por natureza, esse pecado faz o perdão ser impossível, porque a única luz possível é deliberadamente apagada.

A blasfêmia contra o Espírito é a atitude consciente e deliberada de negar a obra de Deus em Cristo pelo poder do Espírito e atribuir o que Cristo faz ao poder de Satanás. A blasfêmia constitui no fato de afirmar que o poder que age em Cristo não é o Espírito Santo, mas Satanás. É afirmar que Cristo está não apenas possesso, mas possesso do maioral dos demônios. É dizer que Cristo é aliado de Satanás, em vez de estar engajado contra ele. João Calvino entendia que o pecado imperdoável é uma espécie de apostasia total.

Aquele que cometeu esse pecado nunca terá perdão. Toda a igreja pode orar por ele, mas ele nunca será salvo. De fato, a igreja nem deveria orar por ele, pois cometeu pecado para a morte (1Jo 5.16), é réu de pecado eterno (Mc 3.29) e não terá perdão nem neste mundo nem no vindouro (Mt 12.32).

Vamos examinar o texto e observar quatro fatos marcantes:

Em primeiro lugar, observemos *a acusação* (3.22). "Os escribas, que haviam descido de Jerusalém, diziam: ele está possesso de Belzebu. E: É pelo maioral dos demônios que expele os demônios". Eles, por inveja, deliberada e conscientemente estão acusando Jesus de ser aliado e agente de Satanás. Acusam Jesus de estar possesso do maioral dos demônios. Estão atribuindo as obras de Cristo não ao poder do Espírito Santo, mas à influência de Satanás. A acusação contra Cristo foi a seguinte: Jesus, habitado e em parceria com Satanás, estava expulsando demônios, pelo poder derivado desse espírito mau.[376]

Em segundo lugar, observemos *a refutação* (3.23-26). Jesus refutou o argumento dos escribas contando-lhes duas parábolas com o mesmo significado: o reino dividido e a casa dividida. Com essas duas parábolas, Jesus mostra o quanto o argumento dos escribas era ridículo e absurdo. Satanás estaria destruindo a sua própria obra e derrubando o seu próprio império. Estaria havendo uma guerra civil no reino do maligno. John Charles Ryle diz que não há poder onde há divisão.[377] Tratando desse assunto, William Hendriksen argumenta:

> Se o que os escribas diziam era verdade, o dominador estaria destruindo o seu próprio domínio; o príncipe, o seu próprio principado. Primeiro, ele estaria enviando os seus emissários, os demônios, para criar confusão e desordem no coração e na vida dos seres humanos, destruindo-os, muitas vezes pouco a pouco. Depois, como se existisse uma base de ingratidão e loucura suicida, ele estaria suprindo o poder necessário para a derrota vergonhosa e expulsão dos seus próprios servos obedientes. Nenhum reino assim dividido contra si mesmo consegue sobreviver por muito tempo.[378]

O reino de Satanás é um sistema fechado. A aparência pluralista é ilusória.[379] Contra Jesus, Pilatos e Herodes se uniram e se tornaram amigos (Lc 23.12). Herodes e Pilatos com gentios e gente de Israel se uniram contra o servo santo de Deus (At 4.27). Isso faz sentido: Satanás junta suas forças e não trabalha contra si mesmo.

Em terceiro lugar, observemos *a explicação* (3.27). Jesus explica sobre sua vitória sobre os demônios e Satanás: *Ninguém pode entrar na casa do valente para roubar-lhe os bens, sem primeiro amarrá-lo; e só, então, lhe saqueará a casa* (3.27).

Jesus explica que em vez de ser aliado de Satanás e estar agindo na força dele, está saqueando sua casa e arrancando dela e de seu reino aqueles que estavam cativos (At 26.18; Cl 1.13). Jesus está ensinando algumas preciosas lições:

Primeiro, Satanás é o valente. Jesus não nega o poder de Satanás nem subestima a sua ação maligna, antes afirma que ele é um valente.

Segundo, Satanás tem uma casa. Satanás tem uma organização e seus súditos estão presos e seguros nessa casa e nesse reino.

Terceiro, Jesus tem autoridade sobre Satanás. Jesus é o mais valente. Ele tem poder para amarrar a Satanás. Jesus venceu a Satanás e rompeu o seu poder. Isso não significa que Satanás está inativo, mas sob autoridade. Por mais ativo e forte que seja Belzebu, ele não tem poder para impedir os acontecimentos, pois está amarrado. O seu poder está sendo seriamente diminuído pela vinda e obra de Cristo.[380] Jesus venceu Satanás no deserto, triunfou sobre todas as suas investidas. Esmagou sua cabeça na cruz, triunfando sobre as suas hostes (Cl 2.15). Satanás é um inimigo limitado e está debaixo da autoridade absoluta de Jesus.

Quarto, Jesus tem poder para libertar os cativos das mãos de Satanás. Jesus não apenas amarra Satanás, mas, também, arranca de suas mãos os cativos. O poder que está em Jesus não é o poder de Belzebu, mas o poder do Espírito Santo. Satanás está sendo e progressivamente continuará a ser destituído dos seus "bens", ou seja, a alma e o corpo dos seres humanos, e isso não somente por meio de curas e expulsões demoníacas, mas principalmente por meio de um majestoso programa missionário (Jo 12.31,32; Rm 1.16).[381] William Hendriksen diz que os milagres de Cristo, longe de serem provas do domínio de Belzebu, como se o maligno fosse o grande capacitador, são profecias de seu julgamento.[382]

Em quarto lugar, observemos *a exortação* (3.28-30). Jesus introduz essa solene exortação com um alerta profundo: "Em verdade vos digo que tudo será perdoado aos filhos dos homens: os pecados e as blasfêmias que proferirem. Mas aquele que blasfemar contra o Espírito Santo não tem perdão para sempre, visto que é réu de pecado eterno. Isto, porque diziam: Está possesso de um espírito imundo". A referência é, naturalmente, a todos os pecados dos quais os seres humanos sinceramente se arrependem.[383] Esse versículo ressalta duas solenes verdades:

Primeira, a imensa misericórdia de Deus. Ele perdoa a todos os pecados. O sangue de Cristo nos purifica de todo pecado. Se confessarmos nossos pecados, ele é fiel e justo para nos perdoar os pecados. Deus perdoa os pecados que cometemos contra ele e contra o próximo. Adolf Pohl diz que o monte mais alto da maldade é sobrepujado pelo cume da graça de Deus.[384] Geralmente as pessoas perdem essa promessa e preocupam-se apenas com a advertência que se segue. Mas precisamos estar convencidos de que, quando há confissão e arrependimento, nenhum pecado está além da possibilidade do perdão de Deus.[385] John Charles Ryle diz que essa doutrina do livre e completo perdão é a coroa e a glória do evangelho.[386]

Segunda, o imenso perigo de se cruzar a linha divisória da paciência de Deus. Há um pecado que não tem perdão nem neste mundo nem no vindouro, é a blasfêmia contra o Espírito Santo. Por esse pecado, uma alma pode perecer eternamente no inferno. Esse pecado não é simplesmente uma palavra ou ação, mas uma atitude. Não é apenas rejeitar a Jesus, mas rejeitar o poder que está atrás dele.[387]

O que constitui o pecado imperdoável? Dewey Mulholland diz que Jesus encarna o perdão de Deus. Logo, quem persiste em resistir e desprezar a oferta do perdão de Deus em Jesus é excluído do perdão. Essa rejeição deliberada de Jesus é a única limitação ao ilimitado perdão de Deus.[388]

Os pecados mais horrendos podem ser perdoados. Manassés era feiticeiro e assassino e arrependeu-se. Nabucodonosor era um déspota sanguinário e arrependeu-se. Davi adulterou e matou, mas foi perdoado. Saulo perseguiu a igreja de Deus e foi convertido. Maria Madalena era prostituta e possessa, mas Jesus a transformou. Mas a blasfêmia contra o Espírito Santo não tem perdão. Quem pratica esse pecado atravessa a linha divisória da oportunidade e torna-se réu de pecado eterno.

O processo de endurecimento chega a um ponto em que é impossível que essa pessoa seja renovada para o arrependimento (Hb 6.4-6). Deus a entrega a si mesma e a uma disposição mental reprovável (Rm 1.24-28). Ela comete o pecado para a morte (1Jo 5.16). Não tem perdão para sempre, visto que é réu de pecado eterno (Mc 3.29). Só lhe resta uma expectativa horrível de juízo (Hb 10.26-31).

Por que a blasfêmia contra o Espírito Santo não pode ser perdoada? Porque aqueles que a cometem dizem que Jesus é ministro de Satanás, que a fonte de seu poder não é o Espírito Santo, mas Belzebu. É imperdoável porque rejeitam o Espírito Santo e a Cristo, dizendo que o Salvador é ministro de Satanás. É imperdoável porque é um pecado consciente, intencional e deliberado de atribuir a obra de Cristo pelo poder do Espírito Santo a Satanás. Esse pecado constitui uma irreversível dureza de coração.

A blasfêmia contra o Espírito Santo não é um pecado de ignorância. Não é por falta de luz. Para que uma pessoa seja perdoada, precisa estar arrependida. O perdão precisa ser desejado. Adolf Pohl diz que graça que fosse lançada sobre nós como o reboco na parede não seria graça.[389] Os escribas, entretanto, mesmo sob a evidência incontroversa das obras de Cristo, negam e invertem essa obra. Eles não sentiam nenhuma tristeza pelo seu pecado. William Hendriksen diz que eles substituíram a penitência pela insensibilidade, e a confissão pela intriga. Portanto, devido à sua insensibilidade criminosa e completamente indesculpável, eles estavam condenando a si mesmos.[390] Eles fecharam a porta da graça com as próprias mãos.

Concluindo, destaco três implicações:

Primeira, evitar o julgamento. Billy Graham diz que devemos tocar neste assunto com muito cuidado. Devemos hesitar em sermos dogmáticos em nossas afirmações sobre aqueles que cruzaram essa linha divisória da paciência de Deus. Devemos deixar essa decisão com Deus.[391] Somente Deus sabe se e quando alguém ultrapassa essa linha do pecado para a morte.[392]

Segunda, evitar o desespero. Muitos crentes ficam angustiados e preocupados de terem cometido esse pecado imperdoável. Ninguém pode sentir tristeza pelo pecado sem a obra do Espírito Santo. Quem comete esse pecado, jamais sente tristeza por ele. O medo excruciante de pensar ter cometido o pecado imperdoável é por si só, evidência de que tal pessoa não o cometeu.[393]

Terceira, evitar a leviandade. Aqueles que zombam de Deus e da sua graça podem cruzar essa linha invisível e perecerem para sempre.

Notas do capítulo 14

368 Hendriksen, William, *Marcos,* 2003: p. 172.

369 Mulholland, Dewey M, *Marcos: Introdução e Comentário,* 2005: p. 72.

370 Gióia, Egidio, *Notas e Comentários à Harmonia dos Evangelhos,* 1969: p. 145.

371 Pohl, Adolf, *Evangelho de Marcos,* 1998: p. 142.

372 Graham, Billy, *O Espírito Santo.* Editora Vida Nova. São Paulo, SP, 1978: p. 121.

373 Palmer, Edwin H, *El Espiritu Santo. El Estandarte de la verdad.* Edinburgh. N.d: p. 227.

374 Palmer, Edwin H, *El Espiritu Santo.* N.d: p. 228.

375 Palmer, Edwin H, *El Espiritu Santo.* N.d.: p. 231-233.

376 Hendriksen, William, *Marcos,* 2003: p. 178.

377 Ryle, John Charles, *Mark,* 1993: p. 39.

378 Hendriksen, William, *Marcos,* 2003: p. 179.

379 Pohl, Adolf, *Evangelho de Marcos,* 1998: p. 142.

380 Hendriksen, William, *Marcos,* 2003: p. 180.

381 Hendriksen, William, *Marcos,* 2003: p. 180.

382 Hendriksen, William, *Marcos,* 2003: p. 180.

383 Hendriksen, William, *Marcos,* 2003: p. 181.

384 Pohl, Adolf, *Evangelho de Marcos,* 1998: p. 144.

385 Barton, Bruce B, et all. *Life Application Bible Commentary. Mark,* 1994: p. 90.

386 Ryle, John Charles, *Mark,* 1993: p. 40.

387 Barton. Bruce B, et all. *Life Application Bible Commentary. Mark,* 1994: p. 91,92.

388 Mulholland, Dewey M, *Marcos: Introdução e Comentário,* 2005: p. 75.

389 Pohl, Adolf, *Evangelho de Marcos,* 1998: p. 145.

390 Hendriksen, William, *Marcos,* 2003: p. 183.

392 Graham, Billy, *O Espírito Santo,* 1978: p. 122.

393 Wiersbe, Warren W, *Be Diligent,* 1987: p. 41.

393 Mulholland, Dewey M, *Marcos: Introdução e Comentário,* 2005: p. 75.

Capítulo 15

Diferentes respostas à Palavra de Deus

(Mc 4.1-20)

JESUS FOI O MESTRE POR excelência, o maior contador de histórias do mundo. Usava as imagens com perícia e lançava mão de coisas simples para ensinar lições profundas.

À guisa de introdução, vejamos cinco fatos dignos de destaque:

Em primeiro lugar, *os inimigos fecham a porta da sinagoga para Jesus, mas ele faz da praia um cenário para acolher as multidões.* A sinagoga tornou-se um lugar perigoso para Jesus ensinar, pois os líderes religiosos querem matá-lo. Então, ele vai para o lugar mais espaçoso da região, a praia, onde pode fazer de um barco o seu púlpito, enquanto grande multidão se ajunta para ouvi-lo. Jesus mostra flexibilidade em seus métodos. Não havia dias especiais nem lugares sagrados. A praia era o templo, o barco o púlpito.

Em segundo lugar, *o método de Jesus é uma janela aberta para uns e uma porta fechada para outros.* Por meio de parábolas, Jesus revelou o mistério do Reino de Deus. O mistério é aquilo que o homem não pode conhecer à parte da revelação divina.[394]

Esse mistério é revelado a uns e encoberto a outros. As parábolas eram janelas abertas para a compreensão de uns e portas fechadas para o entendimento de outros. William Hendriksen diz que Jesus está se referindo aos fariseus endurecidos e seus seguidores, que eram pessoas de coração impenitente (Mt 13.13,15).[395] Esses ouvintes devem ser confrontados com a responsabilidade de sua própria cegueira e impenitência, diz Calvino. Hendriksen diz que o Senhor endurece aqueles que endureceram a si mesmos. Quando as pessoas, por sua própria vontade, rejeitam o Senhor e tratam sua mensagem com desdém, mesmo sendo avisadas dos perigos e das promessas, ele, então, as endurece, para que, aquelas que não quiserem se arrepender, não sejam mais capazes de fazê-lo e de serem, então, perdoadas.[396] O maior juízo de Deus é entregar o homem ao seu próprio desejo (Rm 1.24,26,28).

Deus ofereceu a faraó muitas oportunidades para submeter-se às advertências de Moisés. Diante da sua resistência, Deus disse: Muito bem, faraó, faça-se a sua vontade. O Senhor então endureceu o coração de faraó (Êx 9.12). Deus não endureceu o coração de faraó contra sua vontade. Ele simplesmente confirmou o que faraó livremente escolheu, resistir a Deus (Rm 9.14-18).[397] Nessa parábola,

Jesus falou sobre seis verdades fundamentais: o semeador, a semente, o solo, a semeadura, o crescimento e a colheita.[398]

Em terceiro lugar, *a parábola do semeador é a porta de entrada para o entendimento das outras parábolas.* Essa parábola é uma espécie de chave hermenêutica para o entendimento das outras parábolas. Quem não compreender sua mensagem não poderá alcançar o significado espiritual das demais. John Charles Ryle enfatiza que provavelmente nenhuma parábola de Jesus é tão bem conhecida quanto essa, pois ela precisa de aplicação e não de explicação.[399] Jesus começa com *ouvi* e termina com *quem tem ouvidos para ouvir, ouça.*

Em quarto lugar, *a parábola do semeador revela por que Jesus não se impressionava com as multidões que o seguiam.* A maioria daquelas pessoas que seguia a Cristo não produziria frutos dignos de arrependimento. Seus corações eram uma espécie de solo pobre.[400] De acordo com essa parábola, apenas 25% dos meus leitores vão ler atentamente esta mensagem e frutificar. Os outros vão se dividir entre aqueles que leem, mas não entendem e entre aqueles que recebem com alegria, mas não têm raízes ou recebem com alegria, mas serão sufocados por outros interesses.

Em quinto lugar, *as parábolas mencionadas em Marcos retratam a dinâmica da ação de Jesus.* O Evangelho de Marcos é conhecido como um evangelho de ação.[401] A ênfase do evangelho de Marcos é revelar a ação dinâmica de Jesus. Ele está mais interessado nas obras de Cristo do que nos seus ensinos. Por isso, todas as parábolas que ele registra têm a ver com ação. Mesmo quando Jesus está contando parábolas, a ênfase continua sendo ação.[402]

Vejamos quais são as diferentes atitudes em relação à Palavra de Deus:

Corações endurecidos (Mc 4.4,15)

Jesus destaca três coisas acerca de um coração endurecido:

Em primeiro lugar, *um coração duro ouve a Palavra, mas não a compreende* (Mt 13.19). Um coração duro é como um solo batido pelo tropel daqueles que vão e vêm. São os corações inquietos e perturbados com a passagem e tropel das coisas do mundo, umas que vão, outras que vêm, outras que atravessam e todas que passam, e nesses corações é pisada a Palavra de Deus.

Esse ouvinte é o homem indiferente que a rotina da vida insensibilizou. Essa pessoa conforma-se com o rodar dos carros e a passagem dos homens, e vai vivendo a vida sem abrir sulcos na alma para a bendita semente da verdade. John Mackay diz que para muitos homens, o mais sério de todos os problemas é não perceber nenhum. Estão satisfeitos consigo mesmos. Agarrados ao hábito, escravos da rotina, orgulhosos de suas crenças ou da ausência delas, consumidos no prazer e nada levam a sério. O mais leve pretexto é bastante para que não assistam a uma conferência, ou não leiam um livro, ou não façam nem recebam uma visita que possa prejudicar, de algum modo, o seu prestígio ou conturbar o seu sossego monótono e artificial.[403]

Um coração duro ouve, mas falta-lhe compreensão e entendimento espiritual. Ele escuta o sermão, mas não presta atenção. A Palavra não produz nenhum efeito nele mais do que a chuva na pedra.[404] Esses ouvintes são semelhantes àqueles denunciados pelo profeta Ezequiel: *Eis que tu és para eles como quem canta canções de amor, que tem voz suave e tange bem; porque ouvem as tuas palavras, mas não as põem por obra* (Ez 33.32). Há uma multidão de ouvintes que, domingo após domingo vão à igreja, mas Satanás rouba a semente de seus corações. Semana após semana, eles vivem sem fé, sem temor, sem rendição ao Senhor Jesus. Nesse mesmo estado geralmente eles morrem e são enterrados e se perdem eternamente no inferno. Esse é um triste quadro, mas também verdadeiro.[405]

Em segundo lugar, *um coração duro é onde a semente é pisada* (Lc 8.5). A semente que é pisada pelos homens nem chega a brotar. A semente que o diabo teme é aquela que os homens pisam.[406] O solo se torna duro quando muitos pés transitam por ele. Aqueles que abrem os seus corações para todo tipo de pessoas e influências estão em perigo de desenvolver corações insensíveis.[407] Esses corações são como campos não cultivados que precisam ser arados antes de receber a semeadura da Palavra (Jr 4.3; Os 10.12).

Em terceiro lugar, *um coração duro é onde a semente é roubada pelo diabo para que o ouvinte não creia e seja salvo* (Lc 8.12). Antonio Vieira diz que todas as criaturas do mundo se armaram contra essa sementeira. Todas as criaturas que existem no mundo se reduzem a quatro gêneros: criaturas racionais, como os homens; criaturas sensitivas como os animais; criaturas vegetativas como os espinhos e criaturas insensíveis como as pedras. E não há mais. Faltou alguma dessas que não se armassem contra a semeadura? Nenhuma! A natureza insensível a perseguiu nas pedras; a vegetativa nos espinhos; a sensitiva nas aves; a racional nos homens. As pedras secaram-na; os espinhos afogaram-na; as aves comeram-na e os homens pisaram-na.[408]

A semeadura atrai imediatamente a Satanás. O ouvinte tipo *à beira do caminho* ouve, mas Satanás arrebata a semente do seu coração. Satanás é um opositor da evangelização. Onde o semeador sai a semear, Satanás sai para roubar a semente. A evangelização é não apenas um campo de semeadura, mas também um campo de batalha espiritual. O diabo cega o entendimento dos incrédulos (2Co 4.4).

Como parte do seu ataque cósmico contra Deus, Satanás e seus agentes buscam ativamente destruir a palavra nos corações daqueles que a ouvem, antes mesmo que ela comece a crescer. Sem dúvida, ele também está ativo nos lugares pedregosos e nos espinheiros, combatendo a frutificação da palavra.

Corações superficiais (Mc 4.5,6,16,17)

Três marcas definem um coração superficial:

Em primeiro lugar, *um coração superficial tem uma resposta imediata à Palavra, mas irrefletida.* Tanto Marcos quanto Mateus usam, por duas vezes, a palavra "logo" com o sentido de "imediatamente". Essas pessoas agem "no calor do momento". Elas *imediatamente* aceitam a palavra, e o fazem até mesmo com alegria. Então, *imediatamente* se escandalizam.[409] Sua decisão é baseada na emoção e não na reflexão. São os ouvintes emotivos, entusiastas "fogos de palha", sentem alegria, mas ela é passageira.[410] John Mackay chama esse ouvinte de homem leviano porque abraça com alegria o que não entende, apenas pela novidade da ideia, ou para agradar ao que a anunciou.[411] Adolf Pohl, afirma que Lutero chama esse ouvinte de volúvel, que se vira conforme sopra o vento.[412]

O terreno pedroso representa as pessoas que vivem e reagem superficialmente. Elas mostram uma promessa inicial que não se confirma. Tanto sua resposta quanto seu abandono são rápidos, diz Dewey Mulholland.[413]

A emoção é um elemento importantíssimo na vida cristã, mas só ela não basta. Ela precisa proceder de um profundo entendimento da verdade e de uma sólida experiência cristã.

Em segundo lugar, *um coração superficial não tem profundidade nem perseverança.* Esse ouvinte não tem raiz em si mesmo. Sua fé é temporária. Na verdade, sua resposta ao evangelho foi apenas externa. Não houve novo nascimento nem transformação de vida. Houve adesão, mas não conversão; entusiasmo, mas não convicção.

Esse ouvinte parece que está em vantagem em relação às demais pessoas. Sua resposta é imediata e seu crescimento inicial é algo espantoso. Contudo, não tem profundidade, nem umidade, nem resistência ao calor do sol. A vida que o sol traz gera nele morte.

Esse ouvinte construiu sua vida cristã numa base falsa. Ele não construiu sua fé em Cristo, mas nas vantagens imediatas que lhe foram oferecidas. Não havia umidade, raiz nem suporte para crescimento e frutificação.

Hoje, vemos muitas pessoas pregando saúde, prosperidade e sucesso. As pessoas abraçam imediatamente esse evangelho do lucro, das vantagens imediatas, mas elas não perseverarão, porque não têm raiz, não têm umidade, não suportam o sol, não permanecerão na congregação dos justos. Elas se escandalizarão e se desviarão. Muitas das pessoas que gritaram "Hosanas" quando Jesus entrou em Jerusalém, alguns dias depois gritaram "crucifiquem-no". O apóstolo João diz que esses que se desviam não são dos nossos (1Jo 2.19); porém, os salvos perseverarão (Jo 10.27,28).

Em terceiro lugar, *um coração superficial não avalia os custos do discipulado.* Esse ouvinte abraça não o evangelho, mas outro evangelho, o evangelho da conveniência. Ele crê não em Cristo, mas em outro Cristo. Quando, porém, chegam as lutas, as provas, ele se desvia escandalizado porque não havia calculado o custo de seguir a Cristo.

Esses ouvintes se desviaram porque não entenderam que o verdadeiro discipulado implica autonegação, sacrifício, serviço e sofrimento. Eles ignoraram o fato de que o caminho da cruz é o que nos leva para "casa".[414]

John Charles Ryle diz que esse ouvinte tem prazer em ouvir sermões em que a verdade é exposta. Ele fala com alegria e entusiasmo acerca da doçura do evangelho e da felicidade de ouvi-lo. Ele pode chorar em resposta ao apelo da pregação e falar com intensidade acerca de seus sentimentos. Mas infelizmente não há estabilidade em sua religião. Não há uma obra real do Espírito Santo em seu coração. Seu amor por Deus é como a névoa que cedo passa (Os 6.4). Na verdade, esse ouvinte ainda está totalmente enganado. Não há real obra de conversão. Mesmo com todos seus sentimentos, alegrias, esperanças e desejos, eles estão realmente no caminho da destruição.[415]

As angústias ou perseguições resultam da natureza do evangelho bem como da natureza do mundo (8.35; 10.29; 13.9).

Corações ocupados (Mc 4.7,18,19)

Destacamos cinco características de um coração ocupado:

Em primeiro lugar, *um coração ocupado ouve a Palavra, mas dá atenção a outras coisas* (4.7). Marcos diz que a semente caiu entre os espinhos (4.7) e Lucas diz que os espinhos cresceram com a semente (Lc 8.7). Esses espinhos representam ervas daninhas espinhosas. Não havia arado que conseguisse arrancar as suas raízes de até trinta centímetros de profundidade. Em alguns lugares, esses espinheiros formavam uma cerca viva fechada, no meio da qual alguns pés de cereal até conseguiam crescer, mas ficavam medíocres e não carregavam a espiga.[416]

Essa semente disputou espaço com outras plantas. Ela não recebeu primazia, ao contrário, os espinhos concorreram com ela e a sufocaram (4.18,19). Os espinhos cresceram, mas a palavra foi sufocada. Marcos retrata esse coração como um campo de batalha disputado. O espírito do mundo o inunda como uma enxurrada e sufoca a semente da Palavra. Uma multiplicidade de interesses toma o lugar de Deus. É a pessoa que não tem tempo para Deus. Há outras coisas mais urgentes que fascinam sua alma. Diz William Barclay que esse ouvinte não tem uma ordem de prioridade correta, pois são muitas as coisas que tratam de tirar a Cristo do lugar principal.[417]

Em segundo lugar, *um coração ocupado é sufocado pela concorrência dos cuidados do mundo* (4.18,19). Esse ouvinte chegou a ouvir a Palavra, mas os cuidados do mundo prevaleceram. O mundo falou mais alto que o evangelho. As glórias do mundo tornaram-se mais fascinantes que as promessas da graça. A concupiscência dos olhos, a concupiscência da carne e a soberba da vida tomaram o lugar de Deus na vida desse ouvinte. Ele pode ser chamado de um crente mundano. Ele quer servir a dois senhores.

Ele quer agradar a Deus e ser amigo do mundo. Ele quer atravessar o oceano da vida com um pé na canoa do mundo e outro dentro da igreja.

Em terceiro lugar, *um coração ocupado é sufocado pela concorrência da fascinação da riqueza* (4.18,19). Esse ouvinte dá mais valor à terra que ao céu; mais importância aos bens materiais do que a graça de Deus. O dinheiro é o seu deus. A fascinação da riqueza fala mais alto que a voz de Deus. O esforço para conseguir posição social, por meio de posses, segurança material, traz ansiedade tal que sufoca as aspirações por Deus.[418]

Em quarto lugar, *um coração ocupado é sufocado pela concorrência de muitas ambições* (4.18,19). Marcos fala de *demais ambições* e Lucas fala dos *deleites da vida*. Esse ouvinte é obcecado pelos prazeres da vida. Ele é um hedonista e não um cristão.

Em quinto lugar, *um coração ocupado é infrutífero* (4.7,19). A semente fica mirrada. Ela nasce, mas não encontra espaço para crescer. Ela chega até a crescer mais não produz fruto. Adolf Pohl diz que esse ouvinte desvirtua-se numa coisa aparente, numa casca vazia, numa sombra pálida.[419] É como a igreja de Sardes, tem nome de que vive, mas está morto (Ap 3.1).

Corações frutíferos (4.8,9,20)

Há três fatos que destacamos:

Em primeiro lugar, *um coração frutífero ouve e recebe a Palavra* (4.20). Marcos diz que essa pessoa ouve e recebe a Palavra. Lucas diz que ela ouve com bom e reto coração e também retém a Palavra (Lc 8.15). Essas pessoas não apenas ouvem, mas ouvem com o coração aberto, disposto, com o firme propósito de obedecer. Elas colocam em prática a mensagem e por isso frutificam. Não diz que acolhe com alegria, mas acolhe e frutifica.

William Barclay enfatiza que essa parábola nos ensina a fazer três coisas: ouvir, receber e praticar.[420] Nesses dias tão agitados, poucos são os que param para ouvir a Palavra. Mais escasso são aqueles que meditam no que ouvem. Só os que ouvem e meditam podem colocar em prática a Palavra e frutificar.

Essas pessoas são aquelas que verdadeiramente se arrependem do pecado, depositam sua confiança em Cristo, nascem de novo e vivem em santificação e honra. Elas aborrecem e renunciam ao pecado. Amam a Cristo e servem-no com fidelidade.

Warren Wiersbe diz que cada um dos três corações infrutíferos é influenciado por um diferente inimigo: no coração endurecido, Satanás mesmo rouba a semente; no coração superficial, os enganos da carne por meio do falso sentimento religioso impedem a semente de crescer; no coração ocupado, as coisas do mundo impedem a semente de frutificar. Esses são os três grandes inimigos do cristão: o diabo, a carne e o mundo (Ef 2.1-3).[421]

Em segundo lugar, *um coração frutífero produz fruto que vinga e cresce* (4.8,9). O que distingue esse campo dos demais é que nele a semente não apenas nasce e cresce, mas o fruto vinga e cresce. Lucas diz que ele frutifica com perseverança (Lc 8.15). Jesus está descrevendo aqui o verdadeiro crente, porque fruto, uma vida transformada é a evidência da salvação (2Co 5.17; Gl 5.19-23). Os outros três tipos de corações não produziram fruto, ou seja, eles não nasceram de novo. A marca do verdadeiro crente é que ele produz fruto. A árvore é conhecida pelo seu fruto. Uma árvore boa produz fruto bom. Estar sem fruto é estar no caminho que leva ao inferno, diz John Charles Ryle.[422]

A marca dessa pessoa não é apenas fruto por algum tempo, mas perseverança na frutificação. Há uma constância na sua vida cristã. Ela não se desvia por causa das perseguições do mundo nem fica fascinada pelos prazeres do mundo e deleites da vida. Sua riqueza está no céu e não na terra, seu prazer está em Deus e não nos deleites da vida.

É importante frisar que o semeador semeia a Palavra. Há muitos semeadores que semeiam doutrinas de homens e não a Palavra. Semeiam o que os homens querem ouvir e não o que precisam ouvir. Semeiam o que agrada aos ouvidos e não o que salva a alma. Essa semente pode parecer muito fértil, mas não produz fruto que permanece para a vida eterna.

Outros pregadores pregam palavras de Deus e não a Palavra de Deus. O diabo também pregou palavras de Deus, mas ele usou a Bíblia para tentar. Palavras de Deus na boca do diabo não é a Palavra de Deus, mas palavra do diabo. E elas, não podem produzir frutos dignos de Deus.

Em terceiro lugar, *um coração frutífero produz frutos em diferentes proporções* (4.9,20). Embora todas as sementes sejam frutíferas, nem todas produzem na mesma proporção. Marcos descreve essa produção em ordem ascendente: trinta, sessenta e cem por um; enquanto Mateus a descreve em ordem descendente (Mt 13.8). Embora todos sejam frutíferos, nem todos são frutíferos na mesma proporção. Nem todos são igualmente consagrados e cheios do Espírito Santo. Nem todos são igualmente comprometidos em produzir frutos para Deus (Jo 15.5).

Essa parábola deve nos levar a três solenes reflexões:

Primeiro, não devemos subestimar as forças opositoras à semeadura. Jesus começou dizendo que precisamos ouvir e terminou dizendo que quem tem ouvidos, ouça. O diabo, o mundo e a carne se armam para impedir a conversão dos pecadores.

Segundo, não devemos superestimar as respostas imediatas. As aparências enganam. Nem toda pessoa que diz Senhor, Senhor entrará no Reino dos céus. Muitas pessoas vão aderir à fé cristã, mas sem conversão.

Terceiro, não devemos subestimar o poder da Palavra. A verdade é tão poderosa que até nos terrenos pedregosos e espinhentos ela nasce e no bom solo produz a trinta, a sessenta e a cem por um. A Palavra não volta vazia. Quem sai andando e chorando enquanto semeia, voltará com júbilo trazendo os seus feixes.

Notas do capítulo 15

[394] Rienecker, Fritz e Rogers, Cleon, *Chave Linguística do Novo Testamento Grego,* 1985: p. 72.

[395] Hendriksen, William, *Marcos,* 2003: p. 199.

[396] Hendriksen, William, *Marcos,* 2003: p. 201.

[397] Barton, Bruce B, et all. *Life Application Bible Commentary. Mark,* 1994: p. 105.

[398] Thomson, J. R, *The Pulpit Commentary – Mark & Luke.* Vol. 16, 1980: p. 161,162.

[399] Ryle, John Charles, *Mark,* 1993: p. 46,47.

[400] Wiersbe, Warren W, *Be Diligent,* 1987: p. 41.

[401] Mulholland, Dewey M, *Marcos: Introdução e Comentário,* 2005: p. 77.

[402] McGee, J. Vernon, *Mark,* 1991: p. 52.

[403] Mackay, John, *"...Eu vos digo".* Lisboa, 1962: p. 262,263.

[404] Ryle, John Charles, *Mark,* 1993: p. 47.

[405] Ryle, John Charles, *Mark,* 1993: p. 47.

[406] Vieira, Antonio, *Sermões. Vol. 1.* Lello & Irmãos Editores. Lisboa, 1951: p. 33.

[407] Wiersbe, Warren W, *Be Diligent,* 1987: p. 41.

[408] Vieira, Antonio, *Sermões. Vol. 1,* 1951: p. 3.

[409] Hendriksen, William, *Marcos,* 2003: p. 2004.

[410] Camargo, Sátila do Amaral, *Ensinos de Jesus atrás de suas Parábolas.* Imprensa Metodista. São Paulo, SP, 1970: p. 30.

[411] Mackay, John, *"... Eu porém vos digo",* 1962: p. 264.

[412] Pohl, Adolf, *Evangelho de Marcos,* 1998: p. 162.

[413] Mulholland, Dewey M, *Marcos: Introdução e Comentário,* 2005: p. 83.

[414] Hendriksen, William, *Marcos,* 2003: p. 205,206.

[415] Ryle, John Charles, *Mark,* 1993: p. 47,48.

[416] Pohl, Adolf, *Evangelho de Marcos,* 1998: p. 152.

[417] Barclay, William, *Marcos,* 1974: p. 108.

[418] Mulholland, Dewey M, *Marcos: Introdução e Comentário,* 2005: p. 83.

[419] Pohl, Adolf, *Evangelho de Marcos,* 1998: p. 162.

[420] Barclay, William, *Marcos,* 1974: p. 110.

[421] Wiersbe, Warren W, *Be Diligent,* 1987: p. 42.

[422] Ryle, John Charles, *Mark,* 1993: p. 49.

Capítulo 16

O poder da Palavra na implantação do Reino

(Mc 4.21-33)

JESUS FOI O MAIOR DE todos os mestres, pela natureza do seu ensino, pela excelência de seus métodos e pela grandeza do seu exemplo. As parábolas eram janelas abertas para uns e portas fechadas para outros. Eram avenidas de compreensão das verdades do Reino para os discípulos e portas cerradas para aqueles que o perseguiam e zombavam. O termo parábola é de origem grega. Etimologicamente significa "a colocação de uma coisa ao lado da outra para fins de comparação".[423]

Jesus ensina sobre o poder da Palavra no estabelecimento do Reino. As parábolas usadas por Marcos estão ligadas ao poder da Palavra no estabelecimento do Reino de Deus. Jesus contou três parábolas sobre o Reino: semeador, semente e grão de mostarda. A primeira fala da resposta do homem à Palavra; a segunda trata do poder intrínseco da Palavra; a terceira fala da capacidade extraordinária de crescimento dessa Palavra no estabelecimento do Reino.

Vamos examinar essas três parábolas e extrair suas principais lições:

O poder da Palavra para iluminar a todos (Mc 4.21-25)

Jesus usa figuras diferentes para ensinar a mesma lição: os corações férteis assemelham-se a lâmpadas luminosas. É a Palavra de Deus que produz brilho nas vidas ao estabelecer sua influência nelas.[424] A Palavra é simbolizada pela semente e também pela lâmpada. Os rabinos estavam escondendo aquela palavra debaixo de um sistema elaborado de tradições humanas e ações hipócritas.[425] Hoje, muitas pessoas ainda escondem a palavra debaixo do alqueire e da cama, símbolos do lucro e do prazer.

Jesus fala sobre essa parábola para esclarecer o que havia dito nos versículos 11 e 12, ou seja, a verdade não é para ser escondida. A lâmpada deve voltar a brilhar com todo o seu esplendor. Ela não pode ser colocada debaixo do alqueire nem debaixo da cama, mas no velador. O mistério do Reino deve ser revelado e não escondido.

Que implicações essa parábola de Jesus tem para a igreja hoje:

Em primeiro lugar, *nós devemos proclamar a verdade do Reino para os outros* (4.21,22). Não podemos receber conhecimento da Palavra e guardá-lo apenas para nós mesmos, escondendo essa luz debaixo do alqueire ou da cama. Não faz sentido ter uma lâmpada escondida numa casa. A luz da verdade não nos é dada para ser retida, mas para ser proclamada. Precisamos repartir com outros essa luz. Precisamos compartilhar com os outros os tesouros da graça de Deus. Não podemos enterrar nossos talentos nem esconder a nossa luz. Não podemos nos calar nem nos omitir covardemente.

Com a figura da lâmpada, Jesus se distanciou de modo veemente do esoterismo. O Reino de Deus não é uma religião de mistério nem uma doutrina fechada, mas uma verdade para sair do esconderijo e alcançar os telhados do mundo.[426]

Um filho do Reino precisa ser um embaixador do Reino, um anunciador de boas-novas, um arauto da verdade, um facho de luz a brilhar diante do mundo. A igreja é o método de Deus para alcançar o mundo. A evangelização dos povos é uma tarefa imperativa, intransferível e impostergável. Precisamos dizer aos famintos que encontramos pão e dizer aos perdidos que encontramos o Messias. Precisamos pregar a tempo e a fora de tempo e aproveitar as oportunidades.

William Barclay diz que o propósito da verdade é que ela seja vista. Quando Lutero decidiu enfrentar a Igreja Romana, se propôs a combater primeiro as indulgências. Em Wittemberg havia uma igreja chamada "a igreja de todos os santos", muito ligada à Universidade. Sobre a porta da igreja fixavam-se notícias da Universidade, assim como os temas das discussões acadêmicas. No dia 31 de outubro, Lutero fixou suas 95 teses sobre a porta da igreja, pois no dia seguinte, 1º de novembro, era o dia de Todos os Santos e coincidia com o aniversário da igreja. Lutero queria que o maior número de pessoas pudesse ler. Ele havia descoberto a verdade e não podia guardá-la apenas para si. Precisamos colocar a lâmpada da verdade no velador, para que todos possam vê-la.[427]

Em segundo lugar, *nós devemos entender que a verdade jamais pode ficar escondida* (4.22). Há algo indestrutível na verdade. Os homens podem resisti-la e negá-la, mas não destruí-la. No começo do século 16, o astrônomo Nicolau Copérnico descobriu que a terra não era o centro do universo. Viu que na realidade ela gira em torno do sol. Por cautela, durante trinta anos, não difundiu o seu descobrimento. Por último, em 1543, quando estava à beira da morte, convenceu a um editor atemorizado a publicar sua obra *As revoluções dos corpos celestes.* Copérnico morreu em seguida, mas outros herdaram a tormenta. Galileu Galilei, no começo do século 17, aderiu à teoria de Copérnico e firmou a sua adesão publicamente. Em 1616, a Inquisição o convocou a Roma e condenou suas crenças. Para não morrer, ele retratou-se. Mais tarde, com a ascensão de um novo papa, voltou a reafirmar a sua crença, mas Urbano VIII o forçou a retratar-se sob pena de tortura e morte. A retratação o livrou da morte, mas não da prisão. Mas a verdade não pode ser exilada. Pode-se atacar, torcer e reprimir, mas jamais prevalecer sobre a verdade.[428]

A verdade vai prevalecer sempre. No dia do juízo, aqueles que escaparam da lei, que saíram ilesos dos tribunais ou aqueles que praticaram os seus pecados longe dos holofotes, terão seus pecados anunciados publicamente. A verdade pode demorar a revelar-se, mas ela jamais será sepultada no esquecimento.

Em terceiro lugar, *nós devemos refletir sobre o que nós ouvimos* (4.23). Jesus enfatizou várias vezes nesse capítulo a imperativa necessidade de prestar atenção ao que ouvimos (4.3,9,23,24). John Charles Ryle diz que ouvir é a principal avenida através da qual a graça é plantada na alma humana.[429] A fé vem pelo ouvir a Palavra de Cristo (Rm 10.17). Somos incluídos em Cristo quando ouvimos a Palavra da verdade (Ef 1.13). Pela pregação da Palavra, a glória de Deus é manifesta, a fé é alimentada e o amor praticado.[430] Muitos ouvem e desprezam. Outros ouvem e esquecem. Há aqueles que ouvem e deliberadamente deixam para depois. Devemos inclinar os nossos ouvidos para atender ao que ouvimos.

Em quarto lugar, *devemos ser cautelosos no julgamento alheio* (4.24). Uma pessoa bondosa tem prazer de dar crédito a quem merece crédito (Lc 6.38). De outro lado, se a disposição é maldosa, ela desenvolverá o hábito de julgar com severidade (Mt 7.1-5). Na verdade, nós vemos nos outros o reflexo do nosso próprio rosto. Nós colhemos o que plantamos. Nós bebemos o refluxo do nosso próprio fluxo. A lenda dos mil espelhos retrata bem essa verdade. Um cãozinho faceiro saiu pela rua alegremente e foi atraído por uma casa diferente, a casa dos mil espelhos. Ao entrar na casa, viu mil carinhas alegres sorrindo para ele. Ficou encantado e disse: "Que lugar maravilhoso! Este é o melhor lugar do mundo, eu quero sempre voltar aqui". Pela mesma rua passava um cão rabugento, mal-humorado e também foi atraído pela mesma casa. Ao entrar, ficou espantado: viu mil caretas rosnando para ele. Logo, foi dizendo: "Que lugar horrível! Este é o pior lugar do mundo. Eu nunca mais quero voltar aqui". Nós vemos o reflexo do nosso próprio rosto. Nós colhemos o que nós mesmos semeamos.

Em quinto lugar, *devemos fazer uso diligente dos privilégios espirituais* (4.25). William Hendriksen diz que o imobilismo é impossível nas questões espirituais. Uma pessoa ganha ou perde; avança ou retrocede.[431] "Ao que tem, se lhe dará; e, ao que não tem, até o que tem lhe será tirado". A obediência implica bênção; mas a desobediência desemboca em prejuízo. Cada bênção é garantia de maiores bênçãos por vir (Jo 1.16). Aquele que é iluminado pela verdade e despreza esse privilégio está cometendo um grave pecado e perdendo uma grande oportunidade. A preguiça e a indolência são combatidas severamente nas Escrituras. A Bíblia diz: *O preguiçoso deseja, e nada tem, mas a alma dos diligentes se farta* (Pv 13.4). Adolf Pohl diz que se resistirmos ao amor de Deus, no dia em que à nossa volta as carroças da colheita seguirem carregadas para os depósitos, em nossa lavoura só haverá mata para queimar.[432]

Esse é um princípio para uma vida bem-sucedida. Assim como os músculos são fortalecidos pelo exercício, de igual forma, fortalecemo-nos espiritualmente pela prática da vida cristã. Conhecimento sem prática gera obesidade e flacidez espiritual. A maneira de termos uma vida cristã robusta é exercitarmos o que recebemos, aproveitando as oportunidades.

O poder intrínseco da Palavra para frutificar nos corações (Mc 4.26-29)

Certamente Jesus ensinou essa parábola para encorajar os seus discípulos.[433] Eles possivelmente ficaram desencorajados sobre o significado da parábola do semeador em que três quartos da semente perderam-se. Poderíamos confiar apenas na resposta do coração humano para termos sucesso em nossa missão? Poderíamos nós depender apenas da resposta humana? Jesus, então, mostrou o outro lado da verdade. A semente é a Palavra de Deus. Embora o semeador não veja inicialmente nenhuma evidência e resultado do seu labor, a semente trabalha por si mesma no ventre da terra. A semente tem vida em si mesma, porque ela é a Palavra do Deus vivo. O Espírito Santo trabalha eficazmente nela e através dela para a expansão do Reino de Deus.

Se na parábola do semeador Jesus enfatizou a responsabilidade humana, nessa parábola, Jesus enfatiza a soberania de Deus. Aqui vemos o intrínseco poder da semente. O ser humano de si mesmo não pode fazer nada. É somente pelo poder, dado por Deus, que ele pode se voltar para Deus e ter uma fé verdadeira.[434] A Palavra de Deus semeada no coração humano trabalha por si mesma. A semente tem vida em si mesma. Ela trabalha automaticamente, invisivelmente, poderosamente e triunfantemente. Deus é o autor do crescimento espiritual.

Vejamos as lições dessa parábola:

Em primeiro lugar, *o imperceptível começo do Reino de Deus* (4.26). Nessa parábola Jesus não está falando do Reino escatológico, mas do Reino presente (4.26). Como esse reino é estabelecido? Como ele cresce dentro de nós?

É necessário existir um semeador (4.26). A terra, como nós sabemos, jamais produz grãos por si mesma. Ela é a mãe das ervas daninhas, mas não do trigo. Sem semeadura não há colheita. Sem pregação não há conversão. Sem chamado não há resposta. Deus dá o crescimento à semente que semeamos. O coração humano, semelhantemente, jamais se tornará para Deus em arrependimento, fé e obediência. Ele é absolutamente estéril para a divina semente. O coração humano está totalmente morto para Deus e é incapaz de dar vida a si mesmo.

O semeador não pode fazer a semente crescer (4.27). A única coisa que o semeador pode fazer é confiar, dormir noite após noite e levantar, um dia após o outro. O semeador tem limitações. Ele pode semear a semente na terra, mas não pode fazê-la produzir. Só Deus pode produzir vida e dar o crescimento. Paulo diz: *Eu plantei, Apolo regou; mas o crescimento veio de Deus. De modo que nem o que planta é alguma coisa, nem o que rega, mas Deus, que dá o crescimento* (1Co 3.6,7). Somente Deus pode fazer seu reino crescer. Somente Jesus pode edificar sua própria igreja. Somente Deus pode acrescentar aqueles que dia a dia vão sendo salvos. Todo o esforço humano seria insuficiente para converter sequer uma vida. O Reino de Deus é vitorioso. Seu Reino conquistará todos os reinos do mundo. Jesus colocará todos os seus inimigos debaixo dos seus pés. O próprio Deus conduzirá seu Reino à consumação.

O semeador não pode entender o processo do crescimento da semente (4.27). O semeador não apenas não pode fazer a semente germinar, como também não sabe como ela germina. Deus age poderosa, misteriosa e inexplicavelmente na implantação do seu Reino. Nós não podemos entender por que a semente produz resultados gloriosos numa vida e morre na outra. Não podemos especificar a hora nem o minuto em que a vida desabrocha a partir da Palavra no coração humano. Não podemos explicar todos os detalhes e segredos da intervenção milagrosa de Deus no coração humano que ouve a Palavra. O semeador semeia e dorme, mas não pode fazer a semente crescer nem entende como ela cresce.

Em segundo lugar, *o progressivo desenvolvimento do Reino de Deus* (4.28). Jesus ensinou ricas lições sobre esse precioso assunto:

A semente cresce imperceptivelmente (4.27). Quando o semeador lança a semente no coração humano, ela cresce secreta, silenciosa, misteriosa e imperceptivelmente. O semeador olha e não vê coisa alguma acontecendo; ele não pode ver o resultado do seu labor. Ele não pode ver nenhum sinal de vida e nenhuma transformação da pessoa, mas a Palavra de Deus, pela operação do Espírito Santo gera transformação e vida. A divina semente muda as disposições íntimas da alma. Ela regenera o pecador e produz nele uma nova vida. Então ele se torna uma nova criatura.

A semente cresce automaticamente (4.28). A semente revela seu poder. A terra produz por si mesma, automaticamente, sem causa visível e sem qualquer esforço humano.[435] A palavra grega é *automate,* que significa automaticamente. Esta "por si mesma", que exclui a responsabilidade humana, não é à parte da intervenção de Deus.[436] Essa palavra aparece também em Atos 12.10, quando diz que o portão de ferro da prisão de Pedro abriu-se automaticamente sem qualquer ajuda externa ou esforço humano. Jesus ensinou que o segredo do crescimento é confiado a terra. Contudo, a ênfase dessa parábola é o poder intrínseco da semente que é lançada à terra.

O semeador olha o campo e não vê evidência de crescimento. Entretanto, de repente, ele olha novamente e vê a semente crescendo para uma grande colheita. De igual modo, ocorre com o Reino de Deus. O Espírito de Deus está trabalhando poderosamente em conexão com a Palavra. Enquanto o semeador está dormindo, a Palavra de Deus está agindo secreta, poderosa, constante e eficazmente nos corações para uma grande colheita.

A semente cresce inevitavelmente (4.27,28). Ninguém pode neutralizar a semente destinada a crescer. Ela é vitoriosa. Uma árvore pode romper um pavimento de cimento armado com o poder de seu crescimento. Mesmo com a rebeldia humana e sua desobediência, a obra de Deus prossegue.[437] Da mesma forma, a obra do Espírito no coração do homem é uma obra eficaz. Paulo diz: *Aquele que começou boa obra em vós há de completá-la até ao Dia de Cristo Jesus* (Fp 1.6). O Reino de Deus não conhece derrotas. Ele jamais será derrotado. Haendel, em sua imortal música *Halleluiah,* expressa essa sublime verdade do glorioso triunfo do Reino de Deus. Esse Reino começou imperceptível e secretamente no coração humano como uma pequena semente lançada sobre a terra, agora está crescendo gloriosa e invencivelmente. A obra de Deus é invencível. Nem o mundo nem mesmo as hostes do inferno poderão roubar a divina semente plantada em nós, destinada a produzir frutos para a glória de Deus.

A semente cresce gradualmente (4.28). Uma pequena semente tem dentro de si o potencial para ser uma grande árvore. Um grande carvalho foi inicialmente uma pequena semente. O crescimento da semente passa por vários estágios até chegar à maturidade. Semelhantemente, os filhos de Deus não nascem perfeitos em fé, esperança, conhecimento e experiência. Francis Schaeffer no seu livro, *A verdadeira espiritualidade* diz que as duas coisas mais importantes na vida são nascer e crescer. O projeto de Deus para nós é a perfeição ou maturidade até chegarmos à estatura de Cristo (Ef 4.12,13). O projeto de Deus não é apenas nos levar para a glória, mas transformar-nos à semelhança do Rei da glória.

Esse crescimento gradual passa por três estágios:

Primeiro, a erva. Quando a semente é semeada no coração, ela produz uma profunda inquietação interior. Então, a pessoa é confrontada pela Palavra de Deus e esta desintegra as velhas estruturas da vida para reconstruir novos valores.

Segundo, a espiga. Esta é a manifestação e a exteriorização daquela florescente inquietude. A espiga pode ser o abandono de toda prática do pecado e adoção de novos valores.

Terceiro, o grão cheio na espiga. Isso fala da vida de Jesus manifestando-se em nossa experiência. Deus trabalha gradualmente.

Em terceiro lugar, *a gloriosa consumação do Reino de Deus* (4.29). O Reino está presente tanto na semente quanto na colheita. Ele é o Reino que já veio e o Reino que virá. No começo o Reino é apenas um embrião, depois será espiga cheia; oculto agora, totalmente manifesto então.[438] Duas verdades são destacadas por Jesus:

Primeira, a maturidade do grão fala da perseverança da obra de Deus (4.29). Todo aquele que nasceu dessa divina semente receberá essa maturidade. Deus não desiste de nós. A perseverança dos santos é uma contínua e eficaz obra de Deus em todos aqueles que nasceram de novo através de divina semente. A maturidade não procede de idade cronológica nem de posições eclesiásticas. Uma criança pode ser um fruto maduro. Jesus usou uma criança como símbolo daqueles que estão aptos a entrar no Reino (Mt 18.3). A morte de uma criança ou de uma pessoa jovem não deve ser vista como uma tragédia, mas como a entrada de um filho na glória. Isso não é o fim, mas o começo de uma vida eterna e gloriosa. Quando o fruto está maduro, ele é colhido pelo Senhor da seara.

Segunda, a colheita final revela a vitória do Reino de Deus (4.29). Como semeadores, devemos ter paciência até a colheita. Tiago diz: *Sede, pois, irmãos, pacientes, até a vinda do Senhor. Eis que o lavrador aguarda com paciência o precioso fruto da terra, até receber as primeiras e últimas chuvas. Sede vós também pacientes, e fortalecei os vossos corações, pois a vinda do Senhor está próxima* (Tg 5.7,8).

A segunda vinda do Senhor Jesus será o dia mais glorioso da História. Ele virá com grande poder e majestade. Todo olho o verá. Todo joelho se dobrará e toda língua confessará que ele é o Senhor. Todos os remidos receberão um corpo glorioso e reinarão com ele para sempre.

Somente Deus conhece o dia da colheita. Nós devemos semear até aquele dia glorioso. Nós temos a promessa de que o nosso trabalho no Senhor não é vão. A Palavra de Deus não volta para ele vazia. Devemos trabalhar e esperar a colheita final. Recebemos a ordem de semear, mas Deus detém o controle soberano sobre o crescimento. Quando o fruto estiver maduro, então, virá a gloriosa ceifa. Adolf Pohl diz que entre nossa semeadura e uma colheita transbordante estão os milagres de Deus. Assombrados, balbuciaremos naquele grande dia: *Grandes coisas o Senhor tem feito* (Sl 126.2).[439]

O poder da Palavra para crescer (Mc 4.30-32)

Se a parábola do semeador retrata a responsabilidade humana e a da semente a soberania de Deus, esta mostra o resultado, um crescimento abundante.[440] Adolf Pohl diz que essa parábola é um ápice, apesar de ser tão curta.[441] Essa parábola revela o poder de crescimento extraordinário da Palavra. Ela aponta para o progresso do Reino de Deus no mundo. Duas verdades nos chamam a atenção:

Em primeiro lugar, *o Reino de Deus começa pequeno como uma semente de mostarda* (4.31). A igreja, agente do Reino, começou pequena e fraca em seu berço. A semente de mostarda é um símbolo proverbial daquilo que é pequeno e insignificante.[442] Era a menor semente das hortaliças (4.31). Foi usada para representar uma fé pequena e fraca (Mt 17.20; Lc 17.6).

O Reino chegou com um bebê deitado numa manjedoura. Jesus nasceu em uma família pobre, numa cidade pobre e cresceu como um carpinteiro pobre, que não tinha onde reclinar a cabeça. Os apóstolos eram homens iletrados. O Messias foi entregue nas mãos dos homens, preso, torturado e crucificado entre dois criminosos. Seus próprios discípulos o abandonaram. A mensagem da cruz foi escândalo para os judeus e loucura para os gentios. Em todas as coisas do Reino o mundo vê fraqueza. Aos olhos do mundo, o começo da igreja reveste-se de consumada fraqueza.

Em segundo lugar, *grandes resultados desenvolvem-se a partir de pequenos começos* (4.32). *Grandes rios surgem em pequenas nascentes de água; o carvalho forte e alto cresce a partir de uma pequena noz.*[443] A Bíblia diz que não podemos desprezar o dia dos pequenos começos (Zc 4.10). A parábola do grão de mostarda é a história dos contrastes entre um começo insignificante e um desfecho surpreendente; entre o oculto hoje e o revelado no futuro. O Reino de Deus é como tal semente: seu tamanho atual e aparente insignificância não são de modo algum, indicadores de sua consumação, a qual abrangerá todo o universo, diz Dewey Mulholland.[444]

A igreja cresceu a partir do Pentecostes de forma colossal. Aos milhares, os corações iam se rendendo à mensagem do evangelho. Os corações duros eram quebrados. Doutores e analfabetos capitulavam diante do poder da Palavra. A igreja expandiu-se por toda a Ásia, África e Europa. O Império Romano com sua força não pôde deter o crescimento da igreja. As fogueiras não puderam destruir o entusiasmo dos cristãos. As prisões não intimidaram os discípulos de Cristo que por toda a parte preferiam morrer a blasfemar. Os cristãos preferiam o martírio à apostasia.

A igreja continua ainda crescendo em todo o mundo. De todos os continentes aqueles que confessam o Senhor Jesus vão se juntando a essa grande família, a esse imenso rebanho, a essa incontável hoste de santos. O Reino de Deus é como uma pedra que quebra todos os outros reinos e enche toda a terra como as águas cobrem o mar.

Notas do capítulo 16

[423] Mackay, John, "... *Eu porém vos digo*", 1962: p. 47,48.

[424] Hendriksen, William, *Marcos,* 2003: p. 210.

[425] Hendriksen, William, *Marcos,* 2003: p. 210.

[426] Pohl, Adolf, *Evangelho de Marcos,* 1998: p. 165.

[427] Barclay, William, *Marcos,* 1974: p. 112,113.

[428] Barclay, William, *Marcos,* 1974: p. 115,116.

[429] Ryle, John Charles, *Mark,* 1993: p. 50.

[430] Ryle, John Charles, *Mark,* 1993: p. 52.

[431] Hendriksen, William, *Marcos,* 2003: p. 214.

[432] Pohl, Adolf, *Evangelho de Marcos,* 1998: p. 166.

[433] MacDonald, William, *Believer's Bible Commentary.* Thomas Nelson Publishers. Nashville, 1995: p. 1331.

[434] Hendriksen, William, *Marcos,* 2003: p. 216.

[435] Hendriksen, William, *Marcos,* 2003: p. 218.

[436] Pohl, Adolf, *Evangelho de Marcos,* 1998: p. 168.

[437] Barclay, William, *Marcos,* 1974: p. 122.

[438] Mulholland, Dewey M, *Marcos: Introdução e Comentário,* 2005: p. 86.

[439] Pohl, Adolf, *Evangelho de Marcos,* 1998: p. 169.

[440] Hendriksen, William, *Marcos,* 2003: p. 223.

[441] Pohl, Adolf, *Evangelho de Marcos,* 1998: p. 170.

[442] Mulholland, Dewey M, *Marcos: Introdução e Comentário,* 2005: p. 87.

[443] Hendriksen, William, *Marcos,* 2003: p. 226.

[444] Mulholland, Dewey M, *Marcos: Introdução e Comentário,* 2005: p. 87.

Capítulo 17

Surpreendidos pelas tempestades da vida

(Mc 4.35-41)

DEUS É BOM, SEMPRE BOM. Às vezes, porém, não conseguimos ver a bondade de Deus nas circunstâncias da vida, mas, mesmo assim, Deus continua sendo sempre bom. Havia um súdito que dizia sempre para o rei que Deus é bom. Um dia, saíram para caçar e um animal feroz atacou o rei e ele perdeu o dedo mínimo. O súdito ainda lhe disse: "Deus é bom". Furioso, o rei mandou prendê-lo. Noutra caçada, o rei foi capturado por índios antropófagos. Na hora do sacrifício, o cacique percebeu que ele era imperfeito, porque lhe faltava um dedo. O rei foi solto e imediatamente procurou o súdito na prisão e disse-lhe:

"Verdadeiramente, Deus é bom! Contudo, por que eu o mandei para a prisão?" O súdito, respondeu: "porque se eu estivesse contigo eu seria sacrificado".

As tempestades da vida não anulam a bondade de Deus. Não haveria o arco-íris sem a tempestade, nem o dom das lágrimas sem a dor. Só conseguimos enxergar a majestade dos montes quando estamos no vale. Só enxergamos o brilho das estrelas quando a noite está escura. É das profundezas da nossa angústia que nos erguemos para as maiores conquistas da vida.

Jesus passara todo o dia ensinando à beira-mar sobre o Reino de Deus. Ao final da tarde, ele deu uma ordem para os discípulos entrarem no barco e passarem para a outra margem, para a região de Gadara, onde havia um homem possesso. Enquanto atravessavam o mar, Jesus cansado da faina, dormiu e uma tempestade terrível os surpreendeu, enchendo d'água o barco. Os discípulos apavorados clamaram a Jesus. Ele repreendeu o vento, o mar e os discípulos e aqueles homens apavorados com a fúria dos ventos ficaram maravilhados diante do seu milagre.

William Hendriksen, analisando esse texto, diz que podemos sintetizá-lo em seis pontos básicos: uma noite a bordo; uma tempestade furiosa; um clamor desesperado; um milagre impressionante; uma reprovação amorosa e um efeito profundo.[445]

Como são as tempestades da vida?

Aprendemos aqui algumas lições importantes:

Em primeiro lugar, *as tempestades da vida são inesperadas*. William Barclay diz que o mar da Galileia era famoso por suas tempestades.[446] É um lago de águas doces, de 21 quilômetros de comprimento por quatorze de largura, a 220 metros abaixo do nível do mar Mediterrâneo e é cercado de montanhas por três lados, que têm até trezentos metros de altura.[447] Os ventos gelados do monte Hermon (2.790m), coberto de neve durante todo o ano, algumas vezes descem com fúria dessa região alcantilada e sopram com violência, encurralados pelos montes, caindo sobre o lago, encrespando as ondas e provocando terríveis tempestades. A palavra usada é *seismós,* terremoto (Mt 24.7). As tempestades da vida são também inesperadas: é um acidente, uma enfermidade, uma crise no casamento, um desemprego. As tempestades não mandam telegrama. Elas chegam a nossa vida sem mandar recado e sem pedir licença. As tempestades, algumas vezes, nos colhem de surpresa e nos deixam profundamente abalados. Como seguidores de Cristo, devemos estar preparados para as tempestades que certamente virão.[448] John Charles Ryle diz que os discípulos tinham passado o dia ouvindo o Mestre e fazendo sua obra, mas isso não os isentou da tempestade. Eles amavam a Jesus e tinham deixado tudo para segui-lo, mas isso não os poupou do mar revolto. As aflições e as tempestades da vida fazem parte da jornada de todo cristão.[449]

Em segundo lugar, *as tempestades da vida são perigosas.* Mateus diz que o barco era varrido pelas ondas (Mt 8.24). Marcos diz que se levantou grande temporal de vento, e as ondas se arremessavam contra o barco, de modo que o mesmo já estava a encher-se de água (Mc 4.37). Lucas diz que sobreveio uma tempestade de vento no lago, correndo eles o perigo de soçobrar (Lc 8.23). As tempestades da vida também são ameaçadoras. Elas são perigosas. São verdadeiros abalos sísmicos e terremotos na nossa vida.

Eu morei nos Estados Unidos com minha família no ano 2000 e 2001. Estava no meu ano sabático, fazendo doutorado em ministério na área de pregação no Seminário Reformado de Jackson, Mississippi. Durante todo o tempo que lá vivemos, ficamos encantados com a pujança da nação e a segurança que seus cidadãos desfrutavam. Findo o nosso tempo na América, era hora de voltar ao Brasil. Nossas malas já estavam prontas. Nossas passagens já estavam marcadas para regressarmos ao Brasil no dia 12 de setembro de 2001. No dia 11 de setembro, fui ao seminário para entregar minha tese e concluir todos os meus compromissos acadêmicos. De repente, comecei assistir pela televisão uma cena alarmante. As torres gêmeas do *World Trade Center* estavam ardendo em chamas. Pensei que fosse um filme de ficção. Quando cheguei a casa, minha esposa estava alarmada. Não era um filme, mas uma cena real e dramática de um atentado terrorista. O símbolo maior da pujança econômica da nação tinha sido golpeado de morte e estava entrando em doloroso colapso. Jamais poderia imaginar que o país mais poderoso do mundo pudesse ser tão vulnerável. A tempestade havia chegado repentinamente e de forma avassaladora.

Muitas vezes, as tempestades chegam de forma tão intensa que deixam as estruturas da nossa vida abaladas. colocam no chão aquilo que levamos anos para construir. É um casamento edificado com abnegação e amor, que se desfaz pela tempestade da infidelidade conjugal. É um sonho nutrido na alma com tanto desvelo que se transforma num pesadelo. De repente, uma doença incurável abala a família, um acidente trágico ceifa uma vida cheia de vigor, um divórcio traumático deixa o cônjuge ferido e os filhos amargurados. Uma amizade construída pelo cimento dos anos naufraga pela tempestade da traição.

Em terceiro lugar, *as tempestades da vida não são administráveis.* Elas são maiores do que nossas forças. Os discípulos se esforçaram para contornar o problema, para saírem ilesos da tempestade. Mas eles não puderam enfrentar a fúria do vento. Seus esforços não puderam vencer o problema. Eles precisaram clamar a Jesus. O problema era maior do que a capacidade deles de resolver.

Em quarto lugar, *as tempestades da vida são surpreendentes.* Elas podem transformar cenários domésticos em lugares ameaçadores. O mar da Galileia era um lugar muito conhecido daqueles discípulos. Alguns deles eram pescadores profissionais e conheciam cada palmo daquele lago. Muitas vezes eles cruzaram aquele mar lançando as suas redes. Ali era o lugar do seu ganha-pão. Mas agora eles estavam em apuros. O comum tornou-se um monstro indomável. Aquilo que parecia administrável tornou-se uma força incontrolável. Muitas vezes, as tempestades mais borrascosas que enfrentamos na vida não vêm de horizontes distantes nem trazem coisas novas, mas apanham aquilo que era ordinário e comum em nossa vida e bota tudo de cabeça para baixo. Outras vezes, é o cônjuge que foi fiel tantos anos que dá uma guinada e se transforma numa pessoa amarga, agressiva e abandona o casamento para viver uma aventura com outra pessoa. Outras vezes ainda, é o filho obediente que resvala os pés e transforma-se numa pessoa agressiva, irreverente, dissimulada e insolente com os pais. Ainda hoje, há momentos em que as crises maiores que enfrentamos nos vêm daqueles lugares onde sentíamo-nos mais seguros.

Os conflitos que enfrentamos nas tempestades da vida

Esse texto nos apresenta algumas tensões que enfrentamos nas tempestades da vida:

Em primeiro lugar, *como conciliar a obediência a Cristo com a tempestade* (4.35). Os discípulos entraram no barco por ordem expressa de Jesus e, mesmo assim, enfrentaram a tempestade. Eles estavam no centro da vontade de Deus e ainda enfrentaram ventos contrários. Eles estavam onde Jesus os mandou estar, fazendo o que Jesus os mandou fazer, indo para onde Jesus os mandou ir e, mesmo assim, enfrentaram uma terrível borrasca.

Jonas enfrentou uma tempestade porque desobedecia a Deus; os discípulos porque obedeciam. Você tem enfrentado tempestade pelo fato de andar com Deus, de obedecer aos mandamentos de Jesus? Você tem sofrido oposição e perseguição por ser fiel a Deus? Tem perdido oportunidade de negócios por não transigir? Tem perdido concorrências em seus negócios por não dar propina? Tem sido considerado um estorvo no seu ambiente de trabalho por não se envolver no esquema de corrupção? Há momentos que sofremos, não por estarmos na contramão, mas por andarmos pelo caminho direito. O mundo odiou a Cristo e também vai nos odiar. Seremos perseguidos por vivermos na luz.

Em segundo lugar, *como conciliar a tempestade com a presença de Jesus* (4.35,36). O fato de Jesus estar conosco não nos poupa de certas tempestades. Ser cristão não é viver numa redoma de vidro, numa estufa espiritual. O céu não é aqui. Jesus foi a uma festa de casamento e mesmo ele estando lá, faltou vinho. Um crente que anda com Jesus pode e, muitas vezes, enfrenta também terríveis tempestades. Jesus passara todo aquele dia ensinando aos discípulos as parábolas do Reino. Mas agora viria uma lição prática: Jesus sabia da tempestade; ela estava no currículo de Jesus para aquele dia. A tempestade ajudou os discípulos a entenderem que podemos confiar em Jesus nas crises inesperadas da vida.

Em terceiro lugar, *como conciliar a tempestade com o sono de Jesus.* Talvez o maior drama dos discípulos não tenha sido a tempestade, mas o fato de Jesus estar dormindo durante a tempestade. Na hora do maior aperto dos discípulos, Jesus estava dormindo. Às vezes, temos a sensação de que Deus está dormindo. O Salmo 121 fala sobre o sono de Deus. Aquele que não dormita nem dorme, às vezes, parece não estar atento aos dramas da nossa vida e isso gera uma grande angústia em nossa alma.

As grandes perguntas feitas nas tempestades da vida

Esse texto apresenta-nos três perguntas. Todas elas são instrutivas. Elas nos apresentam a estrutura do texto. As lições emanam dessas perguntas. Aqui temos a pedagogia da tempestade:

A primeira pergunta foi feita pelos discípulos: *Mestre, não te importa que pereçamos?* (4.38). Essa pergunta nasceu do ventre de uma grande crise. Seu parto se deu num berço de muito sofrimento. Os discípulos estavam vendo a carranca da morte. O mar embravecido parecia sepultar suas últimas esperanças. Depois de esgotados todos os esforços e baldados todos os expedientes humanos, eles clamaram a Jesus: *Mestre, não te importa que pereçamos?* O que esse grito dos discípulos sinaliza?

Primeiro, esse grito evidencia o medo gerado pela tempestade. A tempestade provoca medo em nós, porque ela é maior que nós. Em tempos de doença, perigo de morte, desastres naturais, catástrofes, terremotos, guerras, comoção social, tragédias humanas, explode do nosso peito este mesmo grito de medo e dor: Mestre, não te importa que pereçamos? Mateus registra: *Senhor, salva-nos! Perecemos!* (Mt 8.25). Lucas diz: *Mestre, Mestre estamos perecendo!* (Lc 8.24). Essas palavras expressaram mais uma crítica que um pedido de ajuda. Às vezes, é mais fácil reclamar de Deus do que depositar nossa ansiedade aos seus pés e descansar na sua providência.[450]

Um dos momentos mais comoventes que experimentei na vida foi a visita que fiz ao museu Yad Vasheim, na cidade de Jerusalém. Esse museu é um memorial das vítimas do holocausto. Seis milhões de judeus pereceram nos campos de concentração nazista, nos paredões de fuzilamento e nas câmaras de gás. Um milhão e meio de crianças foram mortas sem qualquer piedade. No jardim de entrada do museu há um monumento de uma mulher cuja cabeça é uma boca aberta com dois filhos mortos no colo. Essa mulher retrata o desespero de milhares de mães que ergueram seu grito de dor, sem que o mundo as ouvisse. Representa o sofrimento indescritível daquelas mães que marchavam para a morte e viam os seus filhos tenros e indefesos serem vítimas da mais brutal e perversa perseguição de todos os tempos. Ao entrar no museu, enquanto caminhava por uma passarela escura, sob o som perturbador do choro e gemido de crianças, vi um milhão e meio de velas acesas, refletidas nos espelhos. Enquanto cruzava aquele corredor de lembranças tão amargas não pude conter as lágrimas. Lembrei-me do medo, pavor e desespero que tomaram conta dos pais naqueles seis anos de barbárie e cruel perseguição. Quantas vezes, nas tempestades avassaladoras da vida, também encharcamos a nossa alma de medo. Os problemas se agigantam, o mar se revolta, as ondas se encapelam e o vento nos açoita com desmesurado rigor.

Segundo, esse grito evidencia alguma fé. Se os discípulos estivessem completamente sem fé, eles não teriam apelado a Jesus. Eles não o teriam chamado de Mestre. Eles não teriam pedido a ele para salvá-los. Naquela noite trevosa, de mar revolto, de ondas assombrosas que chicoteavam o barco e ameaçava engoli-los, reluz um lampejo de fé. Quantas vezes, nessas horas, também nos voltamos para Deus em forte clamor. Quantas vezes há urgência na nossa voz. Na hora da tempestade, quando os nossos recursos se esgotam e a nossa força se esvai, precisamos clamar ao Senhor. Quando as coisas fogem ao nosso controle, continuam ainda sob o total controle de Jesus. Para ele, não há causa perdida. Ele é o Deus dos impossíveis.

Terceiro, esse grito evidencia uma fé deficiente. Se os discípulos tivessem uma fé madura, eles não se entregariam ao pânico e ao desespero. A causa do desespero não era a tempestade, mas a falta de fé. O perigo maior que enfrentavam não era a fúria do vento ao redor deles, mas a incredulidade dentro deles. Havia deficiência de fé no conhecimento deles. Mesmo dormindo, Jesus sabia da tempestade e das necessidades deles. Havia deficiência de fé na convicção do cuidado de Cristo. Jesus já havia provado para eles que se importava com eles.

A segunda pergunta foi feita por Jesus: *Por que sois assim tímidos? Como é que não tendes fé?* (4.40). Os discípulos falharam no teste prático e revelaram medo e não fé. Onde o medo prevalece, a fé desaparece. Ficamos com medo porque duvidamos que Deus esteja no controle. Enchemos nossa alma de pavor porque pensamos que as coisas estão fora de controle. Desesperamo-nos porque julgamos que estamos abandonados à nossa própria sorte. A palavra grega *deiloi* usada por Jesus significa "medo covarde". Os discípulos estavam agindo covardemente, quando poderiam ter agido com plena confiança em Jesus.[451] Aqueles discípulos deveriam ter fé e não medo, e isso por quatro razões:

Primeira, *a promessa de Jesus* (4.35). Jesus havia empenhado sua palavra a eles: "passemos para a outra margem". O destino deles não era o naufrágio, mas a outra margem. Para Jesus promessa e realidade são a mesma coisa. O que ele fala, ele cumpre. Jesus não promete viagem calma e fácil, mas garante chegada certa e segura. Jesus não nos promete ausência de luta, mas vitória garantida. Essa promessa deveria ter encorajado e fortalecido os discípulos (Sl 89.9). Quando o medo assaltar a sua fé, agarre-se nas palavras e nas promessas de Jesus.

Segunda, *a presença de Jesus* (4.36). É a presença de Jesus que nos livra do temor. Davi diz que ainda que andasse pelo vale da sombra da morte não temeria mal algum (Sl 23.4). Não porque o vale seria um caminho seguro; não porque a circunstância era fácil de enfrentar, mas porque a presença de Deus era o seu amparo. A presença de Deus nas tempestades é nossa âncora e nosso porto seguro. O profeta Isaías ergue a sua voz em nome de Deus e diz que quando tivermos de passar pelas águas revoltas do mar da vida, Deus estará conosco. Quando precisarmos cruzar os rios caudalosos, eles não nos submergirão. Quando tivermos de entrar nas fornalhas acesas da perseguição e do sofrimento, a chama não arderá em nós, porque Deus estará conosco (Is 43.1-3). Jesus disse aos seus discípulos: *Eis que estou convosco todos os dias até a consumação do século* (Mt 28.20). Os discípulos se entregaram ao medo porque se esqueceram que Jesus estava com eles. O Rei do céu e da terra estava no mesmo barco e por isso o barco não poderia afundar. O criador do vento e do mar está conosco, não precisamos ter medo das tempestades.

Terceira, a *paz de Jesus* (4.38). Enquanto a tempestade rugia com toda fúria, Jesus estava dormindo. Dewey Mulholland diz que assim como o homem que jogou a semente no solo e depois adormeceu tranquilamente (4.26), Jesus descansa certo de que o Pai cuidará dele e da semente que plantara.[452] Será que Jesus sabia que a tempestade viria? É óbvio que sim. Ele sabe todas as coisas, nada o apanha de surpresa. Aquela tempestade estava na agenda de Jesus; ela fazia parte do currículo de treinamento dos discípulos.[453] Contudo, se Jesus sabia da tempestade, por que dormiu? Ele dormiu por duas razões: dormiu porque descansava totalmente na providência do Pai; dormiu porque sabia que a tempestade seria pedagógica na vida dos seus discípulos. O fato de Jesus estar descansando na tempestade já deveria ter acalmado e encorajado os discípulos. Jesus estava descansando na vontade do Pai e sabia que o Pai cuidaria dele enquanto dormia. Isso é paz no vale. Jonas dormiu na tempestade com uma falsa segurança, visto que estava fugindo de Deus. Jesus dormiu na tempestade porque estava verdadeiramente seguro na vontade do Pai.

Quarta, o *poder de Jesus* (4.39). Aquele que estava no barco com os discípulos é o criador da natureza. As leis da natureza estão nas suas mãos. Ele controla o universo. A natureza ouve a sua voz e lhe obedece. Marcos insere esse registro da tempestade num contexto que enaltece e destaca o poder de Jesus. Ele está revelando o seu poder sobre as leis da natureza, acalmando o mar. Ele revela a sua autoridade sobre os demônios, libertando o gadareno de uma legião, ou seja, seis mil demônios. Ele acentua a sua autoridade sobre a enfermidade, curando uma mulher hemorrágica, que vivia doze anos prisioneira de sua enfermidade. Ele ressuscita a filha de Jairo, para provar que até a morte está debaixo da sua absoluta autoridade e poder.

Jesus repreendeu o vento e o mar e eles se aquietaram e se emudeceram. Adolf Pohl diz: "Não temos mais Jesus adormecido no rugido da tempestade, mas a tempestade adormecida aos pés do Senhor que dera a ordem".[454] Ele tem poder para repreender também os problemas que nos atacam, a enfermidade que nos assola, a crise que nos cerca, as aflições que nos oprimem. Jesus repreendeu o mar pela sua fúria e depois repreendeu os discípulos pela sua falta de fé. Muitas vezes, a tempestade mais perigosa não é aquela que levanta os ventos e agita o mar, mas a tempestade do medo e da incredulidade. O nosso maior problema não está ao nosso redor, mas dentro de nós.[455] O Senhor é a nossa bandeira. É o nosso defensor. Ele é o nosso escudo. Não precisamos temer.

A terceira pergunta foi feita novamente pelos discípulos: *Quem é este que até o vento e o mar lhe obedecem?* (4.41). As tempestades são pedagógicas. Elas são a escola de Deus para nos ensinar as maiores lições da vida. Aprendemos mais na tempestade do que nos tempos de bonança. Foi através do livramento da tempestade que eles tiveram uma visão mais clara da grandeza singular de Jesus. Os discípulos, que estavam com medo da tempestade, estão agora cheios de temor diante da majestade de Jesus. A palavra grega para medo aqui, *phobeô,* é outra e não significa medo covarde, mas temor reverente.[456] Seu medo e a falta de fé vêm à tona por um único motivo: eles não sabem quem é Jesus. Quando passa o medo da tempestade e da morte, eles são acometidos por outro tipo de temor; uma sensação de assombro, porque Deus estava bem ali.[457] Eles passaram a ter uma fé real e experimental e não uma fé de segunda mão. A pergunta deles é respondida pelo próprio texto em apreço.

Primeiro, *Jesus é o mestre supremo que veio estabelecer o Reino de Deus* (4.34,38). Jesus ensinou por intermédio das parábolas do Reino e também através da tempestade. Seus métodos são variados, seu ensino eficaz. Ele é o grande Mestre que nos ensina pela Escritura e também pelas circunstâncias da vida. Devemos aprender com ele e sobre ele. O Reino chegou com o Rei. Ele é o Rei. O Reino já foi inaugurado. O Reino já está entre nós e dentro de nós.

Segundo, *Jesus é perfeitamente homem* (4.38). O sono de Jesus mostra-nos sua perfeita humanidade. O verbo se fez carne. Deus se fez homem. O infinito entrou no tempo. Aquele que nem o céu dos céus pode conter foi enfaixado em panos e deitado numa manjedoura. Aquele que é o criador e o dono do universo se fez pobre e não tinha onde reclinar a cabeça. Esse é um grande mistério. Quem pode crer na encarnação de Jesus não deveria mais duvidar de nenhum de seus gloriosos milagres.

Terceiro, Jesus é perfeitamente Deus (4.39). Ele é o criador, sustentador e o interventor na natureza. O vento ouve a sua voz. O mar se acalma quando ele fala. Todo o universo se curva diante da sua autoridade. Ele é o verdadeiro Deus. É ele quem livra o seu povo e acalma as nossas tempestades. É ele quem acalma os terremotos da nossa alma. Ernesto Trenchard diz que de todos os milagres, esse é onde vemos mais intimamente entrelaçadas a humanidade e a divindade do Senhor Jesus. O mesmo Jesus, que dormiu exausto depois de um dia de ensino, levanta-se e repreende o vento e o mar.[458]

Quarto, *Jesus é o benfeitor desconhecido* (4.36). Algumas pessoas que enfrentavam a mesma tempestade naquele mar, seguindo a caravana em outros barcos, foram beneficiadas sem saber que a bonança fora intervenção de Jesus. Há muitas pessoas que recebem milagres e livramentos, mas não sabem que esses prodígios vieram das mãos de Jesus.

Quinto, *Jesus é aquele que tem toda autoridade para libertar o aflito* (4.39,41). A pergunta foi: "Quem é este que *até* o vento e o mar lhe obedecem?"(grifo do autor). O contexto mostra que Jesus é o Senhor sobre cada circunstância e o vencedor dos inimigos que nos ameaçam: 1) Vitória sobre os perigos (Mc 4.35-41); 2) Vitória sobre os demônios (Mc 5.1-20; 3) Vitória sobre a enfermidade (Mc 5.21-34); 4) Vitória sobre a morte (Mc 5.35-43).

A intervenção soberana de Jesus, às vezes, acontece quando todos os recursos humanos acabam. Nossa extremidade é a oportunidade de Deus. As tempestades fazem parte do currículo de Jesus para nos fortalecer na fé. As provas não vêm para nos destruir, mas para nos fortalecer.

As grandes lições da vida nós as aprendemos nas tempestades. Na costa da Califórnia, há uma praia famosa que se chama *Pebble Beach.* Em uma reentrância cercada de muralhas, as pedras, impelidas pelas ondas, se atiram umas contras as outras e também nas saliências agudas dos penhascos. Turistas de todas as partes do mundo vão para a praia recolher aquelas pedras arredondadas e preciosas. Elas servem de ornamentos para escritórios e salas de visita. Ali bem perto há outra enseada em que não se verifica a mesma tormenta. Existem ali pedras em grande abundância, mas nunca são escolhidas pelos viajantes. Elas escaparam do alvoroço e da trituração das ondas. A quietude e a paz as deixam como as encontraram: toscas, angulosas e sem beleza. O polimento das outras, tão apreciadas, se verifica por meio do atrito constante. Comentando esse fato, um escritor registrou: "Quase todas as joias de Deus são lágrimas cristalizadas".

Quando Jesus fez cessar o vento e o mar, e eles se acalmaram como uma criança que se aquieta diante da ordem e autoridade do pai, Mateus diz que os discípulos se maravilharam. Marcos diz que eles temeram grandemente. Antes, eles tinham medo da natureza. Agora, eles temem o criador da natureza. Antes, eles estavam amedrontados pelo vento, agora, estão cheios de temor pelo Senhor do vento. Agora, eles estão cheios de temor e admiração diante do poder de Jesus.

A quem você teme: as circunstâncias ou o Senhor das circunstâncias?

Notas do capítulo 17

[445] Hendriksen, William, *Marcos,* 2003: p. 228.

[446] Barclay, William, *Marcos,* 1974: p. 129.

[447] Pohl, Adolf, *Evangelho de Marcos,* 1998: p. 173.

[448] Barton, Bruce B, et all. *Life Application Bible Commentary. Mark,* 1994: p. 121.

[449] Ryle, John Charles, *Mark,* 1993: p. 61.

[450] Barton, Bruce B, et all. *Life Application Bible Commentary. Mark,* 1994: p. 122.

[451] Barton, Bruce B, et all. *Life Application Bible Commentary. Mark,* 1994: p. 123.

[452] Mulholland, Dewey M, *Marcos: Introdução e Comentário,* 2005: p. 89.

[453] Wiersbe, Warren W, *Be Diligent,* 1987: p. 45.

[454] Pohl, Adolf, *Evangelho de Marcos,* 1998: p. 176.

[455] Wiersbe, Warren W, *Be Diligent,* 1987: p. 47.

[456] Barton, Bruce B, et all. *Life Application Bible Commentary. Mark,* 1994: p. 123,124.

[457] Mulholland, Dewey M, *Marcos: Introdução e Comentário,* 2005: p. 91.

[458] Trenchard, Ernesto, *Una Exposición del Evangelio según Marcos,* 1971: p. 61.

Capítulo 18

Quanto vale uma vida

(Mc 5.1-20)

Duas perguntas se tornam imperativas: quanto vale uma vida para Jesus? Quanto vale uma vida para Satanás? Consideremos essas duas perguntas:

Em primeiro lugar, *quanto vale uma vida para Jesus*? Jesus fez um alto investimento na vida desse homem gadareno. Ele enfrentou a fúria do mar e depois a fúria desse homem possesso. O escritor desse Evangelho vai de um mar *agitado* para um homem *agitado*. Humanamente falando, ambos eram *indomáveis,* mas Jesus os subjugou.[459]

Era noite. Depois de uma assombrosa tempestade, Jesus chega a um lugar deserto, íngreme e cheio de cavernas. Ele desembarca num cemitério, onde havia corpos expostos, alguns deles já em decomposição. O lugar em si já colocava medo nos mais corajosos. Desse lugar sombrio, sai um homem louco, desvairado, possesso, nu, ferindo-se com pedras, um espectro humano, um aborto vivo, uma escória da sociedade.

Todos já haviam desistido dele, menos Jesus. Aquela viagem foi proposital. Jesus vai a uma terra gentílica, depois de um dia exaustivo de trabalho, depois de uma terrível tempestade, para salvar um homem possesso.

Em segundo lugar, *quanto vale uma vida para Satanás?* Satanás roubou tudo de precioso que aquele homem possuíra: família, liberdade, saúde física e mental, dignidade, paz e decência.

Havia dentro dele uma legião de demônios (5.9). Legião era uma corporação de seis mil soldados romanos.[460] Nada infundia tanto medo e terror quanto uma legião romana. Era um exército de invasão, crueldade e destruição.[461] A legião romana era composta de infantaria e cavalaria. Numa legião havia flecheiros, estrategistas, combatentes, incendiários, e aqueles que lutavam com espadas. Por onde uma legião passava, deixava um rastro de destruição e morte. Uma legião romana era irresistível. Aonde ela chegava, as cidades eram assaltadas, dominadas e seus habitantes arrastados como súditos e escravos. Uma legião era a mais poderosa máquina de guerra conhecida nos tempos antigos.[462] As legiões romanas formavam o braço forte com o qual Roma havia subjugado o mundo. Assim era o poder diabólico que dominava esse pobre ser humano.[463] Havia um poder de destruição descomunal dentro daquele homem, transformando sua vida num verdadeiro inferno.

Warren Wiersbe diz que nós podemos ver nesse texto três forças trabalhando: Satanás, a sociedade e Jesus.[464]

O que Satanás faz pelas pessoas?

Na verdade, Satanás não faz nada pelas pessoas, mas contra elas. Vejamos alguns exemplos:

Em primeiro lugar, *ele domina as pessoas através da possessão* (5.2,9). O gadareno estava possuído por espíritos imundos. Havia uma legião de demônios dentro dele. A possessão demoníaca não é um mito, mas uma triste realidade. A possessão não é apenas uma doença mental ou epilepsia.[465] Ainda hoje, milhares de pessoas vivem no cabresto de Satanás. Quais são as características de uma pessoa endemoninhada?

Uma pessoa possessa tem dentro de si uma entidade maligna (5.2,9). Esse homem não estava no controle de si mesmo. Suas palavras e suas atitudes eram determinadas pelos espíritos imundos que estavam dentro dele. Ele era um capacho de Satanás, um cavalo dos demônios, um joguete nas mãos de espíritos assassinos.

Uma pessoa possessa manifesta uma força sobre-humana (5.3,4). As pessoas não podiam detê-lo nem as cadeias subjugá-lo. A força destruidora que despedaçava as correntes não procedia dele, mas dos espíritos malignos que nele moravam. Conheci o caso de uma moça possessa por espíritos malignos na cidade de Tanabi, interior de São Paulo, que levantava a carroceria de um caminhão, revelando, assim, uma força descomunal.

Uma pessoa possessa tem frequentes acessos de raiva. O evangelista Mateus, narrando esse episódio, diz que os endemoninhados estavam a tal ponto furiosos, que ninguém podia passar por aquele caminho (Mt 8.28). Normalmente uma pessoa possessa revela uma fisionomia carregada de ódio e olhos fuzilantes. Tenho lidado com pessoas endemoninhadas e em todos os casos esse fato é notório. Há uma expressão de ira, de transtorno emocional e de ódio que explode de dentro delas.

Uma pessoa possessa perde o amor-próprio (5.3,5). Esse homem andava nu e feria-se com pedras. Em vez de proteger-se, feria a si mesmo. Ele era o seu próprio inimigo.[466] O ser maligno que estava dentro dele empurrou-o para as cavernas da morte. A legião de demônios que estava nele tirou dele o pudor e queria destruí-lo e matá-lo. O diabo veio para roubar, matar e destruir. Ele é ladrão e assassino. Há muitas pessoas que hoje ceifam a própria vida, quando esses espíritos imundos entram nelas. Foi assim com Judas. Satanás entrou nele e o levou ao suicídio.

Uma pessoa possessa pode revelar conhecimento sobrenatural por clarividência e adivinhação (5.6,7). Logo que Jesus desembarcou em Gadara, esse homem possesso correu cheio de medo, e prostrou-se aos seus pés para adorá-lo. Ele sabia quem era Jesus. Sabia que Jesus é o Filho do Deus Altíssimo, que tem todo poder para atormentar os demônios e mandá-los para o abismo. Os demônios creem na divindade de Cristo, na sua total autoridade. Eles oram e creem nas penalidades eternas. A fé dos demônios é mais ortodoxa do que a fé dos teólogos liberais.

Em segundo lugar, *ele arrasta as pessoas para a impureza* (5.2,3a). Gadara era uma terra gentílica, onde as pessoas lidavam com animais imundos. O espírito que estava naquele homem era um espírito imundo. Por isso, levou-o para um lugar impuro, o cemitério, para viver no meio dos sepulcros. A impureza desse homem era tríplice: os judeus consideravam a terra dos pagãos impura, em seguida o lugar dos túmulos e, por fim, a possessão. O efeito era uma separação de Deus sem esperança.[467]

Os espíritos malignos levam as pessoas a se envolverem com tudo o que é imundo. Há pessoas chafurdando-se na lama hoje. Quem pratica o pecado é escravo do pecado. Quem vive na prática do pecado é filho do diabo. Há pessoas que entram em cemitérios e desenterram defuntos para fazerem despacho aos demônios.

A promiscuidade está atingindo patamares insuportáveis. A TV Globo encerrou a sua decantada novela *América* com dois homens se beijando na boca. A Inglaterra legitima o casamento de homossexuais. A pornografia tornou-se uma indústria poderosa. A promiscuidade presente na geração contemporânea faz de Sodoma e Gomorra cidades muito puritanas.

Em terceiro lugar, *ele torna as pessoas violentas* (5.3,4). O endemoninhado constituiu-se num problema para a família e para a sociedade. O amor familiar e a repressão da lei não puderam domesticar aquela fera indomável. Ele era como um animal selvagem. Resistia a qualquer tentativa de controle externo. Os vivos não o suportaram mais e o expulsaram. Ele foi morar com os mortos. Estes não lhe faziam nenhum mal, mas também não o protegiam de si mesmo. Ele agora estava nu entre os demônios.[468]

Há um espírito que atua nos filhos da desobediência e torna as pessoas furiosas, violentas e indomáveis nesses dias. Há seres humanos que se transformam em monstros celerados, em feras indomáveis. Nem o amor da família nem o rigor da lei têm abrandado a avalanche de crimes violentos em nossos dias. São terroristas que enchem o corpo de bomba e explodem-se, espalhando morte. São os vândalos que incendeiam ônibus nas ruas. São pistoleiros de aluguel que derramam sangue por dinheiro. São traficantes que matam e morrem para alimentar o seu vício execrado.

Em quarto lugar, *ele atormenta as pessoas* (5.5). O gadareno estava perturbado mentalmente. Ele andava sempre, de noite e de dia gritando por entre os sepulcros. Não havia descanso para a sua mente nem para o seu corpo.

Além da perturbação mental, ele golpeava-se com pedras. Vivia nu e ensanguentado, correndo pelos montes escarpados, esgueirando-se como um espectro de horror, no meio de cavernas e sepulcros. Seu corpo emaciado refletia o estado deprimente a que um ser humano pode chegar quando está sob o domínio de Satanás.

Há muitas pessoas hoje atormentadas, inquietas e desassossegadas, vivendo nas regiões sombrias da morte, sem família, sem liberdade, sem dignidade, sem amor-próprio, ferindo-se a si mesmas e espalhando terror aos outros.

O que a sociedade pode fazer pelas pessoas?

Consideremos três coisas:

Em primeiro lugar, *a sociedade afastou esse homem do convívio social* (5.3,4). O máximo que a sociedade pôde fazer por esse homem foi tirá-lo de circulação. Arrancaram-no da família e da cidade. Desistiram do seu caso e consideraram-no uma causa perdida. Consideraram-no um caso irrecuperável e descartaram-no como um aborto asqueroso. O máximo que a sociedade pode fazer por pessoas problemáticas é isolá-las, colocá-las sob custódia ou jogá-las numa prisão (Lc 8.29). As prisões não libertam as pessoas por dentro nem as transformam; ao contrário, tornam-nas ainda mais violentas.

Ainda hoje, é mais fácil e mais cômodo lançar na caverna da morte, no presídio e no desprezo, aqueles que caem nas garras do pecado e do diabo.

Em segundo lugar, *a sociedade acorrentou esse homem* (5.3,4). A prisão foi o melhor remédio que encontraram para deter esse homem. Colocaram cadeias em suas mãos e em seus pés. Mas a prisão não pôde detê-lo. Ele arrebentou as cadeias e continuou espalhando terror por onde andava. Embora o sistema carcerário seja um fato necessário, não é a solução do problema. O índice de reincidência no crime daqueles que são apanhados pela lei e lançados num cárcere é de mais de 70%.

A sociedade não tem poder para resolver o problema do pecado nem libertar as pessoas das garras de Satanás. Somente o evangelho transforma. Somente Jesus liberta. Não há esperança para o homem nem para a sociedade à parte de Jesus.

Em terceiro lugar, *a sociedade deu mais valor aos porcos do que a esse homem.* A sociedade de Gadara não apenas rejeitou esse homem na sua desventura, mas, também, não valorizou a sua cura nem a sua salvação. Eles expulsaram Jesus da sua terra e amaram mais os porcos que a Deus e a esse homem. Os porcos valiam mais que uma vida.

O que Jesus faz pelas pessoas?

Observemos três coisas fundamentais que Cristo faz:

Em primeiro lugar, *Jesus libertou esse homem da escravidão dos demônios* (5.6-15). Jesus se manifestou para destruir as obras do diabo (1Jo 3.8). Até os demônios estão debaixo da sua autoridade. Mediante a autoridade da palavra de Jesus, a legião de demônios bateu em retirada e o homem escravizado ficou livre.

Cristo é o atormentador dos demônios e o libertador dos homens. Aonde ele chega, os demônios tremem e os cativos são libertados. Satanás tentou matar Jesus na tempestade e agora tenta impedi-lo de entrar na região de Gadara. Mas em vez de intimidar-se com a legião de demônios, Jesus é quem espalha terror no exército demoníaco.[469]

Em segundo lugar, *Jesus devolveu a esse homem a dignidade da vida* (5.15). Três coisas nos chamam a atenção nessa libertação:

O homem estava assentado aos pés de Jesus (5.15; Lc 8.35). Aquele que vivia perturbado, correndo de dia e de noite, sem descanso para a mente e para o corpo, agora está quieto, sereno, assentado aos pés do Salvador. Jesus acalmou o vendaval do mar, e também o homem atormentado. Alguns estudiosos entendem que a tempestade que Jesus enfrentara para chegar a Gadara fora provocada por Satanás, visto que a mesma palavra que Jesus empregou para repreender o vento e o mar, empregou-a para repreender os espíritos imundos. Seria uma tentativa desesperada de Satanás de impedir Jesus de chegar a esse território pagão, onde ele mantinha tantas pessoas sob suas garras assassinas.[470]

O homem estava vestido (5.15). Esse homem havia perdido o pudor e a dignidade. Ele andava nu. Havia muito que não se vestia (Lc 8.27). Tinha perdido o respeito próprio e o respeito pelos outros. Estava à margem não só da lei, mas também da decência. Agora, que Jesus o transformou, o primeiro expediente é vestir-se, é cuidar do corpo, é apresentar-se com dignidade. A prova da conversão é a mudança. A conversão sempre toca nos pontos nevrálgicos. Zaqueu, o homem amante do dinheiro, ao ser convertido, resolveu dar metade dos bens aos pobres.

O homem estava em perfeito juízo (5.15). Jesus restituiu a esse homem sua sanidade mental. A diferença entre sanidade e santidade é apenas uma letra, a letra *T*, um símbolo da cruz de Cristo. Aonde Jesus chega, ele restaura a mente, o corpo e a alma. Esse homem não é mais violento. Ele não oferece mais nenhum perigo à família nem à sociedade. Jesus continua transformando monstros em homens santos; escravos de Satanás em homens livres, abortos vivos da sociedade em vasos de honra.

Em terceiro lugar, *Jesus dá a esse homem uma gloriosa missão* (5.18-20). Jesus o envia como missionário para a sua casa, para ser uma testemunha na sua terra. Ele espalhava medo e pavor, agora, anuncia as boas-novas de salvação. Antes, era um problema para a família, agora, é uma bênção. Antes, era um mensageiro de morte, agora, um embaixador da vida.

Jesus revela a ele que o testemunho precisa começar em sua própria casa. O nosso primeiro campo missionário precisa ser o nosso lar. Sua família precisa ver a transformação que Deus operou na sua vida. O que Deus fez por nós precisa ser contado aos outros.

Marcos 5.1-20 registra três pedidos, três orações. As duas primeiras foram prontamente atendidas por Jesus, mas a última foi indeferida.[471]

Em primeiro lugar, *Jesus atendeu ao pedido dos demônios* (5.10,12). Os demônios pediram e pediram encarecidamente. Havia intensidade e urgência no pedido deles. Eles não queriam ser atormentados (5.7) nem enviados para o abismo (Lc 8.31) nem para fora do país (5.10), mas para a manada de porcos que pastavam pelos montes (5.11,12). É intrigante que Jesus tenha atendido prontamente ao pedido dos demônios e a manada de dois mil porcos precipitou-se despenhadeiro abaixo, para dentro do mar, onde eles se afogaram (5.13). Por que Jesus atendeu aos demônios? Por cinco razões, pelo menos:

Para mostrar o potencial destruidor que agia naquele homem. O gadareno não estava fingindo nem encenando. Seu problema não era apenas uma doença mental. Não se transfere esquizofrenia para uma manada de porcos. Os demônios não são seres mitológicos nem a possessão demoníaca uma fantasia. O poder que estava agindo dentro daquele homem foi capaz de matar dois mil porcos.

Para revelar àquele homem que o poder que o oprimia tinha sido vencido. Assim como a ação do mal não é uma simulação, a libertação também não é apenas um efeito psicológico, mas, um fato real, concreto e perceptível. A Bíblia diz: *Se o Filho vos libertar, verdadeiramente sereis livres* (Jo 8.36).

Para mostrar à população de Gadara que para Satanás um porco tem o mesmo valor que um homem. De fato, Satanás tem transformado muitos homens em porcos. Jesus está alertando aquele povo sobre o perigo de ser um escravo do pecado e do diabo.

Para revelar a escala de valores dos gadarenos. Eles expulsaram Jesus, por causa dos porcos. Eles amavam mais aos porcos que a Deus e ao próximo. O dinheiro era o deus deles. William Barclay diz que os gadarenos ao expulsarem

Jesus estavam dizendo: não perturbem nossa comodidade, preferimos que deixe as coisas como estão; não perturbem nossos bens; não perturbem nossa religião.[472]

Para mostrar que os demônios estão debaixo da sua autoridade. Os demônios sabem que Jesus tem poder para expulsá-los e também para mandá-los para o abismo. Alguém mais poderoso que Satanás havia chegado e os mesmos demônios que atormentavam o homem agora estão atormentados na presença de Jesus. Os demônios só podem ir para os porcos se Jesus o permitir. Eles estão debaixo do comando e autoridade de Jesus. Eles não são livres para agir, fora da autoridade suprema de Jesus.

Em segundo lugar, *Jesus atendeu ao pedido dos gadarenos* (5.17). Os gadarenos expulsaram Jesus da sua terra. Eles amavam mais aos porcos e o dinheiro que a Jesus. Essa é a terrível cegueira materialista, diz Ernesto Trenchard.[473] Lucas registra: *Todo o povo da circunvizinhança dos gerasenos rogou-lhe que se retirasse deles, pois estavam possuídos de grande medo. E Jesus, tomando de novo o barco, voltou* (Lc 8.37). Jesus não os constrangeu nem forçou sua permanência na terra deles. Sem qualquer questionamento ou palavra, entrou no barco e deixou a terra de Gadara.

Os gadarenos rejeitaram a Jesus, mas Jesus não desistiu deles. Eles expulsaram a Jesus, mas Jesus enviou para o meio deles um missionário. O Senhor não nos trata de conformidade com os nossos pecados.

Em terceiro lugar, *Jesus indeferiu o pedido do gadareno salvo* (5.18-20). O gadareno, agora, libertado, curado e salvo quer, por gratidão, seguir a Jesus, mas o Senhor não o permite. O mesmo Jesus que atendera à petição dos demônios e dos incrédulos, agora rejeita a petição do salvo. E por quê?

A família precisa ser o nosso primeiro campo missionário. A família dele sabia como ninguém o que havia acontecido, e agora, poderia testificar sua profunda mudança. Não estaremos credenciados a pregar para os de fora, se ainda não testemunhamos para os da nossa própria família. Esse homem torna-se uma luz no meio da escuridão. Ele prega não só para a sua família, mas também para toda a região de Decápolis.

William Hendriksen diz que essa "Decápolis" era uma liga de dez cidades helênicas: Citópolis, Filadélfia, Gerasa, Pela, Damasco, Kanata, Dion, Abila, Gadara e Hippo.[474] Ele não apenas anuncia uma mensagem teórica, mas o que Jesus lhe fizera, a sua própria experiência. Ele era um retrato vivo do poder do evangelho, um verdadeiro monumento da graça.

Porque Jesus sabe o melhor lugar onde devemos estar. Devemos submeter nossas escolhas ao Senhor. Ele sabe o que é melhor para nós. O importante é estar no centro da sua vontade. Esse homem tornou-se um dos primeiros missionários entre os gentios. Jesus saiu de Gadara, mas ele permaneceu dando um vivo e poderoso testemunho da graça e do poder de Jesus.[475]

Notas do capítulo 18

[459] Hendriksen, William, *Marcos,* 2003: p. 241.

[460] Trenchard, Ernesto, *Una Exposición del Evangelio según Marcos,* 1971: p. 62.

[461] Hendriksen, William, *Marcos,* 2003: p. 249.

[462] Mulholland, Dewey M, *Marcos: Introdução e Comentário,* 2005: p. 92.

[463] Trenchard, Ernesto. *Una Exposición del Evangelio según Marcos,* 1971: p. 63.

[464] Wiersbe, Warren W., *Be Diligent,* 1987: p. 48.

[465] Ryle, John Charles, *Mark,* 1993: p. 65.

[466] Mulholland, Dewey M., *Marcos: Introdução e Comentário,* 2005: p. 92.

[467] Pohl, Adolf, *Evangelho de Marcos,* 1998: p. 181.

[468] Pohl, Adolf. *Evangelho de Marcos,* 1998: p. 181.

[469] Mulholland, Dewey M., *Marcos: Introdução e Comentário,* 2005: p. 93.

[470] Wiersbe, Warren, *Be Diligent,* 1987: p. 49.

[471] Wiersbe, Warren, *Be Diligent,* 1987: p. 50.

[472] Barclay, William, *Marcos,* 1974: p. 136,137.

[473] Trenchard, Ernesto, *Una Exposición del Evangelio según Marcos,* 1971: p. 64.

[474] Hendriksen, William, *Marcos,* 2003: p. 256.

[475] Wiersbe, Warren, *Be Diligent,* 1987: p. 51.

Capítulo 19

O toque da fé

(Mc 5.24-34)

Ao SER EXPULSO DE GADARA, Jesus foi calorosamente recebido por uma multidão em Cafarnaum, do outro lado do mar. A multidão o comprimia, mas apenas duas pessoas se destacam nesse relato entrelaçado: Jairo e a mulher hemorrágica. Warren Wiersbe diz que esses dois personagens ensinam-nos alguns contrastes:[476] Jairo era um líder da sinagoga; ela, uma mulher anônima; Jairo era um líder religioso; ela era excluída da comunidade religiosa; Jairo era rico; ela perdera todos os seus bens em vão buscando saúde; Jairo tivera a alegria de conviver doze anos com sua filhinha que agora estava à morte; ela sofria havia doze anos uma doença que a impedia de ser mãe; Jairo fez um pedido público a Jesus; ela aproximou-se de Jesus com um toque silencioso e anônimo. Jesus atende a ambos, mas a atende primeiro.

A mulher hemorrágica ensina-nos sobre as marcas de uma fé salvadora: 1) Uma fé nascida do desengano (5.26); 2) uma fé reflexiva (5.28); 3) uma fé resoluta (5.27); 4) uma fé que estabelece contato com Cristo (5.27); 5) uma fé sincera (5.33); 6) uma fé confessada em público (5.33) e 7) uma fé recompensada (5.34).

William Hendriksen, comentando esse episódio, fala sobre três características da fé dessa mulher: fé escondida, fé recompensada e fé revelada.[477]

O toque da fé começa com a consciência de uma grande necessidade (Mc 5.25).

Destacamos quatro fatos sobre o sofrimento dessa mulher enferma:

Em primeiro lugar, *um sofrimento prolongado* (5.25). Aquela mulher hemorrágica buscou a cura durante doze anos. Foi um tempo de busca e de esperança frustrada. Foram doze anos de enfraquecimento constante; anos de sombras espessas da alma, de lágrimas copiosas, de noites maldormidas, de madrugadas insones, de sofrimento sem trégua. Talvez você também esteja sofrendo há muito tempo apesar de ter buscado solução em todos os caminhos. A Bíblia diz que *a esperança que se adia faz adoecer o coração* (Pv 13.12).

Em segundo lugar, *um sofrimento que gera desesperança* (5.26). O Talmud dava onze formas de cura para a hemorragia.[478] Ela buscou todas. Ela procurou todos os médicos. Aquela mulher gastou tudo que tinha com vários médicos. Era uma mulher batalhadora e incansável na busca da solução para a sua vida. Ela não era passiva nem omissa. Ela não ficou amuada num canto reclamando da vida, antes correu atrás da solução. Ela bateu em várias portas, buscando uma saída para o seu problema. Contudo, apesar de todos os seus esforços, perdeu não só o seu dinheiro, mas também progressivamente a sua saúde. Ela ficava cada vez pior. A sua doença era crônica e grave. A medicina não tinha resposta para o seu caso. Os médicos não puderam ajudá-la.

Em terceiro lugar, *um sofrimento que destruía os seus sonhos* (5.25). Aquela mulher perdia sangue diariamente. Tinha uma anemia profunda e uma fraqueza constante. O sangue é símbolo da vida. Seu diagnóstico era sombrio; ela parecia morrer pouco a pouco; a vida parecia esvair-se aos borbotões do seu corpo. Ela não apenas estava perdendo a vida, como não podia gerar vida. Seu ventre, em vez de ser um canteiro de vida, tinha se tornado o deserto da morte. Essa mulher havia chegado à "estação desesperança". Foi então que ouviu falar de Jesus.[479]

Em quarto lugar, *um sofrimento que produzia terríveis segregações* (5.25). A mulher hemorrágica enfrentou pelo menos três tipos de segregação, por causa da sua enfermidade.

A segregação conjugal. Segundo a lei judaica, uma mulher com fluxo de sangue não podia relacionar-se com o marido e possivelmente seu casamento já estava abalado. Se ela era solteira, não podia casar-se. A mulher menstruada era *niddah* (impura) e proibida de ter relações sexuais.

Os rabinos ensinavam que se os maridos teimassem em relacionar-se com elas nesse período, a maldição viria sobre os filhos. O rabino Yoshaayah ensinou que um homem deveria se afastar de sua mulher já quando ela estivesse próxima da menstruação. O rabino Shimeon bar Yohai, ao comentar Levítico 15.31, afirmou que "ao homem que não se separa da sua mulher perto da sua menstruação, mesmo que tenha filhos como os filhos de Arão, estes morrerão". Mulheres menstruadas transferiam sua impureza a tudo que tocavam inclusive utensílios domésticos e seus conteúdos. Toda cama sobre que se deitasse durante os dias do seu fluxo e toda coisa sobre que se assentasse seria imunda. Os rabinos decretavam que até o cadáver de uma mulher que morreu durante sua menstruação deveria passar por uma purificação especial com água. [480]

A segregação social. Uma mulher com hemorragia não poderia relacionar-se com as pessoas; antes, deveria viver confinada, na caverna da solidão, no isolamento, sob a triste realidade do ostracismo social. Essa mulher era tratada quase como se estivesse com lepra.[481] Por doze anos ela não pudera abraçar nenhum familiar sem causar-lhe dano. Doze anos sem ir ao culto.[482] Ela vivia possuída de vergonha, com a autoestima amassada. Por isso, chegou anonimamente para tocar em Jesus, com medo de ser rejeitada, pois quem a tocasse ficaria cerimonialmente impuro.

A segregação religiosa. Uma mulher com fluxo de sangue não poderia entrar no templo nem na sinagoga para adorar. Ela estava proibida de participar do culto público, visto que estava em constante condição de impureza ritual (Lv 15.25-33). Era considerada impura, portanto, impedida de participar das festas e dos cultos.

O toque da fé acontece quando voltamo-nos da nossa desilusão e buscamos a Jesus (Mc 5.27)

Destacamos três coisas importantes aqui:

Em primeiro lugar, *os nossos problemas não apenas nos afligem, eles também nos arrastam aos pés de Jesus* (5.27). A mulher hemorrágica, depois de procurar vários médicos, sem encontrar solução para o seu problema, buscou a Jesus. Ela ouvira falar de Jesus e das maravilhas que ele fazia (5.27). A fé vem pelo ouvir (Rm 10.17). O que ela ouviu produziu tal espírito de fé que dizia para si: *Se tão-somente tocar-lhe as vestes, ficarei curada* (5.28; melhores textos). Ela não somente disse que seria curada se tocasse nas vestes de Jesus, mas de fato ela tocou e foi curada. Por providência divina, às vezes, somos levados a Cristo por causa de um sofrimento, de uma enfermidade, de um casamento rompido, de uma dor que nos aflige. Essa mulher rompeu todas as barreiras e foi tocar nas vestes de Jesus.

Em segundo lugar, *quando os nossos problemas parecem insolúveis, ainda podemos ter esperança* (5.27,28). A mulher ouviu sobre a fama de Jesus (5.27). Quando tudo parece estar perdido, ainda há uma saída, com Cristo. Ela ouviu sobre a fama de Jesus: que ele dava vista aos cegos e purificava os leprosos; que libertava os cativos e levantava os coxos; que ressuscitava os mortos e devolvia o sentido da vida aos pecadores que se arrependiam. Então, ela foi a Jesus e foi curada.

Jesus estava atendendo a uma urgente necessidade: indo à casa de Jairo, um homem importante, para curar a sua filha que estava à morte; mas Jesus para cuidar dessa mulher. Ela pode não ter valor nem prioridade para a multidão, mas para Jesus ela tem todo o valor do mundo.

O jornal *The American,* em abril de 1912, comentou o naufrágio do Titanic e noticiou em uma página a morte de John Jacob Astor e mais de 1.800 pessoas. Só esse homem tinha valor para o articulista do jornal. Para Jesus, não é assim.

Em terceiro lugar, *quando nós tocamos as vestes de Jesus com fé, podemos ter a certeza da cura* (5.28,29). No meio da multidão, que comprimia a Jesus, a mulher tocou em suas vestes e ele perguntou: *Quem me tocou nas vestes?* (5.30). O que houve de tão especial no toque dessa mulher? Larry Richards destaca quatro características do toque dessa mulher nas vestes de Jesus:[483]

Foi um toque intencional. Ela não tocou em Jesus acidentalmente; ela pretendia tocá-lo. Segundo, foi um toque proposital. Ela desejava ser curada do seu mal que a atormentava havia doze anos. Terceiro, foi um toque confiante. Ela foi movida pela fé, pois acreditava que Jesus tinha poder para restaurar a sua saúde. Quarto, foi um toque eficaz. Quando ela tocou em Jesus, ficou imediatamente livre do seu mal. Sua cura foi completa e cabal. Ela recebeu três curas distintas: A cura física. O fluxo de sangue foi estancado. A cura emocional. Jesus não a desprezou, mas a chamou de filha (5.34) e lhe disse: *Tem bom ânimo* (Mt 9.22). A cura espiritual. Jesus lhe disse: *A tua fé te salvou* (5.34).

O toque da fé acontece quando o contato pessoal com Jesus é o nosso maior objetivo de vida (Mc 5.27-34)

Quatro fatos merecem destaque aqui:

Em primeiro lugar, *muitos comprimem a Cristo, mas*

poucos o tocam pela fé (5.27,34). Jesus frequentemente estava no meio da multidão. Ele sempre a atraiu, não obstante a maioria das pessoas que o buscavam não terem um contato pessoal com ele. Muitos seguem a Jesus por curiosidade, mas não auferem nenhum benefício dele. Jesus conhece aqueles que o tocam com fé no meio da multidão.

Agostinho, comentando essa passagem, disse que uma multidão o aperta, mas só essa mulher o toca.[484] Williams Lane disse corretamente: "foi o alcance de sua fé, e não o toque de sua mão, que lhe assegurou a cura que buscava".[485] Não foi o toque da superstição, mas da fé. Pela fé nós cremos, vivemos, permanecemos firmes, andamos e vencemos. Pela fé nós temos paz e entramos no descanso de Deus.[486] A multidão vem e a multidão vai, mas só essa mulher o toca e só ela recebe a cura. Aos domingos, a multidão vem à igreja. Aqui e ali alguém é encontrado chorando por seus pecados, regozijando-se em Cristo pela salvação e então Jesus pergunta: quem me tocou?

Muitas pessoas vêm à igreja porque estão acostumadas a vir. Acham errado deixar de vir. Mas estar em contato real com Jesus não é o que esperam acontecer no culto. Elas continuam vindo e vindo até Jesus voltar, mas só despertarão tarde demais, quando já estiverem diante do tribunal de Deus para darem contas da sua vida.

Alguns vêm para orar, mas não tocam em Jesus pela fé. Outros se assentam ao redor da mesa do Senhor, mas não têm comunhão com Cristo. São batizados, mas não com o batismo do Espírito Santo. Comem o pão e bebem o vinho, mas não se alimentam de Cristo. Cantam, oram, ajoelham, ouvem, mas isso é tudo; eles não tocam o Senhor nem vão para casa em paz.

Oh!, possivelmente esse seja o maior número na igreja: é como a multidão que comprime Jesus, mas não o toca pela fé. Vêm à igreja, mas não se encontram com Jesus. Não abra mão de tocar hoje nas vestes de Jesus. Não se contente apenas em orar mecanicamente, toque em Jesus pela fé. Não se contente em apenas ouvir um sermão, toque hoje nas vestes de Jesus. A mulher hemorrágica não estava apenas no meio da multidão que apertava Jesus, ela tocou em Jesus pela fé e foi curada! Seu toque pode ser descrito de quatro formas:

Ela tocou em Jesus sob grandes dificuldades. Havia uma grande multidão embaraçando seu caminho. Ela estava no meio da multidão apesar de estar enferma, fraca, impura e rejeitada.

Ela tocou em Jesus secretamente. Vá a Jesus, mesmo que a multidão não o perceba ou que sua família não saiba, pois ele pode libertar você do seu mal.

Ela tocou em Jesus sob um senso de indignidade. Por ser cerimonialmente impura, estava coberta de vergonha e medo. Conforme o ensinamento judaico, o toque dessa mulher deveria ter tornado Jesus impuro, mas foi Jesus quem a purificou.[487]

Ela tocou em Jesus humildemente. Ela o tocou por trás, silenciosamente. Ela prostrou-se trêmula aos seus pés. Quando nos humilhamos, Deus nos exalta. Ela não tocou em Pedro, João ou Tiago, mas em Jesus e foi libertada do seu mal.

Em segundo lugar, *aqueles que tocam a Jesus pela fé são totalmente curados* (5.34). Dois fatos podem ser destacados sobre a cura dessa mulher:

Sua cura foi imediata. A cura que ela procurou em vão durante doze anos foi realizada num momento. A cura que os médicos não puderam dar-lhe foi concedida instantaneamente.[488] Muitas pessoas por vários anos correm de lugar em lugar, andam de igreja em igreja, buscando paz com Deus, mas ficam ainda mais desesperadas. Porém, em Cristo há cura imediata para todas as nossas enfermidades físicas, emocionais e espirituais. Foi assim que Jesus curou aquela mulher.

Sua cura foi completa. Embora o seu caso fosse crônico, ela foi completamente curada. Há cura completa para o maior pecador. Ainda que uma pessoa seja rejeitada ou esteja afundada no pântano do pecado, há perdão e cura para ela. Ainda que uma pessoa esteja possessa de demônios, há cura para ela. Ainda que uma pessoa esteja com a mente cheia de dúvidas, elas poderão ser dissipadas quando Jesus for tocado pela fé. Ainda que você tenha caído depois da cura, há restauração para você se tocar na pessoa bendita de Jesus. A fonte ainda está aberta.

Larry Richards diz que o toque de Jesus salvou essa mulher fisicamente ao restaurar sua saúde; salvou-a socialmente ao restaurar sua convivência com outras pessoas na comunidade; e salvou-a espiritualmente, capacitando-a a participar novamente da adoração a Deus no templo e das festas religiosas de Israel.[489]

Hoje, você pode tocar nas vestes de Jesus e ver estancada sua hemorragia existencial. Toque nas vestes de Jesus, pois ele pode pôr um fim na sua angústia. Você pode cantar:

Hoje eu vou tocar nas vestes de Jesus,
Hoje eu vou tocar nas vestes de Jesus,
Eu sei que ele vai me curar,
Eu sei que ele vai me libertar,
Eu sei, eu sei que ele pode me curar.

Em terceiro lugar, *aqueles que tocam em Jesus são conhecidos por ele* (5.32,33). Jesus perguntou: *Quem me tocou nas vestes?* (5.30). Você pode ser uma pessoa estranha para a multidão, mas não para Jesus. Seu nome pode ser apenas "alguém" e Jesus saberá quem é você. Se você o tocar haverá duas pessoas que saberão: você e Jesus. Se você tocar, em Jesus agora, talvez seus vizinhos possam não ouvir isso, mas isso será registrado nas coortes do céu. Todos os sinos da Nova Jerusalém irão tocar e todos os anjos irão se regozijar (Lc 15.10) tão logo eles souberem que você nasceu de novo.

O evangelista Lucas registra: *Alguém me tocou, porque senti que de mim saiu poder* (Lc 8.46). Talvez muitos não saberão o seu nome, mas ele estará registrado no Livro da Vida. O sangue de Cristo estará sobre você. O Espírito de Deus estará em você. A Bíblia diz que Deus conhece os que são seus (2Tm 2.19). Se você tocar em Jesus, o poder da cura tocará em você e você será conhecido no céu.

Em quarto lugar, *aqueles que tocam em Jesus devem fazer isso conhecido aos outros* (5.33). Você precisa contar aos outros tudo o que Cristo fez por você. Jesus quer que você torne conhecido aos outros tudo o que ele fez em você e por você. Não se esgueire no meio da multidão secretamente. Não cale a sua voz. Não se acovarde depois de ter sido curado. Talvez você já conheça o Senhor há anos e ainda não o fez conhecido aos outros. Rompa o silêncio e testemunhe! Vá e conte ao mundo o que Jesus fez por você. Saia do anonimato! William Hendriksen diz que quando as bênçãos descem dos céus, elas devem retornar em forma de ações de graça por parte dos que foram abençoados.[490]

Jesus disse à mulher: *Vai-te em paz e fica livre do teu mal* (5.34). A bênção que Jesus despediu a mulher é uma promessa para você agora. Talvez, você iniciou essa leitura com medo, angústia e uma hemorragia existencial. Contudo, agora, você pode voltar para casa livre, curado, perdoado, salvo. Vai em paz e fica livre do seu mal!

Notas do capítulo 19

[476] Wiersbe, Warren, *Be Diligent,* 1987: p. 52.

[477] Hendriksen, William, *Marcos,* 2005: p. 263-272.

[478] Barclay, William, *Marcos,* 1974: p. 144.

[479] Pohl, Adolf, *Evangelho de Marcos*, 1998: p. 188.

[480] Richards, Larry, *Todos os milagres da Bíblia,* 2003: p. 233, 234.

[481] Barton, Bruce B, et all. *Life Application Bible Commentary. Mark,* 1994: p. 142.

[482] Pohl, Adolf, *Evangelho de Marcos,* 1998: p. 188.

[483] Richards, Larry, *Todos os milagres da Bíblia,* 2003: p. 235.

[484] Trenchard, Ernesto, *Una exposición del evangelio según Marcos,* 1971: p. 67.

[485] Lane, Williams, *Gospel according Mark.* Eerdmans. Grand Rapids, Michigan, 1974: p. 193.

[486] Ryle, John Charles, *Mark,* 1993: 75.

[487] Rienecker, Fritz e Rogers, Cleon, *Chave Linguística do Novo Testamento,* 1985: p. 76.

[488] Ryle, John Charles, *Mark,* 1993: p. 74.

[489] Richards, Larry, *Todos os milagres da Bíblia,* 2003: p. 235.

[490] Hendriksen, William, *Marcos,* 2005: p. 268.

Capítulo 20

Jesus, a esperança dos desesperançados

(Mc 5.21-24,35-43)

TODO O CONTEXTO DESSE texto mostra que Jesus é a esperança dos desesperançados. O impossível pode acontecer quando Jesus intervém. Ele acalmou o mar e fez cessar o vento quando os discípulos estavam quase a perecer (4.35-41). Ele libertou um homem enjeitado pela família e pela sociedade de uma legião de demônios e fez dele um missionário (5.1-20). Ele curou uma mulher hemorrágica, depois que todos os recursos humanos haviam se esgotado (5.25-34). Agora, Jesus ressuscita a filha única de um líder religioso, mostrando que ele também tem poder sobre a morte (5.35-43).

Jairo vai a Jesus levando sua causa desesperadora

Destacamos três fatos dignos de observação:

Em primeiro lugar, *o desespero de Jairo levou-o a Jesus com um senso de urgência* (5.35). Jairo tinha uma causa urgente para levar a Jesus. Sua filhinha estava à morte. Lucas nos informa que ela era filha única e tinha uns doze anos (Lc 8.42). Dessa maneira, a linhagem de Jairo estava se extinguindo.[491]

Segundo o costume da época, uma menina judia se convertia em mulher aos doze anos. Essa menina estava precisamente no umbral dessa experiência.[492] Era como uma flor que estava secando antes mesmo de desabrochar plenamente.

Todos os outros recursos para salvar sua filha haviam chegado ao fim. Jairo, então, busca a Jesus com um profundo senso de urgência. O sofrimento muitas vezes pavimenta o nosso caminho a Deus. Ernesto Trenchard diz que a aflição é frequentemente a voz de Deus.[493] As aflições tornam-se fontes de bênçãos quando elas nos trazem a Jesus.

Jairo crê que se Jesus for com ele e impor as mãos sobre sua filhinha ela será salva e viverá. Jairo crê na eficácia do toque das mãos de Jesus.[494] Ele confia que Jesus é a esperança para a sua urgente necessidade.

Em segundo lugar, *o desespero de Jairo levou-o a transpor barreiras para ir a Jesus.* Jairo precisou vencer duas barreiras antes de ir a Jesus:

A barreira da sua posição. Jairo era chefe da sinagoga, um líder na comunidade. A sinagoga era o lugar onde os judeus se reuniam para ler o livro da Lei, os Salmos e os Profetas, aprendendo e ensinando a seus filhos o caminho do Senhor.[495] Jairo era o responsável pelos serviços religiosos no centro da cidade no sábado e pela escola e tribunal de justiça durante o restante da semana.[496] Ele supervisionava o culto, cuidava dos rolos da Escritura, distribuía as ofertas, e administrava e cuidava do edifício onde funcionava a sinagoga.[497] O líder da sinagoga era um dos homens mais importantes e respeitados da comunidade.[498]

A posição religiosa, social e econômica de um homem, entretanto, não o livra do sofrimento. Jairo era líder, rico, influente, mas a enfermidade chegou à sua casa. Seu dinheiro e sua influência não puderam manter a morte do lado de fora da sua casa. Os filhos dos ricos ficam doentes e morrem também. John Charles Ryle diz que a morte vem aos casebres e aos palácios, aos chefes e aos servos, aos ricos e aos pobres. Somente no céu a doença e a morte não podem entrar.[499]

Cônscio da dramática realidade que estava vivendo, Jairo despojou-se de seu *status*, e prostrou-se aos pés de Jesus, pois ele era suficientemente grande para vencer todas as barreiras na hora da necessidade. Muitas vezes, o orgulho pode levar um homem a perder as maiores bênçãos. Naamã se recusou a obedecer à ordem do profeta Eliseu para mergulhar no rio Jordão. Não fora a intervenção de seus servos, teria voltado para a Síria ainda leproso.

A barreira da oposição dos líderes religiosos. A essas alturas, os escribas e fariseus já se mancomunavam com os herodianos para matarem a Jesus (3.6). As sinagogas estavam fechando as portas para o rabi da Galileia. Os líderes religiosos viam-no como uma ameaça à religião judaica. Jairo precisou romper com o medo da crítica ou mesmo da retaliação dos maiores líderes religiosos da nação.

Em terceiro lugar, *o desespero de Jairo levou-o a prostrar-se aos pés de Jesus.* Há três fatos marcantes sobre Jairo:

Jairo humilhou-se diante de Jesus. Ele se prostrou e reconheceu que estava diante de alguém maior do que ele, do que os líderes judaicos, do que a própria sinagoga. Reconheceu o poder de Jesus, se prostrou e nada exigiu, mas pediu com humildade. Ele se curvou e não expôs seus predicados nem tentou tirar proveito da sua condição social ou posição religiosa. John Henry Burn diz que não há lugar na terra mais alto do que aos pés de Jesus. Cair aos pés de Jesus é estar em pé. Aqueles que caem aos seus pés, um dia estarão à sua destra.[500]

Jairo clamou com perseverança. Jairo não apenas suplica a Jesus, mas o faz com insistência. Ele persevera na oração. Ele tem uma causa e não está disposto a desistir dela. Não reivindica seus direitos, mas clama por misericórdia. Não estadeia seus méritos, mas se prostra aos pés do Senhor.

Jairo clamou com fé. Não há nenhuma dúvida no pedido de Jairo. Ele crê que Jesus tem poder para levantar a sua filha do leito da morte. Ele crê firmemente que Jesus tem a solução para a sua urgente necessidade. A fé que Jairo possuía germinou no solo do sofrimento, foi severamente testada, mas também amavelmente encorajada.[501]

Jesus vai com Jairo levando esperança para o seu desespero

Destacamos seis consoladoras verdades nessa passagem:

Em primeiro lugar, *quando Jesus vai conosco, podemos ter a certeza que ele se importa com a nossa dor.* Jesus sempre se importa com as pessoas: Ele fez uma viagem pelo mar revolto à região de Gadara para libertar um homem louco e possesso. Agora, ele caminha espremido pela multidão para ir à casa do líder da sinagoga. Contudo, no meio do caminho para conversar com uma mulher anônima e libertá-la do seu mal.

Jesus se importa com você. Sua causa toca-lhe o coração. Warren Wiersbe diz que as três palavras de Jesus nesse episódio é que fazem toda a diferença.[502]

A palavra da fé. Não temas, crê somente (5.36). Era fácil para Jairo crer em Jesus enquanto sua filha estava viva, mas agora a desesperança bateu à porta do seu coração. Quando as circunstâncias fogem do nosso controle, também somos levados a desistir de crer.

A palavra da esperança. A criança não está morta, mas dorme (5.39). Para o cristão, a morte é um sono passageiro, quando o corpo descansa e o espírito sai do corpo (Tg 2.26), para habitar com o Senhor (2Co 5.8) e estar com Cristo (Fp 1.20-23). Não é a alma que dorme, mas o corpo que aguarda a ressurreição na segunda vinda de Cristo (1Co 15.51-58).

A palavra de poder. Menina, eu te mando, levanta-te (5.41). Toda descrença e dúvida foram vencidas pela palavra de poder de Jesus. A menina levantou-se não apenas da morte, mas também da enfermidade.

Em segundo lugar, *quando Jesus vai conosco, os imprevistos humanos não podem frustrar os propósitos divinos.* Enquanto a mulher hemorrágica recebia graça, o pai da menina moribunda vivia o inferno, diz Adolf Pohl.[503] Jairo deve ter ficado aflito quando Jesus interrompeu a caminhada à sua casa para atender a uma mulher anônima no meio da multidão. Seu caso requeria urgência. Ele não podia esperar.

Jesus não estava tratando apenas da mulher enferma, mas também de Jairo. A demora de Jesus é pedagógica.

Algumas vezes, parece que Jesus está atrasado. Os discípulos já tinham esgotado todos os seus recursos, jogados de um lado para o outro por uma terrível tempestade no mar da Galileia. Era a quarta vigília da noite e o naufrágio parecia inevitável. Mas quando a desesperança parecia vencer, Jesus apareceu andando sobre as águas, trazendo vitória para seus discípulos. Quando Jesus chegou à aldeia de Betânia, Lázaro já estava sepultado havia quatro dias. Marta pensou que Jesus estava atrasado, mas Jesus levantou Lázaro da sepultura. Nada apanha Jesus de surpresa. Os imprevistos dos homens não frustram os propósitos divinos. Os impossíveis dos homens são possíveis para ele. Quando ele parece atrasado, é porque está fazendo algo melhor e maior para nós.

Em terceiro lugar, *quando Jesus vai conosco, não precisamos temer más notícias* (5.36). Jairo recebe um recado de sua casa: sua filha já morreu. Agora é tarde, não adianta mais incomodar o Mestre. Na visão daqueles amigos, as esperanças haviam se esgotado. Eles pensaram: "há esperança para os vivos; nenhuma para os mortos".

A causa parecia perdida. Jairo está atordoado e abatido. A última faísca de esperança é arrancada do coração de Jairo. O mundo desabou sobre a sua cabeça. Uma solidão incomensurável abraçou a sua alma. Mas Jesus, sem acudir às palavras dos mensageiros que vinham da casa de Jairo, não reconhece a palavra da morte como palavra final, contrapõe-lhe a palavra da fé e diz-lhe: *Não temas, crê somente.* Adolf Pohl diz que no Evangelho de Marcos a fé não resulta dos milagres, mas os milagres vêm da fé, sim, do milagre da fé. Exatamente quando a fé se torna ridícula é que se torna séria.[504]

Na hora que os nossos recursos acabam, Jesus nos encoraja a crer somente. As más notícias podem nos abalar, mas não abalam o nosso Senhor. Elas podem pôr um fim aos nossos recursos, mas não nos recursos de Jesus. Jesus disse para Marta: *Se creres verás a glória de Deus* (Jo 11.40). As nossas causas irremediáveis e perdidas têm solução nas mãos de Jesus.

A morte é o rei dos terrores, mas Jesus é mais poderoso do que a morte. As chaves da morte estão na sua mão. Um dia ele tragará a morte para sempre (Is 25.8). A confiança na presença, na promessa e no poder de Jesus é a única resposta plausível para a nossa desesperança. Quando as coisas parecem totalmente perdidas, com Jesus elas ainda não estão perdidas. Deus providenciou um cordeiro para Abraão no monte Moriá, abriu o mar Vermelho para o povo de Israel passar quando este estava encurralado pelos egípcios. A palavra de Jesus ainda deve ecoar em nossos ouvidos: *Não temas, crê somente!* (Mc 5.36).

No meio da crise, a fé tem de sobrepor às emoções. C. S. Lewis diz que "o grande inimigo da fé não é a razão, mas as nossas emoções". Tanto Marcos quanto Lucas falam do temor sentido por Jairo. Há algo temível na morte. Ela nos infunde pavor (Hb 2.15). Quando Jairo recebeu o recado da morte da sua filha, seu coração quase parou, seu rosto empalideceu e Jesus viu a desesperança tomando conta do seu coração. Jesus, então, o encoraja a crer, pois a fé ignora os rumores de que a esperança morreu.[505]

Em quarto lugar, *Quando Jesus vai conosco, não precisamos nos impressionar com os sinais da morte* (5.39). Dewey

Mulholland diz que os que estão ali lamentando, aqueles que informaram Jairo, e os próprios pais, sabem que a criança está morta. Jesus diz que ela está apenas dormindo, pois ele faz um prognóstico teológico e não um diagnóstico físico. Muitos dizem que a morte é o fim. Mas a morte não é permanente. Do ponto de vista de Deus, é um sono para o qual há um despertar. Mas Jesus promete mais do que isso. Embora esteja morta, sua condição não é mais permanente do que o sono; Ele vai trazê-la de volta à vida.[506] O culto à morte é declarado sem sentido e a morte denunciada. "Ela morreu" é uma palavra à qual Deus não se curva. *Deus não é Deus de mortos, e sim de vivos; porque para ele todos vivem* (Lc 20.38; Mc 12.27).[507]

Os homens continuam divertindo-se, referindo-se à fé religiosa como se fosse uma superstição ou um mito. Mas esse abuso não fez Jesus parar. Ao longo dos séculos, os incrédulos riram e escarneceram, mas Jesus continua operando milagres extraordinários, trazendo esperança para aqueles que já tinham capitulado à voz estridente da desesperança.

Nós olhamos para uma situação e dizemos: não tem jeito! Colocamos o selo da desesperança e dizemos: impossível! Então, somos tomados pelo desespero e a nossa alternativa é lamentar e chorar. Mas Jesus olha para o mesmo quadro e diz: é só mais um instante, isso é apenas passageiro, ainda não é o fim, eu vou estancar suas lágrimas, vou aliviar sua dor, vou trazer vida nesse cenário de morte!

Em quinto lugar, *quando Jesus vai conosco, a morte não tem a última palavra* (5.40-42). Os mensageiros que foram a Jairo e a multidão que estava em sua casa pensaram que a morte era o fim da linha, uma causa perdida, uma situação irremediável, mas a morte também precisa bater em retirada diante da autoridade de Jesus.

Os que estavam na casa riram de Jesus. Nada sabiam do Deus vivo, por isso, riram o riso da descrença. Mas Jesus entra na risada e a expulsa (5.40).[508] Diante do coral da morte, ergue-se o solo da ressurreição: "Tomando-a pela mão, disse: Talita cumi, que quer dizer: Menina, eu te mando, levanta- -te! Imediatamente, a menina se levantou e pôs-se a andar..." (5.41,42). "Talita cumi" era uma expressão em aramaico, que a pequena menina podia entender, pois o aramaico era a sua língua nativa.[509] Assim, Jesus estava demonstrando a ela não apenas seu poder, mas também, sua simpatia e seu amor. Jesus não usou nenhum encantamento nem palavra mágica.[510] Somente com sua palavra de autoridade, sem uma luta ofegante, sem meios nem métodos, se impõe à morte.[511] Diante da voz do onipotente Filho de Deus, a morte curva sua fronte altiva, dobra seus joelhos e prostra-se, vencida, perante o Criador![512]

Para Jesus não tem causa perdida. Ele dá vista aos cegos, levanta os paralíticos, purifica os leprosos, liberta os possessos, ressuscita os mortos, quebra as cadeias dos cativos e levanta os que estão caídos. Hoje, ele dá vida aos que estão mortos em seus delitos e pecados. Ele arranca os escravos do diabo do império das trevas e faz deles embaixadores da vida. Ele arranca um ébrio, um drogado, um criminoso do porão de uma cadeia e faz dele um arauto do céu. Ele apanha uma vida na lama da imoralidade e faz dela um facho de luz. Ele apanha uma família quebrada e faz dela um jardim engrinaldado de harmonia, paz e felicidade.

Em sexto lugar, *quando Jesus vai conosco, o choro da morte é transformado na alegria da vida* (5.42). Aonde Jesus chega, entram a cura, a libertação e a vida. Onde Jesus intervém, o lamento e o desespero são estancados. Diante dele, tudo aquilo que nos assusta é vencido. A morte, com seus horrores não pode mais ter a palavra final. A morte foi tragada pela vitória. Na presença de Jesus há plenitude de alegria. Só ele pode acalmar os vendavais da nossa alma, aquietar nosso coração e trazer-nos esperança no meio do desespero.

Marcos registra que imediatamente a menina se levantou e pôs-se a andar. A ressurreição restaurou tanto a vida quanto a saúde. Nenhum resquício de mal, nenhum vestígio de preocupação. O milagre foi completo, a vitória retumbante, a alegria indizível.

Jesus é a esperança dos desesperançados. Ele mostrou isso para o homem que não podia ser subjugado (5.1-20); para a mulher que não podia ser curada (5.25-34); e para o pai que recebeu a informação de que não poderia mais ser ajudado (5.21-24,35-43).[513]

Coloque a sua causa também aos pés de Jesus, pois ele caminha conosco e tem todo o poder para transformar o cenário de desesperança em celebração de grande alegria.

Notas do capítulo 20

[491] Pohl, Adolf, *Evangelho de Marcos,* 1998: p. 186.

[492] Barclay, William, *Marcos,* 1974: p. 141.

[493] Trenchard, Ernesto, *Una Exposición del Evangelio Según Marcos,* 1971: p. 68.

[494] Hendriksen, William, *Marcos,* 2003: p. 262.

[495] Gioia, Egidio, *Notas e Comentários à Harmonia dos Evangelhos,* 1969: p. 161.

[496] Mulholland, Dewey M, *Marcos: Introdução e Comentário,* 2005: p. 96.

[497] Barton, Bruce B., et all. *Life Application Bible Commentary. Mark,* 1994: p. 160.

[498] Barclay, William, *Marcos,* 1974: p. 142.

[499] Ryle, John Charles. *Mark,* 1993: p. 77.

[500] Burn, John Henry, *The Preacher's Homiletic Commentary. Mark,* 1996: p. 190.

[501] Thomson, J. R, *The Pulpit Commentary. Mark & Luke,* 1980: p. 226.

[502] Wiersbe, Warren W., *Be Diligent,* 1987: p. 54,55.

[503] Pohl, Adolf, *Evangelho de Marcos,* 1998: p. 191.

[504] Pohl, Adolf, *Evangelho de Marcos,* 1998: p. 192.

[505] Champlin, Russell Norman, *O Novo Testamento Interpretado. Vol. 1.* A Voz Bíblica. Guaratinguetá, SP. N.d.: p. 701.

[506] Mulholland, Dewey M., *Marcos: Introdução e Comentário,* 2005: p. 98.

[507] Pohl, Adolf, *Evangelho de Marcos,* 1998: p. 192,193.

[508] Pohl, Adolf, *Evangelho de Marcos,* 1998: p. 193.

[509] McGee, J. Vernon, *Mark,* 1991: p. 70.

[510] Barton, Bruce B., et all. *Life Application Bible Commentary. Mark,* 1994: p. 150.

[511] Pohl, Adolf, *Evangelho de Marcos,* 1998: p. 193.

[512] Gioia, Egidio, *Notas e Comentários à Harmonia dos Evangelhos,* 1969: p. 162.

[513] Hendriksen, William, *Marcos,* 2003: p. 279.

Capítulo 21

Portas abertas e fechadas

(Mc 6.1-29)

O capítulo 5 de Marcos apresenta o triunfo da fé, enquanto o capítulo 6 registra a tragédia da incredulidade. O capítulo 5 de Marcos é um sinal luminoso do poder de Jesus no meio da escuridão da miséria humana. Vemos nele o triunfo de Cristo sobre o diabo, a doença e a morte. Agora, no capítulo 6, vemos a incredulidade dos nazarenos, de Herodes e dos próprios discípulos.

Vamos considerar três situações: portas fechadas pela incredulidade, portas abertas pela proclamação do evangelho e portas fechadas pelo drama de uma consciência culpada.

Portas fechadas pela incredulidade (Mc 6.1-6)

J. R. Thompson fala sobre quatro fatos dignos de observação com respeito à incredulidade do povo de Nazaré:[514]

A inescusabilidade da incredulidade. Nesse tempo, Jesus já havia se manifestado plenamente ao mundo e havia operado muitos milagres em Cafarnaum, a trinta quilômetros de Nazaré.

A causa da incredulidade. O povo tornou-se incrédulo por causa da origem de Jesus. Viam-no apenas como o carpinteiro, filho de Maria, cujos irmãos e irmãs eles conheciam. Além do mais, Jesus não tinha estudado nas escolas rabínicas e eles não podiam explicar seu conhecimento nem seu poder.

A reprovação da incredulidade. Jesus disse que um profeta não tem honra em sua própria terra. Seus irmãos não creram nele. Sua cidade não creu nele. Os líderes religiosos não creram nele. A familiaridade, em vez de gerar fé, produziu preconceito e incredulidade.

A consequência da incredulidade. Jesus ficou admirado da incredulidade deles e ali não realizou nenhum milagre, em vez disso, deixou a cidade por causa da incredulidade. Enfermos deixaram de ser curados e pecadores deixaram de ser perdoados.

Vejamos alguns pontos de destaque nesse texto:

Em primeiro lugar, *Jesus oferece uma segunda chance à cidade de Nazaré.* Jesus já havia sido expulso da sinagoga de Nazaré no começo do seu ministério (Lc 4.16-30). Naquela ocasião, quiseram matá-lo, então, Jesus mudou-se para Cafarnaum. Agora, Jesus vai outra vez a Nazaré, dando ao povo uma nova oportunidade.

Ernesto Trenchard diz que Nazaré era o povo mais privilegiado do mundo, pois ali o Filho de Deus havia passado sua infância e juventude, vendo os nazarenos muito de perto a [...] *glória de Deus, na face de Cristo* (2Co 4.6).[515] Por trinta anos, Jesus andou pelas ruas de Nazaré e o povo contemplou sua vida irrepreensível, mas quando lhes anunciou o evangelho, eles rejeitaram tanto a mensagem quanto o mensageiro.

Em segundo lugar, *o perigo da familiaridade com o sagrado.* A familiaridade com Jesus produziu preconceito e não fé. Nada é mais perigoso para a alma do que se acostumar com o sagrado. A origem e a profissão de Jesus foram obstáculos para os seus compatrícios. William Barclay diz que, às vezes, estamos demasiadamente próximos das pessoas para ver a sua grandeza.[516] Eles pensaram que o conheciam, mas seus olhos estavam cegos pela incredulidade. Egidio Gioia diz que na religião a familiaridade gera o desprezo por causa da inveja.[517]

Em terceiro lugar, *o perigo do conhecimento separado da fé.* O povo de Nazaré reconhecia que Jesus fazia coisas extraordinárias e tinha uma sabedoria sobre-humana. Eles fizeram três perguntas: donde vêm a ele estas coisas? Que sabedoria é esta que lhe é dada? E como se fazem tais maravilhas por suas mãos? Eles tinham a cabeça cheia de perguntas e o coração vazio de fé. Porque eles não puderam explicá-lo, eles o rejeitaram.[518] Eles levantaram muros para se defenderem do Espírito Santo.[519] O contraste entre o humilde carpinteiro e o profeta sobrenatural foi muito grande para eles compreenderem. Então eles escolheram a descrença, uma escolha que deixou Jesus admirado (6.6).[520]

Em quarto lugar, *a incredulidade fecha as portas da oportunidade para Nazaré.* Jesus não permaneceu na cidade de Nazaré. Ele foi adiante. Ele não insistiu em arrombar a porta. Nazaré perdeu o tempo da sua oportunidade. Realizar milagres em Nazaré poderia não ter nenhum valor porque o povo não aceitou a sua mensagem nem creu que ele vinha de Deus. Portanto, Jesus seguiu adiante, procurando aqueles que pudessem responder aos seus milagres e à sua mensagem.[521] Jesus deixou Nazaré pela segunda vez, e não há menção de que tenha voltado lá. A maioria das pessoas pensa que tem ilimitadas oportunidades para crer, mas isso é ledo engano.[522]

Em quinto lugar, *a incredulidade de Nazaré fecha as portas para os milagres de Jesus.* Quão terrivelmente desastroso é o pecado da incredulidade. A incredulidade rouba do povo as maiores bênçãos. Jesus não pôde fazer em Nazaré nenhum milagre. O que significa este "Jesus não pôde?". Ele não podia *querer,* nessas circunstâncias. Ele também não *deveria.* Pois onde se rejeita o doador, a dádiva é sem sentido, talvez até prejudicial. Jesus não *deveria*, e por isso também não *queria*. Neste sentido não *poderia.*[523] Como um princípio geral, o poder segue a fé. Na maioria das vezes, Jesus operou maravilhas em resposta e em cooperação com a fé.[524]

Certamente, isso não significa limitação do poder de Jesus, pois ninguém pode limitá-lo. Jesus não estava disposto a fazer milagres onde as pessoas o rejeitavam por preconceito e incredulidade. Cranfield diz que na ausência da fé Jesus não poderia fazer obras poderosas, segundo o propósito de seu ministério, pois operar milagres onde a fé está ausente, na maioria dos casos, seria meramente agravar a culpa dos homens e endurecer seus corações contra Deus.[525]

A incredulidade foi o mais velho pecado no mundo. Ela começou no Jardim do Éden, onde Eva creu nas promessas do diabo, em vez de crer na Palavra de Deus. A incredulidade traz morte ao mundo. A incredulidade manteve Israel afastado da terra prometida por quarenta anos. A incredulidade é o pecado que especialmente enche o inferno. *Quem, porém, não crer será condenado* (16.16). A incredulidade é o mais tolo e inconsequente dos pecados, pois leva as pessoas a recusarem a mais clara evidência, a fechar os olhos ao mais límpido testemunho, e ainda crer em enganadoras mentiras. Pior de tudo, a incredulidade é o pecado mais comum no mundo. Milhões são culpados desse pecado por todos os lados.[526]

Portas abertas para a salvação

Quando uma porta se fecha, Deus abre outras. Cinco fatos são dignos de destaque:

Em primeiro lugar, *Jesus amplia seu ministério comissionando os apóstolos.* Jesus não chamou os apóstolos apenas para estarem com ele, mas também para enviá-los a pregar e a expelir demônios (3.14-21). Agora que já estão treinados, eles são enviados. Eles vão realizar seu trabalho em nome de Jesus, com a autoridade de Jesus, levando a mensagem de Jesus, como uma extensão da sua própria missão. Quem receber um desses mensageiros recebe o próprio Jesus (Mt 10.40).

Em segundo lugar, *Jesus deu aos apóstolos a mensagem.* Quando os apóstolos saíram a pregar aos homens, não criaram a mensagem; levaram a mensagem. Não levaram aos homens as suas opiniões, mas a verdade de Deus.[527] O conteúdo da mensagem focava em três áreas distintas:

Eles pregaram arrependimento. A mensagem do evangelho começa com o arrependimento. Arrepender-se significa mudar de mente e logo adaptar a ação a essa mudança. O arrependimento não é lamentar-se sentimentalmente; é algo revolucionário; por isso são poucos os que se arrependem.[528] Devemos chamar as pessoas ao arrependimento se quisermos seguir as pegadas dos apóstolos. Nada menos do que isso deve ser exigido. É impossível alguém entrar no Reino dos Céus sem passar pela porta do arrependimento. John Charles Ryle diz que não há pessoas impenitentes no Reino dos Céus. Todos os que entram lá sentem, choram e lamentam a sua triste condição espiritual.

Eles curaram os enfermos ungindo-os com óleo. Os apóstolos pregaram aos ouvidos e aos olhos. Falaram e fizeram. Proclamaram e demonstraram. Eles tinham palavra e poder. A salvação é uma bênção que se estende ao homem integral, ao corpo e a alma. Os apóstolos ungiam os enfermos com óleo. O óleo era usado como um cosmético, remédio e símbolo espiritual. William Hendriksen entende que os discípulos usaram o óleo aqui não como remédio ou cosmético, mas como símbolo da presença, da graça e do poder do Espírito Santo.[529] Nessa mesma linha de pensamento, R. A. Cole diz que o óleo é um símbolo bíblico da presença do Espírito Santo, e, assim, a própria unção é uma "parábola encenada" da cura divina.[530] Lenski é da mesma opinião e diz: "As curas sempre foram milagrosas e instantâneas – o óleo de oliva nunca opera dessa maneira".[531]

Eles expulsaram demônios. A libertação faz parte do evangelho. O Messias veio para libertar os cativos. Ele se manifestou para libertar os oprimidos do diabo e desfazer suas obras. O reinado de Deus não estava penetrando num vácuo de poder. Adolf Pohl diz que todo missionário que quer "conquistar" pessoas para Deus precisa dominar o "espaço aéreo" sobre a fortaleza (Ef 6.12; Rm 15.19; 2Co 10.4-6).[532]

Em terceiro lugar, *Jesus deu aos apóstolos a metodologia.* As atitudes e ações dos apóstolos deveriam reforçar a mensagem que eles iriam proclamar.[533] Jesus ensinou alguns aspectos metodológicos importantes:

Os apóstolos foram enviados de dois a dois. Isso fala de mútua cooperação, mútuo encorajamento, mútuo ensino e também de credibilidade do testemunho. A Bíblia ensina que é melhor serem dois do que um (Ec 4.9) e é pelo testemunho de duas pessoas que toda causa se resolve (Dt 17.6; 19.15; 2Co 13.1).

Os apóstolos deveriam confiar no provedor e não na provisão. Eles não deveriam levar túnica extra, alforje nem dinheiro. Deveriam confiar na provisão divina enquanto faziam a obra. Jesus estava lhes mostrando que o trabalhador é digno do seu salário. Jesus queria que eles fossem adequadamente supridos, mas não a ponto de cessarem de viver pela fé.[534] Jesus alerta sobre o perigo da ostentação. Os mensageiros não deveriam ser temidos nem invejados. Eles não deveriam fazer da obra de Deus uma fonte de lucro.

Os apóstolos deveriam ser sensíveis à cultura do povo. Deveriam comer o que se colocava na mesa e não deveriam ficar mudando de casa, enquanto permaneciam numa cidade. A hospitalidade era um dever sagrado no Oriente.[535] Da hospitalidade faziam parte saudação, lavar os pés, oferecer comida, proteger e acompanhar na despedida.[536] Os pregadores não podem violentar a cultura do povo ao pregar a eles a Palavra de Deus. O evangelho deve ser anunciado dentro do contexto cultural de cada povo.

Em quarto lugar, *Jesus ensinou que se deve aproveitar as portas abertas e não forçar as portas fechadas.* Onde houvesse rejeição, os apóstolos não deveriam permanecer, ao contrário, deveriam seguir adiante. Era preciso buscar portas abertas. Paulo orou por portas abertas e onde elas se abriam permanecia pregando, mas onde elas se fechavam, ele ia adiante. O critério do investimento era o vislumbre de portas abertas.

Em quinto lugar, *Jesus alertou sobre o perigo de rejeitar o evangelho.* Os apóstolos deveriam sacudir o pó de suas sandálias e considerar aquele território pagão. William Hendriksen diz que o que Jesus está dizendo, nesse texto, é que qualquer lugar, quer seja uma casa, vila ou cidade, que recuse aceitar o evangelho, deve ser considerado impuro, como se fosse um solo pagão.[537] Não há salvação fora do evangelho. Não há salvação, onde a Palavra de Deus é rejeitada.

Portas fechadas com as próprias mãos

A família herodiana tem uma passagem sombria pela História. Era uma família cheia de mentiras, assassinatos, traições e adultério.[538] Herodes, o grande, foi um rei insano, desconfiado e inseguro. Ele casou-se dez vezes,[539] matou esposas e filhos. Mandou matar as crianças de Belém, pensando com isso, eliminar o infante Jesus, Rei dos judeus.

Herodes Antipas era o filho mais novo de Herodes, o grande (Mt 2.1). Ele era chamado de rei, mesmo que o seu título oficial era "tetrarca" (Lc 3.19), o governador de uma quarta parte da nação. Quando Herodes, o grande, morreu, os romanos dividiram seu território entre seus três filhos; e Antipas foi feito tetrarca da Pereia e Galileia, aos 16 anos, de 4.a.C. até 39 d.C.[540] Vejamos algumas características desse homem que fechou a porta da graça com as suas próprias mãos:

Em primeiro lugar, *Herodes, um homem perturbado.* Herodes temia João Batista vivo, mas agora, o teme ainda mais morto. Sua consciência está atormentada e ele não sabe como se livrar dela. Ele divorciou-se da sua mulher para casar-se com Herodias, mas não consegue divorciar--se de si mesmo, da sua consciência. Ninguém pode evitar viver consigo mesmo; e quando o ser interior torna-se o acusador, a vida torna-se insuportável.[541] Herodes, em vez de arrepender-se, endurece ainda mais seu coração. Adolf Pohl diz que nada é mais perigoso que uma consciência pesada sem arrependimento.[542] Herodes está vivendo o conflito entre a consciência e a paixão.

Dois aguilhões feriam a consciência de Herodes, o assassinato de João Batista e o medo de haver ele ressuscitado. João Batista havia se interposto no caminho do pecado de Herodes. Este, para agradar sua mulher e acalmar sua consciência, colocou João na prisão e depois mandou decapitá-lo. Herodias temia o povo, Herodes temia a João, mas este não temia nem a um nem a outro.[543] João Batista morreu em paz, mas aqueles viveram em tormento.

Em segundo lugar, *Herodes, um homem supersticioso.* Herodes pensa que Jesus é João Batista que ressuscitou para perturbá-lo. Ele está tão confuso acerca de Jesus quanto a multidão da Galileia. Sua crença está desfocada. Sua teologia é mística e supersticiosa. E uma teologia cheia de superstição traz tormento e não libertação. A superstição é uma fé baseada em sentimentos e opiniões. Não emana da Escritura, mas varia de acordo com o momento. Por isso, não oferece segurança nem paz.

Em terceiro lugar, *Herodes, um homem adúltero.* Herodes Antipas era casado com uma filha do rei Aretas, rei de Damasco. Divorciou-se dela para casar-se com Herodias, mulher de seu irmão Filipe. Herodias era cunhada e sobrinha de Herodes. Era filha de Aristóbulo, seu meio-irmão. Ao casar-se com Herodias, Herodes cometeu pecado de adultério e incesto, violando assim a moral e a decência (Lv 18.16,20,21).[544] O casamento do rei foi duramente condenado por João Batista. Ele não era um profeta de conveniência, mas voz de Deus quer no deserto quer no palácio. Estava pronto a ser preso e a morrer, não a calar sua voz.

Em quarto lugar, *Herodes, um homem conflituoso* (6.20). Herodes teme João, gosta de ouvi-lo, respeita-o, mas prende-o. A voz de Herodias falava mais alto que a voz da sua consciência. Ele não foi corajoso o suficiente para obedecer à palavra de João, mas agora se sente escravo da sua própria palavra e manda matar um homem inocente.[545] Não basta admirar e gostar de ouvir grandes pregadores. Herodes fez isso, mas pereceu. Herodes e Herodias estavam tão determinados a continuar na prática do pecado que taparam os ouvidos à voz da consciência e mais tarde silenciaram o profeta, mandando degolá-lo. Herodes silenciou João, mas não conseguiu silenciar a sua própria consciência culpada.

Em quinto lugar, *Herodes, um homem fanfarrão.* Herodes festeja com seus convivas e se embebeda. Warren Wiersbe diz que as festas reais eram extravagantes tanto na demonstração de riqueza quanto na provisão de prazeres.[546] Homens, mulheres, luxo, mundanismo, bebidas, músicas profanas e danças, pecados e Satanás com seus emissários... Tudo estava presente, menos o temor de Deus. E é o que ainda hoje tristemente contemplamos na sociedade mundana, sem Deus, transviada e perdida.[547]

Herodes fez promessas irrefletidas à filha de Herodias, a quem Josefo chama de Salomé[548] e para manter sua palavra manda decapitar o homem a quem respeitava e temia. Herodes era um homem que agia por impulsos e falava antes de pensar. Ele está no trono, mas quem comanda é Herodias. Ele fala muito e pensa pouco. Quando age, o faz de forma insensata.

Sua festa de aniversário tornou-se uma festa macabra. O bolo de aniversário não veio coberto de velas, mas coberto de sangue, com a cabeça do maior homem dentre os nascidos de mulher, o precursor do Messias. Faltou-lhe coragem moral para temer a Deus em vez de temer quebrar os seus votos insensatos, a pedido de uma mulher vingativa e de convivas coniventes.

Em sexto lugar, *Herodes, um homem que fechou a porta da graça com suas próprias mãos.* Herodes viveu no pecado. Não ouviu o profeta, prendeu, e matou o profeta e endureceu ainda mais o coração. Mais tarde, Jesus o chamou de raposa. Quando estava sendo julgado, Jesus esteve com ele face a face, mas Herodes zombou de Jesus. Foi exilado e morreu na escuridão em que sempre viveu. No ano 39 d.C., Herodes Agripa, seu sobrinho, o denunciou ao imperador romano Calígula, e ele foi deposto e banido para um exílio perpétuo em Lyon, na Gália, onde morreu.

NOTAS DO CAPÍTULO 21

[514] THOMPSON, J. R., *The Pulpit Commentary. Mark and Luke. Vol. 16,* 1980: p. 250,251.

[515] TRENCHARD, Ernesto, *Una Exposición del Evangelio según Marcos,* 1971: p. 72.

[516] BARCLAY, William, *Marcos,* 1974: p. 154.

[517] GIOIA, Egidio, *Notas e Comentários à Harmonia dos Evangelhos,* 1969: p. 164.

[518] WIERSBE, Warren W., *Be Diligent,* 1987: p. 59.

[519] POHL, Adolf, *Evangelho de Marcos,* 1998: p. 196.

[520] BARTON, Bruce B., et all. *Life Application Bible Commentary. Mark,* 1998: p. 158.

[521] BARTON, Bruce B., et all. *Life Application Bible Commentary. Mark,* 1994: p. 157.

[522] BARTON, Bruce B., et all. *Life Application Bible Commentary. Mark,* 1994: p. 158.

[523] POHL, Adolf, *Evangelho de Marcos,* 1998: p. 197.

[524] BARTON, Bruce B., et all. *Life Application Bible Commentary. Mark,* 1994: p. 157.

[525] CRANFIELD, C.E.B., *Gospel according to St. Mark.* Cambridge University Press, 1977: p. 197.

[526] RYLE, John Charles, *Mark,* 1993: p. 81.

[527] BARCLAY, William, *Marcos,* 1974: p. 158.

[528] BARCLAY, William, *Marcos,* 1974: p. 159.

[529] HENDRIKSEN, William, *Marcos,* 2003: p. 298.

[530] COLE, R. A., *The Gospel According to St. Mark.* Grand Rapids, Michigan, 1961: p. 109.

[531] LENSKI, R.C.H., *Interpretation of St. Mark's Gospel,* Columbus, 1934: p. 155.

[532] POHL, Adolf, *Evangelho de Marcos,* 1998: p. 200.

[533] MULHOLLAND, Dewey M., *Marcos: Introdução e Comentário,* 2005: p. 103.

[534] WIERSBE, Warren W., *Be Diligent,* 1987: p. 60.

[535] BARCLAY, William, *Marcos,* 1974: p. 157.

[536] POHL, Adolf, *Evangelho de Marcos,* 1998: p. 201.

[537] HENDRIKSEN, William, *Marcos,* 2003: p. 296.

[538] BARTON, Bruce B., et all. *Life Application Bible Commentary. Mark,* 1998: p. 165.

[539] POHL, Adolf, *Evangelho de Marcos,* 1998: p. 205.

[540] MULHOLLAND, Dewey M., *Marcos: Introdução e Comentário,* 2005: p. 106 e Warren W. Wiersbe. *Be Diligent,* 1987: p. 61.

[541] BARCLAY, William, *Marcos,* 1974: p. 161.

[542] POHL, Adolf, *Evangelho de Marcos,* 1998: p. 2004.

[543] Gioia, Egidio, *Notas e Comentários à Harmonia dos Evangelhos,* 1969: p. 169.

[544] Barton, Bruce B., et all. *Life Application Bible Commentary. Mark,* 1998: p. 168.

[545] Wiersbe, Warren W., *Be Diligent,* 1987: p. 63.

[546] Wiersbe, Warren W., *Be Diligent,* 1987: p. 62.

[547] Gioia, Egidio, *Notas e Comentários à Harmonia dos Evangelhos,* 1969: p. 169.

[548] Hendriksen, William, *Marcos,* 2003: p. 304.

Capítulo 22

Um majestoso milagre

(Mc 6.30-44)

Esse é um dos milagres mais bem documentados de toda a Bíblia. Todos os quatro evangelistas o destacam. Suas lições são oportunas e estudá-las, ainda hoje, revigora-nos a alma.

O contexto

Duas coisas nos chamam a atenção no contexto desse majestoso milagre:

Em primeiro lugar, *a importância de se prestar relatórios* (6.30). Jesus os havia enviado, agora, retornam e relatam tudo o que haviam feito e ensinado. Precisamos não apenas trabalhar, mas também contar as bênçãos, tornar conhecido o que Deus está fazendo por nosso intermédio.

Em segundo lugar, *a importância de se tirar férias* (6.31). Jesus ensina que nós temos necessidades físico-emocionais que precisam ser supridas e que precisamos reabastecer nossas forças para continuar fazendo a obra. Dewey Mulholland diz que o convite de Jesus ao descanso é a expressão de seu cuidado pastoral pelos discípulos. Enquanto curam os outros, os discípulos não estão isentos da estafa provocada pelo trabalhar com pessoas.[549] Jesus enfatiza também que precisamos cuidar de nós mesmos antes de cuidarmos dos outros.

Em terceiro lugar, *a importância de reagir positivamente diante do inesperado* (6.32,33). As férias foram frustradas. Agora não são os apóstolos que são enviados à multidão, mas esta a eles.

A necessidade da multidão

Duas verdades são destacadas aqui:

Em primeiro lugar, *Jesus se compadece da multidão em vez de vê-la como um estorvo* (6.34). O verbo "compadecer-se" expressa, no Novo Testamento, o grau mais elevado de simpatia pelo que sofre. Ele é usado apenas por Jesus (8.2; Mt 9.36; 14.14; 15.32), e denota uma preocupação profunda que se expressa em auxílio ativo.[550] Jesus não despede a multidão porque está de férias, antes ele vai ao encontro dela para socorrê-la. Jesus não veio para despedir as multidões, mas para salvá-las. Jesus viu aquela multidão como ovelhas sem pastor. Os líderes religiosos de Israel não estavam cuidando espiritualmente do povo. Uma ovelha é um animal frágil e dependente que precisa de sustento, direção e proteção.

Em segundo lugar, *Jesus supre as necessidades da multidão em vez de pensar apenas no seu bem-estar.* Jesus faz três coisas para suprir a necessidade dessa multidão:

Ele ensinou a multidão acerca do Reino de Deus. Não ensinou banalidades, mas acerca do Reino. Supriu a necessidade da mente.

Ele curou os enfermos. Jesus atendeu às necessidades físicas.

Ele alimentou a multidão. Aquele pão era um símbolo do pão do céu. Assim, Jesus atende não apenas às suas necessidades físicas, mas também espirituais.

A incapacidade dos discípulos

Depois de um dia intenso de atividade com a multidão carente, onde Jesus ensinou e curou os enfermos, os discípulos resolvem agir. Eles se sentem incapazes diante da situação, mas fazem suas sugestões:

Os apóstolos querem despedir a multidão (6.35,36). O argumento dos apóstolos estava repleto de prudência. Eles viam três dificuldades intransponíveis:

Em primeiro lugar, *o lugar era deserto.* Um lugar ermo não era um ambiente favorável para uma multidão com mulheres e crianças. O deserto era tanto um lugar de descanso quanto de prova. Jesus não estava apenas cuidando da multidão, mas também provando seus discípulos.

Em segundo lugar, *a hora já estava avançada.* A noite em breve cairia com suas sombras espessas e aquela multidão estaria exposta a toda sorte de perigos.

Em terceiro lugar, *eles não tinham recursos para suprir a necessidade da multidão.* Para os apóstolos, tudo era desfavorável: o lugar era deserto, a hora estava avançada e eles não tinham dinheiro suficiente. Os discípulos enfatizam o que eles não têm.

Jesus quer que os apóstolos alimentem a multidão (6.37). A ordem de Jesus é perturbadora: *Dai-lhes vós mesmos de comer.* Os apóstolos foram confrontados com três problemas humanamente insolúveis:

Em primeiro lugar, *era uma multidão.* Havia cinco mil homens além de mulheres e crianças. Era uma grande demanda e uma urgente necessidade para ser atendida por eles.

Em segundo lugar, *os apóstolos não tinham onde comprar pão.* O problema é que estavam num deserto e não na cidade.

Em terceiro lugar, *os apóstolos não tinham dinheiro suficiente.* Não apenas estavam no lugar errado, na hora errada, mas também lhes faltava o recurso financeiro suficiente. Era um beco sem saída.

A multiplicação dos pães e peixes

Jesus, antes de operar o milagre da multiplicação dos pães e dos peixes, toma algumas medidas pedagógicas:

Em primeiro lugar, *é preciso saber quais são os seus recursos disponíveis* (6.38). O milagre de Deus dá-se quando o homem decreta a sua falência. Eles tinham um déficit imenso. Era um orçamento desfavorável: cinco pães e dois peixes para alimentar uma multidão.

Em segundo lugar, *coloque o pouco que você tem nas mãos de Jesus.* O garoto entregou o seu lanche a André, este o levou a Jesus e Jesus o multiplicou. Não podemos fazer o milagre, mas podemos trazer o que temos e colocá-lo nas mãos de Jesus.

Em terceiro lugar, *organize-se para que todos sejam atendidos.* Nosso Deus é Deus de ordem. Ele criou o universo com ordem. Ele não é Deus de confusão. Não deveria haver tumulto. Todos deveriam ser igualmente atendidos.

Em quarto lugar, *o milagre acontece nas mãos de Jesus, mas as mãos dos discípulos devem repartir o pão* (6.41). Somos cooperadores de Deus. O milagre vem de Jesus, mas nós o repartimos com a multidão. Não temos o pão, mas o distribuímos a partir das mãos de Jesus.

Em quinto lugar, *o alimento que Jesus oferece satisfaz plenamente* (6.42,44). Jesus tem pão com fartura. Aquele que se alimenta dele não tem mais fome. Ele satisfaz plenamente. Assim como Deus alimentou o povo com maná no deserto, agora Jesus está alimentando a multidão. O mesmo Deus que multiplicou o azeite da viúva está agora multiplicando pães e peixes. O mesmo Jesus que transformou a água em vinho está agora exercendo o seu poder criador para multiplicar os pães e os peixes.

Em sexto lugar, *não desperdice a provisão divina* (6.43). O dom de Deus não deve ser desperdiçado. O pão é fruto da graça de Deus e não podemos jogar fora a graça de Deus. O que sobeja precisa ser aproveitado.

O evangelista João coloca esse texto no contexto da proximidade da Páscoa e do célebre sermão de Jesus sobre o pão da vida. Os milagres de Jesus eram pedagógicos. Ele estava multiplicando os pães para ilustrar a gloriosa verdade de que ele é o Pão da Vida.

Notas do capítulo 22

549 Mulholland, Dewey M., *Marcos: Introdução e Comentário,* 2005: p. 108.

550 Mulholland, Dewey M., *Marcos: Introdução e Comentário,* 2005: p. 109.

Capítulo 23

Quando Jesus vem ao nosso encontro nas tempestades

(Mc 6.45-56)

Três fatos precisam ser destacados à guisa de introdução:

Em primeiro lugar, *as férias frustradas*. Você já teve o dissabor de ter algum período de férias frustrado? Já arrumou as malas, fez planos, reserva de hotel e na hora de fazer a viagem dos sonhos surgiu um fato novo, um imprevisto que botou a sua agenda de cabeça para baixo e frustrou todas as suas expectativas?

Jesus estava saindo de férias com seus discípulos. Eles estavam tão cansados que não tinham tempo nem para comer (6.31). Além da agenda congestionada, tinham acabado de receber a dolorosa notícia que João Batista fora degolado na prisão de Maquerós, por ordem de um rei bêbado, a pedido de uma mulher adúltera.

Jesus, então, proporciona aos discípulos um justo e merecido descanso (6.31). Eles saem para um lugar solitário. Contudo, ao chegarem ao destino, uma multidão de gente carente, doente e faminta já havia descoberto o plano e antecipado a caravana dos discípulos, (6.33). Para espanto e surpresa dos discípulos, Jesus não despede a multidão, antes cancela as férias e passa o dia ensinando e alimentando aquele povo aflito como ovelhas sem pastor. Pior, ao fim do dia, em vez de Jesus continuar o programa das férias, compele os seus discípulos a entrar no barco e voltar para casa (6.45).

Em segundo lugar, *uma volta para casa antecipada.* Por que Jesus despediu os discípulos antes de despedir a multidão (6.45)? Por duas razões, pelo menos:

Para livrá-los de uma tentação. O evangelista João nos informa que a intenção da multidão era fazê-lo rei (Jo 6.14,15). Jesus estava poupando os seus discípulos dessa tentação, ou seja, de uma visão distorcida da sua missão. Os doze não estavam prontos para enfrentar esse tipo de teste, visto que sua visão do reino era ainda muito nacional e política.[551] Jesus não se curvou à tentação da popularidade, antes manteve-se em seu propósito e resistiu à tentação por meio da oração.

Para interceder por eles na hora da prova. Jesus não tinha tempo para comer (3.20), mas tinha tempo para orar. A oração era a própria respiração de Cristo.[552] Jesus estava no monte orando, quando os viu em dificuldade (6.48). O Senhor nos vê quando a tempestade nos atinge. Não há circunstância que esteja fora do alcance de sua intervenção.

Os nossos caminhos jamais estão escondidos aos seus olhos. Ele está junto ao trono do Pai, intercedendo por nós. Segundo Dewey Mulholland, Jesus orou por duas razões fundamentais: Ele estava preocupado com a falta de entendimento dos discípulos sobre a sua identidade, e a falta de compaixão deles para com as muitas ovelhas sem pastor.[553]

Em terceiro lugar, *uma volta turbulenta para casa.* O mínimo que esses discípulos poderiam esperar era que pelo menos a viagem de regresso pudesse ser tranquila, uma vez que tudo o que haviam planejado dera errado. Mas ao voltarem, eles são colhidos por uma terrível tempestade. Esse episódio encerra grandes lições e traz à baila as grandes tensões da alma humana.

As grandes tempestades da alma

Muitas vezes, as maiores tempestades que enfrentamos não são aquelas que acontecem fora de nós, mas aquelas que agitam a nossa alma e levantam vendavais furiosos em nosso coração. Os tufões mais violentos não são aqueles que agitam as circunstâncias, mas aqueles que deixam turbulentos os nossos sentimentos. Não são aqueles que ameaçam nos levar ao fundo do mar, mas aqueles que se derretem dentro de nós como avalanches que rolam impetuosamente das geleiras alcantiladas da nossa alma.

Na jornada da vida, surgem perguntas difíceis de serem respondidas e tensões que abafam a nossa voz. Muitas vezes, parece que a fé está contra a fé, e a Palavra de Deus contra as próprias promessas do Altíssimo.

Quando a obediência nos empurra para o olho da tempestade

Jesus não pediu, não sugeriu nem aconselhou os discípulos a passar para o outro lado do mar. Ele os compeliu (6.45). Os discípulos não tinham opção, deveriam obedecer. E ao obedecerem, são empurrados para o olho de uma avassaladora tempestade. Como entender isso? Por que Deus permite que sejamos apanhados de surpresa por situações adversas? Por que Deus nos empurra para o epicentro da crise? Por que somos sacudidos por vendavais maiores que nossas forças? Por que acidentes trágicos, perdas dolorosas e doenças graves assolam aqueles que estão fazendo a vontade de Deus?

É mais fácil entender que a obediência sempre nos leva para os jardins engrinaldados de flores e não para a fornalha da aflição. É mais fácil aceitar que a obediência nos livra da tempestade e não que ela nos arrasta para as torrentes mais caudalosas. A presença de problemas não significa que estamos fora do propósito de Deus nem que Deus esteja indiferente à nossa dor.[554] Na verdade, a vida cristã não é uma sala *vip* nem uma estufa espiritual. A vida cristã não é um paraíso na terra, mas um campo de lutas renhidas. A diferença entre um salvo e um ímpio não é o que acontece a ambos, mas sim o fundamento sobre o qual cada qual constrói a sua vida. Jesus disse que o insensato constrói a sua casa na areia, mas o sábio a edifica sobre a rocha. Sobre as duas casas cai a mesma chuva no telhado, sopra o mesmo vento na parede e bate o mesmo rio no alicerce. Uma casa cai, a outra permanece em pé. O que diferencia uma casa da outra não são as circunstâncias, mas o fundamento.

Um cristão enfrenta as mesmas intempéries que as demais pessoas, mas a tempestade não o destrói, antes, revela a solidez da sua confiança no Deus eterno.

Davi foi ungido rei sobre Israel em lugar de Saul. Mas a unção, longe de o levar ao palácio, levou-o às cavernas úmidas e escuras. A insanidade e loucura de Saul levaram-no a perseguir Davi por todos os cantos de Israel. As perseguições de Saul eram apenas ferramentas pedagógicas de Deus para preparar Davi para o trono. Na verdade, Deus estava tirando Saul do coração de Davi antes de colocar Davi no trono de Saul. O sofrimento é a escola superior do Espírito Santo que nos ensina as maiores lições da vida. As tempestades não vêm para nos destruir, mas para nos fortalecer. As tempestades não são uma negação do amor divino, mas uma oportunidade para experimentarmos o livramento amoroso de Deus.

Paulo e Barnabé foram escolhidos pelo Espírito Santo para realizarem a primeira viagem missionária. Contudo, em Listra, Paulo foi apedrejado. Na segunda viagem, ele queria ir para a Ásia e recebeu ordem expressa para ir para a Europa. Em Filipos foi preso, açoitado e jogado no interior de uma insalubre prisão romana. Após a terceira viagem missionária, ao levar ofertas aos pobres da cidade de Jerusalém, Paulo foi preso e Deus lhe disse para ter coragem porque deveria dar testemunho também na cidade de Roma. Porém, ao tomar um navio para Roma, enfrentou um terrível naufrágio. Paulo poderia questionar por que tanto sofrimento, se estava fazendo a vontade Deus. Mas ao chegar em Roma, disse que essas coisas tinham antes contribuído para o progresso do evangelho (Fp 1.12). Os crentes foram mais desafiados a pregar ao verem as suas algemas. Os soldados de escol do palácio de Nero, a guarda pretoriana, foram pessoalmente por ele evangelizados, uma vez que era prisioneiro de Cristo sob custódia de César. Porque estava preso, começou a escrever cartas às igrejas e por isso temos Efésios, Filipenses, Colossenses, Filemom e a Segunda Carta a Timóteo. Essas cartas são verdadeiros luzeiros no mundo. A tempestade não havia sido acidental, mas um verdadeiro apontamento de Deus na vida de Paulo. Ela estava na agenda de Deus.

Não fique desanimado por causa das tempestades da sua vida. Elas podem ser inesperadas para você, mas não para Deus. Elas podem estar fora do seu controle, mas não do controle do Altíssimo. Você pode não entender a razão delas, mas elas são instrumentos pedagógicos de Deus na sua vida.

Quando Deus parece demorar

Os discípulos de Jesus passaram por horas amargas e de grande desespero, procurando remar contra a maré (6.48). O mesmo mar, tão conhecido deles, está agora irreconhecível. O inesperado mostra a sua carranca. O trivial transforma-se num monstro assustador. O barco é levantado por vagalhões em fúria e o vento encurralado pelas montanhas de Golã encrespam as ondas e sovam o Betel com desmesurado rigor. Todo o esforço de controlar a nau esvai-se no coração daqueles bravos combatentes. Nesse momento de pavor, os discípulos esperam pela presença de Jesus, mas ele não chega, antes a tempestade se agrava. Essa é uma das maiores tensões da vida: a demora de Deus!

Como reconhecer o amor de Deus se na hora da nossa maior angústia, ele não chega para nos socorrer? Como entender o poder de Deus com a perpetuação da crise que nos asfixia? Como conciliar a fé no Deus que intervém quando o mar da nossa vida fica cada vez mais agitado, a despeito de todos os nossos esforços? Como conciliar o amor de Deus com o nosso sofrimento? Como aliançar a providência divina com sua demora em atender ao nosso clamor? Essa certamente foi a maior tempestade que aqueles aflitos discípulos enfrentaram no fragor daquele mar revolto.

Esse foi o drama vivido pela família de Betânia. Quando Lázaro ficou enfermo, Marta e Maria mandaram um recado a Jesus: *Está enfermo aquele a quem amas* (Jo 11.3). Quem ama tem pressa em socorrer a pessoa amada. Quem ama se importa com o objeto do seu amor. As irmãs de Lázaro tinham certeza que Jesus viria socorrê-las. Certamente as pessoas perguntavam a elas: "Será que Jesus ama mesmo vocês? Será que ele virá curar a Lázaro? Será que vai chegar a tempo?" A todas essas perguntas perturbadoras, Marta deve ter respondido com segurança: "Certamente ele virá. Ele nunca nos abandonou. Ele nunca nos decepcionou". A certeza foi substituída pela ansiedade, esta pelo medo e o medo pela decepção. Lázaro morreu e Jesus não chegou. Marta ficou engasgada com essa dolorosa e constrangedora situação. Quatro dias se passaram depois do sepultamento de Lázaro. Só então Jesus chegou. Marta correu ao seu encontro e logo despejou sua dor: *Senhor, se estiveras aqui, não teria morrido meu irmão* (Jo 11.21). A demora de Jesus havia aberto uma ferida na sua alma. Sua expectativa de livramento foi frustrada. Sua dor não foi terapeutizada.

Suas lágrimas não foram enxugadas. A vida do seu irmão não foi poupada. Marta está tão machucada que não pode mais crer na intervenção sobrenatural de Jesus (Jo 11.39,40). Antes de censurar Marta, deveríamos sondar o nosso próprio coração. Quantas vezes, as pessoas nos ferem com perguntas venenosas: "O teu Deus, onde está?" Se Deus se importa com você, por que você está passando por problemas? Se Deus ama você por que você está doente? Se Deus satisfaz todas as suas necessidades, por que você está sozinho, nos braços da solidão? Se Deus é bom, por que ele não poupou você ou a pessoa que você ama daquele trágico acidente? Se Deus é o Pai de amor, por que a pessoa que você ama foi arrancada dos seus braços pelo divórcio ou pela morte? Quantas vezes, o maior drama que enfrentamos não é a tempestade, mas a demora de Deus em vir nos socorrer. Além da tempestade, curtimos a solidão e o sentimento do total abandono.

Talvez, enquanto lê essas páginas, você está cruzando o mar encapelado da vida e as ondas estão passando por cima da sua cabeça. Talvez você esteja orando por um assunto há muitos anos e quanto mais você ora, mais a situação se agrava. Talvez o seu sonho mais bonito está sendo adiado há anos e você ainda não ouviu nenhuma resposta ou explicação de Deus.

Jesus, na verdade, não estava longe nem indiferente ao drama dos seus discípulos; ele estava no monte orando por eles (6.46-48). Quando você pensa que o Senhor está longe, na verdade ele está trabalhando a seu favor, preparando algo maior e melhor para você. Ele não dorme nem cochila, mas trabalha para aqueles que nele esperam. Ele não chega atrasado nem a tempestade está fora do seu controle. Jesus não chegou atrasado em Betânia. A ressurreição de Lázaro foi um milagre mais notório que a cura de um enfermo. Sossega o seu coração, Jesus sabe onde você está, como você está e para onde ele o levará.

Quando Deus parece silencioso

Os discípulos já haviam enfrentado outra tempestade naquele mesmo mar (4.35-41), mas Jesus estava com eles. Eles clamaram ao Mestre, que prontamente os socorreu. Mas agora eles estão sozinhos. Quando a crise chegou e a noite abriu suas densas asas sobre eles, foram apanhados repentinamente por uma tempestade que os arrastou de um lado para o outro sem que eles nada pudessem fazer. O barco rodopiava no meio do mar, no epicentro do perigo enquanto eles viam a esperança naufragar à medida que horas intermináveis de luta não lhes acenavam nenhum vestígio de socorro. Certamente, eles gritaram por socorro, mas a única voz que ouviam era o barulho das ondas a chicotear o barco. Eles gritam por socorro, mas só escutam o zumbido do vento e o silêncio do céu.

O silêncio de Deus faz mais barulho em nossa alma do que a própria tempestade. Quando Deus fica em silêncio, as vozes da dúvida gritam dentro de nós. Talvez você tem orado durante anos por uma causa e até agora o céu parece fechado e Deus silencioso ao seu clamor. Talvez você esteja sofrendo opressão como os israelitas escravos no Egito, que eram castigados com açoites e trabalhos forçados. Talvez você, como Jó, tem perdido seus bens, seus filhos, sua saúde, seu casamento e seus amigos. Como esse patriarca, também você tem erguido aos céus seu clamor, perguntando para

Deus: Por que eu estou sofrendo? Por que a minha dor não cessa? Por que eu não morri ao nascer? Por que o Senhor não me mata? Talvez como Jó, a única resposta que você tem ouvido é o total silêncio de Deus. Ah! O silêncio de Deus nos perturba. Ele agrava a tempestade. Ele inunda a nossa alma de temor e ameaça nos arrastar para as profundezas do desânimo. Talvez sua maior angústia não sejam os problemas que você está enfrentando, mas o silêncio de Deus. O silêncio de Deus dói mais que as feridas; ele é mais forte que os gritos de nossa alma. O silêncio de Deus é mais eloquente do que as vozes da tempestade.

Na verdade, o silêncio de Deus é pedagógico. Jesus veio socorrer os discípulos. Deus falou com Jó na hora certa. Sempre que Deus fica em silêncio é porque ele quer nos ensinar verdades sublimes. O silêncio de Deus não significa distância nem indiferença. Ele não deixa de velar por nós e de nos cercar com o seu cuidado mesmo quando não ouvimos sua voz. Jesus não estava indiferente ao clamor dos discípulos, mas estava orando por eles. Hoje, Jesus está à destra do Pai intercedendo por nós. Mesmo quando não ouvimos sua voz, ele está intercedendo a nosso favor junto ao trono da graça. Isso nos basta!

Quando Jesus chega às tempestades da nossa vida

Os problemas são como as ondas do mar, quando uma onda se quebra na praia, a outra já está se formando. Muitas vezes, quando você tenta se recuperar de um solavanco, outra onda chega, açoita você de novo e o joga ao chão. Contudo, quando você pensa que a causa está perdida, que a esperança já se dissipou, então, Jesus surge no horizonte da sua história. Quando você decreta a falência dos seus recursos, Jesus chega e coloca um ponto final na crise.

O texto de Marcos 6.45-52 ensina-nos três preciosas lições:

Em primeiro lugar, *Jesus sempre vem ao nosso encontro na hora da tempestade.* Jesus não chegou atrasado ao mar da Galileia. O seu socorro veio na hora oportuna. Aquela tempestade só tinha uma finalidade: levar os discípulos a uma experiência mais profunda com Jesus. As tempestades não são autônomas nem chegam por acaso. Elas estão na agenda de Deus. Elas fazem parte do currículo de Deus em nossa vida. Elas não aparecem simplesmente, elas são enviadas pela mão da Providência. William Cowper, poeta inglês, diz que por trás de toda providência carrancuda, esconde-se uma face sorridente.

As tempestades não vêm para nos destruir, mas para nos fortalecer. As tribulações são os recursos pedagógicos de Deus para nos levar à maturidade. Os discípulos conheceram a Jesus de forma mais profunda depois daquele livramento. Deus não quer que você tenha uma experiência de segunda mão.

Jesus não chegou atrasado à aldeia de Betânia. Ele sabia o que estava para fazer. A ressurreição de Lázaro já estava em sua agenda. Ele sabe também a crise que chegou em sua vida. Ele sabe a dor que assalta o seu peito. Ele vê as suas lágrimas. Ele está perto de você naquelas madrugadas insones e nas longas noites maldormidas. Ele sonda o latejar da sua alma agonizante. E ele vem ao seu encontro para socorrê-lo, para lhe estender a mão, para acalmar os torvelinhos da sua alma e as tempestades da sua vida.

Em segundo lugar, *Jesus vem ao nosso encontro ainda que na quarta vigília da noite.* A noite era dividida pelos judeus em quatro vigílias: a primeira, das 6h da tarde às 9h da noite; a segunda, das 9h à meia-noite; a terceira, da meia-noite às 3h da madrugada; e a quarta, das 3h da madrugada às 6h da manhã. Aqueles discípulos entraram no mar ao cair da tarde. Ainda era dia quando chegaram ao meio do mar (6.47). De repente, o mar começou a agitar-se, varrido pelo vento forte que soprava (Jo 6.18) e o barco foi açoitado pelas ondas (Mt 14.24). Eles remaram com todo empenho do cair da tarde até às 3h da madrugada, e ainda estavam no meio do mar, no centro dos problemas, no lugar mais fundo, mais perigoso, sem sair do lugar.

Às vezes, temos a sensação de que os nossos esforços são inúteis. Remamos contra a maré. Esforçamo-nos, choramos, clamamos, jejuamos, mas o perigo não se afasta. Nessas horas, os problemas tornam-se maiores que as nossas forças. Sentimo-nos esmagados debaixo dos vagalhões. Perdemos até mesmo a esperança do salvamento (At 27.20). No entanto, quando tudo parece perdido, quando chega a hora mais sombria, a madrugada da nossa história, Jesus aparece para pôr fim a nossa crise.

Jesus sempre vem ao nosso encontro, ainda que na quarta vigília da noite. O Senhor não vem quando desejamos, ele vem quando necessitamos. O tempo de Deus não é o nosso. Deus não livrou os amigos de Daniel da fornalha, livrou-os na fornalha. Deus não livrou Daniel da cova dos leões, livrou-o na cova. Deus não livrou Pedro da prisão, mas na prisão.

Há momentos, entretanto, quando Deus não nos livra da morte, mas na morte. Nem sempre Deus nos poupa do sofrimento, mas nos livra e nos leva para a Casa do

Pai através dele. Deus não livrou Paulo da condenação de Roma, mas conduziu-o à glória por meio do martírio.

Em terceiro lugar, *Jesus vem ao nosso encontro caminhando sobre as ondas.* Os discípulos esperavam com ansiedade o socorro de Jesus, mas quando ele veio, eles não o discerniram. Aquela era uma noite trevosa. O mar estava coberto por um manto de total escuridão. Ocasionalmente, os relâmpagos luzidios riscavam os céus e despejavam um faixo de luz sobre as ondas gigantes que faziam o barco rodopiar. Exaustos, desesperançados e cheios de pavor, num desses lampejos enxergam uma silhueta caminhando resolutamente sobre as ondas. Assustados e tomados de medo, gritaram: é um fantasma!

Eles esperavam por Jesus, mas não de maneira tão estranha. O Senhor vem a eles de forma inusitada, andando sobre as ondas. Não apenas a tempestade era pedagógica, mas também a maneira como Jesus chega aos discípulos. Esse episódio nos ensina duas grandes lições:

A primeira lição é que as ondas que nos ameaçam estão literalmente debaixo dos pés de Jesus. O mar era um gigante imbatível e as ondas suplantavam toda a capacidade de resistência dos discípulos. Eles estavam incapacitados diante daquela tempestade. Somos absolutamente frágeis para lidar com as forças da natureza. As ondas gigantes do *tsunami* desafiaram as fortalezas humanas e levaram mais de duzentas mil pessoas à morte na Ásia, no dia 26 de dezembro de 2004. O furacão Katrina, vindo do golfo do México, assolou a costa norte-americana e inundou a rica cidade de New Orleans, em 2005. Tempestades, terremotos, tufões e furacões deixam as grandes e poderosas nações absolutamente debilitadas. Assim são os problemas que nos assaltam. Eles são maiores que as nossas forças.

Contudo, aquilo que era maior do que os discípulos e conspirava contra eles, estava literalmente debaixo dos pés do Senhor Jesus. Ele é maior que os nossos problemas. As tempestades da nossa vida podem estar fora do nosso controle, mas não fora do controle de Jesus. Ele calca sob seus pés aquilo que se levanta contra nós. Talvez você esteja lidando com um problema que o tem desafiado há anos. Suas forças já se esgotaram. Quem sabe já se dissipou no seu coração toda esperança de salvação: seu casamento está afundando, sua empresa está falindo, sua saúde está abalada. Você fez tudo o que podia fazer, mas ainda seu barco está rodopiando no meio do mar, no lugar mais fundo e mais perigoso. Nessas horas, é preciso saber que Jesus vem ao seu encontro pisando sobre essas ondas. O perigo que ameaça você está debaixo dos pés do Senhor. Ele é maior do que todas as crises que conspiram contra você. Diante dele todo joelho se dobra. Diante dele até as forças da natureza se rendem. Ele tem todo poder e toda autoridade no céu e na terra.

A segunda lição é que Jesus faz da própria tempestade o seu caminho para chegar à sua vida. Ele não apenas anda sobre a tempestade, mas faz dela a estrada para ter acesso à nossa vida. Muitas vezes, o sofrimento é a porta de entrada de Jesus no nosso coração. Ele usa até os nossos problemas para aproximar-se de nós. O profeta Naum diz que o Senhor tem o seu caminho na tormenta e na tempestade (Na 1.3). Mais pessoas encontram-se com o Senhor nas noites escuras da alma do que nas manhãs radiosas de folguedo. As mais ricas experiências da vida são vivenciadas no vale da dor. Com certeza, os caminhos de Deus não são os nossos. Eles são mais altos e mais excelentes!

A intervenção de Jesus nas tempestades da vida

Jesus não apenas vem ao nosso encontro na hora da nossa aflição, mas vem para nos socorrer. Ele tem amor e poder. Muitas vezes, sentimos compaixão das pessoas aflitas, mas não temos poder para socorrê-las. O texto em apreço nos ensina algumas preciosas lições:

Em primeiro lugar, *Jesus vem para acalmar as tempestades da nossa alma.* A primeira palavra de Jesus não foi ao vento nem ao mar, mas aos discípulos. Antes de acalmar a tempestade, ele acalmou os discípulos. Antes de aquietar o vento, ele fez serenar a alma dos discípulos. Jesus distinguiu que a tempestade que estava dentro deles era maior do que a tempestade que estava fora deles. A tempestade da alma era mais avassaladora que a tempestade das circunstâncias. O problema interno era maior que o externo. Jesus compreendeu que o maior problema deles não era circunstancial, mas existencial; não eram os fatos, mas os sentimentos.

Jesus disse aos assustados discípulos: *Tende bom ânimo! Sou eu. Não temais!* (Mt 14.27). Antes de mudar o cenário que rodeava os discípulos, Jesus acalmou o coração deles, usando dois argumentos:

Jesus levanta o ânimo deles. É natural perdemos o ânimo depois de uma longa tempestade. Havia se dissipado toda esperança de livramento no coração daquele grupo. Então, a primeira palavra não é de censura, mas de ânimo. Jesus se importa com os nossos sentimentos. Ele é o supremo psicólogo. Ele nos dá um banho de consolação e encorajamento antes de começar a transformar a nossa situação. Jesus não esmaga a cana quebrada nem apaga a torcida que fumega. Ele não vem ao nosso encontro para acusar nem para nos esmagar, mas para nos sarar, nos encorajar e nos colocar em pé. Talvez o luto tenha chegado à sua casa, o seu casamento esteja morrendo, a doença tenha batido à sua porta, ou os seus filhos tenham sido dominados por vícios degradantes. Talvez você esteja vivendo a dura realidade de uma depressão que não vai embora, de um abandono que amassou as suas emoções, de uma solidão que oprime seu peito. Tenha bom ânimo. Jesus está com você. Aprume-se. Jesus está vindo ao seu encontro!

Jesus diz que sua presença é o antídoto para o nosso medo. Jesus usa um só argumento para banir o medo dos discípulos: sua presença com eles. Ele disse aos discípulos: *Sou eu. Não temais* (Mc 6.50). Entre o medo e o ânimo está Jesus. Onde Cristo está, a tempestade se aquieta, o tumulto se converte em paz, o impossível se torna possível, o insuportável se torna suportável, e os homens passam o vale do desespero sem desesperar-se. A presença de Cristo conosco é a nossa conquista da tempestade.[555] O Criador do céu e da terra está conosco. Aquele que sustenta o universo é quem nos socorre. Jesus prometeu estar conosco todos os dias. Mesmo quando não o vemos, ele está presente. Mesmo quando a tempestade vem, ele está no controle.

Em segundo lugar, *Jesus vem para acalmar as tempestades das circunstâncias.* A tempestade não dura a vida inteira. Ninguém suportaria uma vida toda carimbada pela turbulência. Há intervalos de bonança. Há tempos de refrigério. O choro pode durar uma noite inteira, mas a alegria vem pela manhã.

Jesus, depois que acalmou os discípulos, também pôs fim à tempestade. Jesus ainda hoje continua acalmando as tempestades da nossa vida. Ele faz o nosso barco parar de balançar. Ele estanca o fluxo da nossa angústia e amordaça a boca da crise que berra aos nossos ouvidos. Quando Jesus chega, a tempestade precisa se encolher. Sua voz é mais poderosa que a voz do vento. Ele é o Senhor da natureza. Tudo que existe está sob sua autoridade. O vento ouve sua voz e o mar lhe obedece. As ondas se aquietam diante da sua palavra.

Jesus é poderoso para acalmar as nossas tempestades existenciais. A tempestade conjugal que assola a sua vida pode ser solucionada por ele. O divórcio doloroso do cônjuge e dos filhos, que está sangrando seu peito, pode ser estacando por ele. A crise financeira que jogou você ao chão e o deixou falido, desempregado e endividado pode ser resolvida por ele. A enfermidade que rouba os seus sonhos, drena suas forças e estiola o seu vigor pode ser curada. A depressão que aperta o seu peito, tira o seu oxigênio e afunda você num pântano de angústia, embaçando seus olhos pode ser vencida. O medo que suga as suas energias pode acabar.

A sua tempestade pode ser maior do que você, mas ela está debaixo dos pés de Jesus. As coisas podem ter saído do seu controle, mas estão rigorosamente debaixo do controle de Jesus. Ele é maior que a sua crise. Ele se importa com você, pois você é especial para ele. Você é a herança de Deus, a morada de Deus, a delícia de Deus, a menina dos olhos de Deus.

Em terceiro lugar, *Jesus vem para corrigir nossas ideias distorcidas*. Quando os discípulos viram Jesus andando sobre as águas registraram erradamente os sinais da sua presença divina. Pensaram que ele era um fantasma. Em vez de gritar para ele, eles gritaram o seu medo um na cara do outro.[556] Aquele era um brado de terror, porque supersticiosamente eles pensavam que os espíritos da noite traziam desgraças.[557] A superstição é uma crendice forte ainda hoje. William Hendriksen comenta que, mesmo nos dias de hoje, existem pessoas, incluindo membros de igreja, que consultam adivinhadores; e que na sexta-feira 13, quando um gato preto cruza o seu caminho, entendem tal coincidência como indicando mau agouro; ou recuam, horrorizadas, para não passar por baixo de uma escada, quando dirigem-se a um quarto de número 13 – assumindo que há tal quarto – lá derramam uma quantidade razoável de sal! Além disso, essas pessoas recusam-se, enfaticamente, a fazer essas coisas se o horóscopo indica o dia como sendo "azarado" para elas.[558]

Jesus se revela aos seus discípulos com a grande expressão: "Eu sou". Adolf Pohl diz: "Jesus é um ser pleno do que ele fala. Não diz somente que é ele mesmo, mas também como ele é mesmo: tudo o que ele tem, dá, pode, quer, promete e faz".[559]

Em quarto lugar, *Jesus vem para levar-nos em segurança ao nosso destino.* O destino daqueles discípulos não era o fundo do mar, mas Cafarnaum (Jo 6.17). Aqui cruzamos vales, atravessamos desertos, pisamos espinheiros, mas temos a garantia de que ainda que enfrentemos os rios caudalosos, as águas revoltas e as fornalhas ardentes, o Senhor está conosco para nos dar livramento e nos conduzir em triunfo ao nosso destino final.

Quando Jesus subiu ao barco dos discípulos, o vento cessou (6.51). Quando os discípulos receberam Jesus no barco, [...] *logo o barco chegou ao seu destino* (Jo 6.21). Você também chegará salvo e seguro ao seu destino. A tempestade pode ser terrível e longa. Pode até retardar a sua chegada. Mas nunca impedirá que você chegue salvo e seguro no porto celestial. Mesmo que a morte chegue, ela não pode afastar você do seu lar eterno. A morte para você que crê no Senhor Jesus não é derrota, mas vitória; não é fracasso, mas promoção; não é o fim, mas o começo de uma eternidade gloriosa.

Em quinto lugar, *Jesus vem para curar os enfermos* (6.53-56). Quando Jesus chegou a Genesaré, outra multidão o reconheceu. Seus discípulos estavam com o coração endurecido, mas o povo o buscava ansiosamente. Do meio da dor brotava um clamor, um rogo para que os enfermos tocassem em Jesus e todos quantos tocavam saíram curados. Devemos nos esforçar de igual modo para trazer todos aqueles que estão necessitados do remédio espiritual ao Médico dos médicos para serem curados. Nele há uma fonte inesgotável de vida, perdão, cura e salvação.

As curas de Jesus não podem ser estereotipadas. Algumas vezes Jesus tocava as pessoas para as curar (1.41); outras vezes, eram as pessoas que tocavam em Jesus para serem libertadas do seu mal (3.10; 5.28; 6.56). Noutras ocasiões, não havia toque algum envolvido (3.5; 7.29).[560] Por onde quer que Jesus passava, a virtude fluía dele para aliviar as pessoas de seus fardos.

Notas do capítulo 23

551 Wiersbe, Warren W., *Be Diligent,* 1987: p. 66.

552 Hendriksen, William, *Marcos,* 2003: p. 331.

553 Mulholland, Dewey M., *Marcos: Introdução e Comentário,* 2005: p. 111.

554 Barton, Bruce B., et all. *Life Application Bible Commentary on Mark,* 1994: p. 184.

555 Barclay, William, *Marcos,* 1974: p. 175.

556 Pohl, Adolf, *Evangelho de Marcos,* 1998: p. 219.

557 Rienecker, Frietz e Rogers, Cleon, *Chave Linguística do Novo Testamento Grego.* Editora Vida Nova. São Paulo, 1985: p. 79.

558 Hendriksen, William, *Marcos,* 2003: p. 355.

559 Pohl, Adolf, *Evangelho de Marcos,* 1998: p. 219.

560 Mulholland, Dewey M., *Marcos: Introdução e Comentário,* 2005: p. 114.

Capítulo 24

A verdadeira espiritualidade

(Mc 7.1-23)

ATÉ AQUI, MARCOS DESCREVEU cinco confrontações entre Jesus e os líderes. Eles o acusaram de assumir prerrogativas divinas (2.7), relacionar-se com pessoas "ruins" (2.16), permitir que os seus discípulos "não guardassem" o sábado (2.24), de ele mesmo não guardar o sábado (3.2,6) e expulsar demônios por Belzebu (3.22). Essa confrontação, agora, centra-se ao redor de uma questão básica (7.5): *O que deve regular a vida: A tradição humana ou a Palavra de Deus?* A resposta de Jesus deu ensejo a que ele ensinasse acerca da verdadeira espiritualidade.

A acusação (7.1-5)

Destacamos alguns pontos para o entendimento do texto:

Em primeiro lugar, *a identidade dos acusadores* (7.1). Os escribas e fariseus eram os guardiões da tradição judaica. Eles eram farejadores de heresias. Eles eram detetives da vida alheia. Por onde quer que Jesus andava, eles estavam espreitando-o para encontrar alguma heresia para o acusar.

William Hendriksen diz que os escribas eram os especialistas da lei. Eles a estudavam, interpretavam e a ensinavam ao povo. Mais exatamente, eles transmitiam para sua própria geração as tradições, que de geração em geração, tinham sido passadas com respeito à interpretação e aplicação da lei. Essas tradições tiveram a sua origem no ensino de rabinos veneráveis do passado. Os fariseus, por sua vez, eram aqueles que tentavam fazer todos crerem que eles, os separatistas, estavam vivendo de acordo com o ensino dos escribas.[561]

Em segundo lugar, *a prática dos acusadores* (7.3,4). A tradição dos anciãos correspondia a uma coleção de preceitos, adicionais à Lei de Moisés, que pretendia guiar o israelita na aplicação dos mandamentos por meio das variadas circunstâncias da vida. Segundo os rabinos, Moisés dera esses preceitos oralmente aos anciãos de Israel, os quais haviam transmitido do mesmo modo às gerações sucessivas.[562]

Os escribas e fariseus transformaram a vida espiritual num fardo pesado, com muitas regras e normas. Eles pensavam que da observância dessas muitas e detalhadas regras e cerimônias de purificação dependia a própria salvação deles.

Eles chegavam ao extremo de toda vez que iam à praça ou ao mercado, ao voltarem para casa, purificarem o vasilhame e até as camas. Por ser a praça um centro de reunião de muitas pessoas, julgavam-na impura; além do mais, podiam esbarrar num gentio impuro. Assim, os judeus precisavam se purificar toda vez que chegavam em casa.

Em terceiro lugar, *a pergunta dos acusadores* (7.5). Os fariseus e escribas estão escandalizados porque os discípulos de Cristo não purificavam as mãos para comer, nem mesmo prestavam obediência à tradição dos anciãos. Essa acusação tinha o propósito de atingir a Cristo. Eles seguiam rituais vazios e queriam que os outros fizessem o mesmo. Eles estavam cegos e queriam conduzir os outros cegos para o abismo.

Essa lavagem de mãos nada tinha a ver com higiene pessoal ou a ordenança da lei, mas apenas com a tradição dos escribas e fariseus. Isso era mais um fardo que eles inventaram para o povo carregar (Mt 23.4).[563]

Esses líderes religiosos cometeram dois grandes equívocos:

Primeiro, *eles pensavam que por observar esses ritos eram melhores que os outros.* Eles tinham um alto conceito de si mesmos. Eles eram jactanciosos e se julgavam mais santos, mais puros, mais dignos que as demais pessoas.

Segundo, *eles estavam enganados quanto à natureza do pecado.* A santidade é uma questão de afeição interna e não de ações externas. Eles pensavam que eram santos por praticarem ritos externos de purificação. O contraste entre os fariseus e escribas e os discípulos de Cristo não era apenas entre a lei e os ritos, entre a verdade de Deus e a tradição dos homens, mas uma divergência profunda sobre a doutrina do pecado e da santidade.[564] Esse conflito não é periférico, mas toca o âmago da verdadeira espiritualidade. Ainda hoje, muitos segmentos evangélicos coam mosquito e engolem camelo. Os escribas e fariseus, em nome de uma espiritualidade sadia, negligenciaram o mandamento de Deus (7.8), jeitosamente rejeitaram o preceito de Deus (7.9) e invalidaram a Palavra de Deus (7.13).

A refutação (7.6-13)

Três fatos são dignos de observação:

Em primeiro lugar, *Jesus descreve o caráter dos acusadores* (7.6). Jesus chama os seus contendores de hipócritas. O hipócrita é um ator, ele desempenha o papel de outra pessoa. Ele não é quem aparenta. Os lábios são de uma pessoa, mas o coração é de outra.[565] John Charles Ryle alerta para o perigo de estarmos fisicamente na igreja e deixarmos nosso coração em casa, de sermos uma pessoa aqui e outra acolá.[566]

William Barclay diz que a palavra *hypokrites* tem uma história interessante e reveladora. Começa significando simplesmente uma contestação; para significar logo aquele que contesta num diálogo ou um ator teatral, e finalmente significa alguém cuja vida é uma atuação sem nenhuma sinceridade.[567] O hipócrita é o homem que esconde, ou tenta esconder, suas intenções reais por trás de uma máscara de virtude simulada.[568]

O hipócrita é aquele que fala uma coisa e sente outra. Há um abismo entre as suas palavras e seus sentimentos, um hiato entre suas ações e seu coração, uma esquizofrenia entre seu mundo interior e o exterior.

William Hendriksen diz que um hipócrita é um enganador, fraudulento, impostor, uma serpente sobre a relva, e um lobo em pele de cordeiro. Ele finge ser o que, na verdade, não é.[569]

Em segundo lugar, *Jesus revela a inversão de valores dos acusadores* (7.8). Os escribas e fariseus proclamavam ser defensores da ortodoxia. Mas o zelo deles não era em preservar e proclamar a Palavra de Deus, mas em manter a tradição dos anciãos. Eles haviam trocado a verdade pela mentira. William Hendriksen diz que eles eram culpados de colocar a mera tradição humana acima do mandamento divino, uma regra feita pelo homem acima de um mandamento dado por Deus. Os rabinos haviam dividido a Lei Mosaica, ou Torá, em 613 decretos distintos, com 365 deles contendo proibições, enquanto 248 eram orientações positivas. Além disso, em conexão com cada decreto, haviam desenvolvido distinções arbitrárias entre o que consideravam "permitido", e o que "não era permitido". Por meio dessas distinções, eles tentavam regular cada detalhe da conduta dos judeus: seus sábados, viagens, comida, jejuns, abluções, comércio, relações interpessoais etc.[570]

Em terceiro lugar, *Jesus aponta os desvios dos acusadores* (7.7-13). Os escribas e fariseus tentaram reprovar os discípulos de Cristo para destruí-lo. Eles foram denunciados de cometer vários desvios na prática da verdadeira espiritualidade:

O culto deles era em vão (7.7). Jesus responde aos escribas e fariseus citando para eles a lei e os profetas, ou seja, Isaías 29.13 e Êxodo 20.12. A autoridade não está nos escritos dos rabinos, mas na Palavra de Deus. O culto só é verdadeiro quando é regido pela verdade de Deus e pela sinceridade de coração. Palavras bonitas sem verdade no íntimo desagradam a Deus. É uma grande tragédia que pessoas religiosas praticam a sua religião e se tornam ainda piores.[571]

Eles negligenciam o mandamento de Deus (7.8). Como vimos, os escribas e fariseus eram culpados de colocar a mera tradição humana acima do mandamento divino, uma regra feita pelo homem acima de um mandamento dado por Deus.[572] Eles deturparam o mandamento de Deus para manter a tradição dos homens. Eles deram mais valor à sua tradição oral do que à Palavra escrita de Deus.

Eles rejeitaram jeitosamente o preceito de Deus (7.9-12). Os escribas e fariseus chegaram a ponto de anular e invalidar um preceito infalível de Deus para confirmar sua tradição fraca e miserável.[573] Jesus fala sobre o arranjo jeitoso que os rabinos fizeram para deturpar o quinto mandamento e liberar os filhos avarentos da responsabilidade de cuidarem de seus pais na velhice. Esses líderes proclamavam amar a Deus, mas não tinham amor pelos pais. O mandamento para honrar pai e mãe está fartamente documentado nas Escrituras.[574] Honrar pai e mãe é mais do que simplesmente obedecer-lhes. O que realmente importa é a atitude interior do filho em relação aos seus pais. Essa atitude é o que, na verdade, produz honra. Toda obediência interesseira e relutante, ou produzida pelo terror é, descartada. Honra implica amor e alta consideração.

Como os escribas e fariseus anularam esse preceito bíblico? Pela errada aplicação da lei de Corbã. Quando um filho mau tinha a intenção de desamparar pai e mãe, sonegando a eles a assistência devida, dizia a eles que não poderia ajudá-los, porque havia dedicado esses recursos financeiros como oferta ao Senhor. Dessa maneira, ficavam "legalmente" isentos de socorrer os pais e não necessariamente, dedicavam essas ofertas a Deus. O filho que declarava: É Corbã, poderia, simplesmente, conservar o dom para seu próprio uso.[575] Ernesto Trenchard coloca essa questão como segue:

> A palavra Corbã quer dizer "dedicado a Deus", e se empregava quando um homem queria dedicar seus bens à tesouraria do Templo. Contudo, por um acordo com os sacerdotes israelitas, podia "dedicar" seu dinheiro ou sua propriedade ao Templo, ao mesmo tempo, em que os desfrutava durante a sua vida, deixando-os como um legado a serviço do Templo. Caso esse homem, segundo a santa obrigação natural e legal, tivesse o dever de manter os pais idosos ou enfermos, os mesmos sacerdotes lhe impediam de ajudá-los com esses fundos que eram "Corbã", para não subtrair o legado do Templo. Esse caso suscitou a justa indignação do Senhor, pois por um ímpio subterfúgio, e sob uma aparência de piedade, se violava um dos principais mandamentos de Deus.[576]

Eles invalidaram a Palavra de Deus (7.13). Os escribas e fariseus estavam não apenas ignorando, mas também invalidando a Palavra de Deus. Eles estavam retirando a autoridade divina do quinto mandamento. De outro lado, estavam colocando em seu lugar uma tradição injusta e iníqua. Jesus deixa claro que a oferta de Corbã era apenas um exemplo dos muitos desvios desses falsos mestres.

O grande pilar da ortodoxia evangélica é a verdade de que a Palavra de Deus é nossa única regra de fé e prática. Esse marco tem sido removido ainda hoje. Preceitos de homens têm sido colocados no lugar da bendita Palavra de Deus.

O preceito (7.14-16)

Duas verdades são aqui destacadas:

Em primeiro lugar, *a contaminação vem de dentro e não de fora* (7.15). A verdadeira espiritualidade não é ritual nem cerimonial, mas procede da sinceridade do coração. Não é o que o homem coloca para dentro, mas o que sai do seu coração. Esse preceito de Jesus tem duas implicações:

A primeira implicação é que Jesus refuta a ideia de que o homem é produto do meio. O mal não vem de fora, mas de dentro. O mal não está no ambiente, mas no coração. Jean Jacques Rousseau estava equivocado ao ensinar que o homem é bom por natureza. Jesus de Nazaré, o maior de todos os mestres, revela a maldade inerente do ser humano.

A segunda implicação é que Jesus refuta a ideia de que o ritualismo externo pode nos tornar agradáveis aos olhos de Deus. Lavar as mãos ou purificar utensílios não nos tornam limpos aos olhos de Deus. Ele não atenta para a aparência, mas vê o coração. Ele busca verdade no íntimo.

Em segundo lugar, *em vez de purificações cerimoniais devemos afiar nosso entendimento e nossos ouvidos* (7.14,16). Em vez de ser um prisioneiro do legalismo farisaico, Jesus exorta a multidão a ter uma espiritualidade governada pelo entendimento da verdade de Deus. Jesus dá uma grande ênfase à necessidade de ouvir e compreender. Não podemos seguir interpretações enganosas, antes devemos inclinar nossos ouvidos à Palavra de Deus.

A explicação (7.17-23)

Jesus ensina duas verdades axiais:

Em primeiro lugar, *a verdadeira pureza tem a ver com o coração e não com o estômago* (7.18-20). Jesus está acabando com a paranoia da religião legalista das listas intermináveis do pode e não pode. Jesus está declarando puros todos os alimentos. Não podemos considerar impuro o que Deus tornou puro (At 10.15). O alimento desce ao estômago, mas o pecado sobe ao coração. O alimento que comemos é digerido e evacuado, mas o pecado permanece no coração, produzindo contaminação e morte.[577]

Em segundo lugar, *os grandes males procedem do coração e não do ambiente externo* (7.21-23). Jesus aponta o coração como a fonte dos sentimentos, aspirações, pensamentos e ações dos homens. Essa fonte é, também, a fonte de toda contaminação moral e espiritual.[578] Jesus não tinha ilusões sobre a natureza humana como alguns teólogos liberais e mestres humanistas da atualidade.[579]

Marcos cita doze pecados que brotam do coração. Os seis primeiros estão no plural e os outros no singular. Os primeiros seis indicam más ações, enquanto os últimos seis falam do estado do coração, do direcionamento maligno, bem como das palavras que são relacionadas a essas ações.[580] Há outras listas de pecados registradas no Novo Testamento.[581]

O termo introdutório "os maus desígnios", *dialogismoi,* literalmente significa "os maus diálogos". Uma pessoa está quase sempre dialogando em sua própria mente, arrazoando, cogitando, deliberando. Esses diálogos provocam ações e estimulam o estado interior.

Vejamos primeiro as seis ações pecaminosas.

Prostituição – O termo *porneia* indica o pecado sexual em geral, todo comportamento sexual ilícito, seja dentro ou fora do casamento. A prostituição inclui a pornografia, a fornicação, o adultério, o homossexualismo, bem como toda impureza moral.

Furtos. Na língua grega há duas palavras para furto: *kleptes e lestes. Lestes* é o bandoleiro, assaltante. Barrabás era um *lestes* (Jo 18.40). *Kleptes* é um ladrão. Judas era um ladrão quando subtraía da bolsa (Jo 12.6). A palavra usada aqui é *klopai.*[582] O furto é a apropriação daquilo que não nos pertence. É a posse intencional daquilo que pertence a outro: seja o governo civil, o próximo, ou mesmo Deus.

Homicídios. Inclui tanto o ato quanto o desejo de tirar a vida do próximo. Esse pecado inclui tanto o ódio, quanto o assassinato.

Adultérios. Essa é a violação dos laços do matrimônio, envolvendo um ato sexual voluntário entre um homem e uma mulher que não seja o seu cônjuge.[583] Jesus ampliou a transgressão desse pecado para o olhar cobiçoso (Mt 5.28).

A avareza. Avareza é um apego idolátrico às coisas materiais, sonegando toda sorte de ajuda ao próximo nas suas necessidades. O termo usado é *pleonexiai,* o desejo ardente de ter o que pertence a outros. A ganância é como uma peneira que nunca fica cheia.[584]

As malícias. Isso poderia muito bem ser um somatório de todas as manifestações iníquas, tanto as já mencionadas quanto as outras.[585]

Veja em seguida os pecados que retratam o estado do coração:

Dolo. O dolo pode ser definido como artimanhas do engano.

Lascívia. Impulso pecaminoso como luxúria e licenciosidade.

Inveja. É o desprazer de ver uma pessoa possuir algo. William Hendriksen diz que esse é um dos pecados mais destrutivos da alma. Ela é como podridão nos ossos (Pv 14.30). Nossa palavra inveja vem do latim *invidia,* que significa "olhar contra", ou seja, olhar com má vontade para outra pessoa por causa do que ela tem ou é. Foi a inveja que provou a morte de Abel, jogou José no poço, provocou a revolta de Core, Datã e Abirão, levou Saul a perseguir Davi, gerou as palavras rancorosas do "irmão mais velho" do pródigo e crucificou Jesus.[586]

Blasfêmia. Palavras abusivas e difamações. Refere-se à difamação do caráter, ao xingamento, à calúnia, linguagem desdenhosa ou insolente dirigida contra outra pessoa, seja diretamente para ela, ou pelas suas costas.[587]

Soberba. A tendência maligna de imaginar-se melhor, mais hábil ou maior do que os outros.

Loucura. William Hendriksen diz que esse termo resume as cinco propensões e palavras anteriores.[588]

O remédio é um novo coração. É mais difícil ter um coração limpo do que mãos limpas. De fato, é impossível ter uma vida aceitável a Deus, com nossos corações contaminados longe de sua graça purificadora. O evangelho trabalha de dentro para fora, provendo a motivação interna necessária para adquirir caráter justo e para livrar-se *de toda impureza e acúmulo de maldade* (Tg 1.21).[589]

Notas do capítulo 24

[561] Hendriksen, William, *Marcos,* 2003: p. 347.

[562] Trenchard, Ernesto, *Una Exposición del Evangelio según Marcos,* 1971: p. 84.

[563] Wiersbe, Warren W., *Be Diligent,* 1987: p. 69.

[564] Wiersbe, Warren W., *Be Diligent,* 1987: p. 70.

[565] McGee, J. Vernon, *Mark,* 1991: p. 88.

[566] Ryle, John Charles, *Mark,* 1993: p. 100.

[567] Barclay, William, *Marcos,* 1974: p. 181,182.

[568] Hendriksen, William, *Marcos,* 2003: p. 352.

[569] Hendriksen, William, *Marcos,* 2003: p. 353.

[570] Hendriksen, William, *Marcos,* 2003: p. 353.

[571] Wiersbe, Warren W., *Be Diligent,* 1987: p. 71.

[572] Hendriksen, William, *Marcos,* 2003: p. 353.

[573] Hendriksen, William, *Marcos,* 2003: p. 355.

[574] Êxodo 20.12; Deuteronômio 5.16; Provérbios 1.8; 6.20-22; Malaquias 1.6; Mateus 19.19; Marcos 7.10-13; Efésios 6.1; Colossenses 3.20.

[575] Hendriksen, William, *Marcos,* 2003: p.357.

[576] Trenchard, Ernesto, *Una Exposición del Evangelio según Marcos.* 1971: p. 85,86.

[577] Wiersbe, Warren W., *Be Diligent,* 1987: p. 73.

[578] Hendriksen, William, *Marcos,* 2003: p. 362.

[579] Wiersbe, Warren W., *Be Diligent,* 1987: p. 73.

[580] Hendriksen, William, *Marcos,* 2003: p. 363.

[581] Romanos 1.18-32; 13.13; 1Coríntios 5.9-11; 6.9,10; 2Coríntios 12.20; Gálatas 5.19-21; Efésios 4.19-; 5.3-5; Colossenses 3.5-9; 1Tessalonicenses 2.3; 4.3-7; 1Timóteo 1.9,10; 6.4,5; 2Timóteo 3.3,9.10; 1Pedro 4.3; Apocalipse 21.8; 22.15.

[582] Barclay, William, *Marcos,* 1974: p. 186.

[583] Hendriksen, William, *Marcos,* 2003: p. 367.

[584] Mulholland, Dewey M., *Marcos: Introdução e Comentário,* 2005: p. 120.

[585] Hendriksen, William, *Marcos,* 2003: p. 368.

[586] Hendriksen, William, *Marcos,* 2003: p. 369.

[587] Hendriksen, William, *Marcos,* 2003: p. 370.

[588] Hendriksen, William, *Marcos,* 2003: p. 370.

[589] Mulholland, Dewey M., *Marcos: Introdução e Comentário,* 2005: p. 122.

Capítulo 25

A vitória de uma mãe intercessora

(Mc 7.24-30)

À GUISA DE INTRODUÇÃO, chamo atenção para três fatos importantes:

Em primeiro lugar, *Jesus está em território gentio.* Essa nova seção constitui uma quebra geográfica definida na narrativa, pois o ministério de Jesus na Galileia termina em 7.23.[590] A segunda divisão, os ministérios do retiro e da Pereia, começam nesse ponto (7.24) e vai até 10.52.[591] Tiro e Sidom eram cidades da Fenícia, e ela fazia parte da Síria. Tiro ficava a uns sessenta quilômetros ao noroeste de Cafarnaum. Seu nome significa rocha. Tiro era um dos grandes portos naturais do mundo nos tempos antigos. Tiro era não só um porto famoso, mas também, uma fortaleza famosa. Alexandre, o Grande, a tomou, tendo construído uma fortaleza nessa cidade. Sidom situava-se a uns 42 quilômetros ao nordeste de Tiro e uns cem quilômetros de Cafarnaum.[592]

A cidade de Tiro era um sinônimo de paganismo; era uma cidade mal-afamada desde os tempos do Antigo Testamento, já que dessa região vinha a rainha Jezabel, que seduziu Israel para a idolatria.[593] Os judeus consideravam os habitantes de Tiro como cães impuros.[594]

Havia uma profecia de que chegaria um dia no qual o povo de Tiro e a circunvizinhança também compartilhariam as bênçãos da era messiânica (Sl 87.4). Essa profecia começou a se cumprir quando pessoas dessa região viajaram para a Galileia para ouvirem o ensino de Jesus e serem curadas das suas enfermidades (Mt 4.24,25; Lc 6.18). Agora, é o próprio Jesus quem vai até elas.[595]

Em segundo lugar, *Jesus está quebrando o conceito judaico da impureza.* Jesus, no texto anterior, provou para os judeus que não existem alimentos impuros (7.1-23). Agora, revela que não há pessoas impuras. Jesus entra na terra dos gentios sem ser contaminado. Jesus rejeita essa distinção e torna claro que o evangelho é para todos. A base para ser aceito por Deus não é uma questão de antecedentes étnicos, mas o relacionamento com Jesus.[596] Aquelas cidades fenícias eram parte do reino de Israel (Js 19.28,29), mas o que as armas não conquistaram, Jesus conquistou com o amor.[597] Simbolicamente, a mãe intercessora de Marcos (7.24-30) representa o mundo gentio que tão ansiosamente recebeu o pão do céu que os judeus haviam rejeitado.

Em terceiro lugar, *Jesus está lidando com uma mãe aflita.* Esse texto nos mostra uma mãe aflita aos pés do Salvador.

Elas estão por todos os lados, elas estão aqui. Por que as mães sofrem pelos seus filhos? Essa mãe, embora gentia, tinha uma grande fé. Embora chegasse abatida, saiu vitoriosa.

Isso, porque a fé vem da graça divina e não da família que se tem ou da igreja que se frequenta. Spurgeon dizia que uma pequena fé levará a sua alma ao céu, mas uma grande fé trará o céu à sua alma.

Uma mãe intercessora tem discernimento sobre o que está acontecendo com os seus filhos (7.25,26)

Três coisas nos chamam a atenção acerca dessa mãe:

Em primeiro lugar, *ela discerne o problema que atinge sua filha* (7.25). Essa mãe sabia quem era o inimigo da sua filha. Ela sabia que o problema de sua filha era espiritual. Ela tem consciência que existe um inimigo real que estava conspirando contra a sua família para destruí-la.

Peter Marshal pregou um célebre sermão no dia das mães e afirmou que elas são guardas das fontes. As mães são os instrumentos que Deus usa para purificar as fontes que contaminam os filhos.

Em segundo lugar, *ela discerne a solução do problema que atinge sua filha* (7.26). Essa mãe percebeu que o problema da sua filha não era apenas uma questão conjuntural. Não era simplesmente a questão de estudar numa escola melhor, morar num bairro mais seguro e ter mais conforto. Ela já tinha buscado ajuda em todas as outras fontes e sabia que só Jesus poderia libertar a sua filha.

Ela vai a Jesus. Ela o busca e o chama de Filho de Davi, seu título popular, aquele que fazia milagres. Depois o chama de Senhor. Finalmente, se ajoelha (7.23). Ela começa clamando e termina adorando. Ela começa atrás de Jesus e termina aos seus pés.

Em terceiro lugar, *ela discerne que pode clamar a favor da sua filha* (7.26). A necessidade nos faz orar por nós mesmos, mas o amor nos faz orar pelos outros.[598] Essa mãe viu a terrível condição da sua filha, viu o poder de Jesus para libertá-la e clamou com intensidade e perseverança. Ela percebeu que nenhum ensino alcançaria a sua mente e nenhuma medicina poderia sarar o seu corpo. Ela orou por uma pessoa que não tinha condições de orar por si mesma e não descansou até ter sua oração respondida. Pela oração ela obteve a cura que nenhum recurso humano poderia dar. Pela oração da mãe a filha foi curada. Aquela menina não falou uma palavra sequer para o Senhor, mas sua mãe falou por ela e ela foi libertada. Onde há uma mãe em oração, sempre há esperança.[599]

Aquela mãe não poderia dar à sua filha um novo coração, mas poderia pedir a quem podia fazer esse milagre. Não podemos dar aos nossos filhos a vida eterna, mas podemos orar por eles para que se convertam. Ambrósio disse acerca de Agostinho, por quem sua mãe orou trinta anos: "Um filho de tantas lágrimas, jamais poderia perecer". Mesmo quando não pudermos mais falar de Deus para nossos filhos, podemos falar dos nossos filhos para Deus!

Uma mãe intercessora transforma a necessidade em adoração (7.25)

Destacamos três lições:

Em primeiro lugar, *seu clamor foi por misericórdia* (7.26).

Ela está aflita e precisa de ajuda. Ela pede ajuda a quem pode ajudar. Ela não se conforma de ver sua filha sendo destruída.

A sua dor a levou a Jesus. Ela viu os problemas como oportunidades de se derramar aos pés do Salvador. O sofrimento pavimentou o caminho do seu encontro com Deus. Aquela mãe transformou sua necessidade em estrada para encontrar-se com Cristo. Transformou a necessidade em oportunidade de prostrar-se aos pés do Senhor. Transformou o problema no altar da adoração.

Em segundo lugar, *seu clamor foi com senso de urgência* (7.25). Aquela mãe não perdeu a oportunidade. Aquela foi a única vez durante o seu ministério que Jesus saiu dos limites da Palestina e foi às terras de Tiro e Sidom.[600] Ela não perdeu a oportunidade. As oportunidades passam. É tempo das mães clamarem a Deus pelos filhos. É tempo das mães se unirem em oração pelos filhos. Precisamos ter um senso de urgência no nosso clamor.

Como você se comportaria se visse seu filho numa casa em chamas? Certamente teria urgência em intervir para a sua salvação. Tem você a mesma urgência para ver seus filhos salvos?

Em terceiro lugar, *seu clamor é cheio de empatia* (Mt 15.22). O problema da filha é o seu problema. Seu clamor era: *Tem compaixão de mim. Senhor, socorre-me*. Era sua filha quem estava possessa. Ela sofria como se fosse a própria filha. A dor da sua filha era a sua dor. Na verdade, ela sentia o sofrimento mais do que a própria filha.[601] O sofrimento da filha era o seu sofrimento. A libertação da filha era a sua causa mais urgente.

Uma mãe intercessora está disposta a enfrentar qualquer obstáculo para ver a filha libertada (7.27,28)

Essa mãe é determinada. Como Jacó, ela agarra-se ao Senhor sem abrir mão da bênção. Ela não descansa nem dá descanso a Jesus. Warren Wiersbe diz que essa mulher encontrou vários obstáculos em seu caminho: Sua nacionalidade era contra ela: era gentia e Jesus era judeu. Além do mais, ela era uma mulher, e a sociedade daquela época era dominada pelos homens. Satanás estava contra ela, porque um espírito imundo havia dominado a sua filha. Os discípulos estavam contra ela, eles queriam que Jesus a despedisse. O próprio Jesus aparentemente estava contra ela. Essa não era uma situação fácil.[602] Contudo, essa mãe não desanimou. Destacamos três obstáculos que ela enfrentou antes de ver o milagre de Jesus acontecendo na vida da sua filha.

Em primeiro lugar, *o obstáculo do desprezo dos discípulos de Jesus* (Mt 15.23). Os discípulos não pedem a Jesus para atender a essa mãe, mas para despedi-la. Não se importaram com a sua dor, mas quiseram se ver livre dela. Eles não intercedem a favor dela, mas contra ela. Eles a desprezaram em vez de ajudá-la. Eles tentaram afastá-la de Jesus em vez de ajudá-la a se lançar aos pés do Salvador. Os discípulos foram movidos por irritação, e não por compaixão.[603]

Em segundo lugar, *a barreira do silêncio de Jesus* (Mt 15.23). O silêncio de Jesus é pedagógico. Há momentos que os céus ficam em total silêncio diante do nosso clamor. Foi assim com Jó. Ele ergueu aos céus dezesseis vezes a pergunta: Por que, Senhor? Por que estou sofrendo? Por que a minha dor não cessa? Por que os meus filhos morreram?

Por que eu não morri ao nascer? Por que o Senhor não me mata de uma vez? A única resposta que ele ouviu foi o total silêncio de Deus. É mais fácil crer quando estamos cercados de milagres. O difícil é continuar crendo e orando pelos filhos quando os céus estão em silêncio, quando as coisas parecem estar indo mal.

Em terceiro lugar, *a barreira da resposta de Jesus* (7.27, 28). A metodologia de Jesus para despertar no coração dessa mulher uma fé robusta foi variada:

Não fui enviado senão à Casa de Israel (Mt 15.24). Foram palavras desanimadoras. Ela, porém, em vez de sair desiludida e revoltada, por causa da sua nacionalidade e educação pagã, veio e o adorou, dizendo: "Senhor, socorre-me!" Em vez de desistir de sua causa, adora e ora! Esse ato revelou sua humildade, reverência, submissão e ansiedade.[604] Jesus com essas palavras estava dizendo à mulher que os judeus eram os primeiros a terem a oportunidade de aceitá-lo como Messias. Assim Jesus não estava rejeitando essa mulher, mas testando sua fé e revelando que a fé está disponível para todas as raças e nacionalidades.[605]

Não é bom tomar o pão dos filhos e lançá-los aos cachorrinhos (7.27). O diminutivo sugere que a referência é aos cachorrinhos que eram guardados como animais de estimação.[606] William Hendriksen diz que Jesus está abrindo lentamente a porta. Ao dizer: Deixa "primeiro" que se fartem os filhos", ele está, pelo menos, dizendo para essa mulher sofrida que Deus não deixou de olhar para os gentios. Ela poderá muito bem pensar: "Se existem bênçãos aguardando os gentios no futuro, porque não receber algumas delas hoje... mesmo que isso represente uma exceção"?[607]

O que Calvino disse é verdade: "Certamente que, em nenhuma ocasião, o Senhor concedeu sua graça para os judeus de maneira que não sobrasse uma prova dela para os gentios".[608] Nem mesmo durante a antiga dispensação, as bênçãos de Deus foram limitadas exclusivamente aos judeus. Com a vinda de Cristo, numa escala crescente, as bênçãos especiais de Deus para Israel estavam destinadas a alcançar os gentios. Depois do Pentecostes, a igreja tornou-se internacional.[609]

Essa mãe longe de ficar magoada com a comparação, converte a palavra desalentadora em otimismo e transforma a derrota em consagradora vitória. Essa gentia transformou a palavra de aparente reprovação – cachorrinhos – numa razão para otimismo, e por meio disso uma grande derrota tornou-se uma vitória brilhante.[610] Busca o milagre da libertação da filha, ainda que isso represente apenas migalhas da graça.

Uma mãe intercessora triunfa pela fé e toma posse da vitória dos filhos (7.29)

Duas coisas merecem destaque:

Em primeiro lugar, *Jesus elogia a fé daquela mãe* (Mt 15.28). A mulher siro-fenícia não apenas teve seu pedido atendido, mas teve, também, sua fé enaltecida. Não apenas a filha foi libertada, mas a mãe também foi elogiada.

Mãe, não desista de seus filhos. Eles são filhos da promessa. Eles não foram criados para o cativeiro.

A fé é morta para a dúvida, surda para o desencorajamento, cega para as impossibilidades e não vê nada, a não ser o seu sucesso em Deus.

A fé honra a Deus e Deus honra a fé. "Ó mulher, grande é a tua fé!" É significante que as duas vezes que os evangelhos destacam o elogio de Jesus a alguém por sua grande fé, foi em resposta à fé das pessoas gentias. É o caso dessa mulher siro-fenícia e do centurião romano (Mt 8.5-13). É também digno observar que, em ambos os casos, Jesus curou a distância.[611]

George Muller disse que a fé não é saber que Deus pode; é saber que Deus quer. A fé é o elo que liga a nossa insignificância à onipotência divina.

Em segundo lugar, *aquela mãe recebeu pela vitória de sua fé a libertação da sua filha* (7.29,30). Jesus disse: *Faça-se contigo como queres. E desde aquele momento, sua filha ficou sã.* A fé reverteu a situação. O pedido foi atendido. A bênção chegou. A fé venceu.

Carlos Studd disse que a fé em Jesus ri das impossibilidades. Agostinho disse que fé é crer no que não vemos e a recompensa dessa fé é ver o que cremos.

Aquela mãe voltou para a sua casa aliviada e encontrou a sua filha libertada. Ela perseverou. Ela se humilhou. Ela adorou. Ela orou. Ela prevaleceu pela fé. A jovem aflita não orou por si mesma, mas sua mãe orou por ela. A fé da filha não foi medida, mas a de sua mãe o foi. E, no entanto, a cura foi para a filha. A mãe reconheceu o senhorio de Cristo e clamou: *Ajuda-me, Senhor!* Ela confessou sua necessidade e confiou em Jesus para atendê-la. Os pais, que oram pelos filhos, podem esperar a intervenção de Deus.[612]

Lute pelos seus filhos, ore por eles. Resista a qualquer obra do inimigo na vida dos seus filhos. Não descanse até ver os seus filhos salvos. Talvez alguns ainda estejam perdidos fora ou dentro da igreja. Derrame-se aos pés do Senhor. E não saia até que você triunfe pela fé.

Notas do capítulo 25

[590] Mulholland, Dewey M., *Marcos: Introdução e Comentário,* 2005: p. 122.

[591] Hendriksen, William., *Marcos,* 2003: p. 373.

[592] Barclay, William., *Marcos,* 1974: p. 190,191.

[593] Pohl, Adolf, *Evangelho de Marcos,* 1998: p. 234.

[594] Burn, John Henry, *The Preacher's Complete Homiletic Commentary on the Gospel according to Mark,* 1996: p. 266.

[595] Hendriksen, William, *Marcos,* 2003: p. 378.

[596] Mulholland, Dewey M., *Marcos: Introdução e Comentário,* 2005: p. 122.

[597] Barclay, William., *Marcos.,*1974: p. 192.

[598] Burn, John Henry, *The Preacher's Complete Homiletic Commentary on the Gospel according to Mark,* 1996: p. 267.

[599] Ryle, John Charles, *Mark,* 1993: p. 106.

[600] Trenchard, Ernesto, *Una Exposición del Evangelio según Marcos,* 1971: p. 90.

[601] Gioia, Egidio, *Notas e Comentários à Harmonia dos Evangelhos,* 1969: p. 185.

[602] Wiersbe, Warren W., *Be Diligent,* 1987: p. 75.

[603] Richards, Larry, *Todos os milagres da Bíblia,* 2003: p. 249.

[604] Hendriksen, William, *Marcos,* 2003: p. 380.

[605] Barton, Bruce B., et all. *Life Application Bible Commentary – Mark,* 1994: p. 209.

[606] Rienecker, Fritz e Rogers, Cleon, *Chave linguística do Novo Testamento Grego,* 1985: p. 81.

[607] Hendriksen, William, *Marcos,* 2003: p. 381.

[608] Calvin, John, *Commentary on a Harmony of the Evangelists Matthew, Mark and Luke.* Vol. II. Grand Rapids, 1949: p. 268.

[609] Hendriksen, William, *Marcos,* 2003: p. 382.

[610] Hendriksen, William, *Marcos,* 2003: p. 381.

[611] Wiersbe, Warren W., *Be Diligent,* 1987: p. 76.

[612] Barton, Bruce B., et all. *Life Application Bible Commentary – Mark,* 1994: p. 208.

Capítulo 26

Um esplêndido milagre

(Mc 7.31-37)

Jesus utilizou muitos recursos e processos didáticos para transmitir aos homens a mensagem evangélica. Seus métodos pedagógicos são os mais variados e os mais próprios às circunstâncias históricas, sociais e humanas do seu tempo.

Podemos catalogar em cinco os processos didáticos apresentados nos evangelhos:

1. Sermões
2. Parábolas
3. Respostas aos inquisidores
4. Atitudes e comportamentos
5. Milagres.

Os milagres de Cristo eram pedagógicos. Quase toda cura física que Jesus realizava significava uma cura espiritual que planejava. A doença do corpo era uma imagem da doença da alma. Esse milagre é narrado somente pelo evangelista Marcos. Ele encerra algumas lições importantes:

A compaixão de Jesus (7.31)

Destacamos dois fatos sobre a compaixão de Jesus:

Em primeiro lugar, *Jesus revela sua benevolência* (7.31). Jesus havia sido expulso da região de Decápolis, depois que libertou um homem possesso de uma legião de demônios. O povo daquela região amava mais os porcos que a Deus e dava mais importância ao dinheiro que à salvação.

Jesus foi expulso de Gadara, mas enviou um missionário para o meio deles antes de deixá-los. Agora, o próprio Jesus está de volta a essa terra. Isso é a graça de Deus oferecida àqueles que um dia o rejeitaram. Esse gesto de Jesus revela sua grande benevolência.

Em segundo lugar, *Jesus oferece uma segunda oportunidade*. A presença de Jesus em Decápolis é evidência de que Deus insiste com o homem, oferecendo a ele mais uma oportunidade de salvação. Deus chama com amor. Ele enviou um missionário para a região de Decápolis e agora ele mesmo está entre esse povo para abrir-lhe a porta da graça.

A súplica dos necessitados (7.32)

Três verdades são aqui enfatizadas:

Em primeiro lugar, *eles creem que Jesus tem poder para curar esse enfermo* (7.32). Os moradores de Decápolis creem que Jesus pode curar esse enfermo. A recuperação da audição dos surdos era um sinal da era messiânica. Quando o Messias vier, abrirá os ouvidos dos surdos. Isaías assim registra: *Então, se abrirão os olhos dos cegos, e se desimpedirão os ouvidos dos surdos* (Is 35.5).

Por isso rogaram a Jesus para impor as mãos sobre o enfermo para que ele fosse curado. Não há oração eficaz sem confiança no poder de Jesus para operar maravilhas. Quando oramos, estamos falando com aquele que tem todo poder e toda autoridade no céu e na terra.

Outra palavra chave nesse texto é *mogilalon,* a palavra usada pelo Senhor para descrever a dificuldade de falar. Essa palavra só é encontrada aqui e na versão grega do Antigo Testamento, a Septuaginta, em Isaías 35.6: [...] *e a língua dos mudos cantará* (Is 35.6). Isaías diz que na era messiânica os mudos gritariam de alegria. Marcos viu o cumprimento das palavras de Isaías no ministério de cura do Senhor Jesus.[613]

Os amigos do surdo-mudo queriam ditar ao Senhor o método que ele empregaria para curar o enfermo (7.32).[614] Jesus, porém, não segue a metodologia dos homens. Essas pessoas descobriram que Jesus tinha uma maneira própria de fazer as coisas. Ele é soberano em suas obras e em seus métodos.

Não podemos determinar para Deus o que fazer nem como fazer. Jesus aborda cada pessoa de forma diferente. A uns ele chama pela mensagem, a outros ele chama pela música, a outros ainda por meio de um testemunho ou diversas outras providências. William Hendriksen diz que ao tratar com as pessoas, o Senhor escolhia os seus próprios métodos. Naamã precisou aprender essa lição (2Rs 5.10-14), como também Jacó muito antes dele (Gn 42.36; 45.25-

28). Assim também aprenderam José e os seus irmãos (Gn 50.15-21). Nós nunca deveríamos tentar ensinar a Deus os métodos que ele deveria usar para responder às nossas orações, o lugar exato onde ele deveria colocar suas mãos. O seu modo é sempre o melhor.[615]

Em segundo lugar, *eles revelam profunda compaixão por esse enfermo* (7.32). Nós não podemos ajudar as pessoas se não sentirmos compaixão por elas. O amor é a mola que nos move a socorrer os aflitos. O amor nos impulsiona a fazer o bem. Nós precisamos trazer os necessitados a Jesus. Nós não podemos curá-los, mas nosso Senhor é poderoso para abrir-lhes os ouvidos e desimpedir-lhes a língua.

William Barclay diz que todo o relato mostra que Jesus não considerou o homem meramente como um caso; o considerou como um indivíduo. O homem tinha uma necessidade especial e um problema especial, e com a mais terna consideração Jesus o tratou de uma forma que respeitava seus sentimentos, e de uma maneira que ele poderia entender.[616]

Em terceiro lugar, *eles trazem o enfermo a Jesus e intercedem por ele* (7.32). Precisamos trazer os aflitos, os enfermos, os pecadores aos pés de Jesus e orar por eles para que sejam curados, salvos, libertos e transformados.

Aquele homem era surdo e mudo. Seus ouvidos e boca haviam sido bloqueados. Adolf Pohl diz que as portas para o próximo e para Deus estavam trancadas. Esse homem, além de ter muros de som que não lhe permitiam ouvir as pessoas, não conseguia também ser ouvido por elas. É essa dramática realidade que foi trazida para Jesus.[617]

O método de Jesus (7.33-35)

Seis são as circunstâncias que aconteceram nesse milagre: 1) Jesus chamou o surdo-mudo à parte – possivelmente para que o doente ficasse mais à vontade; 2) Colocou os dedos nos seus ouvidos – Jesus cria pontes de contato com os seus sentidos para despertar-lhe a fé; 3) Pôs saliva em sua língua – para indicar-lhe que algo deveria ser feito pela sua língua; 4) Levantou os olhos para o céu – revelando que pela oração estava buscando a própria vontade do Pai para realizar esse milagre; 5) Deu um grande suspiro – demonstrando que a condição desse homem estava tocando o seu coração. As dores desse homem eram sentidas também por Jesus. Adolf Pohl diz que o suspiro é evidência de alguém que sofre;[618] 6) Pronunciou uma palavra de virtude: *efatá*. Tanto os ouvidos quanto a língua ficaram desembaraçados.

Podemos sintetizar o método de Jesus empregado nesse milagre em alguns pontos:

Em primeiro lugar, *Jesus realiza esse milagre longe dos holofotes* (7.33). Jesus tira esse homem energicamente do "palco", ao contrário de curandeiros modernos que puxam os doentes para o palco para exibirem-se com supostos milagres.[619] Muitos hoje colocam faixas, *outdoors* e anunciam com grande veemência os pretensos milagres que realizam. Jesus, muitas vezes, não apenas fez milagres longe das luzes da ribalta, mas pedia que esses milagres não fossem divulgados.

Quando Jesus tirou esse homem do meio da multidão, estava revelando por ele profunda consideração. Estava dizendo-lhe que não lidava com a massa, mas com o indivíduo.

Em segundo lugar, *Jesus cria uma ponte de contato com esse homem para despertar-lhe a fé* (7.33). Jesus podia apenas dar uma ordem e aquele homem ficaria curado. Ele poderia também ter feito esse sinal no meio da multidão. Mas Jesus o chama à parte e toca-lhe com as mãos e com saliva. Esses gestos eram pontes de contato. Muitas vezes Jesus usou símbolos para ajudar as pessoas na sua compreensão. Ele ordenou aos seus discípulos imporem as mãos sobre os enfermos e ungi-los com óleo. Ele pôs lodo no olho do cego de nascença e agora toca os ouvidos e coloca saliva na língua desse homem.

Jesus toca esse homem para despertar-lhe a fé. O toque de Jesus é transformador. Ele tocou o leproso e ele foi curado. Ele tocou o cego de nascença e ele recebeu visão. Ele tocou esse homem surdo-mudo e ele passou a falar e a ouvir perfeitamente. Hoje, precisamos de um toque de Jesus!

Em terceiro lugar, *Jesus pronuncia uma palavra de poder* (7.34). Antes de pronunciar uma palavra de cura, Jesus dá um profundo suspiro. Esse é o sentimento de compaixão. Ele se importa com o homem. Nossa dor é a sua dor. Ele chorou no túmulo de Lázaro. Ele se compadeceu do leproso. Ele é movido de terna compaixão por aqueles que sofrem.

Mas Jesus não tem apenas compaixão, ele tem poder. Ao proferir a palavra *efatá*, os ouvidos abriram e a língua desembaraçou e o homem passou a ouvir e a falar fluentemente. Warren Wiersbe diz que o homem não podia ouvir Jesus falar, mas a criação ouviu o Criador, e o homem foi curado.[620] Jesus tem poder para abrir. Ele abre a boca do ser humano, os olhos, os ouvidos, o ventre, a prisão, o coração, a fé, as Escrituras são a porta missionária, ele abre o céu e os sepulcros.[621] A palavra *efatá* traz a ideia de ser aberto e ser libertado. A ideia não é da parte específica da pessoa sendo aberta, mas da pessoa inteira ser aberta ou libertada. É a ordem que despedaçou os grilhões que Satanás mantinha presa a sua vítima.[622]

Dewey Mulholland diz que *efatá* não é nenhum encantamento mágico. É apenas uma palavra na língua aramaica, a linguagem normal para Jesus. Marcos traduziu a palavra, mostrando que Jesus usou uma simples ordenança e não uma fórmula mágica para realizar a cura.[623]

Jesus é o mesmo. Ele ainda abre os ouvidos e desimpede a língua dos mudos.

Em quarto lugar, *Jesus cura o enfermo imediata e completamente* (7.35). As curas operadas por Jesus não foram propaganda enganosa. As pessoas não continuavam a ter os sintomas da doença depois de pronunciada a cura. O texto diz que *logo* o homem passou a ouvir e a falar *desembaraçadamente*. A cura de Cristo é imediata e completa.

Hoje, muitos líderes religiosos sem escrúpulos e sem temor a Deus fazem propagandas de milagres que jamais existiram e garantem às pessoas que elas estão curadas, quando não há nenhuma prova de que o milagre ocorreu. Diferentes de Jesus, buscam publicidade e gostam dos holofotes, pois estão mais interessados na exaltação de seus próprios nomes do que na glória de Deus.

Em quinto lugar, *Jesus proíbe a publicidade do milagre* (7.36). Parece paradoxal que nessa mesma região Jesus disse para o gadareno ir para os seus contar tudo quanto o Senhor lhe havia feito (5.18-20) e agora ordena a esse homem para não falar nada a ninguém. A razão para esse fato se dá porque Jesus está terminando o seu ministério terreno e embocando a sua caminhada para Jerusalém, onde morrerá na cruz. Jesus não queria que o dia da sua crucificação fosse antecipado nem que as pessoas focassem sua atenção nos seus milagres em vez de na sua morte expiatória.[624] Jesus não veio ao mundo para ser um milagreiro, mas sim, o Salvador. E isso precisa ser enfatizado agora, mais do que nunca.[625]

Jesus proíbe a multidão de propalar o milagre porque a ideia deles do Messias estava ligada à cura. Eles estavam mais interessados nos milagres de Jesus do que na pessoa dele; enquanto Jesus queria que eles tivessem uma compreensão mais profunda da sua vida e obra. [626]

As implicações e as aplicações do milagre

Antonio Vieira, comentando essa passagem bíblica, diz que esse milagre lança luz sobre alguns aspectos importantes da vida cristã:

Em primeiro lugar, *os tipos de surdez.* O surdo é uma pessoa que não ouve. Pessoa desligada da comunidade em que vive, que não participa das conversas e não dialoga.

A surdez pode ser congênita, temporária, artificial e moral.

A surdez congênita – É congênita quando a pessoa nasce com a deficiência física.

A surdez temporária – É temporária como a das crianças que ainda não entendem os sons e a linguagem, mas logo mais estarão entrosadas com a comunidade.

A surdez artificial – Essa é a surdez dos estrangeiros que não entendem a língua do país onde se encontram.

A surdez moral – Essa é a surdez daqueles que não querem ouvir. De acordo com Jesus, essa é a pior espécie de surdez. A pessoa propositadamente resiste ouvir. Seus ouvidos estão fechados ao que Deus diz e ao que o semelhante fala.

Em segundo lugar, *os significados da surdez.* John Charles Ryle diz que esse texto nos fala do poder do Senhor para curar aqueles que são espiritualmente surdos.[627] Destacamos alguns aspectos dessa surdez:

Surdo é o homem indiferente aos lamentos e sofrimentos dos pobres e doentes, dos necessitados e aflitos. O apóstolo João afirma: *O que vir a seu irmão padecer necessidades e fechar-lhe o coração, como pode permanecer nele o amor de Deus* (1Jo 3.17). No dia do juízo, Jesus sentenciará alguns à condenação eterna, dizendo-lhes: *Apartai-vos de mim, malditos, para o fogo eterno* [...] *Porque tive fome, e não me destes de comer...* (Mt 25.41). Surdo é aquele que tem os ouvidos fechados e o coração fechado aos que lhe pedem ajuda. Esses são semelhantes àquela multidão que tentou abafar o grito do cego Bartimeu, que clamava pelo nome de Jesus (10.46-48).

Surdo é o homem abastado que se isola nos seus palacetes, cercado de altas muralhas, de cães adestrados, de guardas armados para que até lá não chegue a voz do pobre e necessitado. Jesus contou a parábola do rico e do Lázaro. Aquele vivia nababescamente, enquanto Lázaro jazia à sua porta, mendigando (Lc 16.19-31). O rico estava preocupado apenas com suas vestes, seus banquetes e seus convivas, mas não abriu os ouvidos nem o coração para socorrer o necessitado à sua porta.

Surdo é aquele que tem os ouvidos fechados aos conselhos e admoestações para o bem. São jovens que não escutam a orientação dos pais, e por isso, tomam decisões precipitadas; cometem erros irreparáveis e entram em problemas insanáveis. Quantos casamentos turbulentos e desastrados jamais teriam acontecido se os filhos ouvissem o conselho dos pais. Quantos acordos e alianças jamais teriam sido firmados se os conselhos fossem ouvidos.

Surdos são os homens que não conversam com os filhos, não dialogam com a esposa, que não ouvem as reclamações e as necessidades da família e que apenas sabem dar ordens, fazer reclamações e impor obrigações. O divórcio tem sido definido como a morte do diálogo. Há pais que se divorciam dos filhos, fechando-lhes o canal de comunicação.

Surdos são os magistrados, os homens da lei que se deixam subornar, que pervertem a justiça, que corrompem o direito, que inocentam o culpado e condenam o inocente. Esses são insensíveis aos gritos de dor dos injustiçados, dos espoliados, dos marginalizados, dos escorraçados, dos famintos, dos sem-teto, sem vez, sem voz e sem nenhuma esperança.

Surdos são todos aqueles que têm os ouvidos fechados à Palavra de Deus. São aqueles que dizem não ao convite da salvação, que dizem não à vida abundante que Jesus oferece. Surdos são os que ao ouvirem a voz de Deus fogem dele como Jonas e não dizem como Samuel: *Fala, Senhor porque o teu servo ouve.* Surdos são aqueles que ao serem exortados por Deus para abandonarem o pecado, ficam ainda mais agarrados à iniquidade. Surdos são aqueles que convidados a chegar e a beber dos rios de água viva cavam cisternas rotas que não retêm as águas. Surdos são aqueles que desafiados a buscarem uma vida cheia do Espírito e se consagrarem a Deus, ausentam-se da igreja, enterram o seu talento e acovardam-se na luta.

Em terceiro lugar, *os tipos de mudez.* Mudo é o homem que não fala e não diz com palavras o que pensa e o que sente. Mudo é aquele que tem os lábios cerrados por doença, por medo, conveniência ou conivência.

Em quarto lugar, *o significado da mudez.* John Charles Ryle diz que esse texto enfatiza que Jesus tem poder para curar aqueles que são espiritualmente mudos.[628] Podemos ver vários aspectos dessa mudez:

Mudos são os tipos amorfos, abúlicos que não se decidem e não se firmam; que fazem do silêncio a estratégia da omissão, para viver no comodismo da sua inércia e da sua indefinição.

Mudos são aqueles que se omitem. A omissão da verdade, o disfarce da verdade é tão reprovável quanto a mentira. Jesus acolheu os publicanos e pecadores; a ele vieram os párias, os adúlteros, a escória da sociedade e foram transformados, mas os medíocres e omissos fariseus foram anatematizados como hipócritas. De Saulo, perseguidor, o Senhor fez o grande apóstolo dos gentios. Da samaritana, pecadora pública, fez uma extraordinária missionária. Mas o jovem rico cauteloso não foi transformado em seguidor de Jesus. Constantino, fazendo concessões à igreja, concedendo--lhe privilégios políticos e grandes patrimônios em terra e dinheiro, fez mais mal ao cristianismo do que Nero matando os cristãos nos anfiteatros romanos. Na perseguição, a igreja consolidou-se e santificou-se.

Mudos são os lábios que não oram e não se derramam perante a face do Altíssimo.

Mudos são os mestres que não ensinam sabedoria, antes estadeiam e ostentam sua autossuficiência. Mudo é o pai que não fala aos filhos. Mudo é o homem que se conforma com os valores relativos. Mudo é aquele que não ergue sua voz de protesto contra as injustiças que barbarizam tantas vidas. Mudo é aquele que se cala para não se comprometer e covardemente sacrifica a verdade em conivência com o erro.

Mudos são aqueles que deixam de levar boas-novas de salvação. Mudos são todos aqueles que se calam na pregação das boas-novas. São todos aqueles que escondem a mensagem da salvação apenas para si mesmos. Mudos somos todos nós quando não levamos uma palavra de conforto e esperança aos enfermos nos hospitais, aos prisioneiros nos presídios, aos pobres e aflitos nas choupanas, aos ricos e abastados em suas mansões. Mudo é aquele que deixa de apontar o caminho ao errante, deixa de apontar a porta da salvação ao perplexo e confuso pelas seitas. Mudo é aquele que não usa sua língua para glorificar a Deus, para louvar o seu nome, para exaltar os seus feitos. Mudo é aquele que não balsamiza com sua língua os feridos, os quebrados e aflitos.

O mundo é mais infeliz pela ausência de amor do que pela presença do ódio. O mundo é mais infeliz pela omissão dos retos do que pela malícia dos maus. O mundo é mais infeliz pela mudez dos cristãos do que pela loquacidade dos incrédulos.

Concluindo, destacamos que os milagres de Cristo produzem profunda admiração nas pessoas (7.37). Onde o poder de Cristo se manifesta os corações sensíveis se desabotoam em regozijo e admiração. As pessoas estavam maravilhadas e não puderam esconder esse glorioso espanto diante da magnificência do poder de Cristo. James Hastings diz que precisamos considerar quatro classes de pessoas:[629]

Alguns homens não veem nada em Cristo para admirar. Os fariseus e escribas diziam que ele expulsava demônios pelo poder de Belzebu. Eles diziam que ele era possesso, beberrão e blasfemo.

Outros homens admiram as coisas que Cristo faz, mas não admiram quem Cristo é. Os conterrâneos de Jesus, o povo de Nazaré, ficavam extasiado com suas palavras e obras, mas rejeitaram a pessoa de Cristo.

Outros ainda admiram a Cristo, mas não o adoram. Possivelmente seja esse o caso do povo de Decápolis. Muitos corriam atrás de Cristo apenas por causa de seus milagres, buscavam apenas o pão que perece.

Finalmente, alguns homens não apenas o admiram, mas também o adoram. Não basta apenas saber que Jesus é um grande Mestre e um operador de sinais e maravilhas. É preciso prostrar-se aos seus pés como o Senhor dos senhores. Os magos o adoraram. Os salvos o adoram. Os anjos o adoram.

Os milagres de Cristo revelam as obras de Deus (7.37). Quando Deus criou o universo, ele mesmo deu sua nota positiva de avaliação. Agora, os próprios homens estão cônscios de que as obras de Cristo são perfeitas. O mesmo que criou todas as coisas visíveis e invisíveis continua fazendo todas as coisas esplendidamente bem: abrindo os ouvidos dos surdos e desimpedindo a língua dos mudos.

Notas do capítulo 26

613 Barton, Bruce B., et all. *Life Application Bible Commentary on Mark,* 1994: p. 212.

614 Trenchard, Ernesto, *Una Exposición del Evangelio según Marcos,* 1971: p. 92.

615 Hendriksen, William, *Marcos,* 2003: p. 385.

616 Barclay, William, *Marcos,* 1974: p. 195.

617 Pohl, Adolf, *Evangelho de Marcos,* 1998: p. 238.

618 Pohl, Adolf, *Evangelho de Marcos,* 1998: p. 239.

619 Pohl, Adolf, *Evangelho de Marcos,* 1998: p. 238.

620 Wiersbe, Warren W., *Be Diligent,* 1987: p. 77.

621 Pohl, Adolf, *Evangelho de Marcos,* 1998: p. 239.

622 Rienecker, Fritz e Rogers, Cleon, *Chave Linguística do Novo Testamento Grego,* 1985: p. 81.

623 Mulholland, Dewey M., *Marcos: Introdução e Comentário,* 2005: p. 125.

624 Hendriksen, William, *Marcos,* 2003: p. 388.

625 Hendriksen, William, *Marcos,* 2003: p. 388.

626 Mulholland, Dewey M., *Marcos: Introdução e Comentário,* 2005: p. 125.

627 Ryle, John Charles, *Mark,* 1993: p. 109.

628 Ryle, John Charles, *Mark,* 1993: p. 109.

629 Hastings, James, *The Great Texts of the Bible. St. Mark.* N.d: p. 189-192.

Capítulo 27

Atitudes de Jesus diante de circunstâncias desfavoráveis

(Mc 8.1-21)

Introduzimos este texto destacando duas coisas:

Em primeiro lugar, *enquanto Jesus é rejeitado pelos seus, é procurado pelos gentios.* Jesus ainda está em território estrangeiro. Ao mesmo tempo em que ele está sendo rejeitado pelos líderes religiosos, os gentios o buscam ansiosamente. Marcos colocou esse relato intencionalmente no fim de uma viagem por terras pagãs para enfatizar seu trabalho missionário entre os gentios.

Em segundo lugar, *Jesus demonstra compaixão pelos gentios.* William Hendriksen diz que Jesus é capaz de não somente operar maravilhas, mas também de repetir suas obras maravilhosas; sua compaixão é mostrada não somente em relação ao povo da aliança, mas também em relação àqueles de fora.[630]

Larry Hurtado diz que o fato de Marcos dedicar espaço a duas narrativas do mesmo tipo de milagre sugere que cada uma delas tem algo de especial para comunicar, e que nenhuma poderia ser omitida sem perder-se algo importante.[631] Jesus empregou a repetição como parte de seu método de fixar as verdades ensinadas, dando aos seus discípulos e à multidão uma segunda chance.[632]

Esse texto nos fala de quatro atitudes de Jesus:

A compaixão de Jesus (8.1-4)

Destacamos três aspectos da compaixão de Jesus:

Em primeiro lugar, *ela é manifestada aos gentios* (8.1,2). Jesus já alimentara uma multidão às margens do mar da Galileia, agora alimenta outra multidão em território gentio. Dewey Mulholland diz que esse segundo milagre aponta para o reino de Deus, o qual inclui homens, mulheres e crianças de todas as línguas e nações. Os privilégios exclusivos dos judeus têm um fim. Deus mostra seu interesse por todas as pessoas, abrindo o seu reino tanto para gentios quanto para judeus.[633]

John Charles Ryle diz que Jesus demonstrou compaixão por aqueles que não eram seu povo, aqueles que não tinham fé nem graça, antes estavam sem Deus no mundo, sem esperança, vivendo separados da comunidade de Israel. Jesus sentiu compaixão deles, embora não o conhecessem. Ele morreu por eles, embora eles não entendessem seu sacrifício.[634] Verdadeiramente o amor de Cristo ultrapassa todo o entendimento (Ef 3.19).

Adolf Pohl diz que a palavra "permanecer" (8.2) tem um tom religioso, como a palavra "esperar" (esperar em Deus com fé, apesar de provações e sofrimentos).[635] Havia avidez naquela multidão que ouvia os ensinos de Cristo. Enquanto os fariseus eram os críticos de Jesus, os gentios se deleitavam em seu ensino.

Em segundo lugar, *ela atrai os gentios* (8.3). Essa grande multidão estava num lugar deserto havia três dias; muitos deles vindo de lugares distantes. A pessoa, o ensino e as obras de Jesus atraíam de forma irresistível essas pessoas. William Hendriksen diz que a presença de Jesus era tão magnética, as suas palavras e ações tão maravilhosas, que os que o circundavam julgavam que era impossível deixá-lo.[636] O tempo, o cansaço, a fome ou mesmo seus afazeres não lhes impediam de permanecer três dias num lugar deserto ouvindo atentamente as palavras de Jesus.

Em terceiro lugar, *ela é contraposta à insensibilidade dos discípulos* (8.4). Na primeira multiplicação dos pães, os discípulos tomaram a iniciativa de pedir a Jesus para despedir a multidão (6.35,36). A questão enfrentada nessa circunstância, porém, era mais grave do que na primeira multiplicação dos pães. Lá o problema básico era arranjar dinheiro para comprar pão (Jo 6.7). Naquele caso, a comida poderia ser comprada nas cidades e vilas da vizinhança (6.36). Aqui, porém, nem lugar tem para comprar pão. O lugar era deserto, era uma multidão e o tempo já assinalava sinais de perigo para essa gente. Os discípulos, com os corações endurecidos, não veem saída para o problema. Eles nem sequer se lembraram do primeiro milagre. Eles têm uma memória curta e um coração endurecido. Eles destacam as dificuldades das circunstâncias e não o poder de Jesus para realizar o milagre. Eles veem o problema e não a solução.

O poder de Jesus (8.5-10)

Três verdades merecem destaque:

Em primeiro lugar, *o pouco nas mãos de Jesus é muito* (8.5). Apenas sete pães podem transformar-se no começo de um grande milagre. Quando colocamos o pouco nas mãos de Jesus, ele pode realizar grandes milagres. Com Cristo tudo é possível. O conhecimento exato do suprimento completamente inadequado (humanamente falando) fará que reconheçam a grandiosidade do milagre.[637]

O pão é a vida. A palavra hebraica para "deserto", porém, significa "separado da vida". Assim, "pão no deserto" é uma contradição de termos, uma impossibilidade ou – uma possibilidade só para Deus.[638] Quando os nossos recursos acabam ou são insuficientes, Jesus pode ainda fazer o milagre da multiplicação. Precisamos aprender a depender mais do Provedor do que da provisão. Ele ainda continua multiplicando os nossos pequenos recursos para alimentarmos as multidões famintas.

John Charles Ryle diz que nós jamais deveremos duvidar do poder de Cristo para suprir a necessidade espiritual de todas as pessoas. Ele tem pão com fartura para toda alma faminta. Os celeiros do céu estão sempre cheios. Devemos estar seguros de que Cristo tem suprimento suficiente para todas as necessidades temporais e eternas do seu povo. Ele conhece as suas necessidades e às suas circunstâncias. Ele é poderoso para suprir cada uma das nossas necessidades.

Aquele que alimentou a multidão jamais mudou. Ele é o mesmo e tem o mesmo poder e compaixão.[639]

Em segundo lugar, *a ação divina não exclui a cooperação humana* (8.6,7). A soberania de Deus não anula a responsabilidade humana. Cristo realizou o milagre, mas contou com a participação daquelas pessoas.

Ele fez o milagre a partir dos sete pães e alguns peixinhos (8.5,7). Ele poderia ter criado do nada aqueles pães e peixes como fez na criação, mas resolveu começar a partir do que eles já possuíam. Adolf Pohl diz que a ajuda passa pela cessão obediente dos meios próprios (6.38). Até os doentes se tornam cooperadores de Deus quando da sua cura: Tenha o desejo de ser curado, venha até aqui, levante-se, estenda a mão! Aqui a pequena provisão própria é considerada. As atividades de Deus não tornam o homem passivo.[640] Quando Jesus perguntou aos discípulos: *Quantos pães tendes?*, estava mostrando-lhes que eles não tinham o suficiente. Isso os ajudou a analisar a situação; abriu-lhes os olhos para a inadequação de seus recursos; relembrou-os do milagre anterior e encorajou-os a descansarem em Deus.[641]

Ele requer ordem. Pediu à multidão que se assentasse no chão. Aqui não tem relva, pois é uma região deserta.

Ele deu graças. Precisamos agradecer o que temos antes de vermos o milagre acontecendo. O milagre é precedido por gratidão e nunca por murmuração.

Ele partiu o pão. O milagre aconteceu quando o pão foi partido. O milagre da vida deu-se quando Jesus também se entregou e seu corpo foi partido.

Ele usou os discípulos para alimentarem a multidão. Jesus fez o milagre da multiplicação, mas coube aos discípulos o trabalho da distribuição.

Em terceiro lugar, *a provisão divina é sempre maior do que a necessidade humana* (8.8.9). Não há escassez na mesa de Deus. Ele coloca diante do seu povo uma mesa no deserto. Na mesa do Pai há pão com fartura. Todos comeram e se fartaram e ainda sobejou. Eram quatro mil homens e eles ainda recolheram sete cestos. Esses cestos são maiores do que os cestos da primeira multiplicação. Esses são grandes balaios, a mesma palavra usada para o cesto que Paulo desceu pela muralha de Damasco para salvar sua vida (At 9.25). As duas palavras gregas são bem distintas: *kophinos,* usada em Marcos 6.43 era um cesto de vime; e *spuris,* usada aqui em Marcos 8.8 era uma cesta maior de vime, ou um grande balaio.[642]

O sofrimento de Jesus (8.10-13)

Desta feita, Jesus não despede os discípulos sozinhos. Ele vai com eles e retorna ao território judeu. Ao chegarem, os espiões da vida alheia, os detetives religiosos, os opositores contumazes estão de bote armado contra Jesus.

A transgressão e a incredulidade dos fariseus trouxeram sofrimento a Jesus. Os piedosos sofrem com o pecado daqueles que estão ao seu redor. O rei Davi disse: *Vi os infiéis e senti desgosto, porque não guardam a tua palavra* (Sl 119.158). Assim agiram os piedosos no tempo do profeta Ezequiel: *Passa pelo meio da cidade, pelo meio de Jerusalém, e marca com um sinal a testa dos homens que suspiram e gemem por causa de todas as abominações que se cometem no meio dela* (Ez 9.4). Esse foi o sentimento de Ló: *Porque este justo, pelo que via e ouvia quando habitava entre eles, atormentava a sua alma justa, cada dia, por causa das obras iníquas daqueles* (2Pe 2.8). Assim também era a mente de Paulo: *Tenho grande tristeza e incessante dor no coração; porque eu mesmo desejaria ser anátema, separado de Cristo, por amor de meus irmãos, meus compatriotas, segundo a carne* (Rm 9.2,3). John Charles Ryle diz que não devemos esquecer que a incredulidade e o pecado são a causa da tristeza de Jesus agora como o foi naquele tempo. Os pecados que ainda ferem Jesus são os mesmos que são cometidos todos os dias sem nenhuma reflexão.[643]

Os fariseus usaram três expedientes para atacar Jesus:

Em primeiro lugar, *eles discutem com Jesus* (8.11). Eles não têm interesse na verdade. Eles são apenas especuladores. Querem apenas criar embaraços para Jesus. Querem desacreditar Jesus publicamente. A palavra discutir (*syzetein*) usada por Marcos tem sempre a ideia de discussão hostil, desqualificada e inútil (1.27; 8.11; 9.10,14,16; 12.28).[644] Mateus nos informa que os fariseus estão mancomunados com os saduceus nessa investida contra Jesus. Eles estão tomados de inveja e ciúmes. Não devemos perder tempo com discussões frívolas.

Em segundo lugar, *eles tentam a Jesus* (8.11). A aproximação deles de Jesus não é para aprender ou para receber qualquer ajuda, mas para colocarem armadilhas no seu caminho. Eles são peçonhentos em suas motivações. Eles tinham em mente os grandes milagres realizados por Moisés, Josué e Elias e pensavam que Jesus era um impostor. Mas Jesus já tinha dado provas insofismáveis: os cegos haviam recobrado a visão, os surdos voltaram a ouvir, os paralíticos saltavam nas praças, os leprosos eram devolvidos às suas famílias e até os mortos restituídos aos seus entes queridos. Pedir mais um sinal era na verdade um insulto.[645] Mas os fariseus estão tentando Jesus, querendo um sinal do céu. Eles não queriam um milagre terreno como a cura de um enfermo. Eles queriam que ele provasse sua autoridade trazendo fogo ou pão do céu (Jo 6.30,31). Aqueles líderes na verdade estavam endurecidos e espiritualmente cegos. O desejo deles por um sinal do céu apenas evidenciava a incredulidade deles, pois a fé não pede sinais. A verdadeira fé deleita-se em Deus e na sua Palavra e satisfaz-se com o testemunho interno do Espírito Santo.[646]

Em terceiro lugar, *eles são movidos por uma curiosidade frívola* (8.11). Eles querem um sinal do céu. Eles querem ver milagres e coisas espetaculares, mas não têm nenhum interesse nas coisas do Reino de Deus. Herodes também pediu a Jesus um sinal para sua diversão particular (Lc 23.8). O que Jesus já havia realizado oferecia evidência suficiente para todos aqueles que tinham olhos para ver e ouvidos para perceber. Os fariseus, porém, eram cegos. Isso arrancou um profundo gemido de Jesus. Isso provocou dor no coração de Jesus. Ele recusou terminantemente fazer milagres apenas para atender o capricho dos fariseus. A recusa de Jesus não significa que ele não poderia. Porém, ele recusou colocar-se debaixo de controle externo.[647] Sempre que nos aproximamos de Jesus, vendo-o apenas como um milagreiro e não como Salvador que veio buscar o perdido, isso lhe provoca dor.

Porque Marcos foi escrito primariamente aos gentios, ele não incluiu a resposta de Jesus sobre o sinal de Jonas (Mt 12.38-41). Qual era o sinal de Jonas? Morte, sepultamento e ressurreição. A prova de que Jesus era quem afirmava ser é o fato de sua própria morte, sepultamento e ressurreição

(At 2.22-36; 3.12-26).[648] O sacrifício vicário de Cristo é o maior de todos os milagres!

A advertência de Jesus (8.14-21)

Destacamos dois fatos:

Em primeiro lugar, *a necessidade de guardar-se das más influências* (8.14,15). Jesus alerta aos seus discípulos para se acautelarem sobre o fermento dos fariseus e do fermento de Herodes. Jesus não está falando do fermento do pão, mas do fermento da doutrina. A justiça própria, o formalismo e a religião vazia dos fariseus bem como o ceticismo de Herodes eram o cerne da advertência de Jesus. Contra essas duas heresias é que Jesus alerta os seus discípulos.[649] Os falsos profetas e os falsos ensinos têm prejudicado mais os cristãos ao longo da História do que as próprias perseguições sangrentas.

Na Bíblia, fermento é um símbolo do mal. Cada Páscoa celebrada, os judeus tinham de tirar todo o fermento de casa (Êx 12.18-20). O fermento não era permitido nas ofertas (Êx 23.18; 34.25; Lv 2.11; 6.17). O mal, como o fermento, também fica escondido, mas espalha-se e contamina o todo (Gl 5.9). A Bíblia usa o fermento como figura de falsa doutrina (Gl 5.1-9), a infiltração do pecado na igreja (1Co 5.7) e hipocrisia (Lc 12.1). Nesse contexto é que Jesus exorta os discípulos sobre a hipocrisia dos fariseus e o mundanismo de Herodes.[650]

Mateus nos informa que os saduceus também faziam parte dessa comitiva inquisitória. Eles faziam parte do partido sacerdotal, do qual os sumos sacerdotes geralmente pertenciam. A oligarquia sacerdotal, por sua própria natureza e a necessidade de sobrevivência, era dependente dos favores de Herodes. Os saduceus eram meio helenistas. Eles se opunham à doutrina da ressurreição do corpo e da imortalidade da alma. Eles eram mundanos. William Hendriksen diz que o fermento dos fariseus era o tradicionalismo (7.4,8); o fermento de Herodes e seus seguidores, os herodianos, era o secularismo (6.17s.) e o fermento dos saduceus era o ceticismo (12.18; At 23.8).[651] Dewey Mulholland diz que o legalismo dos fariseus os separava de Deus da mesma forma que Herodes, sem lei e sem Deus, recusava a verdade proclamada por João (6.18,19). Apesar de suas aparentes diferenças, os fariseus e Herodes demonstravam a mesma dureza de coração.[652]

O fermento tem a capacidade de penetrar em toda a massa. William Hendriksen diz que o fermento e o ensino se assemelham em vários aspectos: ambos operam de modo invisível; são muito poderosos; têm uma tendência natural de aumentar sua esfera de influência (1Co 5.16; Gl 5.9).[653] Tanto no Antigo quanto no Novo Testamento, "fermento" frequentemente simboliza o mal. Assim, o ministério de Jesus é caracterizado pelo "conceder o pão", enquanto que os fariseus e Herodes disseminam "fermento".[654]

Em segundo lugar, *a necessidade de se ter discernimento espiritual* (8.16-21). Os discípulos tinham uma boa memória para guardar os fatos, mas um pobre entendimento para discerni-los.[655] Os discípulos pareciam obtusos, lerdos para crer e cegos para ver. Eles foram lentos para discernir o milagre dos pães e a lição principal que o milagre encerrava, ou seja, revelar Jesus, aquele por meio de quem o reino de Deus chegou para judeus e gentios.

Os discípulos, por essa razão, não conseguiram alcançar o teor da advertência de Cristo. Eles estavam pensando em provisão alimentar e Jesus os estava alertando sobre o fermento das falsas doutrinas.

William Hendriksen diz que Marcos 8.14-21, em combinação com Mateus 16.5-12, nos alerta contra quatro erros: o tradicionalismo dos fariseus, o secularismo dos herodianos, a incredulidade dos saduceus e o pessimismo dos discípulos.[656]

Dois mil anos se passaram, mas o coração do homem é o mesmo. As multidões ainda continuam famintas e os nossos recursos insuficientes para suprir a todos. Mas quando colocamos o que temos nas mãos de Jesus, o milagre da multiplicação acontece. Devemos sentir pelos homens a mesma compaixão que Jesus demonstrou.

Notas do capítulo 27

[630] Hendriksen, William, *Marcos,* 2003: p. 399.

[631] Hurtado, Larry W., *Mark.* Harper & Row, 1983: p. 109.

[632] Mulholland, Dewey M., *Marcos: Introdução e Comentário,* 2005: p. 126.

[633] Mulholland, Dewey M., *Marcos: Introdução e Comentário,* 2005: p. 127.

[634] Ryle, John Charles, *Mark,* 1993: p. 112.

[635] Pohl, Adolf, *Evangelho de Marcos,* 1998: p. 242.

[636] Hendriksen, William, *Marcos,* 2003: p. 395.

[637] Hendriksen, William, *Marcos,* 2003: p. 396.

[638] Pohl, Adolf, *Evangelho de Marcos,* 1998: p. 242.

[639] Ryle, John Charles, *Mark,* 1993: p. 113.

[640] Pohl, Adolf, *Evangelho de Marcos,* 1998: p. 243.

[641] Barton, Bruce B., et all. *Life Application Bible Commentary on Mark,* 1994: p. 219.

[642] Hendriksen, William, *Marcos,* 2003: p. 398.

[643] Ryle, John Charles, *Mark,* 1993: p. 114.

[644] Pohl, Adolf, *Evangelho de Marcos,* 1998: p. 244.

[645] Hendriksen, William, *Marcos,* 2003: p. 400.

[646] Wiersbe, Warren W., *Be Diligent,* 1987: p. 78.

[647] Mulholland, Dewey M., *Marcos: Introdução e Comentário,* 2005: p. 129.

[648] Wiersbe, Warren W., *Be Diligent,* 1987: p. 78.

[649] Ryle, John Charles, *Mark,* 1993: p. 115.

[650] Wiersbe, Warren W., *Be Diligent,* 1987: p. 79.

[651] Hendriksen, William, *Marcos,* 2003: p. 404.

[652] Mulholland, Dewey M., *Marcos: Introdução e Comentário,* 2005: p. 129.

[653] Hendriksen, William, *Marcos,* 2003: p. 405.

[654] Mulholland, Dewey M., *Marcos: Introdução e Comentário,* 2005: p. 130.

[655] Mulholland, Dewey M., *Marcos: Introdução e Comentário,* 2005: p. 129.

[656] Hendriksen, William, *Marcos,* 2003: p. 405.

Capítulo 28

Discernimento espiritual, uma questão vital

(Mc 8.22-33)

ESSE TEXTO NOS MOSTRA três quadros diferentes abordando a questão do discernimento espiritual. Primeiro, Marcos fala da falta de discernimento do cego acerca das pessoas. Ele via homens como árvores. Ele passou de um estado de cegueira total para uma visão parcial. Só, então, sua visão foi plenamente restabelecida. Segundo, Marcos fala sobre a falta de discernimento do povo acerca da Pessoa de Cristo. Eles tinham diversas opiniões, mas não a verdade sobre Jesus. Terceiro, Marcos fala da falta de discernimento de Pedro sobre a verdadeira missão do Messias.

A falta de discernimento do cego (8.22-26)

Há três verdades que destacamos sobre esse cego:

Em primeiro lugar, *o cego é trazido a Jesus* (8.22). William Barclay diz que a cegueira era uma das grandes maldições do Oriente. Eram provocadas por forte resplendor do sol e também por falta de higiene.[657] O cego foi trazido a Cristo, visto que ele não podia vir por si mesmo. Eles não só o trazem, mas rogam por ele. A cegueira espiritual não é menos real nem menos trágica que a cegueira física. O diabo cegou o entendimento dos incrédulos (2Co 4.4). Precisamos levá-los a Jesus e rogar por eles.

Em segundo lugar, *Jesus realiza um milagre singular* (8.23). A singularidade desse milagre pode ser observada por algumas razões:

Jesus leva o cego para fora da aldeia. Betsaida era apenas uma vila. Então, Filipe, o tetrarca, a aumentou e embelezou. Ela, agora, se tornara uma cidade, tendo recebido o nome de Betsaida Júlia, filha do imperador Augustus.[658] Jesus levou o cego para fora da aldeia porque não queria que a multidão o visse apenas como um operador de milagres ou ainda para valorizar esse homem e revelar a ele o seu amor. Williams Lane diz que Jesus tomou esse homem pela mão para estabelecer comunicação com um indivíduo que tinha aprendido a ser passivo na sociedade.[659]

Jesus usa um ritual inusitado. Ele aplica saliva em seus olhos e lhe impõe as mãos. A saliva era considerada na época um remédio para os olhos. O mundo antigo tinha uma curiosa crença no poder curativo da saliva.[660] Jesus usa algo tangível para despertar nesse homem a fé. Para cada um dos sete milagres de cura aos cegos no Novo Testamento, Jesus usou um método diferente. Isso mostra que, em seu amor e sabedoria, o Mestre tratou cada pessoa de forma individual e singular. O tratamento que ele dava a cada caso nunca era uma mera duplicação do que já havia feito anteriormente.[661]

A cura foi progressiva. Todas as demais curas de Jesus foram completas, imediatas e perfeitas. Por que essa foi progressiva? Certamente Jesus usa esse método como fator pedagógico. J. Vernon McGee diz que há três estágios na vida desse homem: Primeiro, a cegueira. Todos nós estávamos cegos. Cristo é a luz que veio para nos iluminar. Segundo, a visão parcial. Essa é a condição do homem antes da glorificação. Agora vemos parcialmente (1Co 13.12). Terceiro, a perfeita visão. Essa será a condição dos remidos na glorificação.[662] William Hendriksen alerta para o fato de que essa cura não está, de maneira alguma, de acordo com as curas lentas dos nossos dias, que requerem várias visitas ao "curador". No caso aqui registrado, o processo completo de cura aconteceu em alguns momentos, alcançando um resultado pleno: a mudança de uma cegueira total para uma visão perfeita.[663] Jesus queria transmitir algumas lições com esse milagre progressivo:

Mostrar que alguns têm uma visão distorcida. Embora tocado por Jesus, esse homem vê os homens andando como árvores, pois seu discernimento ainda era vago e incerto. Ou seja, ele vê os homens como árvores. Ele não tinha pleno discernimento e por isso fazia uma confusão fundamental: olhava as pessoas como coisas. Hoje, falta discernimento para muitas pessoas que coisificam as pessoas.

Mostrar que precisamos de um segundo toque de Jesus. Quando nossa visão está confusa, precisamos de um segundo toque, uma segunda unção.

Mostrar a necessidade de termos pleno discernimento. A obra de Deus em nossa vida é progressiva. A vida do justo é como a luz da aurora que vai brilhando mais e mais até ser dia perfeito. Depois do segundo toque de Jesus, o homem passa a ver tudo perfeitamente. Agora ele tem pleno discernimento.

John Charles Ryle vê nessa cura progressiva uma ilustração da maneira como frequentemente o Espírito Santo trabalha na conversão de nossas almas. Segundo ele, a conversão é uma iluminação, uma mudança das trevas para a luz, da cegueira para a visão do reino de Deus. Só quando o Espírito de Deus age profundamente em nossa vida podemos ver as coisas com pleno discernimento. Agora, vemos as coisas de forma nublada, mas breve vem o tempo que veremos claramente. Então, conheceremos como também somos conhecidos.[664]

Em terceiro lugar, *Jesus faz uma clara recomendação* (8.26). Jesus não queria que aquele homem fosse objeto de especulação e curiosidade, mas fosse alegrar-se com sua família. Nesse tempo, Jesus já estava encerrando seu ministério na Galileia e Pereia e estava prestes a ir para Jerusalém, onde daria sua vida em nosso resgate. Por essa causa, o foco não deveria ser o milagre, mas a redenção.

A falta de discernimento do povo (8.27,28)

Dewey Mulholland diz que o diálogo de abertura (8.27-30) leva ao clímax da primeira metade de Marcos. Simultaneamente, serve como transição e introdução ao ensino sobre as exigências da messianidade e do discipulado (8.31–9.1).[665] Esse texto é uma espécie de dobradiça que divide o livro. Até aqui Jesus provou ser o Messias. Agora, que seus discípulos têm convicção de quem ele é, caminhará resolutamente para Jerusalém para dar sua vida em resgate do seu povo. Destacamos aqui duas coisas importantes:

Em primeiro lugar, *Jesus fez a mais importante pergunta* (8.27). Quem é Jesus? Qual é a sua identidade? Quais são seus atributos e suas obras? A vida depende dessa resposta. O povo estava confuso acerca da pessoa mais importante do mundo. Eles pensavam que Jesus era João Batista ou Elias que havia ressuscitado. Eles compararam Jesus apenas como um grande homem ou um grande profeta. Eles não discerniram que ele era o próprio Filho de Deus.

Ao longo da História, houve vários debates acerca de quem é Jesus. Os ebionistas acreditavam que Jesus era apenas uma emanação de Deus. Os gnósticos não acreditavam na sua divindade. Os arianos não acreditavam na sua eternidade. Hoje, há aqueles que creem que Jesus é um mediador, mas não o mediador entre Deus e os homens. Há aqueles que dizem que Jesus é apenas um espírito iluminado, um mestre, mas não o Senhor e Mestre. Há aqueles que ainda escarnecem de Jesus e colocam-no apenas como um homem mortal que se casou com Maria Madalena e teve filhos, como ensina o livro *Código da Vinci*.

Em segundo lugar, *o povo está perdido na questão crucial da vida* (8.28). A multidão tinha opiniões acerca de Jesus e não convicções.[666] Para a multidão, Jesus era João Batista, Elias ou algum dos profetas. Eles criam que Jesus era um grande mensageiro de Deus que havia ressuscitado dentre os mortos (Lc 9.19). O povo tinha uma visão distorcida de Jesus, pois o via apenas como um grande mensageiro de Deus e não como o próprio Deus encarnado. Havia muitas opiniões entre o povo sobre Jesus, exceto a verdadeira. Essa realidade perdura ainda hoje. Muitas pessoas ouvem falar, até mesmo o confessam, mas não o conhecem como o verdadeiro Deus.[667]

Se você não souber com clareza quem é Jesus, você estará perdido na questão mais importante da vida. A vida, a morte, a ressurreição de Cristo bem como sua obra expiatória não são assuntos laterais, mas a própria essência do cristianismo. Se você não discerne claramente quem é Jesus, não pode ser considerado um cristão. O cristianismo é muito mais do que um conjunto de doutrinas, ele é uma Pessoa. O cristianismo tem a ver com a Pessoa de Cristo. Ele é o centro, o eixo, a base, o alvo e a fonte de toda a vida cristã. Fora dele não há redenção nem esperança. Ele é a fonte de onde procedem todas as bênçãos.

O discernimento e o deslize de Pedro (8.29-33)

Quatro fatos nos chamam a atenção nesse texto:

Em primeiro lugar, *Pedro faz uma declaração inspirada por Deus Pai* (8.29). Diante da pergunta de Jesus: *Mas vós, quem dizeis que eu sou?* Pedro respondeu: *Tu és o Cristo* (8.29). William Hendriksen diz que o crente é aquele que está desejoso, de opor-se à opinião popular, e expressar de forma clara, uma posição que é contrária a das massas.[668] John Charles Ryle diz que essa declaração ousada de Pedro foi feita quando Jesus visto como um judeu comum, sem majestade, riqueza ou poder. Ela foi feita quando os líderes religiosos e políticos de Israel recusaram receber a Jesus como Messias. Ainda assim Pedro disse: *Tu és o Cristo.* Sua fé não foi abalada pela pobreza de Jesus nem sua confiança foi atingida pela oposição dos mestres da lei e dos fariseus. Ele firmemente confessou que o homem a quem seguia era de fato o Messias prometido, o Filho de Deus.[669] Na verdade, o cristianismo não é popular. Teremos de confessar a Cristo, mesmo tendo a opinião da maioria contra nós.

O evangelista Mateus nos informa que a resposta de Pedro, afirmando que Jesus era o Cristo, foi uma revelação especial de Deus Pai a ele (Mt 16.17). A declaração de messianidade de Cristo não foi fruto do desleixo ou mesmo da experiência de Pedro, mas da explícita revelação do Pai. Só compreendemos quem é Jesus quando os olhos da nossa alma são abertos por Deus. Sem a obra de Deus em nós, não podemos compreender nem confessar a Jesus como o Messias.

Em segundo lugar, *Jesus faz uma declaração acerca do propósito de sua vinda ao mundo* (8.31,32). Depois que os discípulos tiveram os olhos da alma abertos e receberam pleno discernimento acerca da messianidade de Jesus, por revelação de Deus Pai, Jesus abriu um novo capítulo no seu discipulado e começou a falar-lhes claramente acerca do seu padecimento, prisão, morte e ressurreição. Jesus revela que o seu propósito em vir ao mundo era dar sua vida em resgate do seu povo. Dewey Mulholland corretamente afirma:

> Jesus não morre como um mártir que recusa renunciar suas convicções. Ele morre como parte do plano redentivo de Deus (10.45; Rm 3.21-26). Isso é indicado pelo "deve", uma necessidade baseada na vontade soberana de Deus (8.31; 9.11; 13.7,10,14; 14.31) em sua oferta de redenção.[670]

Por que era necessário Jesus sofrer, morrer e ressuscitar? Será por que havia poderes superiores que o subjugariam?

Impossível. Será por que queria dar um exemplo de abnegação e autossacrifício? Impossível. Então, por que era necessário Jesus morrer? Sua morte foi necessária para que fosse feita expiação pelo pecado humano. Sem o derramamento do seu sangue, não haveria redenção para o homem. Sem o seu sacrifício vicário, não poderíamos ser reconciliados com Deus. Sua morte nos trouxe vida.[671] A morte de Cristo é a mensagem central da Bíblia. Sem a cruz de Cristo, o cristianismo não passa de uma mera religião.

Enquanto Jesus proibia a divulgação de alguns milagres, agora ele expõe claramente sobre a sua morte expiatória.

William Hendriksen diz que as predições dadas aqui têm as seguintes características[672]:

Elas foram necessárias. Para confirmar a veracidade e a natureza da sua messianidade para os discípulos.

Elas foram assustadoras. O próprio Messias está prestes a sofrer e morrer! Porém, ele vencerá a morte, ressuscitando dentre os mortos.

Elas foram reveladoras. Os líderes religiosos da nação, os anciãos, principais sacerdotes e escribas que deveriam zelar pelo povo, iriam matar o próprio Messias.

Elas foram bondosas e sábias. Jesus não lhes contou nesse momento todos os detalhes do seu padecimento.

Elas foram claras. Até então Jesus só tinha falado de forma velada acerca do seu sofrimento (2.20), mas agora, fala abertamente.

Em terceiro lugar, *Pedro, sem discernimento, se deixa usar por Satanás* (8.32,33). Pedro era um homem de fortes contrastes, de altos e baixos, de avanços ousados e recuos covardes. O mesmo Pedro que acabara de confessar que Jesus é o Cristo por revelação do Pai, agora, abre a boca por indução de Satanás. Pedro tornou-se uma pedra de tropeço para Jesus (Mt 16.23), tentando afastá-lo da cruz. Pedro não deseja seguir uma pessoa marcada para o fracasso.

Para Pedro, o Messias estava ligado à ideia de glória. Na verdade, ele tropeçou em Isaías 53.[673] Depois de lutar tanto para saber quem Jesus realmente é, Pedro rejeita os novos ensinamentos de Jesus, que dizem claramente quem ele é e para onde vai.[674] John Charles Ryle diz que graça e fraqueza misturaram-se na vida de Pedro, mostrando-nos que o melhor dos santos ainda é uma criatura sujeita a falhas.[675]

Jesus disse que Pedro foi tomado por uma cosmovisão puramente humanista: *Porque não cogitas das coisas de Deus, e sim das dos homens* (8.33). Pedro tornara-se um humanista e por isso, sentiu-se no direito de reprovar a Jesus (8.32). Pedro não estava compreendendo que se Jesus salvasse a si mesmo, não salvaria a nós. Sem cruz não há coroa. Sem Calvário não há céu. Sem o sacrifício substitutivo de Cristo não há salvação para o homem. Ernesto Trenchard diz que Pedro não podia entender como Jesus fez a opção pela morte em vez de optar pelo trono. Na visão humana o trono manifesta-se com poder e força, mas na perspectiva divina o reino veio através da morte expiatória do seu Filho.[676]

Por isso, o humanismo sem cruz e a teologia liberal são coisas tão perniciosas. A morte de Cristo é loucura para o mundo, mas é a mensagem central do cristianismo. Jesus chega a ponto de chamar o humanismo de Pedro de satanismo. Satanás está ali, no conselho de Pedro como teólogo.[677]

William Hendriksen diz que a reação de Jesus foi imediata, decisiva e forte. Ele entendeu plenamente, que, por trás de Pedro, encontrava-se Satanás, que estava tentando, mais uma vez, como já havia feito (Mt 4.8,9), desviar a atenção do Senhor de sua cruz.[678] Cranfield diz que mesmo quando os discípulos crescem em entendimento, Satanás está trabalhando. Ele induz Pedro a pensar do seu modo e procura usá-lo tentando tirar Jesus do caminho da obediência à vontade de seu Pai.[679] Sem entender o que está dizendo, Pedro se torna um "advogado do diabo" ao colocar dúvidas sobre o plano de Deus.[680]

Em quarto lugar, *Jesus repreende Pedro e manda embora Satanás* (8.33). Jesus repreende Pedro e manda embora Satanás. Pedro por um momento perdeu a lucidez teológica, mas era um discípulo e nele Jesus continuaria investindo. Jesus discerniu quem estava por trás de Pedro, tentando desviá-lo da cruz. Jesus expulsou a Satanás, mas Pedro ficou. Ele era um apóstolo e Jesus jamais abriu mão dele. Hoje, infelizmente, muitos expulsam Pedro e Satanás fica.

Jesus falou nesse texto sobre três tipos de cegueira:

A cegueira física. Essa foi curada pelo toque de Jesus.

A cegueira espiritual. O povo tinha olhos, mas não discernimento. Eles viam as obras de Jesus e ouviam seus ensinos, mas não discerniam a natureza da sua Pessoa nem da sua obra redentora. Essa cegueira só pode ser curada pela proclamação da Palavra e a ação eficaz do Espírito Santo. Em Atenas, a capital mundial da intelectualidade, reinava a falta de discernimento espiritual, mas ali Paulo pregou sobre o Deus desconhecido e alguns foram salvos.

A cegueira sugestionada. Pedro, que já era um discípulo e que já tivera sua mente iluminada pela verdade, por um momento se deixou seduzir por Satanás e perdeu o discernimento da essência do cristianismo, a salvação por meio da morte e ressurreição de Cristo.

Acautelemo-nos acerca da falta de discernimento espiritual!

Notas do capítulo 28

[657] Barclay, William, *Marcos,* 1974: p. 202.

[658] Hendriksen, William, *Marcos,* 2003: p. 408.

[659] Lane, Williams, *Gospel according to Mark.* Eerdmans, 1974: p. 285.

[660] Barclay, William, *Marcos,* 1974: p. 203.

[661] Mateus 9.27-31; Marcos 8.22-26; 10.46-52; João 9.1-12.

[662] McGee, J. Vernon, *Mark,* 1991: 101,102.

[663] Hendriksen, William, *Marcos,* 2003: p. 411.

[664] Ryle, John Charles, *Mark,* 1993: p. 118.

[665] Mulholland, Dewey M., *Marcos: Introdução e Comentário,* 2005: p. 132.

[666] Wiersbe, Warren W., *Be Diligent,* 1987: p. 84.

[667] Ryle, John Charles, *Mark,* 1993: p. 119.

[668] Hendriksen, William, *Marcos,* 2003: p. 413.

[669] Ryle, John Charles, *Mark,* 1993: p. 119,120.

[670] Mulholland, Dewey M., *Marcos: Introdução e Comentário,* 2005: p. 136.

[671] Ryle, John Charles, *Mark,* 1993: p. 120,121.

[672] Hendriksen, William, *Marcos,* 2003: p. 416,417.

[673] Pohl, Adolf, *Evangelho de Marcos,* 1998: p. 262.

[674] Mulholland, Dewey M., *Marcos: Introdução e Comentário,* 2005: p. 136.

[675] Ryle, John Charles, *Mark,* 1993: p. 121.

[676] Trenchard, Ernesto, *Una exposición del Evangelio según Marcos,* 1971: p. 100.

[677] Pohl, Adolf, *Evangelho de Marcos,* 1998: p. 262.

[678] Hendriksen, William, *Marcos,* 2003: p. 417.

[679] Cranfield, C. E. B., *Gospel according to St. Mark.* Cambridge University Press, 1977: p. 280.

[680] Mulholland, Dewey M., *Marcos: Introdução e Comentário,* 2005: p. 137.

Capítulo 29

Discipulado, o mais fascinante projeto de vida

(Mc 8.34–9.1)

Essa passagem é particularmente pesada e solene. Aquele que não se dispõe a carregar a cruz, não usará a coroa. A religião que não nos custa nada, não tem nenhum valor.[681]

A grande tensão desse texto é entre encontrar prazer neste mundo à parte de Deus ou encontrar Deus neste mundo e todo o nosso prazer nele.[682]

Jesus sabia que as multidões que o seguiam estavam apenas atrás de milagres e prazeres terrenos e não estavam dispostas a trilhar o caminho da renúncia nem pagar o preço do discipulado.[683]

Jesus não somente abraça o caminho da cruz, mas exige o mesmo de seus seguidores (8.34). Foram várias as tentativas para afastar Jesus da cruz: Satanás o tentou no deserto. A multidão quis fazê-lo rei e Pedro tentou reprová-lo, mas Jesus rechaçou todas essas propostas com veemência.

Tendo afirmado os requisitos de Deus para o Messias (8.31), Jesus declara, agora, as exigências de Deus para o discípulo. A natureza e o caminho do discípulo são padronizados de acordo com quem Jesus é e para onde ele está indo. [684]

Jesus exige dos seus seguidores espírito de renúncia e sacrifício. Jesus nunca tratou de subornar os homens oferecendo-lhes um caminho fácil. Não lhes ofereceu amenidades, ofereceu-lhes glória. Nos dias da Segunda Guerra Mundial, quando Sir Winston Churchill liderou a Inglaterra, tudo o que ele ofereceu aos ingleses foi sangue, suor e lágrimas.[685]

O discipulado é uma proposta oferecida a todos indistintamente (8.34). Jesus dirige-se não apenas aos discípulos, mas também à multidão. O discipulado não é apenas para uma elite espiritual, mas para todos quantos quiserem seguir a Cristo.

William Hendriksen diz que Jesus chama para si a multidão porque a fervorosa exortação que se segue é importante a todos; aliás, é uma questão de vida ou morte, de vida eterna em oposição à morte eterna para todas as pessoas.[686]

O discípulo conhece o desafio do discipulado (8.34)

Jesus só tem uma espécie de seguidor: discípulos. Ele ordenou a sua igreja a fazer discípulos e não admiradores.

O discipulado é o mais fascinante projeto de vida. Há alguns aspectos importantes a serem destacados:

Em primeiro lugar, *o discipulado é um convite pessoal* (8.34). Jesus começa com uma chamada condicional: *Se alguém quer.* A soberania de Deus não violenta a vontade humana. É preciso existir uma predisposição para seguir a Cristo. Jesus falou de quatro tipos de ouvintes: os endurecidos, os superficiais, os ocupados e os receptivos. Muitos querem apenas o glamour do evangelho, mas não a cruz. Querem os milagres, mas não a renúncia. Querem prosperidade e saúde, mas não arrependimento. Querem o paraíso na terra e não a bem-aventurança no céu. Jesus falou que o homem que vai construir uma torre sem calcular o custo ou o general que vai a uma guerra sem avaliar com quantos soldados deve contar é uma pessoa tola. Precisamos calcular o preço do discipulado. Ele não é barato.

Em segundo lugar, *o discipulado é um convite para uma relação pessoal com Jesus* (8.34). Ser discípulo não é ser um admirador de Cristo, mas um seguidor. Um discípulo segue as pegadas de Cristo. Assim como Cristo escolheu o caminho da cruz, o discípulo precisa seguir a Cristo não para o sucesso, mas para o calvário. Não há coroa sem cruz, nem céu sem renúncia.

Ser discípulo não é abraçar simplesmente uma doutrina, é seguir uma pessoa. É seguir a Cristo para o caminho da morte. "Vir após mim" é o ligar-se a Cristo, como seu discípulo.[687]

Em terceiro lugar, *o discipulado é um convite para uma renúncia radical* (8.34). Cristo nos chama não para a afirmação do eu, mas para sua renúncia. Precisamos depor as armas antes de seguir a Cristo. Precisamos abdicar do nosso orgulho, soberba, presunção e autoconfiança antes de seguirmos as pegadas de Jesus. Entrementes, negar-se a si mesmo não equivale à aniquilação pessoal. Não se trata de anular-se, mas de servir.[688]

Negar-se a si mesmo é permitir que Jesus reine supremo onde o ego tinha previamente exercido controle total. Em 1956, pouco antes de ser morto num esforço de evangelizar os índios aucas do Equador, o missionário Jim Elliot disse o seguinte: "Não é tolo aquele que dá o que não pode manter para ganhar aquilo que não pode perder".[689]

Dewey Mulholland expressa essa verdade assim:

> Seguir a Jesus requer "autonegação". Isso envolve: primeiro, mudar o centro de gravidade da visão concentrada no "eu" para a completa adesão à vontade de Deus; segundo, uma vontade contínua de dizer "não" a si mesmo a fim de dizer "sim" para Deus; e em terceiro lugar, uma denúncia radical a toda autoidolatria. Em oposição à autoafirmação, a autonegação inclui também o abrir mão das prerrogativas de "direitos humanos" (cf. 1Co 9.12,15).[690]

Em quarto lugar, *o discipulado é um convite para morrer* (8.34). Tomar a cruz é abraçar a morte, é seguir para o cadafalso, é escolher a vereda do sacrifício. A cruz era um instrumento de morte vergonhoso. *Era necessário que* [...] *sofresse muitas coisas, fosse rejeitado* (8.31). A carta aos Hebreus fala da crucificação de Jesus com termos fortes: *Expondo-o à ignomínia* (Hb 6.6), *o opróbrio de Cristo* (11.26), *não fazendo caso da ignomínia* (12.2), *sofreu fora da porta* (13.12) e *levando o seu vitupério* (13.13). O que o condenado faz sob coação, o discípulo de Cristo faz de boa vontade.[691] A cruz não é apenas um emblema ou um símbolo cristão, mas um instrumento de morte. Lucas fala de tomar a cruz dia a dia. Somos entregues à morte diariamente. Somos levados como ovelhas para o matadouro. Estamos carimbados para morrer.

Essa cruz não é uma doença, um inimigo, uma fraqueza, uma dor, um filho rebelde, um casamento infeliz. Os monges viram nessa cruz a exigência da flagelação e da renúncia ao casamento.[692] Essa cruz fala da nossa disposição de morrer para nós mesmos, para os prazeres e deleites. É considerar-se morto para o pecado e andar com um atestado de óbito no bolso.

Em quinto lugar, *o discipulado é um convite para uma caminhada dinâmica com Cristo* (8.34). Seguir a Cristo é algo sublime e dinâmico. Esse desafio nos é exigido todos os dias, em nossas escolhas, decisões, propósitos, sonhos e realizações. Seguir a Cristo é imitá-lo. É fazer o que ele faria em nosso lugar. É amar o que ele ama e aborrecer o que ele aborrece. É viver a vida na sua perspectiva. William Hendriksen corrobora dizendo: Aqui, o sentido de seguir a Cristo é o de confiar nele (Jo 3.16), caminhar em seus passos (1Pe 2.21) e obedecer ao seu comando (Jo 15.14), por gratidão pela salvação nele (Ef 4.32–5.1).[693] Paulo reafirmou esse processo de conformar-se com Cristo na sua morte (Fp 3.10). Ele sabia que não se pode ter Jesus no coração sem carregar uma cruz nas costas.[694]

O discípulo conhece a necessidade da renúncia (8.35)

O discipulado implica no maior paradoxo da existência humana (8.35). Os valores de um discípulo estão invertidos: ganhar é perder e perder é ganhar. O discípulo vive num mundo de ponta-cabeça. Para ele, ser grande é ser servo de todos. Ser rico é ter a mão aberta para dar. Ser feliz é renunciar aos prazeres do mundo. Satanás promete a você glória, mas no fim lhe dá sofrimento. Cristo oferece a você uma cruz, mas no fim lhe oferece uma coroa e o conduz à glória.

Como uma pessoa pode ganhar a vida e ao mesmo tempo perdê-la?

Em primeiro lugar, *quando busca a felicidade sem Deus.* Vivemos numa sociedade embriagada pelo hedonismo. As pessoas estão ávidas pelo prazer. Elas fumam, bebem, dançam, compram, vendem, viajam, experimentam drogas e fazem sexo na ânsia de encontrar felicidade. Contudo, depois que experimentam todas as taças dos prazeres, percebem que não havia aí o ingrediente da felicidade. Salomão buscou a felicidade no vinho, nas riquezas, nos prazeres e na fama e viu que tudo era vaidade (Ec 2.1-11). John Mackay fala sobre o personagem Peer Gee, de Ibsen, que depois de percorrer o mundo em busca de felicidade e ter sorvido todas as taças das delícias que o mundo lhe deu, chegou a casa e pegou uma cebola e começou a descascá-la. Ao final disse: "minha vida foi como uma cebola, só casca".

Em segundo lugar, *quando busca salvação fora de Cristo.* Há muitos caminhos que conduzem os homens para a religião, mas um só caminho que conduz o homem a Deus. O homem pode ter fortes experiências e arrebatadoras emoções na busca do sagrado, no afã de encontrar-se com o Eterno, mas quanto mais mergulha nas águas profundas das filosofias e religiões, mais distante fica de Deus e mais perdida fica sua vida. John Charles Ryle diz que uma pessoa pode perder sua vida quando ama o pecado, crê em superstições humanas, negligencia os meios de graça e recusa-se a receber o evangelho em seu coração.[695]

Em terceiro lugar, *quando busca realização em coisas materiais*. O mundo gira em torno do dinheiro. Ele é a mola que move o mundo. É o maior senhor de escravos da atualidade. O dinheiro é mais do que uma moeda; é um ídolo, um espírito, um deus. O dinheiro é Mamom. Muitos se esquecem de Deus na busca do dinheiro e perdem a vida nessa corrida desenfreada. A possessão de todos os tesouros que o mundo contém não compensa a ruína eterna. Esses tesouros sequer podem nos fazer feliz enquanto os temos.[696] Fernão Dias Paes Leme, o bandeirante das esmeraldas, empreendeu sua vida e gastou sua saúde em busca de pedras preciosas. Contudo, quando estava com a sacola cheia de pedras verdes, uma febre mortal atacou seu corpo e ele, delirando, tentava empurrar as pedras para dentro do seu coração. Morreu só, sem alcançar a pretensa felicidade que buscava na riqueza.

O que Jesus quis dizer por perder a vida para, então, ganhá-la?

Em primeiro lugar, *para o homem natural seguir a Cristo é perder a vida*. O homem natural não entende as coisas de Deus e as vê como loucura. Ele considera tolo aquilo que renuncia às riquezas e prazeres desta vida para buscar uma herança eterna através da renúncia.

Em segundo lugar, *para o homem natural renunciar às coisas do agora em troca da bem-aventurança porvir é perder a vida*. O homem sem Deus vive sem esperança. Seus olhos estão embaçados para enxergar o futuro. Seus tesouros e seu coração estão aqui. Mas o cristão aspira a uma Pátria superior. Ele aguarda uma herança incorruptível, ele busca uma recompensa eterna.

Quais são as razões que levam um discípulo a viver esse paradoxo?

Em primeiro lugar, *o amor a Cristo*. Fazer qualquer renúncia por qualquer outra motivação é tolice. De nada adianta jejuns, penitências, sacrifícios se isso não for por amor a Cristo. Perder a vida por amor a Cristo não é um ato de desperdício, mas de devoção.[697]

Em segundo lugar, *o amor ao evangelho*. A segunda motivação além de Cristo são as pessoas. A devoção pessoal a Cristo conduz-nos ao dever de repartir o evangelho com os outros.[698] Devemos ser discípulos por causa de Cristo e por causa do evangelho.

O discípulo sabe o valor inestimável da vida (8.36,37)

Três fatos devem ser aqui destacados:

Em primeiro lugar, *o dinheiro não pode comprar a bem-aventurança eterna* (8.36). Transigir com os absolutos de Deus, vender a consciência e a própria alma para amealhar riquezas é uma grande tolice. A vida é curta e o dinheiro perde o seu valor para quem vai para o túmulo. A morte nivela os ricos e os pobres. Nada trouxemos e nada levaremos do mundo. Passar a vida correndo atrás de um tesouro falaz é loucura. Pôr sua confiança na instabilidade e efemeridade da riqueza é estultícia.

Adolf Pohl diz que a apostasia de Jesus em nenhum lugar é recompensada com a posse do mundo inteiro. O salário muitas vezes será bem mirrado: talvez trinta moedas de prata e uma corda (Mt 26.15; 27.5). Mas mesmo que o desertor ganhasse o mundo inteiro, o prejuízo não valeria a pena.[699]

William Barclay diz que o que importa é como aparecerá aos olhos de Deus o balanço da nossa vida. Até porque, depois de tudo, Deus é o auditor que, ao final, devemos enfrentar.[700]

Em segundo lugar, *a salvação da alma vale mais que riquezas* (8.36). É melhor ser salvo do que ser rico. A riqueza só pode nos acompanhar até o túmulo, mas a salvação será desfrutada por toda a eternidade. Jesus chamou de louco o homem que negligenciou a salvação da sua alma e pôs sua confiança nos bens materiais. A morte chegou e com ela o juízo.

William Hendriksen aborda essa questão crucial, assim:

> Imagine, por um momento, que uma pessoa ganhasse o mundo inteiro – todas as suas gemas preciosas e os seus recursos, qualquer coisa que crescesse nele os rebanhos espalhados por milhares de colinas, todo o esplendor do mundo, prestígio, prazeres e tesouros – mas, no processo de ter tudo isso, abrisse mão do direito de possuir sua própria vida ou ser, que bem essas coisas fariam para ela? A resposta implícita é: Não fariam nenhum bem, somente mal. Isso se torna até mesmo mais claro quando a atenção é colocada no fato de que, aos bens meramente terrenos, falta permanência. Quando uma pessoa morre, ela não pode levar nenhum deles consigo. Mas a sua alma, o seu ser, existe para sempre [...] em toda a sua corrupção e horror.[701]

Em terceiro lugar, *a perda da alma é uma perda irreparável* (8.37). O dinheiro se ganha e se perde. Mesmo depois de perdê-lo, é possível readquiri-lo. Contudo, quando se perde a alma, não tem como reavê-la. É impossível mudar o destino eterno de uma pessoa. O rico que estava no inferno não teve suas orações ouvidas, nem seu tormento aliviado.

William Barclay diz que algumas pessoas vendem a honra, os princípios, a consciência e até mesmo sua alma eterna para alcançar bens, popularidade e prazeres terrenos.[702] Porém, nenhuma quantidade de dinheiro, poder, ou *status* podem comprar de volta uma alma perdida.

O mundo de prazeres centrado em possessões materiais ou poder no fim não tem nenhum valor.[703] Vender a alma por dinheiro é um péssimo negócio. Essa troca é um engodo. A um morto não pertence mais nada, ele é que pertence à morte. No julgamento final essa conta não fechará.[704]

O discípulo é alguém que não se envergonha de Cristo (8.38)

Destacamos dois pontos:

Em primeiro lugar, *o que significa envergonhar-se de Cristo* (8.38). Envergonhar-se de Cristo significa ser tão orgulhoso a ponto de não desejar ter nada com ele.[705] Nós somos culpados de envergonhar-nos de Cristo quando temos medo que as pessoas saibam que o amamos bem como a sua doutrina, que desejamos viver de acordo com os seus mandamentos e que nos sentimos constrangidos quando nos identificam como membros do seu povo.

Ser cristão nunca foi e jamais será uma posição de popularidade. Todos aqueles que querem viver piedosamente em Cristo serão perseguidos. Contudo, é mil vezes melhor confessar a Cristo agora e ser desprezado pelo povo, do que ser popular agora e desonrado por Cristo diante do Pai no dia do julgamento.[706]

Em segundo lugar, *a perda irreparável que sofrerão os que se envergonham de Cristo* (8.38). Aqueles que se envergonham de Cristo agora, Cristo se envergonhará deles na sua segunda vinda. O julgamento mais pesado que os homens receberão no dia do juízo é que eles vão receber exatamente aquilo que sempre desejaram. O injusto continuará sendo injusto. Quem se envergonhou de Cristo durante esta vida, vai apartar-se dele eternamente.

Jesus conclui dizendo que alguns daqueles circunstantes não morreriam antes de verem a chegada poderosa do reino de Deus. O verdadeiro sentido dessas palavras tem pelo menos três significados básicos:

Há aqueles que pensam que Jesus está falando da transfiguração que se seguiria imediatamente. Na verdade, Pedro, Tiago e João viram Jesus sendo transfigurado e experimentaram momentaneamente o sabor da glória.

Há aqueles que pensam que Jesus está tratando da sua ressurreição e ascensão.[707] Ernest Trenchard diz que o Reino não podia vir mediante o poder político, mas por meio da cruz e da ressurreição.[708] A verdadeira prova do poder de Deus evidenciou-se na Páscoa.[709] Jesus foi ressuscitado pelo poder de Deus (2Co 13.4), é agora Filho de Deus em poder (Rm 1.4) e é, ele mesmo, o poder de Deus (1Co 1.24).

Há ainda aqueles que pensam que Jesus está falando da descida do Espírito Santo e da expansão da igreja depois do Pentecostes. Os discípulos haviam de ser testemunhas oculares da descida do Espírito e o crescimento espantoso da igreja.

Notas do capítulo 29

[681] Ryle, John Charles, *Mark,* 1993: p. 122,123.

[682] Hastings, James, *The Great Texts of the Bible. S. Mark*: p. 199.

[683] Wiersbe, Warren, *Be Diligent,* 1987: p. 86.

[684] Mulholland, Dewey M., *Marcos: Introdução e Comentário,* 2005: p. 137.

[685] Barclay, William, *Marcos,* 1974: p. 213.

[686] Hendriksen, William, *Lucas Vol. 1.* Editora Cultura Cristã. São Paulo, SP, 2003: p. 661.

[687] Hendriksen, William, *Marcos,* 2003: p. 419.

[688] Pohl, Adolf, *Evangelho de Marcos,* 1998: p. 265.

[689] Mulholland, Dewey M., *Marcos: Introdução e Comentário,* 2005: p. 138.

[690] Mulholland, Dewey M., *Marcos: Introdução e Comentário,* 2005: p. 136.

[691] Hendriksen, William, *Marcos,* 2003: p. 419.

[692] Pohl, Adolf, *Evangelho de Marcos,* 1998: p. 263.

[693] Hendriksen, William, *Marcos,* 2003: p. 419.

[694] Pohl, Adolf, *Evangelho de Marcos,* 1998: p. 265.

[695] Ryle, John Charles, *Mark,* 1993: p. 124.

[696] Ryle, John Charles, *Mark,* 1993: p. 124.

[697] Wiersbe, Warren W., *Be Diligent,* 1987: p. 86.

[698] Wiersbe, Warren W., *Be Diligent,* 1987. p. 86.

[699] Pohl, Adolf, *Evangelho de Marcos,* 1998: p. 266.

[700] Barclay, William, *Marcos,* 1974: p. 217.

[701] Hendriksen, William, *Marcos,* 2003: p. 422.

[702] Barclay, William, *Marcos,* 1974: p. 217-218.

[703] Barton, Bruce B., et all. *Life Application Bible Commentary on Mark,* 1994: p. 241.

[704] Pohl, Adolf, *Evangelho de Marcos,* 1998: p. 266.

[705] Hendriksen, William, *Marcos,* 2003: p. 423.

[706] Ryle, John Charles, *Mark,* 1993: p. 125.

[707] Hendriksen, William, *Marcos,* 2003: p. 424.

[708] Trenchard, Ernesto, *Una Exposición del Evangelio según Marcos,* 1971: p. 104.

[709] Pohl, Adolf, *Evangelho de Marcos,* 1998: p. 268.

Capítulo 30

Três tipos de espiritualidade

(Mc 9.2-32)

À GUISA DE INTRODUÇÃO, consideremos três verdades importantes:

Em primeiro lugar, *o homem é um ser religioso.* Desde os tempos mais remotos, o homem tem levantado altares. Há povos sem leis, sem governos, sem economia, sem escolas, mas jamais sem religião. O homem tem sede do Eterno. Deus mesmo colocou a eternidade no coração do homem.

Cada religião busca oferecer ao homem o caminho de volta para Deus. As religiões são repetições do malogrado projeto da Torre de Babel.

Em segundo lugar, *o homem é um ser confuso espiritualmente.* Só há duas religiões no mundo: a revelada e aquela criada pelo próprio homem. Uma, tenta abrir caminhos da terra ao céu; a outra, abre o caminho a partir do céu. Uma, é humanista, a outra, é teocêntrica. Uma, prega a salvação pelas obras; a outra, pela graça.

O cristianismo é a revelação que o próprio Deus faz de si mesmo e do seu plano redentor. As demais religiões representam um esforço inútil do homem chegar até Deus por intermédio dos seus méritos.

Em terceiro lugar, *o homem é um ser que idolatra a si mesmo.* A religião que prevalece hoje é a antropolatria. O homem tornou-se o centro de todas as coisas. Na pregação contemporânea, Deus é quem está a serviço do homem e não o homem a serviço de Deus. A vontade do homem é que deve ser feita no céu e não a vontade de Deus na terra. O homem contemporâneo não busca conhecer a Deus, mas sentir-se bem.

A luz interior tornou-se mais importante do que a revelação escrita. O culto não é racional, mas sensorial. O homem não quer conhecer, quer sentir. O sentimento prevaleceu sobre a razão. As emoções assentaram-se no trono e a religião está se transformando num ópio, um narcótico que anestesia a alma e coloca em sono profundo as grandes inquietações da alma.

Marcos, capítulo 9, oferece-nos uma resposta sobre os modelos de espiritualidade:

A espiritualidade do monte – êxtase sem entendimento (9.2-8)

Pedro, Tiago e João sobem ao monte da Transfiguração com Jesus, mas não alcançam as alturas espirituais da intimidade com Deus. Há uma transição bela entre o capítulo 8 de Marcos e o capítulo 9; no anterior, Cristo falou da cruz, agora, ele revela a glória. O caminho da glória passa pela cruz.

Que monte era esse? A tradição diz que é o monte Tabor;[710] outros pensam que se trata do monte Hermom. Contudo, a geografia não interessa, diz Adolf Pohl, já que não se pensa em peregrinações. A fé no Senhor vivo que está presente em todos os lugares faz que montes sagrados entrem em esquecimento.[711]

A mente dos discípulos estava confusa e o coração fechado. Eles estavam cercados por uma aura de glória e luz, mas um véu lhes embaçava os olhos e tirava-lhes o entendimento. Vejamos alguns pontos importantes:

Em primeiro lugar, *os discípulos andam com Jesus, mas não conhecem a intimidade do Pai* (Lc 9.28,29). Jesus subiu ao monte da Transfiguração para orar. A motivação de Jesus era estar com o Pai. A oração era o oxigênio da sua alma. Todo o seu ministério foi regado de intensa e perseverante oração.[712] Jesus está orando, mas em momento nenhum os discípulos estão orando com ele. Eles não sentem necessidade nem prazer na oração. Eles não têm sede de Deus. Eles estão no monte a reboque, por isso, não estão alimentados pela mesma motivação de Jesus.

Em segundo lugar, *os discípulos estão diante da manifestação da glória de Deus, mas em vez de orar, eles dormem* (Lc 9.28,29). Jesus foi transfigurado porque orou. Os discípulos não oraram e por isso foram apenas espectadores. Porque não oraram, ficaram agarrados ao sono. A falta de oração pesou-lhes as pálpebras e cerrou-lhes o entendimento. Um santo de joelhos enxerga mais longe do que um filósofo na ponta dos pés. As coisas mais santas, as visões mais gloriosas e as palavras mais sublimes não encontraram guarida no coração dos discípulos. As coisas de Deus não lhes davam entusiasmo; elas cansavam seus olhos, entediavam seus ouvidos e causavam-lhes sono.

Em terceiro lugar, *os discípulos experimentam um êxtase, mas não têm discernimento espiritual* (9.7,8). Os discípulos contemplaram quatro fatos milagrosos: a transfiguração do rosto de Jesus, a aparição em glória de Moisés e Elias, a nuvem luminosa que os envolveu e a voz do céu que trovejava em seus ouvidos. Nenhuma assembleia na terra jamais foi tão esplendidamente representada: lá estava o Deus trino, Moisés e Elias, o maior legislador e o maior profeta. Lá estavam Pedro, Tiago e João, os apóstolos mais íntimos de Jesus.[713] Apesar de estarem envoltos num ambiente de milagres, faltou-lhes discernimento em quatro questões básicas: *Eles não discerniram a centralidade da Pessoa de Cristo* (9.7,8). Os discípulos estão cheios de emoção, mas vazios de entendimento. Querem construir três tendas, dando a Moisés e a Elias a mesma importância de Jesus. Querem igualar Jesus aos representantes da Lei e dos Profetas. Como o restante do povo, eles também estão confusos quanto à verdadeira identidade de Jesus (Lc 9.18,19). Não discerniram a divindade de Cristo. Andam com Cristo, mas não lhe dão a glória devida ao seu nome (Lc 9.33). Onde Cristo não recebe a preeminência, a espiritualidade está fora de foco. Jesus é maior que Moisés e Elias. A Lei e os Profetas apontaram para ele.

Warren Wiersbe diz que tanto Moisés quanto Elias, tanto a lei quanto os profetas tiveram o seu cumprimento em Cristo (Hb 1.1,2; Lc 24.25-27). Moisés morreu e seu corpo foi sepultado, mas Elias foi arrebatado aos céus. Quando Jesus retornar, ele ressuscitará os corpos dos santos que morreram e arrebatará os santos que estiverem vivos (1Ts 4.13-18).[714]

O Pai corrigiu a teologia dos discípulos, dizendo-lhes: *Este é o meu Filho, o meu eleito; a ele ouvi* (Lc 9.34,35). Jesus não pode ser confundido com os homens, ainda que com os mais ilustres. Ele é Deus. A ele deve ser toda devoção. Nossa espiritualidade deve ser cristocêntrica. A presença de Moisés e Elias naquele monte longe de empalidecer a divindade de Cristo, confirmava que de fato ele era o Messias apontado pela lei e pelos profetas.[715]

Eles não discerniram a centralidade da missão de Cristo. Moisés e Elias apareceram para falar da iminente partida de Jesus para Jerusalém (Lc 9.30,31). A agenda daquela conversa era a cruz. A cruz é o centro do ministério de Cristo. Ele veio para morrer. Sua morte não foi um acidente, mas um decreto do Pai desde a eternidade. Cristo não morreu porque Judas o traiu por dinheiro, porque os sacerdotes o entregaram por inveja nem porque Pilatos o condenou por covardia. Ele voluntariamente se entregou por suas ovelhas (Jo 10.11), pela sua igreja (Ef 5.25).

Toda espiritualidade que desvia o foco da cruz é cega de discernimento espiritual. Satanás tentou desviar Jesus da cruz, suscitando Herodes para matá-lo. Depois, ofereceu--lhe um reino. Mais tarde, levantou uma multidão para fazê--lo rei. Em seguida, suscitou a Pedro para reprová-lo. Ainda quando estava suspenso na cruz, a voz do inferno vociferou na boca dos insolentes judeus: *Desça da cruz, e creremos nele* (Mt 27.42). Se Cristo descesse da cruz, nós desceríamos ao inferno. A morte de Cristo nos trouxe vida e libertação.

A palavra usada para "partida" é a palavra *êxodo*. A morte de Cristo abriu as portas da nossa prisão e nos deu liberdade. Moises e Elias entendiam isso, mas os discípulos estavam sem discernimento dessa questão central do cristianismo (Lc 9.44,45). Hoje, há igrejas que aboliram dos púlpitos a mensagem da cruz. Pregam sobre prosperidade, curas e milagres. Contudo, esse não é o evangelho da cruz, é outro evangelho e deve ser anátema!

Eles não discerniram a centralidade de seus próprios ministérios (9.5). Eles disseram: *Bom é estarmos aqui*. Eles queriam a espiritualidade da fuga, do êxtase e não do enfrentamento. Queriam as visões arrebatadoras do monte, não os gemidos pungentes do vale. Mas é no vale que o ministério se desenvolve.

É mais cômodo cultivar a espiritualidade do êxtase, do conforto. É mais fácil estar no templo, perto de pessoas coiguais do que descer ao vale cheio de dor e opressão. Não queremos sair pelas ruas e becos. Não queremos entrar nos hospitais e cruzar os corredores entupidos de gente com a esperança morta. Não queremos ver as pessoas encarquilhadas nas salas de quimioterapia. Evitamos olhar para as pessoas marcadas pelo câncer nas antecâmaras da radioterapia. Desviamos das pessoas caídas na sarjeta. Não queremos subir aos morros semeados de barracos, onde a pobreza extrema fere a nossa sensibilidade. Não queremos visitar as prisões insalubres nem pôr os pés nos guetos encharcados de violência. Não queremos nos envolver com aqueles que vivem oprimidos pelo diabo nos bolsões da miséria ou encastelados nos luxuosos condomínios fechados. É fácil e cômodo fazer uma tenda no monte e viver uma espiritualidade escapista, fechada entre quatro paredes. Permanecer no monte é fuga, é omissão, é irresponsabilidade. A multidão aflita nos espera no vale!

Eles estão envolvidos por uma nuvem celestial, mas têm medo de Deus (Lc 9.34). Eles se encheram de medo (Lc 9.34) a ponto de caírem de bruços (Mt 17.5,6). A espiritualidade deles é marcada pela fobia do sagrado. Eles não encontram prazer na comunhão com Deus através da oração, por isso, revelam medo de Deus. Veem Deus como uma ameaça. Eles se prostram não para adorar, mas por temer. Eles estavam aterrados (9.6). Pedro, o representante do grupo, não sabia o que dizia (Lc 9.33). Deus não é um fantasma cósmico. Ele é o Pai de amor. Jesus não alimentou a patologia espiritual dos discípulos; ao contrário, mostrou sua improcedência: *Aproximando-se deles, tocou-lhes Jesus, dizendo: Erguei-vos, e não temais!* (Mt 17.7). O temor de Deus revela espiritualidade rasa e sem discernimento.

A espiritualidade do vale – discussão sem poder (9.9-29)

Os nove discípulos de Jesus estavam no vale cara a cara com o diabo, sem poder espiritual, colhendo um grande fracasso. A razão era a mesma dos três que estavam no monte: em vez de orar, estavam discutindo. Aqui aprendemos várias lições:

Em primeiro lugar, *no vale há gente sofrendo o cativeiro do diabo sem encontrar na igreja solução para o seu problema* (9.18). Aqui está um pai desesperado (Mt 17.15,16). O diabo invadiu a sua casa e está arrebentando com a sua família. Está destruindo seu único filho.

Aquele jovem estava possuído por uma casta de demônios, que tornavam a sua vida um verdadeiro inferno.

No auge do seu desespero o pai do jovem correu para os discípulos de Jesus em busca de ajuda, mas eles estavam sem poder.

A igreja tem oferecido resposta para uma sociedade desesperançada e aflita? Temos confrontado o poder do mal? Conhecimento apenas não basta, é preciso revestimento de poder. O reino de Deus não consiste de palavras, mas de poder.

Em segundo lugar, *no vale há gente desesperada precisando de ajuda, mas os discípulos estão perdendo tempo, envolvidos numa discussão infrutífera* (9.14-18). Os discípulos estavam envolvidos numa interminável discussão com os escribas, enquanto o diabo estava agindo livremente sem ser confrontado. Eles estavam perdendo tempo com os inimigos da obra em vez de fazer a obra (9.16).

A discussão, muitas vezes é saudável e necessária. Contudo, passar o tempo todo discutindo é uma estratégia do diabo para nos manter fora da linha de combate. Há crentes que passam a vida inteira discutindo empolgantes temas na Escola Dominical, participando de retiros e congressos, mas nunca entram em campo para agir. Sabem muito e fazem pouco. Discutem muito e trabalham pouco.

Os discípulos estavam discutindo com os opositores da obra (9.14). Discussão sem ação é paralisia espiritual. O inferno vibra quando a igreja se fecha dentro de quatro paredes, em torno dos seus empolgantes assuntos. O mundo perece enquanto a igreja está discutindo. Há muita discussão, mas pouco poder. Muita verborragia, mas pouca unção. Há multidões sedentas, mas pouca ação da igreja.

Em terceiro lugar, *no vale, enquanto os discípulos discutem, há um poder demoníaco sem ser confrontado* (9.17,18). Há dois extremos perigosos que precisamos evitar no trato dessa matéria:

Subestimar o inimigo. Os liberais, os céticos e incrédulos negam a existência e a ação dos demônios. Para eles, o diabo é uma figura lendária e mitológica. Negar a existência e a ação do diabo é cair nas malhas do mais ardiloso satanismo.

Superestimar o inimigo. Há segmentos chamados evangélicos que falam mais no diabo do que anunciam Jesus. Pregam mais sobre exorcismo do que arrependimento. Vivem caçando demônios, neurotizados pelo chamado movimento de batalha espiritual.

Como era esse poder maligno que estava agindo no vale?

O poder maligno que estava em ação na vida daquele menino era assombrosamente destruidor (9.18,22; Lc 9.39). A casta de demônios fazia esse jovem rilhar os dentes, convulsionava-o e lançava-o no fogo e na água, para matá-lo. Os sintomas desse jovem apontam para uma epilepsia. Mas não era um caso comum de epilepsia, pois além de estar sofrendo dessa desordem convulsiva, era também um surdo-mudo. O espírito imundo que estava nele o havia privado de falar e ouvir.[716] A possessão demoníaca é uma realidade dramática que tem afligido muitas pessoas ainda hoje. Os ataques àquele jovem eram tão frequentes e fortes que o menino não crescia, mas ia definhando.

O poder maligno em ação no vale atingia as crianças (9.21,22). A palavra usada para meninice é *bréfos,* palavra que descreve a infância desde o período intrauterino. O diabo não poupa nem mesmo as crianças. Aquele jovem vivia dominado por uma casta de demônios desde a sua infância. Há uma orquestração do inferno para atingir as crianças (Êx 10.10,11). Se Satanás investe desde cedo na vida das crianças, não deveríamos nós, com muito mais fervor, investir na salvação delas? Se as crianças podem ser cheias de demônios, não poderiam ser também cheias do Espírito de Deus?[717]

O poder maligno em curso age com requinte de crueldade (Lc 9.38). Esse jovem era filho único. O coração do Filho único de Deus enchia-se de compaixão por esses filhos únicos, por seus pais, e por muitos, muitos outros![718] Ao atacar esse rapaz, o diabo estava destruindo os sonhos de uma família. Onde os demônios agem, há sinais de desespero. Onde eles atacam, a morte mostra sua carranca. Onde eles não são confrontados, a invasão do mal desconhece limites.

Em quarto lugar, *no vale os discípulos estão sem poder para confrontar os poderes das trevas* (9.18; Lc 9.40; Mt 17.16). Por que os discípulos estão sem poder?

Existem demônios e demônios (9.29). Há demônios mais resistentes que outros (Mt 17.19,21). Há hierarquia no reino das trevas (Ef 6.12).

Os discípulos não oraram (9.28,29). Não há poder espiritual sem oração. O poder não vem de dentro, mas do alto.

Os discípulos não jejuaram (9.28,29). O jejum nos esvazia de nós mesmos e nos reveste com o poder do alto. Quando jejuamos, estamos dizendo que dependemos totalmente dos recursos de Deus.

Os discípulos tinham uma fé tímida (Mt 17.19,20). A fé não olha para a adversidade, mas para as infinitas possibilidades de Deus. Jesus disse para o pai do jovem: *Se podes! Tudo é possível ao que crê* (9.23). O poder de Jesus opera, muitas vezes, mediante a nossa fé.

A espiritualidade de Jesus (9.30,31; Lc 9.29,31,44,51,53)

A transfiguração foi uma antecipação da glória, um vislumbre e um ensaio de como será o céu (Mt 16.18). A palavra "transfigurar" é *metamorphothe,* de onde vem a palavra metamorfose. O verbo refere-se a uma mudança externa que procede de dentro. Essa não é uma mudança meramente de aparência, mas uma mudança completa para outra forma.[719] Sua ideia básica é: mudar de figura.[720] Muitas vezes, os discípulos viram Jesus empoeirado, faminto e exausto, além de perseguido, sem pátria e sem proteção. De repente, passa uma labareda por essa casca de humilhação, indubitável, inesquecível (2Pe 1.16-18). Por alguns momentos, ele estava permeado de luz.[721] Aprendemos aqui algumas verdades fundamentais sobre a espiritualidade de Jesus:

Em primeiro lugar, *a espiritualidade de Jesus é fortemente marcada pela oração* (Lc 9.28). Jesus subiu ao monte da Transfiguração com o propósito de orar e porque orou seu rosto transfigurou e suas vestes resplandeceram de brancura (Lc 9.29). A oração é uma via de mão dupla, onde nos deleitamos em Deus e ele tem prazer em nós (Mt 17.5). Deus tem prazer em ter comunhão com seu povo (Is 62.4,5; Sf 3.17). A essência da oração é comunhão com Deus. O maior anseio de quem ora não são as bênçãos de Deus, mas o Deus das bênçãos. Jesus muitas vezes saía para os lugares solitários para buscar a face do Pai.

Dois fatos são dignos de destaque na transfiguração de Jesus:

O seu rosto transfigurou (Lc 9.29). Mateus diz que o seu rosto resplandecia como o sol (Mt 17.2). O nosso corpo precisa ser vazado pela luz do céu. Devemos glorificar a Deus no nosso corpo. A glória de Deus precisa brilhar em nós e resplandecer por intermédio de nós.

Suas vestes também resplandeceram de brancura (Lc 9.29). Mateus diz que suas vestes resplandeceram como a luz (Mt 17.2). Marcos nos informa que as suas vestes tornaram-se resplandecentes e sobremodo brancas, como nenhum lavandeiro na terra as poderia alvejar (9.3). Adolf Pohl diz que para o oriental, roupa e pessoa são uma coisa só. Assim, ele pode descrever vestimentas para caracterizar quem as usa (Ap 1.13; 4.4; 7.9; 10.1; 12.1; 17.4; 19.13).[722] As nossas vestes revelam o nosso íntimo mais do que cobrem o nosso corpo. Elas retratam nosso estado interior e demonstram o nosso senso de valores. As nossas roupas precisam ser também santificadas para não defraudarmos os nossos irmãos. Devemos nos vestir com modéstia e bom senso. Devemos nos vestir para a glória de Deus.

A oração de Jesus no monte ainda nos evidencia outras duas verdades:

Na transfiguração, Jesus foi consolado antecipadamente para enfrentar a cruz (Lc 9.30,31). Quando oramos, Deus nos consola antecipadamente para enfrentarmos as situações difíceis. Jesus passaria por momentos amargos: seria preso, açoitado, cuspido, ultrajado, condenado e pregado numa cruz. Contudo, pela oração o Pai o capacitou a beber aquele cálice amargo sem retroceder. Quem não ora desespera-se na hora da aflição. É pela oração que triunfamos.

Em resposta à oração de Jesus, o Pai confirmou o seu ministério (Mt 17.4,5). Os discípulos sem discernimento igualaram Jesus a Moisés e Elias, mas o Pai defendeu a Jesus, dizendo-lhes: *Este é o meu Filho amado, em quem me comprazo; a ele ouvi.* Marcos registra: *E, de relance, olhando ao redor, a ninguém mais viram com eles, senão Jesus* (9.8). O Pai reafirma seu amor ao Filho e autentica sua autoridade, falando de dentro da nuvem luminosa aos discípulos. Aquela era a mesma nuvem que havia guiado Israel quando saía do Egito (Êx 13.21), que apareceu ao povo no deserto (Êx 16.10; 24.15-18), que apareceu a Moisés (Êx 19.9) e que encheu o templo com a glória do Senhor (1Rs 8.10).[723] Vincent Taylor afirma que no Antigo Testamento a nuvem "é o veículo da presença de Deus, a habitação de sua glória, da qual ele fala".[724]

Você não precisa se defender, você precisa orar. Quando você ora, Deus sai em sua defesa. Quando você cuida da sua piedade, Deus cuida da sua reputação. Além de não defender o seu ministério, Jesus não tocou trombetas para propagar suas gloriosas experiências. Sua espiritualidade não era autoglorificante (Mt 17.9). Quem elogia a si mesmo demonstra uma espiritualidade trôpega.

Em segundo lugar, *a espiritualidade de Jesus é marcada pela obediência ao Pai* (9.30,31; Lc 9.44,51,53). A obediência absoluta e espontânea à vontade do Pai foi a marca distintiva da vida de Jesus. A cruz não era uma surpresa, mas uma agenda. Ele não morreu como mártir, ele se entregou. Ele foi para a cruz porque o Pai o entregou por amor (Jo 3.16; Rm 5.8; 8.32). A conversa de Moisés e Elias com Jesus foi sobre sua partida para Jerusalém. A expressão usada foi *êxodos.* O êxodo foi a libertação do povo de Israel do cativeiro egípcio. Com o seu êxodo, Jesus nos libertou do cativeiro do pecado. Sua morte nos trouxe libertação e vida. Logo que desceu do monte, Jesus demonstrou com resoluta firmeza que estava indo para a cruz (9.31; Lc 9.53). Ele chorou (Lc 19.41) e suou sangue (Lc 22.39-46) para fazer a vontade do Pai. Ele veio para isso (Jo 17.4) e ao morrer na cruz, declarou isso triunfantemente (Jo 19.30). A verdadeira espiritualidade implica obediência (Mt 7.22,23).

Em terceiro lugar, *a espiritualidade de Jesus é marcada por poder para desbaratar as obras do diabo* (9.25-27). O ministério de Jesus foi comprometido com a libertação dos cativos (Lc 4.18; At 10.38). Ao mesmo tempo em que ele é o libertador dos homens, é o flagelador dos demônios. Jesus expulsou a casta de demônios do menino endemoninhado e disse: *Sai* [...] *e nunca mais tornes a ele* (9.25-27). O poder de Jesus é absoluto e irresistível. Os demônios bateram em retirada, o menino foi libertado, devolvido ao seu pai e todos ficaram maravilhados ante a majestade de Deus (Lc 9.43).

Para Jesus, não há causa perdida nem vida irrecuperável. Ele veio libertar os cativos!

Notas do capítulo 30

[710] Barclay, William, *Marcos,* 1973: p. 221.

[711] Pohl, Adolf, *Evangelho de Marcos,* 1998: p. 270.

[712] Lucas 3.21,22; 4.1-13; 5.15-17; 6.12-16; 9.18-22; 9.28-31; 22.39-46; 23.34-43).

[713] Ryle, John Charles, *Mark,* 1993: p. 128.

[714] Wiersbe, Warren, *Be Diligent,* 1987: p. 88.

[715] Barclay, William, *Marcos,* 1973: p. 222.

[716] Hendriksen, William, *Marcos,* 2003: p. 440.

[717] Ryle, John Charles, *Mark,* 1993: p. 132.

[718] Hendriksen, William, *Marcos,* 2003: p. 439.

[719] Barton, Bruce B., et all. *Life Application Bible Commentary on Mark,* 1994: p. 247.

[720] Pohl, Adolf, *Evangelho de Marcos,* 1998: p. 269.

[721] Pohl, Adolf, *Evangelho de Marcos,* 1998: p. 270.

[722] Pohl, Adolf, *Evangelho de Marcos,* 1998: p. 271.

[723] Barton, Bruce B., et all. *Life Application Bible Commentary on Mark,* 1994: p. 249.

[724] Taylor, Vincent, *The Gospel according to St. Mark.* Baker, 1966: p. 391.

Capítulo 31

Os valores absolutos do Reino de Deus

(Mc 9.33-50)

JESUS ACABARA DE FALAR sobre autossacrifício e os discípulos discutem sobre autopromoção. Enquanto Jesus fala que está pronto a dar sua vida, os discípulos discutem quem entre eles é o maior. Eles estão na contramão do ensino e do espírito de Jesus.

Mais uma vez, os discípulos reagem com incompreensão a um ensino sobre o sofrimento. O Evangelho de Marcos contém quatorze perguntas de Jesus aos discípulos. Com exceção de 8.27,29, todas têm um tom de censura, apontando para a dolorosa falta de entendimento deles.[725]

Jesus aproveita o momento para lançar alguns pilares da ética do Reino de

Deus. Dewey Mulholland diz que a importância dessas instruções é destacada de várias maneiras: elas são dadas a portas fechadas (9.28,33), longe da multidão (9.30), por Jesus, o Mestre (9.38), que se assenta e chama os doze discípulos (9.35), mas usa o inclusivo "aquele que" (9.41,49).[726]

Vejamos quais são esses princípios absolutos do Reino de Deus ensinados por Jesus:

No Reino de Deus não há espaço para o amor à preeminência (9.33,34)

Os discípulos discutem entre si quem é o maior dentre eles. Eles estão querendo a preeminência. Eles pensam em projeção, grandeza e especial distinção. A ambição deles é a projeção do eu e não do outro.

A ambição e o desejo de preeminência dos discípulos soavam mal, sobretudo diante do que Jesus acabara de falar a eles, a respeito de seu sofrimento e morte. O Rei da glória, o Senhor dos senhores, criador do universo dava claro sinal de seu esvaziamento e humilhação, a ponto de entregar voluntariamente sua vida a favor dos pecadores, enquanto os discípulos cheios de vaidade e soberba discutem sobre qual deles era o maior.

Os discípulos estavam pensando acerca do Reino de Jesus em termos de um reino terreno e em si mesmos como os principais ministros de Estado.[727] Essa distorção teológica dos discípulos perdurou até mesmo depois da ressurreição de Jesus (At 1.6).

O orgulho ainda é um dos pecados mais comuns incrustrados na natureza humana. Esse pecado é tão antigo quanto a queda de Lúcifer. Esse pecado foi a causa da queda dos nossos pais no Jardim do Éden. John Charles Ryle diz que todos nós nascemos fariseus. Todos nós julgamos-nos melhores e mais merecedores de melhores coisas do que temos recebido. Essa altivez constitui-se numa barreira que nos mantém distantes do arrependimento diante de Deus e do amor ao próximo.[728]

Em relação à ambição, a Escritura adverte: *A soberba precede a ruína, e a altivez do espírito, a queda* (Pv 16.18). Não foi essa a experiência de Senaqueribe (2Cr 32.14,21), Nabucodonosor (Dn 4.30-33) e de Herodes Agripa (At 12.21-23)? A Bíblia diz que aquele que se exalta será humilhado, mas o que se humilha será exaltado.

No Reino de Deus ser grande é ser servo (9.35)

Os valores do Reino de Deus estão em flagrante oposição aos valores do mundo. No Reino de Deus, a pirâmide social está invertida, está de ponta-cabeça. O maior é o menor, o que tem mais preeminência é o servo de todos. William Hendriksen, comentando nessa mesma linha de pensamento, escreve:

> A ideia dos discípulos sobre o que significa ser "grande ou maior" deve ser alterada; na verdade, radicalmente alterada. A verdadeira grandeza não consiste em que, do topo de uma torre, uma pessoa, de uma maneira autocongratulatória, tenha o direito de olhar para os outros com arrogância (Lc 18.9-12); mas em que mergulhe a si mesma nas necessidades dos outros, simpatize com eles e ajude-os de todas as maneiras que estejam ao seu alcance. Assim, se uma pessoa – seja ela um dos Doze ou outra qualquer – quer ser a primeira, deve ser a última, ou seja, a que serve.[729]

O único estandarte de grandeza erguido por Cristo é a bandeira da humildade. Jesus é categórico: *Se alguém quer ser o primeiro, será o último e servo de todos* (9.35). A ideia de grandeza para o mundo é exercer poder sobre os outros; a ideia de grandeza no Reino de Deus é servir aos outros. A ambição do mundo é receber honra e atenção, mas o desejo do cristão deve ser dar em vez de receber, servir aos outros em vez de ser servido. Em outras palavras, a pessoa que se esforça em servir aos outros é aquela que é a maior aos olhos de Cristo.[730]

Ser servo não significa uma posição servil, mas ter uma atitude que livremente atende às necessidades dos outros sem esperar recompensa. Servir aos outros é a real liderança. Em vez de usar as pessoas, o líder as serve. O verdadeiro líder tem um coração de servo.[731]

O que importa não é ser aplaudido pelo mundo, mas ser aprovado pelo céu. O que interessa não é ser grande aos olhos dos homens, mas ser grande aos olhos de Deus. Warren Wiersbe diz que a filosofia do mundo é que você é grande se os outros estão servindo a você, mas a mensagem de Cristo é que a grandeza vem de você servir aos outros.[732]

No Reino de Deus, os menores são absolutamente importantes (9.36,37)

Naquele tempo, as crianças não recebiam atenção dos adultos. Não havia o estatuto da criança e elas eram despercebidas pelos adultos. Jesus, entretanto, valoriza as crianças e diz que quem receber uma criança, a menor pessoa, a menos importante no conceito da sociedade, recebe a ele e quem o recebe, recebe o Pai que o enviou. Adolf Pohl diz que a criança representa os esquecidos, não notados ou excluídos que, por qualquer motivo, parece que não são levados em consideração por nós. Quem, porém, vai ao encontro do seu menor irmão na comunidade, a partir de Jesus, misteriosamente é presenteado com o próprio Jesus.[733]

Ser grande no Reino de Deus é cuidar daqueles que são os menos valorizados, daqueles que são os mais carentes e mais necessitados. Jesus nos encoraja a demonstrar amor, atenção e cuidado aos mais fracos que creem nele. Jesus ensina essa lição de forma comovente, pois toma uma criança em seus braços e diz aos seus discípulos: *Qualquer que receber uma criança, tal como esta, em meu nome, a mim me recebe; e qualquer que a mim me receber não recebe a mim, mas ao que me enviou* (9.37).

A ambição humana não vê outro sinal de grandeza senão coroas, *status*, riquezas e elevada posição na sociedade. Porém, o Filho de Deus declara que o caminho para a grandeza e o reconhecimento divino é devotar-se ao cuidado dos mais tenros e fracos da família de Deus.[734] Há uma grande recompensa em dedicar-se ao cuidado daqueles que são desprezados e esquecidos pela sociedade. Há um reconhecimento divino àqueles que investem na restauração daqueles que são marginalizados e abandonados pela sociedade. Esse trabalho pode passar despercebido pelos homens e pode até mesmo ser ridicularizado por alguns, mas será visto e recompensado por Deus.

No Reino de Deus, a intolerância exclusivista não encontra guarida (9.38-41)

A linha de pensamento central ainda é a falta de entendimento dos discípulos. Eles sobem com Jesus para

Jerusalém; ele pronto a sofrer, eles cheios de ilusões. Seu Senhor e o caminho dele não orientam a atitude deles. Dessa vez, isso se mostra na estreiteza deles, na pretensão de serem os únicos representantes de Jesus.[735]

João proíbe um homem que expulsava demônios em nome de Cristo, pelo simples fato de não fazer parte do grupo apostólico, de não estar lutando alinhado com eles. Na teologia de João, somente o grupo deles estava com a verdade; os outros eram excluídos e desprezados. João pensava que apenas os discípulos tinham o monopólio do poder de Jesus.[736]

O homem estava fazendo uma coisa boa, expulsando demônios; da maneira certa, em nome de Jesus; com resultado positivo, socorrendo uma pessoa necessitada. Contudo, mesmo assim, João o proíbe. De igual forma, muitos segmentos religiosos têm a pretensão de serem os únicos que servem a Deus. Pensam e chegam ao disparate de pregarem com altivez como se fossem os únicos seguidores fiéis de Jesus e batem no peito com arrogância, como se fossem os únicos salvos. Muitos, tolamente, creem que Deus é um patrimônio exclusivo da sua denominação. Agem com soberba e desprezam todos quantos não aderem à sua corrente sectária. Esse espírito intolerante e exclusivista está em desacordo com o ensino de Jesus, o Senhor da igreja. Na verdade, muitas pessoas que não faziam parte dos doze demonstraram, algumas vezes, uma fé mais robusta em Jesus do que eles (7.28,29; 11.6; 14.14,15; 15.42-46; Mt 8.10; 21.16; Jo 11.49-51).

Jesus repreende os discípulos e acentua que quem não é contra ele, é por ele. A lição que Jesus ensina é clara: não podemos ter a pretensão de julgar os outros nem de considerar-nos os únicos seguidores de Cristo, pelo fato de essas pessoas não estarem em nossa companhia. A intolerância e o exclusivismo estreito são o que Jesus está corrigindo aqui. Josué pediu a Moisés para proibir Eldade e Medade que estavam profetizando no campo. Ele exclama: *Moisés, meu senhor, proíbe-lhos*. Mas Moisés lhe responde: *Tens tu ciúmes por mim? Tomara todo o povo do Senhor fosse profeta, que o Senhor lhes desse o seu Espírito!* (Nm 11.26-29). Não sejamos mais restritivos do que foi Josué. Não tenhamos uma mente menos aberta que a de Paulo (Fp 1.14-18).

Obviamente, Jesus não está dizendo que os hereges, os heterodoxos e aqueles que acrescentam ou retiram parte das Escrituras devam ser considerados os seus legítimos seguidores. Jesus não está ensinando aqui o inclusivismo religioso nem dando um voto de aprovação a todas as religiões. Jesus não comunga com o erro doutrinário; antes, o reprovou severamente. Jesus não aprova o universalismo nem o ecumenismo. Não há unidade espiritual fora da verdade. Contudo, Jesus não aceita a intolerância religiosa. Não podemos proibir nem rejeitar os outros pelo simples fato de eles não pertencerem ao nosso grupo. Corretamente Adolf Pohl diz que de forma alguma Jesus está alargando a porta estreita do discipulado. Afinal de contas, essa passagem tem um contrapeso em Mateus 12.30: *Quem não é por mim é contra mim; e quem comigo não ajunta espalha.*[737]

Há muitas pessoas que idolatram a sua denominação e sua estrutura eclesiástica a ponto de não verem nenhum mérito nos outros segmentos que servem a Deus. Esses são aqueles que proíbem os outros por estarem fazendo a obra de Deus (Nm 11.28). Essa intolerância tem sido uma das páginas mais escuras da história humana. Muitos cristãos chegam até mesmo a perseguir uns aos outros, e se engalfinham em vergonhosas brigas e contendas (1Co 6.7).

Jesus conclui esse assunto mostrando um exemplo de como outros seguidores podem ser úteis em situações de necessidade dos discípulos (9.41). O copo de água era considerado o sinal mínimo de hospitalidade, que podia ser dado até mesmo a um inimigo (Pv 25.21). Mesmo esse pequeno gesto é recompensado regiamente pelo Senhor. A recompensa de Jesus jamais é um acerto de contas mesquinho, mas algo transbordante.[738]

O Reino de Deus exige renúncia de tudo aquilo que nos afasta da santidade (9.42-48)

É uma possibilidade monstruosa servir, em vez de à fé, ao abandono da fé, e privar irmãos da salvação eterna. Assim como Deus responde ao menor gesto de amor pelo irmão (9.41), ele também reage a tal injustiça (9.42).[739]

O Reino de Deus é o Reino da santidade. Aqueles que vivem na prática do pecado jamais entrarão nele. Por isso, tudo o que se constitui tropeço no caminho da santidade deve ser radicalmente removido. Qualquer sacrifício é insignificante em comparação com o supremo valor de pertencer a Cristo.

Jesus usa três figuras: olhos, mãos e pés. O que vemos, o que fazemos e aonde vamos pode constituir-se em tropeço para a nossa alma. Ernesto Trenchard diz que a mão simboliza nossa maneira de fazer as coisas; o pé representa nosso caminhar pelo mundo; e o olho é a figura de todos os desejos que surgem do coração.[740]

Jesus não está recomendando aqui a mutilação ou uma cirurgia física literal, visto que já havia ensinado que o mal procede não dos membros do corpo, mas do coração (7.21). Ele está ensinando que devemos ser radicais na remoção de qualquer obstáculo que se interpõe em nosso caminho de entrada no Reino. Essa erradicação pode ser uma intervenção cirúrgica dolorosa como se fosse a amputação de um membro do corpo.

William Barclay diz que precisamos extirpar algum hábito, abandonar algum prazer, renunciar a alguma amizade e separar-nos de algo que havia se tornado uma parte da nossa própria vida.[741] Nessa mesma linha de pensamento, o apóstolo Paulo ordena: *Fazei, pois, morrer a vossa natureza terrena* (Cl 3.5). Está incluído nisso a separação determinada do pecado.

William Hendriksen diz que a tentação deve ser abrupta e decisivamente cortada. Brincar com ela é mortal. Meias medidas são destrutivas. A cirurgia precisa ser radical. Neste exato momento, e sem nenhuma vacilação, o livro obsceno deveria ser queimado; a foto escandalosa, destruída; o filme destruidor da alma, condenado; os laços sociais sinistros, mesmo que íntimos, quebrados; e o hábito venenoso, descartado. Na luta contra o pecado, o crente tem de lutar duramente. Acobertar o erro nunca leva alguém à vitória (1Co 9.27).[742]

O Reino de Deus revela que existe uma condenação eterna para aqueles que rejeitam o caminho da santidade (9.42-48)

O inferno não é uma figura mitológica, mas uma realidade solene. Há céu e inferno; há luz e trevas;

há salvação e perdição; há bem-aventurança eterna e condenação eterna.

Jesus foi quem mais falou sobre o inferno. Ele o descreveu como um lugar de tormento eterno, onde o fogo jamais se apaga e o bicho jamais deixa de roer.

A palavra usada para descrever o inferno é *geena*. Essa palavra vem do Vale dos filhos de Hinom, na cidade de Jerusalém, local onde o ímpio rei Acaz levantou a imagem do deus Moloque, um ídolo de bronze, oco por dentro, de braços estendidos, que ao ficar em chamas, os pais colocavam ali seus filhos, oferecendo-os em sacrifício a esse abominável ídolo. O próprio rei Acaz queimou ali seus filhos (2Cr 28.3). Esse terrível culto pagão foi seguido também pelo rei Manassés (2Cr 33.6). O piedoso rei Josias, mais tarde, em sua reforma religiosa declarou aquele lugar imundo (2Rs 23.10). William Barclay diz que quando aquele local foi declarado imundo e profanado, tornou-se o depósito de lixo da cidade de Jerusalém, que queimava continuamente. Em consequência, era um lugar sujo e fétido, onde os vermes jamais deixavam de roer e onde havia sempre fogo e fumaça subindo como um enorme incinerador.[743]

Dessa forma, o inferno é descrito claramente o lugar onde o fogo jamais se apagará (Mt 5.22; 10.28; Lc 12.5; Tg 3.6; Ap 19.20) preparado para o diabo e seus anjos, e todos aqueles que não conheceram a Cristo (Mt 25.46; Ap 20.9,10). É o estado final e eterno do ímpio depois da ressurreição e último julgamento.[744]

Marcos 9.49,50 é considerado por alguns estudiosos como os versículos mais difíceis de serem interpretados do Novo Testamento.[745] Jesus usou três expressões fortes:

Em primeiro lugar, *cada um será salgado com fogo* (9.49). Todo sacrifício judaico deveria ser salgado antes de ser oferecido a Deus no altar (Lv 2.13). Esse sal sacrifical era chamado o sal do pacto (Nm 18.9; 2Cr 13.5). A adição desse sal é que tornava o sacrifício agradável a Deus. Antes da vida do discípulo ser agradável a Deus, deve ser tratada com fogo assim como todo sacrifício é tratado com sal. O fogo é o sal que faz a vida aceitável a Deus. Que fogo é esse? Esse fogo fala de purificação e perseguição (1Pe 1.7; 4.12; Is 48.10). O discípulo é aquele que é purificado do mal e suporta o fogo da perseguição por amor a Jesus.[746]

Em segundo lugar, *bom é o sal; mas, se o sal vier a tornar-se insípido, como lhe restaurar o sabor?* (9.50). O sal é bom. A vida seria insuportável sem ele. O sal tem duas características básicas: preservar e dar sabor, porém o sal pode perder o seu sabor e tornar-se insípido. O mundo está em estado de decomposição. Sem a presença da igreja, a sociedade entraria em estado de putrefação moral. Juvenal, descrevendo a Roma do século 1, diz que ela era uma cloaca imunda. A pureza havia desaparecido e a castidade era desconhecida. O cristão é o antisséptico do mundo. Assim como o sal derrota a corrupção que inevitavelmente ataca a carne morta, o cristão deve coibir a corrupção do mundo, como sal da terra (Mt 5.13).[747]

Em terceiro lugar, *Tende sal em vós mesmos e paz uns com os outros* (9.50). Os antigos diziam que não havia nada no mundo mais puro do que o sal, porque procedia das duas coisas mais puras: o sol e o mar.[748] Aqui devemos tomar o sal não no sentido sacrifical, mas no sentido doméstico. Jesus está dizendo que devemos buscar a santidade e o amor. Devemos ter uma relação certa com Deus e com os homens. Adolf Pohl conclui: "Discípulos que têm sal em si mesmos e se deixam salgar por Deus e para Deus, também vivem em paz entre si (Rm 12.18; 1Ts 5.13). Entretanto, quem foge da luta consigo mesmo está sempre brigando com os outros".[749]

Notas do capítulo 31

[725] Pohl, Adolf, *Evangelho de Marcos,* 1998: p. 282.

[726] Mulholland, Dewey M., *Marcos: Introdução e Comentário,* 2005: p. 149.

[727] Barclay, William, *Marcos,* 1974: p. 233.

[728] Ryle, John Charles, *Mark,* 1993: p. 135.

[729] Hendriksen, William, *Marcos,* 2003: p. 454,455.

[730] Ryle, John Charles, *Mark,* 1993: p. 136.

[731] Barton, Bruce B., et all. *Life Application Bible Commentary on Mark,* 1994: p. 265.

[732] Wiersbe, Warren W., *Be Diligent,* 1987: p. 91.

[733] Pohl, Adolf, *Evangelho de Marcos,* 1998: p. 283.

[734] Ryle, John Charles, *Mark,* 1993: p. 136,137.

[735] Pohl, Adolf, *Evangelho de Marcos,* 1998: p. 284,285.

[736] Barton, Bruce B., et all. *Life Application Bible Commentary on Mark,* 1994: p. 268.

[737] Pohl, Adolf, *Evangelho de Marcos,* 1998: p. 286.

[738] Pohl, Adolf, *Evangelho de Marcos,* 1998: p. 286.

[739] Pohl, Adolf, *Evangelho de Marcos,* 1998: p. 288.

[740] Trenchard, Ernesto, *Una Exposición del Evangelio según Marcos,* 1971: p. 116.

[741] Barclay, William, *Marcos,* 1974: p. 243,244.

[742] Hendriksen, William, *Marcos,* 2003: p. 464,465.

[743] Barclay, William, *Marcos,* 1974: p. 242.

[744] Barton, Bruce B., et all. *Life Application Bible Commentary on Mark,* 1994: p. 272.

[745] Barclay, William, *Marcos,* 1974: p. 244.

[746] Barclay, William, *Marcos,* 1974: p. 245.

[747] Barclay, William, *Marcos,* 1974: p. 246.

[748] Barclay, William, *Marcos,* 1974: p. 247.

[749] Pohl, Adolf, *Evangelho de Marcos,* 1998: p. 290.

Capítulo 32

O ensino de Jesus sobre casamento e divórcio

(Mc 10.1-12)

Aqui, em Marcos 10.1, o que é enfatizado não são as curas, mas o ensino de Jesus. A cura e o ensino caminham juntos em sua atividade.[750] Os fariseus, como inimigos de plantão, mais uma vez, estão maquinando contra Jesus, para apanhá-lo em alguma falha. Desta feita, eles trazem uma questão sobre o divórcio. Em vez de cair na armadilha deles, Jesus aproveita o ensejo para ensinar sobre o casamento e o divórcio.

Uma pergunta desonesta (10.2)

Os fariseus já tinham uma opinião formada sobre a questão do divórcio.[751]

Eles não buscavam uma resposta, mas armavam uma cilada para Jesus. Diz Marcos: *E, aproximando-se alguns fariseus, o experimentaram, perguntando-lhe: É lícito ao marido repudiar sua mulher?* (10.2). Os fariseus não estavam focados nos princípios de Deus sobre o casamento, mas nas filigranas da concessão mosaica para o divórcio. O que os fariseus intentavam com essa pergunta?

Em primeiro lugar, *colocar Jesus contra Herodes.* Foi nessa mesma região que João Batista foi preso e degolado por denunciar o divórcio ilegal e o casamento ilícito de Herodes com sua cunhada Herodias. Os fariseus instigavam Jesus a ter a mesma atitude de João, pensando que com isso teria o mesmo destino. O lugar do interrogatório era a Pereia, que, como a Galileia e, pertencia aos domínios de Herodes Antipas. O que os fariseus queriam era que Jesus se tornasse intolerável em termos políticos e religiosos.[752]

Em segundo lugar, *colocar Jesus contra Moisés.* Os fariseus queriam colocar à prova a ortodoxia de Jesus, para poderem acusá-lo de heresia.[753] Se Jesus dissesse que era lícito, ele afrouxaria o ensino de Moisés sobre o divórcio. Mateus registra essa mesma pergunta acrescentando um dado importante: *É lícito ao marido repudiar a sua mulher por qualquer motivo?* (Mt 19.3). Moisés havia ensinado que se o homem encontrasse alguma coisa indecente na mulher, lavraria carta de divórcio e a despediria (Dt 24.1). A grande questão é entender o que significa essa "coisa indecente". No ano 20 d.C., dois rabinos famosos, Hillel e Shammai, tornaram-se famosos na interpretação desse texto mosaico.[754] Hillel liderava uma escola liberal que entendia que o marido poderia despedir sua mulher por qualquer motivo, como queimar o jantar, falar alto ou mesmo se esse marido encontrasse uma mulher mais interessante. Shammai, por sua vez, liderava uma escola conservadora e acreditava que o divórcio só poderia ser dado no caso do marido encontrar na mulher alguma coisa indecente. Esse termo hebraico para descrever "coisa indecente", *erwath dabar*, era entendido por Shammai como falta de castidade ou adultério.

Em terceiro lugar, *colocar Jesus contra o povo*. Se a resposta de Jesus fosse sim, eles acusariam Jesus de estar promovendo a desintegração da família e atentando contra os direitos da mulher. Se Jesus respondesse não, eles acusariam Jesus de contrariar a concessão dada por Moisés e ainda o colocariam numa situação de extremo perigo em relação ao inconsequente rei Herodes.

Uma resposta esclarecedora (10.3-5)

Jesus não caiu na armadilha dos fariseus. Ele respondeu a pergunta deles com outra pergunta, abrindo a porta para a verdadeira interpretação sobre a concessão de Moisés acerca do divórcio.

Três verdades são destacadas aqui:

Em primeiro lugar, *o divórcio não é uma instituição divina* (10.4). Deus instituiu o casamento, não o divórcio. O casamento é a expressa vontade de Deus, não o divórcio. No princípio, quando Deus instituiu o casamento (Gn 1.27; 2.24), antes da queda humana, não havia nenhuma palavra sobre divórcio. Ele é fruto do pecado. Ele é resultado da dureza do coração (10.5). Enquanto o casamento é digno de honra entre todos (Hb 13.4), Deus odeia o divórcio (Ml 2.16).

Pela resposta dos fariseus (10.4), eles pensaram que Jesus estivesse se referindo à orientação de Moisés sobre o divórcio em Deuteronômio 24.1-4; mas a resposta de Jesus revela que ele se referia às palavras de Moisés em Gênesis sobre o estado ideal da criação e particularmente do casamento. Esse argumento pode ser fortalecido pela abordagem de Jesus. Observe que Jesus perguntou o que Moisés "mandou" e os fariseus responderam com o que Moisés "permitiu". Moisés não ordenou o divórcio; ao contrário, ele reconheceu a sua presença, o permitiu e deu instruções como ele deveria ser praticado. O que Moisés "mandou" foi o que Deus ordenou sobre o casamento em Gênesis 1.27,28; 2.24.[755]

Em segundo lugar, *o divórcio não é um mandamento divino* (10.4,5). Jesus como supremo intérprete da Escritura diz que Moisés não mandou divorciar por qualquer motivo, ele permitiu por um único motivo, a dureza de coração (10.4,5; Mt 19.8). Mateus registra a pergunta dos fariseus assim: *Por que mandou, então, Moisés dar carta de divórcio e repudiar?* (Mt 19.7). Na verdade, Moisés nunca mandou. O divórcio nunca é um mandamento ou ordenança, mas uma permissão e uma permissão regida por balizas bem estreitas, ou seja, a dureza do coração.

A concessão para o divórcio estabelecida na lei de Moisés tinha como propósito proteger suas vítimas. Segundo a lei judaica, somente o marido poderia iniciar o processo do divórcio. A lei civil, porém, protegeu as mulheres, que naquela cultura, estavam completamente vulneráveis e eram condenadas a viver sozinhas e desamparadas. Por causa dessa concessão de Moisés, um marido não poderia despedir a mulher sem lavrar-lhe carta de divórcio e depois de despedi--la não poderia tê-la de volta, caso essa mulher viesse a casar-se novamente ou mesmo no caso de ela ficar viúva. Assim, o marido precisava pensar duas vezes antes de despedir a sua mulher.[756] Edward Dobson afirma que a permissão para o divórcio presente na lei mosaica era para proteger a esposa de um marido mau e não uma autorização para ele se divorciar dela por qualquer motivo.[757] O conceituado intérprete das Escrituras, Adam Clarke, entende que Moisés percebeu que se o divórcio não fosse permitido em alguns casos, as mulheres poderiam ser expostas a grandes dificuldades e sofrimentos pela crueldade de seus maridos.[758]

Em terceiro lugar, *o divórcio não é compulsório* (10.5). O casamento foi instituído por Deus, o divórcio não. O casamento é ordenado por Deus, o divórcio não. O casamento agrada a Deus, o divórcio não. Deus ama o casamento, mas odeia o divórcio. Deus permite o divórcio, mas jamais o ordena. Ele jamais foi o ideal de Deus para a família.

Os fariseus interpretavam equivocadamente a lei de Moisés sobre o divórcio; eles a entendiam como um mandamento, enquanto Jesus considerou-a uma permissão, uma tolerância. Moisés não ordenou o divórcio, ele permitiu. Há uma absoluta diferença entre ordenança (*eneteilato*) e permissão (*epetrepsen*). Deus não é o autor do divórcio, o homem é responsável por ele. Walter Kaiser diz que diferentemente do casamento, o divórcio é uma instituição humana.[759] Jay Adams diz que o divórcio é uma inovação humana.[760]

O divórcio embora legítimo, no caso de infidelidade conjugal (Mt 19.9) ou abandono irremediável (1Co 7.15), não é compulsório nem obrigatório. O divórcio só floresce no deserto árido da insensibilidade e da falta de perdão.

Ele é uma conspiração contra os princípios de Deus. O divórcio é consequência do pecado e não expressão da vontade de Deus. Deus odeia o divórcio (Ml 2.16). Ele é uma profanação da aliança feita entre o homem e a mulher da sua mocidade, uma deslealdade, uma falta de bom senso, um ato de infidelidade (Ml 2.10-16). O divórcio é a apostasia do amor.[761] O exercício do perdão é melhor do que o divórcio. O perdão traz cura e a restauração do casamento é um caminho preferível ao divórcio.

Uma explicação necessária (10.6-9)

Enquanto os fariseus estavam inclinados a mergulhar no tema divórcio, Jesus estava focado no tema casamento. Se nós entendêssemos mais as bases bíblicas do casamento, teríamos menos divórcios. Nesse texto Jesus lança os quatro grandes pilares do casamento como instituição divina:

Em primeiro lugar, *o casamento é heterossexual* (10.6). Deus criou o homem e a mulher, o macho e a fêmea (Gn 1.27). O relacionamento conjugal só é possível entre um homem e uma mulher, entre um macho e uma fêmea biológicos. O casamento é entre um homem e uma mulher. Um foi feito para o outro e é adequado ao outro física, emocional, psicológica e espiritualmente. Somente a relação heterossexual pode cumprir os propósitos de Deus para a família.

A relação homossexual não é uma união de amor, mas uma paixão infame, um erro, uma abominação para Deus. Essa união degrada a família, destrói a sociedade e atrai a ira de Deus. Norman Geisler afirma que essa união esdrúxula é uma relação sexual ilícita.[762] O homossexualismo é uma prática condenada por Deus nas Sagradas Escrituras. Os cananitas foram eliminados da terra pela prática abominável do homossexualismo (Lv 18.22-29). Da mesma forma, a cidade de Sodoma foi destruída por Deus por causa da prática vil da homossexualidade (Gn 18.16-21; Jd 7). O ensino bíblico é claro: *Com homem não te deitarás, como se fosse mulher, é abominação* (Lv 18.22). O apóstolo Paulo afirma que o homossexualismo é uma imundícia e uma desonra (Rm 1.24); é uma paixão infame e uma relação contrária à natureza (Rm 1.26); é uma torpeza e um erro (Rm 1.27). Paulo ainda afirma que o homossexualismo é uma disposição mental reprovável e uma coisa inconveniente (Rm 1.28). Quem o pratica recebe em si mesmo a merecida punição do seu erro (Rm 1.27) e não pode entrar no Reino de Deus (1Co 6.9,10).

Em segundo lugar, *o casamento é monogâmico* (10.7). Diz o texto bíblico: *Por isso, deixará o homem a seu pai e mãe* [e unir-se-á a sua mulher] (10.7). Não diz o texto que o homem deve unir-se às suas mulheres. Deus não criou mais de uma mulher para Adão nem mais de um homem para Eva. Tanto a poligenia quanto a poliandria estão em desacordo com os princípios de Deus para o casamento (Dt 28.54,56; Sl 128.3; Pv 5.15-21; Ml 2.14).

Essa norma não foi apenas estabelecida na criação, mas também foi reafirmada na entrega da lei moral. A lei de Deus ordena: *Não cobiçarás a mulher do teu próximo...* (Êx 20.17). O uso do singular é enfático. Moisés não deu provisão à questão da poligamia. Os casamentos poligâmicos sempre foram marcados por muitos prejuízos e grandes desastres. O apóstolo Paulo afirma: *Cada um* [singular] *tenha a sua própria esposa, e cada uma* [singular], *o seu próprio marido* (1Co 7.2). Ao mencionar as qualificações do presbítero,

Paulo adverte: *É necessário, portanto, que o bispo seja* [...] *esposo de uma só mulher...* (1Tm 3.2).

Norman Geisler enumera alguns argumentos que reforçam o ensino da monogamia:

1) A monogamia foi ensinada por precedência (Gn 2.24);
2) A monogamia foi ensinada por preceito (Êx 20.17);
3) A monogamia foi ensinada por intermédio das severas consequências decorrentes da poligamia (1Rs 11.4).[763]

Em terceiro lugar, *o casamento é monossomático* (10.8). Jesus prossegue, e diz: *e, com sua mulher, serão os dois uma só carne* (10.8). As palavras hebraicas *homem* e *mulher* (*ish* e *ishá*) revelam que os dois foram feitos complementarmente um para o outro. O propósito de Deus é que no casamento o homem e a mulher se tornem uma só carne, numa intimidade tal que não pode ser separada.[764] A união entre marido e mulher não é apenas emocional e espiritual, mas também e, sobretudo, física. O sexo que antes e fora do casamento é uma proibição divina (1Ts 4.3-8), no casamento é uma ordenança (1Co 7.5). O que é uma proibição para os solteiros, é um mandamento para os casados. O sexo é bom, santo e puro (Hb 13.4). Deus nos criou sexuados. O sexo nos foi dado como uma grande fonte de prazer (Pv 5.15-19) e não apenas para a procriação (Gn 1.28).

A união conjugal é a mais próxima e íntima relação de todo relacionamento humano. A união entre marido e mulher é mais estreita do que a relação entre pais e filhos. Os filhos de um homem são parte dele mesmo, mas sua esposa é ele mesmo. O apóstolo Paulo diz:

> Assim também os maridos devem amar a sua mulher como ao próprio corpo. Quem ama a esposa a si mesmo se ama. Porque ninguém

jamais odiou a própria carne; antes, a alimenta e dela cuida, como também Cristo o faz com a igreja (Ef 5.28,29).

João Calvino afirma que o vínculo do casamento é mais sagrado que o vínculo que prende os filhos aos seus pais. Nada, a não ser a morte, deve separá-los.[765]

Muito embora a expressão "uma só carne" signifique mais do que união física, a união básica do casamento é a união física. Se um homem e uma mulher pudessem se tornar um só espírito por meio do casamento, então a morte não poderia dissolver esse laço, pois o espírito nunca morre. O conceito de casamento eterno é uma heresia (Mt 22.30; 1Co 7.8,9).[766] O apóstolo Paulo diz que a união do casamento termina com a morte: *Ora, a mulher casada está ligada ao marido, enquanto ele vive; mas, se o mesmo morrer, desobrigada ficará da lei conjugal* [...] *se morrer o marido, estará livre da lei e não será adúltera se contrair novas núpcias* (Rm 7.2,3).

Em quarto lugar, *o casamento é indissolúvel* (10.9). Jesus concluiu o assunto com os fariseus, afirmando que o casamento não é apenas heterossexual, monogâmico e monossomático, mas também indissolúvel. O evangelista Marcos registra: "Portanto, o que Deus ajuntou não o separe o homem" (10.9). O casamento deve ser para toda a vida. É uma união permanente. No projeto de Deus, o casamento é indissolúvel. O divórcio é uma conspiração contra Deus e contra o cônjuge. O divórcio é um atentado contra a família. Quem mais sofre com ele são os filhos. As consequências amargas do divórcio atravessam gerações. A psicóloga Diane Medved afirma que alguns casais chegaram à conclusão de que o divórcio é mais perigoso e destrutivo do que tentar permanecer junto.[767]

O casamento é indissolúvel porque foi Deus quem o instituiu e o ordenou. Porém, o casamento tem sido cada vez mais ultrajado em nossos dias. Comentaristas sociais declaram que 50% dos casamentos realizados nos Estados Unidos terminam pelo divórcio.[768] A Revista *Veja* de 27/11/2003 publicou um artigo revelando que nos últimos cinco anos o índice de divórcio entre pessoas da terceira idade no Brasil teve um aumento de 56%. Tragicamente, 70% dos novos casamentos surgidos entre os divorciados acabam num período de dez anos.[769]

Nenhum ser humano tem competência nem autoridade para desfazer o que Deus faz. Mesmo que um juiz lavre uma certidão de divórcio e declare uma pessoa livre dos vínculos do casamento, aos olhos de Deus, essa relação não é desfeita.

O casamento é uma aliança entre um homem e uma mulher e Deus é a testemunha dessa aliança (Ml 2.14). O adultério é a quebra da aliança conjugal (Pv 2.16,17). O divórcio é a quebra do nono mandamento da lei de Deus, ou seja, um falso testemunho, a quebra de um juramento feito na presença de Deus.

Algumas pessoas tentam justificar o divórcio, afirmando que não foi Deus quem os uniu em casamento. É importante enfatizar que mesmo que um casal não tenha buscado a orientação de Deus para o casamento, uma vez firmada a aliança, Deus a ratifica (Js 9.1,27).

Um alerta solene (10.10-12)

A conversa que se desenrola agora não é mais com os fariseus, mas com os discípulos; não mais em um lugar aberto, mas dentro de casa. O contexto nos indica que os discípulos tinham uma visão bastante liberal sobre a questão do divórcio, pois quando Jesus falou sobre a infidelidade conjugal como a única cláusula de exceção para o divórcio, os discípulos reagiram com uma profunda negatividade em relação ao casamento: *Disseram-lhe os discípulos: Se essa é a condição do homem relativamente à sua mulher, não convém casar* (Mt 19.10).

O evangelista Marcos omite a cláusula de exceção que legitima o divórcio, registrada em Mateus 5.32 e 19.9. Contudo, certamente, essa omissão não muda o conteúdo do ensino de Jesus sobre o assunto. A grande ênfase de Jesus é que o divórcio e o novo casamento, sem base bíblica, constituem-se adultério. J. Vernon McGee entende que essa omissão de Marcos é pelo fato de ele estar escrevendo aos romanos, que não conheciam a lei de Moisés sobre o divórcio.[770] William Hendriksen, escrevendo nessa mesma trilha de pensamento, diz:

> Por que essa diferença entre Mateus e Marcos? Resposta: Mateus estava primariamente escrevendo para os judeus, entre os quais a rejeição de um marido pela sua esposa era tão rara que a lei não provia qualquer orientação para essa possibilidade. No entanto, mesmo entre os judeus, ou entre aqueles que tinham relações próximas com eles, essas rejeições do marido por parte da esposa não eram inteiramente desconhecidas.[771]

Somente Marcos entre os evangelistas fala da mulher também tomando iniciativa do divórcio. Possivelmente, porque Marcos está escrevendo para os romanos e na sociedade romana uma mulher poderia iniciar o divórcio.[772]

Não existem famílias fortes sem casamentos bem estruturados. Não existem igrejas saudáveis sem famílias fortes. Não existe sociedade bem estruturada onde as famílias que a compõem estejam se desintegrando.

Nenhum sucesso compensa o fracasso do casamento e da família. Não fomos chamados para imitar o mundo, mas para ser um referencial de Deus no mundo. O povo de Deus precisa mostrar ao mundo casamentos sólidos, famílias unidas e regadas pelo amor.

NOTAS DO CAPÍTULO 32

750 HENDRIKSEN, William, *Marcos,* 2003: p. 476.

751 MCGEE, J. Vernon, *Mark,* 1991: p. 118.

752 POHL, Adolf, *Evangelho de Marcos,* 1998: p. 294.

753 BARCLAY, William, *Marcos,* 1974: p. 248.

754 MULHOLLAND, Dewey M., *Marcos: Introdução e Comentário,* 2005: p. 154.

755 BARTON, Bruce B., et all. *Life Application Bible Commentary on Mark,* 1994: p. 280.

756 BARTON, Bruce B., et all. *Life Application Bible Commentary on Mark,* 1994: p. 280.

757 DOBSON, Edward G., *The Complete Bible Commentary.* Nashville, Tennessee. Thomas Nelson Publishers, 1999: p. 1212.

758 CLARKE, Adam, *Clarke's Commentary – Matthew-Revelation. Vol. V.* Nashville, Tennessee. Abingdon. N.d.: p. 190.

759 KAISER JR, Walter, *Toward Old Testament Ethics.* Grand Rapids, Michigan. Zondervan Publishing House, 1983: p. 200,201.

760 ADAMS, Jay, *Marriage, Divorce, and Remarriage in the Bible.* Grand Rapids, Michigan. Zondervan Publishing House, 1980: p. 27.

761 LOPES, Hernandes Dias, *Casamento, Divórcio e Novo Casamento.* São Paulo, SP. Editora Hagnos, 2005: p. 107.

762 GEISLER, Norman L., *Christian Ethics: Options and Issues.* Grand Rapids, Michigan. Baker Book House, 2000: p. 278.

763 GEISLER, Norman, *Christian Ethics: Options and Issues,* 2000: p. 281.

764 BARTON, Bruce B., et all. *Life Application Bible Commentary on Mark,* 1994: p. 281.

765 CALVIN, John. *Harmony of Matthew, Mark, and Luke – Calvin's Commentaries. Vol. XVI.* Grand Rapids, Michigan. Baker Book House, 1979: p. 379.

766 WIERSBE, Warren W., *The Bible Exposition Commentary. Vol. 1.* Colorado Springs, Colorado. Chariot Victor Publishing, 1989: p. 69.

767 MEDVED, Diane, *The Case Against Divorce.* Nova York, NY. Donald L. Fine, 1989: p. 1,2.

768 ANDERSON, J. Kerby, *Signs of Warning, Signs of Hope: Seven Coming Crises that will change your life.* Chicago, Illinois. Moody Press, 1994: p. 67.

769 MALLORY, James D., *O Fim da Guerra dos Sexos.* São Paulo, SP. Exodus Editora, 1997: p. 16.

770 MCGEE, J. Vernon, *Mark,* 1991: p. 121.

771 HENDRIKSEN, William, *Marcos,* 2003: p. 483.

772 BARTON, Bruce B., et all. *Life Application Bible Commentary on Mark,* 1994: p. 284.

Capítulo 33

O lugar das crianças no Reino de Deus

(Mc 10.13-16)

WILLIAM BARCLAY DIZ QUE só compreenderemos a beleza dessa passagem quando observarmos o tempo em que esse fato aconteceu.[773] Jesus estava indo para Jerusalém. Ele marchava para a cruz. Foi nessa caminhada dramática, dolorosa, que ele encontrou tempo em sua agenda e espaço em seu coração para acolher as crianças, orar por elas e abençoá-las.

Marcos 10.1-31 apresenta uma sequência lógica: casamento (10.1-12), crianças (10.13-16) e propriedades (10.17-31).[774] Jesus, apesar de caluniado e perseguido pelos escribas e fariseus, era considerado pelo povo como profeta (Lc 24.19). Daí a confiança do povo em trazer-lhe as suas crianças para que por elas orasse e as abençoasse.[775] O simples fato de Jesus tomar as crianças em seus braços revela a personalidade doce do Senhor Jesus.

Há três grupos que merecem destaque aqui:

Em primeiro lugar, *os que trazem as crianças a Jesus* (10.13). As crianças não vieram; elas foram trazidas. Algumas delas eram crianças de colo, outras vieram andando, mas todas foram trazidas. Devemos ser facilitadores e não obstáculo para as crianças virem a Cristo.

Os pais ou mesmo parentes reconheceram a necessidade de trazer as crianças a Cristo. Eles não as consideraram insignificantes nem acharam que elas pudessem ficar longe de Cristo. Esses pais olharam para seus filhos como bênção e não como fardo, como herança de Deus e não como um problema (Sl 127.3). Aqueles que trazem as crianças a Cristo reconhecem que elas precisam de Jesus. Era costume naquela época os pais trazerem seus filhos aos rabinos para que orassem por eles. A palavra grega *paideia* referia-se à fase da primeira infância até o período da pré-adolescência.[776] Lucas usa *brephos* (Lc 18.15), que a princípio significa bebê, depois também criança pequena, mas nos versículos 16 e 17 também tem duas vezes *paideion.*[777]

As crianças podem e devem ser trazidas a Cristo. Na cultura grega e judaica, as crianças não recebiam o valor devido, mas no Reino de Deus elas não apenas são acolhidas, mas também são tratadas como modelo para os demais que querem entrar.

Adolf Pohl corretamente interpreta o ensino de Jesus, quando afirma:

> Não deixe as crianças esperar; não hesite em trazê-las para as mãos de Jesus; não conte com "mais tarde": mais tarde, quando você for maior,

> quando entender mais a Bíblia, quando for batizado etc. As crianças podem ser trazidas com muita confiança no poder salvador de Jesus. O reinado de Deus rompe a barreira da idade assim como a barreira sexual (o evangelho para mulheres), da profissão (para cobradores de impostos), do corpo (para doentes), da vontade pessoal (para endemoninhados) e da nacionalidade (para gentios). Portanto, também as crianças podem ser trazidas dos seus cantos para que Jesus as abençoe.[778]

Em segundo lugar, *os que impedem as crianças de virem a Cristo* (10.13). Os discípulos de Cristo mais uma vez demonstram dureza de coração e falta de visão. Em vez de serem facilitadores, se tornaram obstáculos para as crianças virem a Cristo. Eles não achavam que as crianças fossem importantes, mesmo depois de Jesus ter ensinado claramente sobre isso (9.36,37).[779]

Os discípulos não compreenderam a missão de Jesus, a missão deles nem a natureza do Reino de Deus.

Os discípulos repreendiam aqueles que traziam as crianças por acharem que Jesus não deveria ser incomodado por questões irrelevantes. O verbo grego usado pelos discípulos indica que eles continuaram repreendendo enquanto as pessoas traziam os seus filhos.[780] Eles agiam com preconceito. Podemos impedir as pessoas de trazerem as crianças a Cristo por comodismo, negligência, ou por falsa compreensão espiritual.

Em terceiro lugar, *os que abençoam as crianças* (10.16). Jesus demonstra amor, cuidado e atenção especial com todos aqueles que eram marginalizados na sociedade. Ele dava valor aos leprosos, aos enfermos, aos publicanos, às prostitutas, aos gentios e agora, às crianças.

Esse texto tem três grandes lições, segundo James Hastings: um encorajamento, uma reprovação e uma revelação.[781]

Um encorajamento (10.14)

O encorajamento era para os pais das crianças e para as próprias crianças, embora a palavra tenha sido dirigida aos discípulos: *Deixai vir a mim os pequeninos, não os embaraceis, porque dos tais é o reino de Deus* (10.14). Jesus manda abrir o caminho de acesso a ele para que as crianças possam vir. Algumas verdades são enfatizadas aqui:

Em primeiro lugar, *a afeição de Jesus às crianças* (10.14). Não é a primeira vez que Jesus demonstra amor às crianças. Ele diz que quem recebe uma criança em seu nome é o mesmo que receber a ele próprio (9.36,37). Jesus afirma, de outro lado, que fazer uma criança tropeçar é uma atitude gravíssima (9.42). Agora, Jesus acolhe as crianças, toma-as em seus braços, ora por elas, impõe as mãos sobre elas e as abençoa (10.16).

Em segundo lugar, *o convite de Jesus para os pais trazerem os filhos* (10.14). Jesus encoraja os pais ou qualquer outra pessoa a trazer as crianças a ele. As crianças podem crer em Cristo e são exemplo para aqueles que creem. Levar as crianças a Cristo é a coisa mais importante que podemos fazer por elas.

John Charles Ryle diz que devemos aprender com essa passagem a grande atenção que as crianças devem receber da igreja de Cristo. Nenhuma igreja pode ser considerada saudável se não acolhe bem as crianças. Jesus, o Senhor da igreja, encontrou tempo para dedicar-se às crianças. Ele demonstrou que o cuidado com as crianças é um ministério de grande valor.[782]

Em terceiro lugar, *o convite de Jesus para as crianças virem a ele* (10.14). As crianças de colo precisam ser trazidas a

Cristo, mas outras poderiam ir por si mesmas. Elas não deveriam ser vistas como impossibilitadas nem impedidas de virem a Cristo. Na religião judaica, somente depois dos 13 anos uma criança poderia iniciar-se no estudo da Lei. Contudo, Jesus revela que as crianças devem vir a ele para receberem o seu amor e a sua graça.

Uma reprovação (10.14)

Há quatro fatos que merecem destaque nesse texto:

Em primeiro lugar, *a indignação de Jesus* (10.14). Jesus se indignou quando viu que os discípulos afastaram as pessoas em vez de introduzi-las a ele. A palavra grega *aganakteo* sugere uma forte emoção. Esse é o único lugar nos evangelhos onde Jesus dirige sua indignação aos discípulos, exatamente quando eles demonstram preconceito com as crianças.[783] Jesus fica indignado quando a igreja fecha a porta em vez de abri-la. Jesus fica indignado quando identifica o pecado do preconceito na igreja.

Jesus já ficara indignado com seus inimigos, mas agora fica indignado com os discípulos. É a única vez que o desgosto de Jesus se direcionou aos próprios discípulos, quando eles se tornaram estorvo em vez de bênção, quando eles levantaram muros em vez de construir pontes.

A indignação de Jesus aconteceu concomitantemente com o seu amor. A razão pela qual ele se indignou com os seus discípulos foi o seu amor profundo e compassivo para com os pequeninos, e todos os que os trouxeram.[784] Ao choque para os pais, no entanto, segue um choque para os discípulos.[785] Uma ordem dupla reverte as medidas deles: Deixai vir a mim os pequeninos, não os embaraceis.

Em segundo lugar, *por que Jesus reprovou os discípulos tão severamente?* Encontramos várias respostas:

A conduta deles foi errada com aqueles que traziam as crianças. Os pais daquelas crianças as trouxeram a Jesus porque criam que ele era profeta, que poderia orar por elas e abençoá-las. Elas estavam vindo à pessoa certa com a motivação certa e mesmo assim foram barradas pelos discípulos.

A conduta deles foi errada com as próprias crianças. Jesus já havia falado que as crianças tinham a capacidade de crer nele e que é um grave pecado servir de tropeço às crianças (9.42). Os discípulos estavam imitando os fariseus que se colocavam no meio do caminho impedindo as pessoas de entrarem no Reino.

A conduta deles foi errada com o próprio Jesus. A atitude deles fazia as pessoas concluírem que Jesus era uma pessoa preconceituosa e sofisticada como as autoridades religiosas de Israel. Jesus, entretanto, já dera fartas provas de sua compaixão com os necessitados e excluídos.

A conduta deles foi contrária ao ensino de Cristo. O ensino de Jesus é claro: *Em verdade vos digo: Quem não receber o reino de Deus como uma criança de maneira nenhuma entrará nele* (10.15). Jesus está demonstrando que não há nenhuma virtude em nós que nos recomende ao reino. Se quisermos entrar no reino, precisamos despojar-nos de toda pretensão como uma criança. Obviamente, Jesus não está dizendo que seus discípulos devem imitar "qualidades infantis", mas devem receber o reino de Deus do mesmo modo como uma criança recebe alguma coisa. Naquela cultura, as crianças eram consideradas insignificantes e indignas de atenção; não podiam reivindicar coisa alguma.

Podiam somente receber o que lhes era oferecido pelos adultos responsáveis. Da mesma maneira, uma pessoa deve confiar em Deus e receber dele o reino como um dom de sua graça.[786]

A conduta deles foi contrária à prática de Cristo. Jesus nunca escorraçou as pessoas. Ele jamais mandou embora aquele que vem a ele (Jo 6.37). Ele convida a todos (Mt 11.28). Jesus tomou as crianças em seus braços, impôs sobre elas as mãos, as abençoou (10.16) e orou por elas (Mt 19.13). Jesus recebia pecadores e comia com eles.

Em terceiro lugar, *por que os discípulos impediram as pessoas de trazerem as crianças a Jesus?* Três foram as razões dos discípulos:

Por causa da preocupação deles com o próprio Jesus. Os discípulos demonstraram zelo sem entendimento. Eles queriam blindar Jesus, protegendo-o de desgastes desnecessários, especialmente naquela hora de grande tensão, quando Jesus estava indo para Jerusalém para ser preso. Porém, Jesus revela seu grande apreço às crianças e para sua jornada para abençoar as crianças e repreender os discípulos.

Por causa da dúvida deles acerca da capacidade das crianças de entenderem a Jesus. Os discípulos devem ter julgado as crianças incapazes de discernir as coisas espirituais e assim procuraram mantê-las longe de Jesus. Nem os filósofos gregos nem os rabinos judaicos concediam grande importância às crianças.[787] Na época de Jesus, dar atenção a uma criança "era uma perniciosa perda de tempo, como beber muito vinho ou associar-se com os ignorantes".[788] Somente com 13 anos um menino poderia tomar sobre si a responsabilidade de cumprir a Lei.[789] Falamos para as crianças comportarem-se como os adultos, mas Jesus ensinou que os adultos devem imitar as crianças.[790]

Por causa do esquecimento deles com respeito ao valor das crianças. Os discípulos devem ter pensado que as crianças estavam aquém da possibilidade de serem salvas. Mas as crianças fazem parte da família de Deus. Elas estão incluídas no pacto que Deus fez conosco. Os nossos filhos são santos (1Co 7.14). Eles não devem ser impedidos de vir a Cristo. Receber uma criança em nome de Jesus é receber a Jesus. A criança não apenas deve vir a Cristo, mas constitui-se em modelo para os que creem. Quando uma criança é salva, ela pode dedicar toda sua vida a Cristo.

Em quarto lugar, *como as crianças podem ser impedidas de virem a Jesus?* Podemos listar algumas formas:

Quando deixamos de ensiná-las a Palavra de Deus. Timóteo aprendeu as sagradas letras que o tornaram sábio para a salvação desde sua infância (2Tm 3.15). A Bíblia diz: *Ensina a criança no caminho em que deve andar, e, ainda quando for velho, não se desviará dele* (Pv 22.6). Os pais devem ensinar os filhos de forma dinâmica e variada (Dt 6.1-9).

Quando deixamos de dar exemplo a elas. Escandalizar uma criança e servir de tropeço para ela são um pecado de consequências graves (9.42). Ensinamos as crianças não só com palavras, mas, sobretudo, com exemplo. Influenciamos as crianças sempre, seja para o bem ou para o mal.

Quando julgamos que as crianças não merecem a nossa maior atenção. Os discípulos julgaram que aquela não era causa tão importante a ponto de ocupar um lugar na agenda de Jesus. Eles, na intenção de poupar Jesus e administrar sua agenda, revelaram seu preconceito contra as crianças e sua escala de valores desprovida de discernimento espiritual.

Uma revelação (10.14)

Jesus é enfático, quando afirma: [...] *porque dos tais é o reino de Deus* (10.14). Isso tem a ver com a natureza do reino de Deus. O que Jesus não quis dizer com essa expressão?

Em primeiro lugar, *que as crianças são criaturas inocentes.* O pecado original atingiu toda a raça. Somos concebidos em pecado e nos desviamos desde a concepção. A inclinação do nosso coração é para o mal e as crianças não são salvas por serem crianças inocentes. Elas, também, precisam nascer de novo e crer no Senhor Jesus. Adolf Pohl diz que no Novo Testamento as crianças não são anjinhos. Elas são briguentas (1Co 3.1-3), imaturas (1Co 3.11; Hb 5.13), fáceis de seduzir (6.4), imprudentes (1Co 14.20), volúveis (Ef 4.14) e dependentes (Gl 4.1,2).[791]

Em segundo lugar, *as crianças estão salvas pelo simples fato de serem crianças.* A salvação não tem a ver com faixa etária. Nenhuma pessoa é salva por ser criança ou velha, mas por crer no Senhor Jesus. Quando uma criança morre antes da idade da razão, ela vai para o céu não por ser criança, mas porque o Espírito Santo aplica nela a obra da redenção. Nenhuma criança entra no céu pelos seus próprios méritos, mas pelos méritos de Cristo.

Vejamos agora o que Jesus quis dizer, quando disse que às crianças pertence o reino de Deus:

Em primeiro lugar, *as crianças vêm a Cristo com total confiança.* Elas creem e confiam. Elas se entregam e descansam. Devemos despojar-nos da nossa pretensa capacidade e sofisticação e retornarmo-nos para a simplicidade dos infantes, confiando em Jesus com uma fé simples e sincera.[792] Jesus está dizendo que o reino de Deus não pertence aos que dele se acham "dignos", ao contrário, é um presente aos que são "tais" como crianças, isto é, insignificantes e dependentes. Não porque merecem recebê-lo, mas porque Deus deseja conceder-lhes (Lc 12.32). Os que reivindicam seus méritos não entrarão nele, pois Deus dá o seu reino àqueles que dele nada podem reivindicar.[793]

Em segundo lugar, *as crianças vivem na total dependência.* Assim como as crianças descansam na provisão que os pais lhes oferecem, devemos também descansar na obra de Cristo, na providência do Pai e no poder do Espírito.

Uma atitude (10.16)

Jesus não apenas acolhe as crianças e repreende os discípulos, mas faz três coisas importantes:

Em primeiro lugar, *ele toma as crianças em seus braços.* Com isso Jesus revela seu carinho, aceitação, valorização, proteção e cuidado com as crianças.

Em segundo lugar, *ele impõe as mãos sobre as crianças.* Os pais trouxeram as crianças para que Jesus as tocasse (Lc 18.15) e orasse por elas (Mt 19.13). Jesus em vez de concordar com os discípulos, mandando-as embora, chamou-as para junto de si (Lc 18.16) e impôs sobre elas as mãos. Jesus invocou as bênçãos espirituais sobre aquelas crianças. Jesus toma a primeira criança em seus braços e coloca a sua mão na cabeça do infante. Então, com ternura ele a abençoa por meio de uma oração valiosa ao Pai, para que seu favor seja derramado sobre ela. Ao terminar sua oração, ele devolve a criança para a pessoa que a havia trazido, pega a criança seguinte, e assim sucessivamente, até ter abençoado todas elas.[794]

Em terceiro lugar, *ele as abençoou*. O verbo grego *kateuloei* revela uma grande força de intensidade, evidenciando que sua bênção foi fervente. O verbo também está no tempo imperfeito, demonstrando que Jesus continuou abençoando as crianças.[795] Jesus via as crianças como filhos da promessa, como herança de Deus, como alvos do seu amor e como exemplo para todos os que desejam entrar no seu reino.

Jesus indignou-se com a atitude preconceituosa dos discípulos, acolheu as crianças e disse que elas são modelos para os adultos (10.15). A receptividade das crianças está em contraste com a dureza dos líderes religiosos, que tinham conhecimento, mas não fé genuína. Sobre as nove declarações com "amém" (em verdade vos digo) em Marcos, esta aqui está em tom de ameaça. Só entra no reino quem se fizer como uma criança.[796]

As crianças são modelos em sua humilde dependência de outros, receptividade e aceitação de sua condição. Nós entramos no reino de Deus pela fé, como crianças: inaptos para salvar-nos, totalmente dependentes da graça de Deus. Nós desfrutamos o reino de Deus pela fé, crendo que o Pai nos ama e irá atender às nossas necessidades diárias. Quando uma criança é ferida, o que ela faz? Corre para os braços do pai ou da mãe. Esse é um exemplo para o nosso relacionamento com o Pai celestial. Sim, Deus espera que sejamos como crianças e não infantis.[797]

Receber o reino de Deus como uma pequena criança significa aceitá-lo com simplicidade e confiança genuína, bem como humildade despretensiosa.[798] O reino de Deus é o domínio de Deus no coração e na vida do ser humano com todas as bênçãos que resultam desse domínio. Entrar no reino é ser salvo, é ter a vida eterna.

Notas do capítulo 33

[773] Barclay, William, *Marcos,* 1974: p. 252.

[774] Hendriksen, William, *Marcos,* 2003: p. 485.

[775] Gioia, Egidio, *Notas e Comentários à Harmonia dos Evangelhos,* 1969: p. 269.

[776] Barton, Bruce B., et all. *Life Application Bible Commentary on Mark,* 1994: p. 285.

[777] Pohl, Adolf, *Evangelho de Marcos,* 1998: p. 296.

[778] Pohl, Adolf, *Evangelho de Marcos,* 1998: p. 297.

[779] Wiersbe, Warren W., *Be Diligent,* 1987: p. 99.

[780] Barton, Bruce B., et all. *Life Application Bible Commentary on Mark,* 1994: p. 285.

[781] Hastings, James, *The Great Texts of the Bible. Mark. Vol. 9.* N.d.: p. 231.

[782] Ryle, John Charles, *Mark,* 1993: p. 147,148.

[783] Barton, Bruce B., et all. *Life Application Bible Commentary on Mark,* 1994: p. 286.

[784] Hendriksen, William, *Marcos,* 2003: p. 487.

[785] Pohl, Adolf, *Evangelho de Marcos,* 1998: p. 297.

[786] Mulholland, Dewey M., *Marcos: Introdução e Comentário,* 2005: p. 158,159.

[787] Trenchard, Ernesto, *Una Exposición del Evangelio según Marcos,* 1971: p. 121.

[788] Achtemeier, Paul J., *Invitation to Mark.* Dougleday & Co, 1978: p. 146.

[789] Mulholland, Dewey M., *Marcos: Introdução e Comentário,* 2005: p. 158.

[790] Wiersbe, Warren W., *Be Diligent,* 1987: p. 99.

[791] Pohl, Adolf, *Evangelho de Marcos,* 1998: p. 298.

[792] McGee, J. Vernon, *Mark,* 1991: p. 123.

[793] Mulholland, Dewey M., *Marcos: Introdução e Comentário,* 2005: p. 159.

[794] Hendriksen, William, *Marcos,* 2003: P. 489.

[795] Barton, Bruce B., et all. *Life Application Bible Commentary on Mark,* 1994: p. 287.

[796] Pohl, Adolf, *Evangelho de Marcos,* 1998: p. 298.

[797] Wiersbe, Warren W., *Be Diligent,* 1987: p. 99.

[798] Hendriksen, William, *Marcos,* 2003: p. 487.

Capítulo 34

Que lugar o dinheiro ocupa na sua vida?

(Mc 10.17-31)

Duas perguntas são feitas antes de se fechar um negócio: Quanto ganharei se fechar este negócio? Quanto perderei se deixar de fechá-lo?

O dinheiro é o ídolo que tem o maior número de adoradores neste mundo. Pessoas se casam, divorciam, matam e morrem pelo dinheiro. No sermão do monte, Jesus disse que não podemos servir a Deus e às riquezas ao mesmo tempo.

De todas as pessoas que vieram a Cristo, esse homem é o único que saiu pior do que chegou. Ele foi amado por Jesus, mas, mesmo assim, desperdiçou a maior oportunidade da sua vida. A despeito do fato de ter vindo à pessoa certa, de ter abordado o tema certo, de ter recebido a resposta certa, ele tomou a decisão errada. Ele amou mais o dinheiro que a Deus, mais a terra que o céu, mais os prazeres transitórios desta vida do que a salvação da sua alma.

Rico, porém insatisfeito (10.17-22)

Destacamos vários predicados excelentes desse jovem. Entretanto, todos os atributos que alistamos não puderam preencher o vazio da sua alma.

Em primeiro lugar, *ele era jovem* (Mt 19.20). Esse jovem estava no alvorecer da vida. Tinha toda a sua vida pela frente e toda a oportunidade de investir o seu futuro no reino de Deus. Ele tinha saúde, vigor, força, sonhos.

Em segundo lugar, *ele era riquíssimo* (Lc 18.23). Esse jovem possuía tudo que este mundo podia lhe oferecer: casa, bens, conforto, luxo, banquetes, festas, joias, propriedades, dinheiro. Ele era dono de muitas propriedades. Embora jovem, já era muito rico. Certamente, ele era um jovem brilhante, inteligente e capaz.

Em terceiro lugar, *ele era proeminente* (Lc 18.18). Lucas diz que ele era um homem de posição (Lc 18.18). Ele possuía um elevado *status* na sociedade. Ele tinha fama e glória. Apesar de ser jovem, já era rico; apesar de ser rico, era também líder famoso e influente na sociedade. Talvez ele fosse um oficial na sinagoga. Tinha reputação e grande prestígio.

Em quarto lugar, *ele era virtuoso* (10.20; Mt 19.20). *Tudo isso tenho observado, que me falta ainda?* Aquele jovem julgava ser portador de excelentes predicados morais. Ele se olhava no espelho da lei e dava nota máxima para si mesmo. Considerava-se um jovem íntegro. Não vivia em orgias nem saqueava os bens alheios. Vivia de forma honrada dentro dos mais rígidos padrões morais. Possuía uma excelente conduta exterior. Era um modelo para o seu tempo. Um jovem que a maioria das mães gostaria de ter como genro. Era um jovem que emoldurava o sonho da maioria dos pais contemporâneos.

Em quinto lugar, *ele era insatisfeito com sua vida espiritual* (Mt 19.20). *Que me falta ainda?* Ele tinha tudo para ser feliz, mas seu coração ainda estava vazio. Na verdade, Deus pôs a eternidade no coração do homem e nada deste mundo pode preencher esse vazio. Seu dinheiro, reputação e liderança não preencheram o vazio da sua alma. Estava cansado da vida que levava. Nada satisfazia aos seus anseios. Ser rico não basta; ser honesto não basta; ser religioso não basta. Nossa alma tem sede de Deus.

Em sexto lugar, *ele era uma pessoa sedenta de salvação* (10.17). Sua pergunta foi enfática: *Bom Mestre, que farei para herdar a vida eterna?* Ele estava ansioso por algo mais que não havia encontrado no dinheiro. Ele sabia que não possuía a vida eterna, a despeito de viver uma vida correta aos olhos dos homens. Ele não queria enganar a si mesmo. Ele queria ser salvo.

Em sétimo lugar, *ele foi a Jesus, a pessoa certa* (10.17). Ele foi a Jesus; buscou o único que pode salvar. Ele já tinha ouvido falar de Jesus. Sabia que ele já salvara muitas pessoas. Sabia que Jesus era a solução para a sua vida, a resposta para o seu vazio. Ele não buscou atalhos, mas entrou pelo único caminho que leva ao céu.

Em oitavo lugar, *ele foi a Jesus com pressa* (10.17). *E, pondo-se Jesus a caminho, correu um homem ao seu encontro*

(10.17). Naquela época, pessoas tidas como importantes não corriam em lugares públicos, mas esse jovem correu. Ele tinha pressa. Muitos querem ser salvos, mas deixam para amanhã e perecem eternamente. Esse jovem não pode mais esperar, ele não pode mais protelar. Ele não aguenta mais. Ele não se importa com a opinião das pessoas. Ele tem urgência para salvar a sua alma.

Em nono lugar, *ele foi a Jesus de forma reverente* (10.17). [...] *e ajoelhando-se, perguntou-lhe: 'Bom Mestre, que farei para herdar a vida eterna?'* (10.17). Esse jovem se humilhou caindo de joelhos aos pés de Jesus. Ele demonstrou ter um coração quebrantado e uma alma sedenta. Não havia dureza de coração nem qualquer resistência. Ele se rende aos pés do Senhor.

Em décimo lugar, *ele foi amado por Jesus* (10.21). *E Jesus, fitando-o, o amou* (10.21). Jesus viu o seu conflito, o seu vazio, a sua necessidade; viu o seu desespero existencial e se importou com ele e o amou.

Rico, porém enganado (10.17-22)

As virtudes do jovem rico eram apenas aparentes. Ele superestimava suas qualidades. Ele deu a si mesmo nota máxima, mas Jesus tirou sua máscara e revelou-lhe que a avaliação que fazia de si, da salvação, do pecado, da lei e do próprio Jesus eram muito superficiais.

Em primeiro lugar, *ele estava enganado a respeito da salvação* (10.17). Ele viu a salvação como uma questão de mérito e não como um presente da graça de Deus. Ele perguntou: *Bom Mestre, que farei para herdar a vida eterna?* (10.17). Seu desejo de ter a vida eterna era sincero, mas estava enganado quanto à maneira de alcançá-la. Ele queria obter a salvação por obras e não pela graça.

Todas as religiões do mundo ensinam que o homem é salvo pelas suas obras. Na Índia, multidões que desejam a salvação deitam sobre camas de prego ao sol escaldante; balançam-se sobre um fogo baixo; sustentam uma das mãos erguida até se tornar imóvel; fazem longas caminhadas de joelhos. No Brasil, vemos as romarias, onde pessoas sobem conventos de joelhos e fazem penitência pensando alcançar com isso o favor de Deus.

Muitas pessoas pensam que no dia do juízo Deus vai colocar na balança as obras más e as boas obras e a salvação será o resultado da prevalência das boas obras sobre as obras más. Mas a salvação não consiste daquilo que fazemos para Deus, mas do que Deus fez por nós em Cristo Jesus.

Em segundo lugar, *ele estava enganado a respeito de si mesmo* (10.19-21). O jovem rico não tinha consciência dc quão pecador ele era. O pecado é uma rebelião contra o Deus santo. Ele não é simplesmente uma ação, mas uma atitude interior que exalta o homem e desonra a Deus.[799] O jovem rico pensou que suas virtudes externas poderiam agradar a Deus. Porém, a Escritura diz que todos somos como o imundo, e todas as nossas justiças, como trapo da imundícia aos olhos do Deus santo (Is 64.6).

O jovem rico pensou que guardava a lei, mas havia quebrado os dois principais mandamentos da lei de Deus: amar a Deus e ao próximo. Ele era idólatra. Seu deus era o dinheiro. Seu dinheiro era apenas para o seu deleite. Sua teologia era baseada em não fazer coisas erradas, em vez de fazer coisas certas.

Jesus disse para o jovem rico: *Só uma coisa te falta: Vai, vende tudo o que tens, dá-o aos pobres e terás um tesouro no céu; então, vem e segue-me* (10.21). O que faltava a ele? O novo nascimento, a conversão, o buscar a Deus em primeiro lugar. Ele queria a vida eterna, mas não renunciou aos seus ídolos. Hurtado diz que: "o jovem rico não foi chamado à pobreza como um fim, mas ao discipulado de Jesus".[800]

Em terceiro lugar, *ele estava enganado a respeito da lei de Deus* (10.19,20). Ele mediu sua obediência apenas por ações externas e não por atitudes internas. Aos olhos de um observador desatento ele passaria no teste, mas Jesus identificou a cobiça em seu coração. Esse é o mandamento subjetivo da lei. Ele não pode ser apanhado por nenhum tribunal humano. Só Deus consegue diagnosticá-lo. Jesus viu no coração desse homem o amor ao dinheiro como a raiz de todos os seus males (1Tm 6.10). O dinheiro era o seu deus; ele confiava nele e o adorava.

Em quarto lugar, *ele estava enganado a respeito de Jesus* (10.17). Ele chama Jesus de Bom Mestre, mas não está pronto a lhe obedecer. Ele pensa que Jesus é apenas um rabi e não o Deus verdadeiro, feito carne. Jesus queria que o jovem se visse a si mesmo como um pecador antes de ajoelhar-se diante do Deus santo. Não podemos ser salvos pela observância da lei, pois somos rendidos ao pecado. A lei é como um espelho; ela mostra a nossa sujeira, mas não remove as manchas. O propósito da lei é trazer o pecador a Cristo (Gl 3.24). A lei pode trazer o pecador a Cristo, mas não pode fazer o pecador semelhante a Cristo. Somente a graça pode fazer isso.[801]

Em quinto lugar, *ele estava enganado acerca da verdadeira riqueza* (10.22). Depois de perturbar a complacência do homem com a constatação de que uma coisa lhe faltava, Jesus o desafia com uma série de cinco imperativos: *Vai, vende* tudo o que tens, *dá-o* aos pobres e *vem,* e *segue-me* (10.21; grifos do autor). Esses cinco imperativos são apenas uma ordem que exige uma só reação. Ele deve renunciar àquilo que se constitui no objeto de sua afeição antes de poder viver debaixo do senhorio de Deus.[802]

O jovem rico perdeu a riqueza eterna, por causa da riqueza temporal. Ele preferiu ir para o inferno a abrir mão do seu dinheiro. Mas que insensatez, ele não pode levar um centavo para o inferno. Ele rejeita a Cristo e a vida eterna. Agarrou-se ao seu dinheiro e com ele pereceu. Saiu triste e pior, por ter rejeitado a verdadeira riqueza, aquela que não perece. O homem rico se torna o mais pobre entre os pobres.

Rico, porém perdido (10.23-27)

Há duas verdades que enfatizamos:

Em primeiro lugar, *os que confiam na riqueza não podem confiar em Deus* (10.23-25). O dinheiro é mais do que uma moeda; é um deus. O dinheiro é o maior dono de escravos do mundo. Ele é um espírito, ele é Mamom. Ninguém pode servir a dois senhores ao mesmo tempo. Ninguém pode servir a Deus e às riquezas. A confiança em Deus implica no abandono de todos os ídolos. Quem coloca a sua confiança no dinheiro, não pode confiar em Deus para a sua própria salvação. Nossos corações somente têm espaço para uma única devoção e nós só podemos nos entregar para o único Senhor.[803]

Jesus não está condenando a riqueza, mas a confiança nela. A raiz de todos os males não é o dinheiro, mas o amor a ele (1Tm 6.10). Há pessoas ricas e piedosas. O dinheiro é um bom servo, mas um péssimo patrão. A questão não é possuir dinheiro, mas ser possuído por ele.

Jesus ilustrou a impossibilidade da salvação daquele que confia no dinheiro: *É mais fácil passar um camelo pelo fundo de uma agulha do que entrar um rico no reino de Deus* (10.25). O camelo era o maior animal da Palestina e o fundo de uma agulha o menor orifício conhecido na época. Alguns intérpretes tentam explicar que esse fundo da agulha era uma porta da muralha de Jerusalém onde um camelo só podia passar ajoelhado e sem carga. Contudo, isso altera o centro do ensino de Jesus: a impossibilidade definitiva de salvação para aquele que confia no dinheiro.[804]

Em segundo lugar, *a salvação é uma obra milagrosa de Deus* (10.26,27). Os discípulos ficaram aturdidos com a posição radical de Jesus e perguntaram: *Então, quem pode ser salvo?* (10.26). Jesus, porém, fitando neles o olhar, disse: *Para os homens é impossível; contudo, não para Deus, porque para Deus tudo é possível* (10.27). A conversão de um pecador é uma obra sobrenatural do Espírito Santo. Ninguém pode salvar-se a si mesmo. Ninguém pode regenerar-se a si mesmo. Somente Deus pode fazer de um amante do dinheiro, um adorador do Deus vivo.

Pobre, porém possuindo tudo (10.28-31)

Três fatos nos chamam a atenção acerca dos discípulos:

Em primeiro lugar, *a abnegação* (10.28). *Então, Pedro começou a dizer-lhe: Eis que nós tudo deixamos e te seguimos* (10.28). Seguir a Cristo é o maior projeto da vida. Vale a pena abrir mão de tudo para ganhar a Cristo. Ele é a pérola de grande valor.

Alguns intérpretes acusam Pedro de demonstrar aqui um espírito mercantilista (Mt 19.27). A afirmação de Pedro revela uma visão comercial da vida cristã.[805] A teologia da prosperidade está ensinando que ser cristão é uma fonte de lucro. A igreja está se transformando numa empresa, o evangelho num produto, o púlpito num balcão, o templo numa praça de barganha e os crentes em consumidores.

Em segundo lugar, *a motivação* (10.29). Não basta deixar tudo por amor a Cristo, é preciso fazê-lo pela motivação certa. Jesus é claro em sua exigência: [...] *por amor de mim e por amor do evangelho* (10.29). Precisamos fazer a coisa certa com a motivação certa. O objetivo da abnegação não é receber recompensa. Não servimos a Deus por aquilo que ele dá, mas por quem ele é (Dn 3.16-18).

Muitos hoje pregam um evangelho de barganha com Deus. Você dá, para receber de volta. Você oferece algo para Deus para receber uma recompensa maior. O homem continua sendo o centro de todas as coisas. Mas Jesus fala que precisamos deixar tudo por amor a ele e por causa do evangelho (At 20.24).

Em terceiro lugar, *a recompensa* (10.30). Jesus garante aos seus discípulos que todo aquele que o segue não perderá o que realmente é importante, quer nesta vida quer na vida por vir. Jesus fala de duas recompensas e duas realidades.

Há uma recompensa imediata. Seguir a Cristo é um caminho venturoso. Deus não tira, ele dá. Ele dá generosamente. Quem abre mão de alguma coisa ou de alguém por amor de Cristo e pelo evangelho, recebe já no presente cem vezes mais.

Há uma recompensa futura. No mundo por vir, receberemos a vida eterna. Essa vida é superlativa, gloriosa e feliz. Então, receberemos um novo corpo, semelhante ao corpo da glória de Cristo. Reinaremos com ele para sempre.

Há uma realidade insofismável. Jesus acrescenta que a recompensa imediata vem acompanhada [...] *com perseguições* (10.30). A vida cristã não é uma sala *vip* nem uma colônia de férias. Fomos chamados não para fugir da realidade, mas para enfrentá-la. O sofrimento é o cálice que o povo de Deus precisa beber, enquanto caminha rumo à glória. A cruz vem antes da coroa, o sofrimento antes da recompensa final. Nós entramos no reino de Deus por meio de muitas tribulações (At 14.22). Há um equilíbrio entre bênçãos e batalhas na vida cristã.

Há *uma realidade surpreendente.* Jesus foi categórico: *Porém muitos primeiros serão últimos; e os últimos primeiros* (10.31). Para o público, em geral, o rico ocupa um lugar de proeminência e os pobres discípulos, o último lugar. Mas Deus vê as coisas na perspectiva da eternidade – e o primeiro se torna o último enquanto o último se torna o primeiro.[806]

Quanto você ganhará se fechar esse negócio? A vida eterna! Quanto perderá se deixar de fechar esse negócio? Perderá a vida, o céu!

Notas do capítulo 34

[799] Wiersbe, Warren W., *Be Diligent,* 1987: p. 100.

[800] Hurtado, Larry W., *Mark.* Harper & Row, 1983: p. 152.

[801] Wiersbe, Warren W., *Be Diligent,* 1987: p. 101.

[802] Mulholland, Dewey M., *Marcos: Introdução e Comentário,* 2005: p. 160.

[803] Mulholland, Dewey M., *Marcos: Introdução e Comentário,* 2005: p. 161.

[804] Hendriksen, William, *Marcos,* 2003: p. 508.

[805] Wiersbe, Warren W., *Be Diligent,* 1987: p. 102.

[806] Wiersbe, Warren W., *Be Diligent,* 1987: p. 103.

Capítulo 35

A maior marcha da História

(Mc 10.32-45)

HOUVE MUITAS MARCHAS importantes na História: de exércitos, estudantes e trabalhadores. Esta, porém, ocorrida no caminho para Jerusalém, via Jericó, foi a maior e mais importante marcha da História. Ela foi uma marcha de consequências eternas.

Essa é a marcha dos contrastes. Jesus sobe a Jerusalém corajosamente, enquanto seus discípulos estão cheios de temor. Ele sobe para dar sua vida, eles sobem com intenções egoístas. Jesus sobe para servir, eles para aspirarem à grandeza. Jesus humilha-se, os discípulos exaltam-se.

Quanto mais perto da cruz Jesus chega, mais o coração dos discípulos está endurecido e mais seus olhos estão turvos. Quanto mais Jesus se esvazia, mais eles se enchem de si mesmos; quanto mais ele desce, mais eles querem subir.

Essa é a terceira vez que Jesus fala de sua morte e à medida que torna o assunto mais claro, vê os discípulos mais confusos. Quando Jesus pela primeira vez falou de sua morte, Pedro o reprovou. Quando Jesus novamente fala sobre o seu sofrimento e morte, os discípulos discutem entre si quem era o maior entre eles. Agora, quando Jesus fala pela terceira vez e com mais detalhes, Tiago e João buscam glórias pessoais e os outros dez irritam-se com eles, porque se sentem traídos. Nas duas primeiras predições, Jesus havia falado sobre o que haveria de lhe acontecer, agora, ele fala aonde as coisas vão acontecer, na santa cidade de Jerusalém.[807] Esses homens pareciam cegos para o significado da cruz.

Esse incidente lança luz sobre a Pessoa de Cristo e a identidade dos discípulos. Jesus é amoroso, paciente e perseverante em seu amor (Jo 13.1), enquanto os discípulos demonstram serem lerdos para compreender as coisas de Deus.

Olhemos para esse texto sob três perspectivas:

A marcha da salvação (10.32-34,45)

Destacamos cinco verdades sobre a marcha da salvação:

Em primeiro lugar, *a determinação de Jesus* (10.32). A cruz não foi um acidente na vida de Jesus, mas um apontamento. Ele veio ao mundo para morrer. Não há nada de involuntário e desconhecido na morte de Cristo, diz John Charles Ryle.[808] Ele jamais foi demovido desse plano quer pela tentação de Satanás, quer pelo apelo das multidões, quer pela agrura desse caminho. Resolutamente, ele marchou para Jerusalém e para a cruz como um rei caminha para a sua coroação. A cruz foi o trono de onde ele despojou os principados e potestades e glorificou o Pai, dando sua vida em resgate de muitos.

O sofrimento de Cristo foi amplamente preanunciado pelos profetas (Lc 18.31). Jesus por três vezes, alertou seus discípulos acerca dessa hora, mas os discípulos nada compreendiam acerca dessas coisas (Lc 18.34). Para eles a ideia de um Messias morto não fazia sentido mesmo com a predição adicional: "Mas ao terceiro dia ressuscitará".[809]

Em segundo lugar, *a liderança de Jesus* (10.32). Jesus ia adiante dos seus discípulos nessa marcha para Jerusalém. Não havia nele nenhum sinal de dúvida ou temor. Quando subimos a estrada da perseguição, do sofrimento e da morte, temos a convicção de que Jesus vai à nossa frente. Ele nos lidera nessa jornada. Não precisamos temer os perigos nem mesmo o pavor da morte, pois Jesus foi e vai à nossa frente abrindo o caminho e tirando o aguilhão da morte.

Em terceiro lugar, *o sofrimento de Jesus* (10.33,34). O evangelista Marcos enumera sete degraus do sofrimento de Jesus nessa marcha para Jerusalém.

Jesus foi entregue aos líderes religiosos. Jesus foi entregue aos principais sacerdotes e aos escribas. Eles tramaram contra Jesus ao longo do seu ministério. Subornaram testemunhas e insuflaram o povo contra ele. Mancomunaram-se com os romanos para prendê-lo. Compraram Judas para entregá-lo em suas mãos.

Jesus foi condenado à morte pelo sinédrio. O sinédrio era o supremo tribunal dos judeus. Eles tinham autoridade de condenar uma pessoa à morte, porém, não o poder de executar o sentenciado.

Jesus foi entregue aos gentios. O sinédrio entregou Jesus a Pilatos, o governador romano. Este, depois de tentar esquivar-se da decisão, pressionado pela multidão, acovardou-se e mesmo agindo contra sua consciência, condenou Jesus à morte de cruz.

Jesus foi escarnecido. Tiraram sua túnica e despojaram-no de suas roupas. Zombaram dele, colocando uma coroa de espinhos em sua cabeça. Blasfemavam contra ele, pedindo que profetizasse enquanto cobriam o seu corpo de bofetadas.

Jesus foi cuspido. Essa era a forma mais humilhante de desprezar uma pessoa. Jesus, o eterno Filho de Deus, o criador do universo, sendo servido e adorado pelos anjos, esvaziou-se de sua glória, humilhou-se a ponto de ser cuspido pelos homens.

Jesus foi açoitado. Ele foi surrado, espancado, ferido e traspassado. Esbordoaram sua cabeça. Arrancaram a sua carne e esborrifaram seu sangue com açoites crudelíssimos. Ele foi ferido e moído.

Jesus foi morto. Judeus e romanos se uniram para matarem a Jesus, condenando-o à morte de cruz. Suas mãos foram rasgadas, seus pés foram feridos, seu lado traspassado com uma lança.

Em quarto lugar, *a morte expiatória de Jesus* (10.45). Jesus deixa claro não apenas o fato da sua morte, mas também o seu propósito. Jesus não morreu como um mártir, mas como redentor. Sua vida não lhe foi tirada, ele voluntariamente a deu.

Jesus deu a sua vida em resgate de muitos. A palavra grega para "resgatar" traz a ideia de "libertar a um escravo ou a um cativo mediante o pagamento de um resgate".[810] Com a sua morte ele nos comprou para Deus, pela sua morte fomos libertados do cativeiro do pecado e recebemos vida. Ele morreu não apenas para possibilitar a nossa redenção, mas para nos salvar. Sua morte é expiatória. Ele levou sobre si o castigo que nos traz a paz. Ele levou sobre o seu corpo, no madeiro, os nossos pecados. Ele foi ferido pelas nossas transgressões e moído pelas nossas iniquidades.

Jesus deu a sua vida não para resgatar a todos, mas muitos. Ele deu sua vida pelas suas ovelhas, pela sua igreja. Passagens como Isaías 53.8; Mateus 1.21; João 10.11,15; 17.9; Efésios 5.25; Atos 20.28; Romanos 8.32-35 claramente mostram quem são esses "muitos". Sua morte não apenas possibilitou a nossa salvação, mas efetivamente no-la adquiriu.

William Hendriksen corretamente afirma que o preço do resgate foi pago, não a Satanás (como Orígenes sustentava), mas ao Pai (Rm 3.23-25), que, com o Filho e o Espírito Santo, tomou as providências para a salvação do seu povo (Jo 3.16; 2Co 5.20,21).[811]

Em quinto lugar, *a vitória de Jesus sobre a morte* (10.34). Jesus preanunciou não apenas a sua morte, mas também a sua ressurreição. Seu plano eterno passava pelo vale da morte, mas a morte não o poderia reter. Ele quebrou o poder da morte. Ele abriu o sepulcro de dentro para fora. Ele venceu a morte e conquistou para nós imortalidade. Agora, a morte não tem mais a última palavra. A morte foi vencida.

A marcha da ambição

Esse episódio nos alerta sobre alguns perigos:

Em primeiro lugar, *um pedido egoísta* (10.35-38). Tiago e João, aliados com Salomé, sua mãe, chegam diante de Jesus com um pedido egoísta: Querem preeminência na glória. Buscam tronos, holofotes, as luzes da ribalta. Enquanto Jesus percorre o caminho da renúncia, eles seguem pela estrada da ambição.

Eles pedem sem discernimento e pelo motivo errado. A oração não é um cheque em branco para pedirmos o que quisermos. A Palavra de Deus diz que muitos pedem e não recebem, porque pedem mal (Tg 4.3).

Vários são os motivos que devem ter estimulado Tiago e João buscarem uma glória pessoal:[812]

Um desejo da mãe deles. Ela estava por detrás de tudo, como Mateus 20.20,21 mostra claramente.

Um entendimento errado acerca do reino de Deus. Eles nutriam pensamentos triunfalistas acerca do reino. Pensavam em Cristo como um rei terreno e neles como os seus ministros de Estado. Tiago e João não queriam apenas tronos, mas os lugares de primazia no trono. Jesus corrige a noção errada deles, ensinando que o reino de Deus não era de caráter político, mas espiritual.[813] Eles nem imaginavam que dentro em breve dois bandidos iriam ocupar uma cruz à direita e outra à esquerda do Messias (15.27).[814] Adolf Pohl entende de forma diferente. Ele pensa que o desejo dos discípulos era por lugares auxiliares no tribunal do juízo final (Mt 19.28; 25.31).[815]

Um uso errado da intimidade com Cristo. Eles faziam parte daquele grupo mais íntimo de Jesus, que fora com ele à casa de Jairo, subira com ele ao monte da Transfiguração e estivera com ele mais de perto no Jardim de Getsêmani. Agora querem privilégios especiais.

Um nepotismo acentuado. A mãe de Tiago e João, Salomé, era irmã de Maria (Mt 27.56; Mc 15.40; Jo 19.25). Sendo assim, esses dois discípulos eram primos de Jesus. Eles aproveitaram desse estreito laço familiar para buscarem vantagens pessoais.

Em segundo lugar, *uma resposta sem entendimento* (10.38-40). Tanto o pedido quanto a justificativa dos discípulos foram desprovidos de discernimento espiritual. Jesus perguntou-lhes: *Podeis vós beber o cálice que eu bebo ou receber o batismo com que eu sou batizado? Disseram-lhe: Podemos...* Jesus estava indo para a cruz e não para um trono. Jesus cruzaria o caminho do sofrimento e não dos aplausos humanos. A cruz precede a coroa como a morte precede a ressurreição. O caminho da glória não é revestido de tapetes vermelhos, mas é tingido do sangue dos mártires.

Beber o cálice significa experimentar, em profundidade, o sofrimento (14.36; Mt 26.39; Lc 22.42). Eles estão pedindo uma coisa e pensando receber outra. Eles querem a glória enquanto pedem sofrimento. Receber o batismo é uma expressão sinônima de sofrimento, diz William Hendriksen.[816] O cálice aponta preferencialmente para a ação de Cristo, enquanto receber o batismo indica a sua obediência passiva. Jesus experimentou ambos como duas experiências inseparáveis. Jesus foi esmagado pela agonia e mergulhado num fluxo de tremendo sofrimento.[817]

Pelo emprego dessas duas figuras (cálice e batismo), Jesus esclarece que ele vai receber sobre si, voluntariamente, o juízo de Deus no lugar dos culpados (Is 53.5). A glória não é, ainda, o próximo passo no plano de Deus, como Tiago e João sugerem em seu pedido. Ao contrário, Jesus morrerá uma morte humilhante como o substituto dos pecadores. Essa é a sua vocação messiânica; esse será o seu cálice e o seu batismo, dos quais ninguém mais pode compartilhar.[818] Noutro sentido, no entanto, o cálice de Jesus e o seu batismo devem ser partilhados (10.39; 1Pe 4.13).

Quando Tiago e João disseram que podiam beber o cálice de Cristo, eles não discerniram o que falavam, pois o sofrimento de Cristo é único e exclusivo. O de Cristo é vicário (10.45); o de seus seguidores nunca poderá sê-lo (Sl 49.7). Em certa medida, eles beberam do seu cálice, pois Tiago foi o primeiro apóstolo a ser martirizado (At 12.2) e João o último a morrer, depois de ser deportado para a Ilha de Patmos pelo imperador Domiciano (Ap 1.9).

Em terceiro lugar, *uma consequência inevitável* (10.41). O egoísmo de Tiago e João gera indignação nos outros dez discípulos. Eles se indignaram não pelo pecado dos dois, mas por acharem que eles haviam tramado contra eles.[819] Eles aspiravam às mesmas coisas que os dois buscavam. Eles eram do mesmo estofo e tinham os mesmos desejos de ambição. A atitude espiritual dos dez não era melhor que a dos outros dois. Como é fácil condenar nos outros o que desculpamos em nós mesmos![820]

A marcha da grandeza (10.42-45)

A grandeza pode ser avaliada de diferentes modos:

Em primeiro lugar, *a grandeza segundo o mundo* (10.42). Semelhante a muitas pessoas hoje, os discípulos estavam cometendo o equívoco de seguir os exemplos errados. Em vez de imitarem a Jesus, eles estavam admirando a glória e a autoridade dos governadores romanos, homens que amam posições e autoridade.[821]

Jesus, percebendo a ambição no coração dos seus discípulos, chama-os à parte e ministra-lhes mais uma lição sobre o espírito de grandeza que predomina no mundo. Ser grande no conceito do mundo é ser servido e ter poder sobre os outros. Ser grande no conceito do mundo é usar o domínio sobre as pessoas para a desvantagem destas e para a vantagem de quem assim domina.[822] Nessa mesma linha de pensamento, Dewey Mulholland diz que dominar sobre as pessoas é o fundamento sobre o qual a estrutura de dominação está alicerçada. Comumente, o domínio é exercido no interesse daqueles que dominam.[823]

Em segundo lugar, *a grandeza segundo Jesus* (10.43,44). No reino de Deus, a pirâmide está invertida. A grandeza é medida pelo serviço e não pela dominação. Ser grande é ser servo. Ser grande é estar a serviço dos outros em vez de ser servido pelos outros. Entre os discípulos um novo tipo de relacionamento deve prevalecer, ou seja, seus discípulos devem ser servos (*diakonos)* uns dos outros e escravos (*doulos*) de todos.

O padrão de Deus é que uma pessoa deve ser um servo antes de Deus promovê-la a uma posição de liderança. Foi dessa maneira que Deus trabalhou com José, Moisés, Josué, Davi e mesmo com Jesus (Fp 2.5-11). A não ser que saibamos o que seja obedecer ordens, não saberemos dar ordens. Antes de uma pessoa exercer autoridade, deve saber o que é estar debaixo de autoridade.[824]

Em terceiro lugar, *a grandeza exemplificada por Jesus* (10.45). Jesus é o criador, dono e senhor do universo.

Contudo, sendo Senhor, cingiu-se com a toalha e lavou os pés dos discípulos. Sendo Senhor, andou por toda parte fazendo o bem e libertando os oprimidos do diabo. Sendo Senhor, usou seu poder não em benefício próprio, mas para socorrer os aflitos. Ele veio para servir e não para ser servido.

O apóstolo Paulo fala sobre a necessidade de buscarmos o interesse uns dos outros e servimos uns aos outros, e para sustentar seu argumento, ele ordena: *Tende em vós o mesmo sentimento que houve também em Cristo Jesus* (Fp 2.5). Em seguida, relata o exemplo de Jesus, que sendo Deus, esvaziou-se e tornou-se servo, humilhando-se até a morte e morte de cruz (Fp 2.6-8). A exaltação daquele que se humilha é uma coroação feita pelo próprio Pai (Fp 2.9-11).

No reino de Deus, ser grande é ser servo e ser poderoso não é ter autoridade sobre muitos, mas servir a muitos.

Notas do capítulo 35

[807] Wiersbe, Warren W., *Be Diligent,* 1987: p. 103.

[808] Ryle, John Charles, *Mark,* 1993: p. 156.

[809] Hendriksen, William, *Marcos,* 2003: p. 520.

[810] Trenchard, Ernesto, *Una Exposición del Evangelio según Marcos,* 1971: p. 134.

[811] Hendriksen, William, *Marcos,* 2003: p. 529.

[812] Hendriksen, William, *Marcos,* 2003: p. 522,523.

[813] Gioia, Egidio, *Notas e Comentários à Harmonia dos Evangelhos,* 1969: p. 273.

[814] Mulholland, Dewey M., *Marcos: Introdução e Comentário,* 2005: p. 165.

[815] Pohl, Adolf, *Evangelho de Marcos,* 1998.

[816] Hendriksen, William, *Marcos,* 2003: p. 523.

[817] Hendriksen, William, *Marcos,* 2003: p. 524.

[818] Mulholland, Dewey M., *Marcos: Introdução e Comentário,* 2005: p. 166.

[819] Hendriksen, William, *Marcos,* 2003: p. 525.

[820] Hendriksen, William, *Marcos,* 2003: p. 525.

[821] Wiersbe, Warren W., *Be Diligent,* 1987: p. 105.

[822] Rienecker, Fritz e Rogers, Cleon, *Chave Linguística do Novo Testamento Grego,* 1985: p. 88.

[823] Mulholland, Dewey M., *Marcos: Introdução e Comentário,* 2005: p. 167.

[824] Wiersbe, Warren W., *Be Diligent,* 1987: p. 105.

Capítulo 36

Uma trajetória das trevas para a luz

(Mc 10.46-52)

À GUISA DE INTRODUÇÃO, vamos ver três aspectos preliminares antes de considerarmos o texto:

Em primeiro lugar, *as aparentes contradições do texto.* A cura do cego Bartimeu está registrada nos três evangelhos sinóticos. Porém, existem nuanças diferentes nos registros. Mateus fala de dois cegos e não apenas de um (Mt 20.30) e Lucas fala que Jesus estava entrando em Jericó (Lc 18.35-43) e não saindo de Jericó, como nos informa Marcos (10.46). Como entender essas aparentes contradições?

Primeiro, nem Marcos nem Lucas afirmam que havia apenas um cego.

Eles destacam Bartimeu, talvez, por ser o mais conhecido e aquele que se destacava em seu clamor. William Hendriksen diz que não há nenhuma contradição nos relatos, porque nem Marcos nem Lucas nos contam que Jesus restaurou a visão de somente um cego. Entretanto, não sabemos porque Marcos escreveu a respeito de Bartimeu e não disse nada em relação ao outro cego.[825]

Segundo, havia duas cidades de Jericó. No século 1 havia duas Jericós: a velha Jericó, quase toda em ruínas, e a nova Jericó, cidade bonita, construída por Herodes, logo ao sul da cidade velha. A cidade antiga estava em ruínas, mas Herodes, o grande, havia levantado essa nova Jericó, onde ficava seu palácio de inverno, uma bela cidade ornada de palmeiras, jardins floridos, teatro, anfiteatro, residências e piscinas para banhos.[826] Aparentemente, o milagre aconteceu na divisa entre a cidade nova e a velha, enquanto Jesus saía de uma e entrava na outra.[827]

Em segundo lugar, *a última oportunidade*. A cidade de Jericó além de ser um posto de fronteira e alfândega (Lc 19.1,2), também era a última oportunidade de abastecimento de provisões e local de reuniões, em que grupos pequenos se organizavam para a viagem em conjunto à cidade de Jerusalém. Dessa forma, protegidos contra os salteadores de estrada (Lc 10.30), os peregrinos partiam desse último oásis no vale do Jordão para o último trecho de uns 25 quilômetros, uma subida íngreme de perto de mil metros, através do deserto acidentado da Judeia até a cidade do templo.[828]

Jesus estava indo para Jerusalém. Ele marchava resolutamente para o calvário. Era a festa da Páscoa. Naquela mesma semana Jesus seria preso, julgado, condenado e pregado na cruz. Era a última vez que Jesus passaria por Jericó. Aquela era a última oportunidade de Bartimeu. Se ele não buscasse a Jesus, ficaria para sempre cativo de sua cegueira.

A oportunidade tem asas, se não a agarrarmos quando ela passa por nós, podemos perdê-la para sempre. Nunca saberemos se a oportunidade que estamos tendo agora será a última da nossa vida.

Em terceiro lugar, *a grande multidão*. Por que a numerosa multidão está seguindo Jesus de Jericó rumo a Jerusalém? Aquele era o tempo da festa da Páscoa, a mais importante festa judaica. A Lei estabelecia que todo varão, maior de 12 anos, que vivesse dentro de um raio de 25 quilômetros, estava obrigado a assistir a festa da Páscoa. Obviamente nem todos podiam fazer essa viagem. Esses, então, ficavam à beira do caminho desejando boa viagem aos peregrinos. Por essa razão, Jericó que, ficava a 25 quilômetros de Jerusalém tinha suas ruas apinhadas de gente. Além do mais, o templo tinha cerca de vinte mil sacerdotes e levitas distribuídos em 26 turnos. Muitos deles moravam em Jericó, mas na festa da Páscoa todos deveriam ir a Jerusalém. Certamente muitas pessoas deveriam estar acompanhando atentamente a Jesus, impressionadas pelos seus ensinos; outras, curiosas acerca desse rabino que desafiava os grandes líderes religiosos da nação. Era no meio dessa multidão mista que Bartimeu se encontrava.[829]

Sua condição antes de Cristo

Há vários aspectos dramáticos na vida de Bartimeu antes do seu encontro com Cristo:

Em primeiro lugar, *ele vivia numa cidade condenada* (10.46). Jericó foi a maior fortaleza derrubada por Josué e seu exército na conquista da Terra Prometida (Js 6.20,21). Josué fez o povo jurar e dizer: *Maldito diante do Senhor seja o homem que se levantar e reedificar esta cidade de Jericó; com a perda do seu primogênito lhe porá os fundamentos e, à custa do mais novo, as portas* (Js 6.26). Jericó tinha cinco características que faziam dela uma cidade peculiar:

Jericó era uma cidade sob maldição. Herodes, o grande, reconstruiu a cidade e a adornou, mas isso não fez dela uma bem-aventurada.

Jericó era uma cidade encantadora. Era chamada a cidade das palmeiras e dos sicômoros. Quando o vento batia na copa das árvores, as palmeiras esvoaçavam suas cabeleiras, espalhando sua fragrância e encanto.

Jericó era uma cidade dos prazeres. Ali estava o palácio de inverno do rei Herodes. Ali ficavam as fontes termais. Ali milhares de sacerdotes que trabalhavam no templo de Jerusalém moravam. Jericó era a cidade da diversão.

Jericó era uma cidade que ficava no lugar mais baixo do planeta. A região onde está situada a cidade de Jericó é o lugar mais baixo do planeta, a quatrocentos metros abaixo do nível do mar. É a maior depressão da terra.

Jericó era uma cidade às margens do mar Morto. O mar Morto é um lago de sal. Nele não existe vida. Trinta e três por cento da água desse mar são sal. Nada floresce às margens desse grande lago de sal.

Em segundo lugar, *ele era cego e mendigo* (10.46). Faltava-lhe luz nos olhos e dinheiro no bolso. Estava entregue às trevas e à miséria. Vivia a esmolar à beira da estrada, dependendo totalmente da benevolência dos outros. Um cego não sabe para onde vai, um mendigo não tem aonde ir.

Não há nenhuma cura de cego no Antigo Testamento; os judeus acreditavam que tal milagre era um sinal de que a era messiânica havia chegado (Is 29.18; 35.5).[830]

Em terceiro lugar, *ele não tinha nome* (10.46). Bartimeu em aramaico significa filho de Timeu.[831] Bartimeu não é nome próprio, significa apenas filho de Timeu. Adolf Pohl diz que desse cego conhecia-se somente o nome do pai, que foi explicado para os desinformados.[832] Esse homem não era apenas cego e mendigo, mas estava também com sua autoestima achatada. Não tinha saúde, nem dinheiro, nem valor próprio. Certamente carregava não apenas sua capa, mas também seus complexos, seus traumas, suas feridas abertas.

Em quarto lugar, *ele estava à margem do caminho* (10.46). A multidão ia para a festa da Páscoa, mas ele não poderia ir. A multidão celebrava e cantava, ele só poderia clamar por misericórdia. Ele vivia à margem da vida, da paz, da felicidade.

Sua decisão por Cristo

Consideremos alguns aspectos da decisão de Bartimeu:

Em primeiro lugar, *Bartimeu buscou a Jesus na hora certa* (10.47). Aquela era a última vez que Jesus passaria por Jericó. Era a última vez que Jesus subiria a Jerusalém. Aquela era a última oportunidade daquele homem. Não há nada mais perigoso do que desperdiçar uma oportunidade. As oportunidades vêm e vão. Se não as agarrarmos, elas se perderão para sempre.

Em segundo lugar, *Bartimeu buscou a pessoa certa* (10.47). Com sua cegueira, Bartimeu enxergou mais do que os sacerdotes, escribas e fariseus. Estes tinham olhos, mas não discernimento. Bartimeu era cego, mas enxergava com os olhos da alma.

Bartimeu chamou Jesus de "Filho de Davi", seu título messiânico. Jesus é chamado "Filho de Davi" somente aqui em Marcos.[833] O fato de esse cego mendigo chamar Jesus de "Filho de Davi" revela que ele reconhecia Jesus como o Messias, enquanto muitos que haviam testemunhado os milagres de Jesus estavam cegos a respeito da sua identidade, recusando-se a abrir seus olhos para a verdade.[834]

Bartimeu chamou Jesus de Mestre. A palavra *rabboni* também é traduzida por Senhor. A única pessoa nos evangelhos que usou essa palavra foi Maria (Jo 20.16). Bartimeu tinha usado duas vezes o título messiânico de Jesus, mas *rabboni* era uma expressão de fé pessoal.[835]

Ele compreendia que Jesus tinha poder e autoridade para dar-lhe visão. Esse foi o último milagre de cura registrado pelo evangelista Marcos. Nele Jesus demonstra seu amor, misericórdia e graça.

Em terceiro lugar, *Bartimeu buscou a Jesus com perseverança* (10.48). Bartimeu revelou uma insubornável persistência. Ninguém pôde deter o seu clamor, sua exigência de ser levado frente a Jesus. Estava determinado a dialogar com a única pessoa que poderia ajudá-lo. Seu desejo de estar com Cristo não era vago, geral nem nebuloso. Era uma vontade determinada e desesperada.[836]

A multidão tentou abafar sua voz, mas ele clamava ainda mais alto: "Filho de Davi, tem compaixão de mim". A multidão foi obstáculo para Zaqueu ver a Jesus e estava sendo obstáculo para Bartimeu falar a Jesus. Nem sempre a voz do povo é a voz de Deus, e, geralmente, não é. Aqueles que tentavam silenciar a voz do mendigo faziam-no pensando que Jesus estava ocupado demais para preocupar-se em dar atenção a um indigente.[837] William Hendriksen sugere algumas razões que levaram as pessoas a tentar calar a voz de Bartimeu: Primeira, as pessoas estavam com pressa de chegar a Jerusalém; segunda, elas concluíram que aqueles gritos não condiziam com a dignidade de Cristo; terceira, elas não estavam prontas ainda para ouvirem uma proclamação pública de Cristo como sendo "Filho de Davi"; quarta, elas sabiam que os seus líderes religiosos não gostariam nem um pouco disso.[838]

Bartimeu não se intimidou nem desistiu de clamar pelo nome de Jesus diante da repreensão da multidão. Ele tinha pressa e tinha determinação. Ele sabia da sua necessidade e sabia que Jesus era o único que poderia libertá-lo de sua cegueira e dos seus pecados.

Em quarto lugar, *Bartimeu buscou a Jesus com humildade* (10.47,48). Bartimeu sabe que não merece favor algum, e apela apenas para a misericórdia de Deus. Ele não pede justiça, mas misericórdia. Ele não reivindica direitos, mas pede compaixão.

Em quinto lugar, *Bartimeu buscou a Jesus com desprendimento* (10.50). Logo que Jesus mandou chamá-lo, ele lançou de si a capa e num salto foi ter com Jesus. Há muitos que escutam o chamado de Jesus, mas dizem: "Espera até que eu termine o que estou fazendo", ou "já vou, depois que terminar isso ou aquilo". Bartimeu demonstrou pressa. Há duas coisas dignas de destaque aqui:

Bartimeu desfez-se da única coisa preciosa que possuía. Sua capa era sua roupa, sua proteção, sua cama. Era tudo o que ele possuía para protegê-lo da poeira do deserto durante o dia e do frio gélido à noite. Contudo, ele desfez-se de imediato de tudo o que poderia se constituir obstáculo. Para Bartimeu o encontro com Cristo era a coisa mais importante da sua vida. Estava pronto a abrir mão de tudo para encontrar-se com o Messias.

Bartimeu transcendeu a psicologia dos cegos. Ele levantou-se de um salto para ir a Jesus. Os cegos não pulam, eles apalpam. Kierkegaard, o pai do existencialismo moderno, disse que fé é um salto no escuro, mas para Bartimeu, fé é um salto nos braços de Jesus. Champlin diz que Bartimeu deu um salto com a alma, e não apenas com as pernas. Esse salto fala da prontidão que devemos correr para Jesus.[839]

Em sexto lugar, *Bartimeu buscou a Jesus com objetividade* (10.51). Bartimeu sabia exatamente o que necessitava. Jesus perguntou para Tiago e João, "o que quereis que vos faça?" E perguntou para o paralítico: "Queres ser curado?". Quando Bartimeu chegou à presença de Jesus, ele lhe fez uma pergunta pessoal: "Que queres que eu te faça?". Ele podia pedir uma esmola, uma ajuda, mas ele foi direto ao ponto principal: "Mestre, que eu torne a ver". Antonio Vieira diz que há cegos piores do que Bartimeu. São aqueles que não querem ver. Ao cego de Jericó que não tinha olhos, Cristo fez que ele visse. Mas os cegos que têm olhos e não querem ver, permanecem em sua cegueira espiritual. Uma coisa é ver com os olhos, e outra muito diferente é ver com o coração. Ludwig van Beethoven, depois de surdo, compôs várias sinfonias. Fanny Crosby, completamente cega desde os quarenta dias de vida, escreveu mais de quatro mil hinos que trazem consolo ainda hoje para milhões de pessoas ao redor do mundo. A segunda cegueira pior do que a de Bartimeu é ver uma coisa e enxergar outra bem diferente. Eva viu exatamente o que não deveria ver e como deveria ver. Viu o que não deveria ver, porque o fruto era venenoso. Viu como não deveria ver, porque viu apenas aquilo que lhe agradava à vista e ao paladar. O terceiro tipo de cegueira pior que a cegueira de Bartimeu é a daqueles que enxergam a cegueira dos outros e não a própria. Os cegos desse tipo são capazes de descobrir um pequeno argueiro no olho do vizinho e não se aperceberem de uma trave atravessada nos próprios olhos. São aqueles que investigam pequeninas falhas nos outros para alardeá-las como grandes crimes e pecados, esquecidos dos seus grandes e perniciosos defeitos. Finalmente, existe ainda outro tipo de cegueira pior que a do pobre mendigo de Jericó. É a daqueles que não permitem que os outros vejam. Os acompanhantes de Cristo naquela caminhada eram mais cegos do que aquele cego porque impediam que chegassem até Jesus o clamor e os gritos de angústia daquele infeliz, burocratizando a misericórdia divina. É a cegueira daqueles que por serem felizes não permitem a felicidade dos outros.[840]

Sua nova vida em Cristo

Três fatos merecem destaque:

Em primeiro lugar, *Bartimeu foi salvo por Cristo* (10.52). Aquela era uma caminhada decisiva para Jesus. Ele tinha pressa e determinação. A cidade de Samaria não conseguiu detê-lo. Contudo, o clamor de um mendigo o fez parar. Nesse mundo onde tudo se move, o Filho de Davi para, para ouvir o seu clamor. Ele para, para atender-lhe a voz.

Jesus disse para Bartimeu: *Vai, a tua fé te salvou.* Bartimeu creu não por causa da clareza da sua visão, mas como uma resposta ao que ele ouviu.[841] Jesus diagnosticou uma doença mais grave e mais urgente do que a cegueira. Não apenas seus olhos estavam em trevas, mas também a sua alma. Ele foi buscar a cura para seus olhos, e encontrou a salvação da sua alma. William Hendriksen diz que pelo fato de a fé ser, em si mesma, um dom de Deus, é surpreendente que Jesus, em várias ocasiões, louve o recipiente do dom por exercitá-la.[842]

John Charles Ryle diz que Bartimeu era cego no corpo, mas não em sua alma. Os olhos do seu entendimento estavam abertos. Ele viu coisas que Anás, Caifás e as hostes de mestres em Israel não viram. Ele viu que Jesus era o Messias esperado, o Todo-poderoso Deus.[843] Você tem os olhos da sua alma abertos (1Pe 1.8)?

Em segundo lugar, *Bartimeu foi curado por Cristo* (10.52). Jesus não apenas perdoa pecados e salva a alma, mas também cura e redime o corpo. Bartimeu teve seus olhos abertos. Ele saiu de uma cegueira completa para uma visão completa. Num momento, cegueira total. No seguinte, visão intacta.[844] A cura foi total, imediata e definitiva.

Em terceiro lugar, *Bartimeu foi guiado por Cristo* (10.52). Bartimeu "seguia a Jesus estrada afora". Bartimeu demonstra gratidão e provas de conversão. Ele não queria apenas a bênção, mas, sobretudo, o abençoador. Ele seguiu a Jesus para onde? Para Atenas, a capital da filosofia? Para Roma, a capital do poder político? Não, ele seguiu a Jesus para Jerusalém, a cidade onde Jesus chorou, onde Jesus suou sangue, onde Jesus foi preso, sentenciado, condenado e pregado na cruz. Ele seguiu não uma estrada atapetada, mas um caminho juncado de espinhos. Não o caminho da glória, mas o caminho da cruz. Bartimeu trilhou o caminho do discipulado.

Jesus passou por Jericó. Ele está passando hoje também pela nossa vida, cruzando as avenidas da nossa existência. Temos duas opções: clamar pelo seu nome ou perder a oportunidade.

Em agosto de 1989, estava pregando numa cruzada evangelística na cidade de Barra de São Francisco. Hospedei-me na casa do presbítero Samuel Cardoso. Ele convidou seus parentes, amigos e empregados para participarem da cruzada na sexta, sábado e domingo. Um sobrinho, em vez de atender a esse convite foi para um baile, onde passou a noite bebendo e dançando. Pela manhã, bêbado, retornou à sua casa e brigou com a mulher, dando-lhe um tiro no coração. Foi uma cena dolorosa, ver aquela jovem mulher num caixão debaixo do olhar sofrido de uma filha pequena. A mãe chorava inconsolavelmente num dos quartos da casa, enquanto a sogra, mãe do assassino, chorava perturbada noutro quarto. Naquela cruzada, dezenas de pessoas foram salvas por Jesus. Pastor Romildo foi convertido naquela cruzada, mas o sobrinho do Samuel perdeu aquela oportunidade e transtornou a sua própria vida.

Jesus vai hoje passar. Qual vai ser a decisão? Segui-lo ou deixá-lo passar?

Notas do capítulo 36

[825] Hendriksen, William, *Marcos,* 2003: p. 531.

[826] Hendriksen, William, *Marcos,* 2003: p. 530.

[827] Richards, Larry, *Todos os Milagres da Bíblia.* United Press. São Paulo, SP, 2003: p. 270.

[828] Pohl, Adolf, *Evangelho de Marcos,* 1998: p. 316.

[829] Barclay, William, *Marcos,* 1974: p. 271.

[830] Barton, Bruce B., et all. *Life Application Bible Commentary on Mark,* 1994: p. 308.

[831] Barton, Bruce B., et all. *Life Application Bible Commentary on Mark,* 1994: p. 308.

[832] Pohl, Adolf, *Evangelho de Marcos,* 1998: p. 316.

[833] Mulholland, Dewey M., *Marcos: Introdução e Comentário,* 2005: p. 170.

[834] Barton, Bruce B., et all. *Life Application Bible Commentary on Mark,* 1994: p. 308.

[835] Wiersbe, Warren W., *Be Diligent,* 1987: p. 106.

[836] Barclay, William, *Marcos,* 1974: p. 272.

[837] Mulholland, Dewey M., *Marcos: Introdução e Comentário,* 2005: p. 169.

[838] Hendriksen, William, *Marcos,* 2003: p. 534.

[839] Champlin, Russell Norman, *O Novo Testamento Interpretado Versículo por Versículo.* A Voz Bíblica. Guaratinguetá, SP. N.d.: p. 754.

[840] Vieira, Antonio, *Mensagem de Fé para quem não tem Fé,* 1981: p. 74-77.

[841] Barton, Bruce B., et all. *Life Application Bible Commentary on Mark,* 1994: p. 306.

[842] Hendriksen, William, *Marcos,* 2003: p. 536.

[843] Ryle, John Charles, *Mark,* 1993: p. 161.

[844] Hendriksen, William, *Marcos,* 2003: p. 537.

Capítulo 37

A manifestação pública do Messias

(Mc 11.1-33)

Essa era a hora mais esperada do ministério de Jesus. Estava se cumprindo o seu desejo e propósito eterno. Ele veio para morrer e agora estava entrando triunfalmente em Jerusalém para cumprir esse plano eterno do Pai. Warren Wiersbe diz que a festa da Páscoa era o prazer dos judeus e o desespero dos romanos.[845] Era festa para aqueles e o medo de uma insurreição para estes. John Charles Ryle diz que foi nessa maior festa pública dos judeus que Jesus veio a Jerusalém para morrer, e ele desejou que toda a cidade pudesse saber isso. Algumas coisas Jesus fez e falou fora dos olhares expectantes da multidão, mas quando o tempo chegou para ele morrer, ele fez sua entrada pública em Jerusalém. Ele chamou a atenção das autoridades, dos sacerdotes, dos anciãos, dos mestres da lei, dos gregos e romanos para si. Na festa da Páscoa, o grande cordeiro da Páscoa estava para ser sacrificado.[846]

Este texto tem várias lições importantes:

A entrada triunfal do Messias em Jerusalém (11.1-11)

A entrada de Jesus em Jerusalém enseja-nos três verdades importantes:

Em primeiro lugar, *a consumação de um propósito eterno.* A vinda de Jesus ao mundo foi um plano traçado na eternidade. Deus Pai o enviou e ele voluntariamente se entregou. Ele veio para dar a sua vida. Ele preanunciou sua entrada em Jerusalém três vezes. Agora havia chegado o grande momento. Não tem nada de improvisação. Nada de surpresa. Ele veio para essa hora.

Em segundo lugar, *a entrada triunfal do Rei na cidade de Davi.* A entrada de Jesus em Jerusalém foi externamente despretensiosa. Não entrou cavalgando um cavalo fogoso, ou brandindo uma espada nem acompanhado de um exército. Não veio como um conquistador político, mas como o redentor da humanidade.

A entrada triunfal de Jesus em Jerusalém foi totalmente diferente daquelas celebradas pelos conquistadores romanos. Quando um general romano retornava para Roma, depois de sua vitória sobre os inimigos, era recebido por grande multidão. O general vitorioso desfilava em carruagem de ouro. Os sacerdotes queimavam incenso em sua honra e o povo gritava o seu nome, enquanto seus cativos eram levados às arenas para lutarem com animais selvagens. Essa era a entrada triunfal de um romano.[847]

Ao montar um jumentinho, porém, Jesus estava dizendo que sua missão era de paz e que seu reino era espiritual.[848] Estava cumprindo a profecia de Zacarias: *Alegra-te muito, ó filha de Sião; exulta, ó filha de Jerusalém: eis aí te vem o teu Rei, justo e salvador, humilde, montado em jumento, num jumentinho, cria de jumenta* (Zc 9.9). Ernesto Trenchard diz que o fato de Jesus montar um jumentinho definia a natureza do seu reino, que não havia de vir com força militar nem com ostentação carnal, senão por meios espirituais que o homem era incapaz de compreender à parte da iluminação do Espírito Santo.[849]

Jesus demonstrou onisciência, sabendo onde estava o jumentinho. Demonstrou autoridade, dando ordens para trazer o jumentinho. Demonstrou domínio sobre o reino animal, pois montou um jumentinho que ainda não havia sido amansado.

Em terceiro lugar, *a proclamação pública do Messias.* Tanto a multidão que estava em Jerusalém, quanto aquela que o acompanhava à cidade santa, proclamava o Messias com vozes de júbilo. Essa proclamação focou duas verdades importantes:

Em primeiro lugar, *apontou Jesus como o Salvador.* A multidão gritou: *Hosana! Bendito o que vem em nome do Senhor* (Mc11.19). A palavra *Hosana* é um clamor pelo Salvador. Significa "salvar agora", ou "salve, nós suplicamos".[850]

Em segundo lugar, *apontou Jesus como o Rei.* Jesus é o Rei e com ele chegou o seu reino. Os reinos do mundo levantam-se e caem, mas o reino de Cristo jamais passará. Jesus é maior do que Davi. Davi inaugurou um reino terreno e temporal, mas o reino de Cristo é celestial e eterno. Com essa saudação a multidão estava reconhecendo, em Jesus, o Messias que salva o seu povo dos seus pecados (Mt 1.21).[851]

O juízo do Messias (11.12-14,20-26)

Tanto a condenação da figueira sem frutos quanto a purificação do templo foram atos simbólicos que ilustraram a triste condição espiritual da nação de Israel. A despeito de seus muitos privilégios e oportunidades, Israel estava externamente sem frutos (a árvore) e internamente corrupto (o templo).[852] O Evangelho de Marcos registra dezoito milagres. Destes, a maldição da figueira é o último. Alguns pontos devem ser destacados:

Em primeiro lugar, *uma propaganda enganosa.* A figueira sem frutos é um símbolo da nação de Israel e do culto judaico. Tinham pompa, mas não vida; tinham rituais, mas não comunhão com Deus; tinham inúmeros sacerdotes, mas não homens de Deus. William Barclay diz que o eixo central dessa passagem é a condenação da promessa sem cumprimento e a condenação da profissão de fé sem prática.[853] Adolf Pohl compreendeu claramente o sentido do texto, quando afirmou:

> Em toda a divisão principal que começa em 11.1 e, especialmente aqui, a partir do versículo 11, o movimento do templo com seus responsáveis está no centro das atenções. Havia por um lado a "folhagem", ou seja, sua grandiosidade arquitetônica (13.1,2) e por outro lado sua organização econômica (11.15,16). Infelizmente, porém, quem olhava de perto não encontrava "frutos", antes

endurecimento (11.33), planos secretos de assassinato (12.12), fingimento e falsidade (12.13,15), cegueira instruída (12.24,27) e infâmia sob o manto da dignidade (12.38-40). O versículo 15 é ainda mais concreto.[854]

Essa passagem enseja-nos algumas lições solenes. Charles Spurgeon, em seu célebre sermão sobre a figueira murcha, lança luz sobre esse assunto:

A figueira sem frutos aparenta superar as demais figueiras. A figueira sem frutos destacava-se dentre as demais. Assim são aqueles que parecem verdadeiros cristãos, mas só têm aparência. São loquazes na conversa, profundos na especulação teológica, mas são também estéreis.

A figueira sem frutos parecia desafiar as estações do ano. A figueira produz folhas em março ou abril e, então, começa a produzir frutos em junho, com outra safra em agosto e, possivelmente, a terceira colheita no mês de dezembro. A presença de folhas implicava na presença de frutos.[855] A figueira produz os frutos antes das folhas. Folhas pressupõem frutos. Ela fazia propaganda do que não tinha. Assim também algumas pessoas parecem muito adiantadas em comparação com as pessoas ao seu redor, mas é só fachada, só aparência.

A figueira sem frutos atraiu a atenção de Jesus. Ele viu de longe essa árvore. As demais ainda não tinham folhas. Essa árvore era a única que estava em posição de destaque. Essa figueira representa aqueles que sem nenhuma modéstia tocam trombetas e anunciam frutos que não possuem.

Em segundo lugar, *uma investigação meticulosa.* O Rei Jesus vai investigar a figueira, assim como investigou a nação de Israel, o templo, os rituais, os corações. Ele ainda sonda os corações. Algumas lições devem ser destacadas:

Jesus tem o direito de procurar frutos em nossa vida. Ele perscruta profundamente a nossa vida para ver se tem fruto, alguma fé genuína, algum amor verdadeiro, algum fervor na oração. Se ele não encontrar frutos não ficará satisfeito. Ele tinha o direito de encontrar fruto porque o fruto aparece primeiro, depois as folhas. Aquela árvore estava fazendo propaganda de algo que não possuía. Jesus tem encontrado fruto na sua vida? O Pai é glorificado quando produzimos muito fruto (Jo 15.8).

Jesus não se contenta com folhas, ele quer frutos. Jesus teve fome. Ele procurava frutos e não folhas. Ele não se satisfaz com folhas. Ele não se satisfaz com aparência. Ele quer vida.

Jesus não se deixa enganar. Quando ele se aproxima de uma alma, ele o faz com discernimento profundo. Dele não se zomba. A ele não podemos enganar. Já pensei ser figo aquilo que não passava de folha. Mas Jesus não comete esse engano. Ele não julga segundo a aparência. Se eu professo a fé sem a possuir não é isso uma mentira? Se eu professo arrependimento sem tê-lo não é isso uma mentira? Se eu participo da Ceia, mas estou em pecado e não amo aos meus irmãos, não é isso uma mentira? Charles Spurgeon diz que a profissão de fé sem a graça divina é a pompa funerária de uma alma morta.

Em terceiro lugar, *uma condenação dolorosa.* Se Jesus tinha poder para matar a árvore, por que não usou seu poder para restaurar a árvore? Porque tinha lições importantes a transmitir. Jesus usou esse fato para ensinar sobre o fracasso da nação de Israel. A nação de Israel poderia ter muitas folhas que o povo admirava, mas nenhum fruto que o povo pudesse comer.

Jesus decretou uma dupla condenação à figueira sem fruto.

Ela secou desde a raiz. João Batista já havia alertado para o machado que estava posto na raiz das árvores (Mt 3.10). A falência dessa árvore foi total, completa e irremediável.

Ela nunca mais produziu fruto. Jesus sentenciou a figueira a ficar como estava. Esse é o maior juízo de Deus ao homem, ficar como está. Jesus condenou a árvore infrutífera. Spurgeon diz que Jesus não apenas a amaldiçoou, ela já era uma maldição. Ela não servia para o revigoramento de ninguém. A sentença foi: fica como está; estéril, sem fruto. Continue sem graça. Jesus dirá no dia final: "Apartai-vos" para aqueles que viveram a vida toda apartada. A Escritura diz: "Continue o imundo sendo imundo".

Em quarto lugar, *uma lição primorosa.* Depois de condenar a religião formal, mas sem vida, Jesus mostra aos seus discípulos como ter um relacionamento certo com Deus. Ele fala sobre duas condições fundamentais para termos comunhão e vitória com Deus por meio da oração.

A fé em Deus. Ninguém pode aproximar-se de Deus sem crer que ele existe. Na imaginação de um judeu, uma montanha significa alguma coisa forte e inamovível, um problema que se colocará em nosso caminho (Zc 4.7). Nós podemos mover essa montanha apenas pela nossa fé em Deus. A fé, contudo, não deve ser entendida à parte de outras verdades. Muitas pessoas apanham os versículos 23 e 24 para defenderem que não devemos orar segundo a vontade de Deus; antes, se temos fé, Deus é obrigado a atender a nossos pedidos. Essa visão está em desacordo com o ensino geral das Escrituras. Isso não é fé em Deus, mas fé na fé ou fé nos sentimentos. Fé não é presunção. Não podemos confundir fé com tentar a Deus. O diabo queria que Jesus se jogasse do pináculo do templo, para que o Pai o segurasse no ar. Mas isso é tentar a Deus e não exercer fé.

O perdão aos irmãos. A verdadeira oração envolve perdão tanto quanto a fé. Eu preciso estar em comunhão tanto com Deus no céu quanto com meu irmão na terra se quiser prevalecer na oração.[856] Onde não tem relacionamento horizontal, não existe relação vertical. Não podemos ser reconciliados com Deus e viver em guerra com os irmãos. Não podemos amar a Deus e odiar os irmãos. Não há vitória na oração, sem o exercício do perdão.

O zelo do Messias (11.15-19)

William Barclay, comentando essa passagem, diz que no Novo Testamento há duas palavras estreitamente relacionadas acerca do Templo. A primeira é *hieron,* que significa *o lugar sagrado.* Isso incluía toda a área do templo, que cobria o cume do monte Sião e tinha uns quinze hectares de extensão. Estava rodeado por grandes muralhas. Havia um amplo espaço exterior chamado *Pátio dos Gentios.* Nele podia entrar qualquer judeu ou gentio. O pátio seguinte era *o Pátio das Mulheres.* As mulheres não podiam ir além desse pátio. Logo vinha o pátio chamado *o Pátio dos Israelitas.* Aqui era onde se reunia a congregação nas grandes ocasiões e dali entregavam as oferendas aos sacerdotes. A outra palavra importante é *naos,* que significa *o templo propriamente dito*, que se levantava no pátio dos sacerdotes. Toda a área, incluindo os diferentes pátios, era recinto sagrado (*hieron*). O edifício especial levantado no pátio dos sacerdotes era o templo (*naos*).[857]

Três verdades são aqui destacadas:

Em primeiro lugar, *o propósito da Casa de Deus.* Jesus vai ao templo e observa tudo (11.11). William Hendriksen diz que nada escapou à sua checagem. Ele captou as impressões que conduziriam às ações do dia seguinte.[858] No outro dia, ele volta e faz uma faxina na Casa de Deus. A casa de Deus tinha perdido a razão de ser. Os sacerdotes tinham transformado a casa de Deus num mercado. O lucro tinha substituído o relacionamento com Deus.

Jesus, então, declara que a sua Casa não deveria ser um lugar para excluir as pessoas pela barreira do comércio, mas um lugar de oração para todos os povos. Jesus chama a Casa de Deus de sua casa. Ele é o próprio Deus. E ele tem zelo pela sua casa. No começo do seu ministério, ele pegou o chicote e expulsou os vendilhões do templo. Agora, no final do seu ministério, ele vira as mesas e declara que a sua Casa precisa cumprir o propósito de aproximar as pessoas de Deus em vez de afastá-las.

A Casa de Oração tinha sido transformada em covil de salteadores. Warren Wiersbe, citando Campbell Morgan, diz que "o covil dos salteadores" é o lugar para onde os ladrões correm quando desejam se esconder".[859] Em vez de as pessoas buscarem o templo para romperem com o pecado, elas estavam tentando se esconder da consequência do pecado no templo. O templo estava se transformando num covil de esconderijo de ladrões.

Em segundo lugar, *a secularização da Casa de Deus.* O templo estava se transformando num mercado, numa praça de comércio. Os negociantes se instalaram dentro da Casa de Deus para vender os seus produtos para os rituais do culto. Os sacerdotes mancomunados com eles rejeitavam os sacrifícios que as pessoas traziam, forçando os adoradores a comprarem os animais para o sacrifício dos feiristas do templo.

Moedas estrangeiras não eram aceitas para pagar o tributo do templo nem para fazer outras transações no templo. Consequentemente, aqueles que vinham a Jerusalém adorar, precisavam trocar o seu dinheiro e ali estavam os cambistas instalados, sempre cobrando uma taxa exorbitante; repassando parte desse lucro aos sacerdotes, ministros do templo.[860]

O templo havia perdido o seu propósito. Em vez de ser lugar de oração, era lugar da busca desenfreada do lucro. Mamom tinha tomado o lugar de Deus. Eles mudaram o chamado de Deus para celebrar sua glória em rentável comércio. E, assim fazendo: colocam Deus a serviço do pecado.[861] Jesus, então, faz uma faxina no templo. Três erros foram corrigidos:

Jesus acaba com o comércio no templo. Ele expulsou os que ali vendiam e compravam. O culto havia se desviado do seu propósito. A religião havia se corrompido. A fé estava mercantilizada. Deus havia sido substituído pelo dinheiro. A oração tinha sido substituída pelo lucro. Hoje, vemos ainda igrejas se transformando em empresas particulares, o púlpito num balcão, o templo numa praça de barganha, o evangelho num produto e os crentes em consumidores.

Jesus acaba com a exploração no templo. Ele vira a mesa dos cambistas. Esses mercenários, conluiados com os sacerdotes, cobravam altas taxas dos estrangeiros que vinham adorar, na hora de trocar a moeda. Outros vendiam animais para o sacrifício com valores exorbitantes. Os sacerdotes tinham participação nesses lucros.

Jesus acaba com a passarela no templo. Algumas pessoas estavam usando o lugar do templo para transportar os seus produtos. A casa de Deus estava se transformando numa feira livre, num corredor de comércio, numa via pública para transportar mercadorias. Jesus acaba com essa prática vil.

Em terceiro lugar, *a purificação da Casa de Deus.* Marcos usa três verbos fortes para descrever a ação de Jesus na limpeza do templo: ele expulsou, derribou e não permitiu. O rei Josias purificou o templo. Neemias jogou os móveis de Tobias na rua. Jesus usou o chicote para expulsar os vendilhões no templo (Jo 2.13-17). Agora, vira as mesas e expulsa novamente os vendilhões e cambistas. Contrário às expectativas de muitos de que o Messias purificaria Jerusalém dos gentios, Jesus queria purificá-la para os gentios, diz Dewey Mulholland.[862] Hoje, precisamos também fazer uma limpeza na Casa de Deus de tudo aquilo que não faz parte do culto ao Senhor. Ao amaldiçoar a figueira e purificar o templo, Jesus realizou dois atos simbólicos e proféticos, com um sentido. Ele estava predizendo a destruição do infrutífero Israel. Não que estivesse "desistindo dos judeus", mas que, no lugar desse povo, um reino internacional e eterno seria estabelecido. Esse reino produziria não somente folhas, mas também frutos, recolhidos entre os judeus e os gentios.[863]

A autoridade do Messias (11.18,19,27-33)

Destacamos cinco pontos nesse texto:

Em primeiro lugar, *um plano maligno* (11.18). Os principais sacerdotes e escribas, em vez de se arrependerem, endureceram ainda mais o coração. Em vez de obedecerem ao Messias, tramaram sua morte.

Em segundo lugar, *uma pergunta maliciosa* (11.27,28). Os líderes do templo e do culto buscam um meio para acusarem o Messias. Querem encontrar uma causa legítima para o condenarem à morte.

Em terceiro lugar, *uma contra pergunta corajosa* (11.29,30). A pergunta de Jesus não foge do foco. O batismo de João tinha tudo a ver com sua autoridade. João era um profeta de Deus, reconhecido pelo povo, e eles rejeitaram a mensagem de João. Se eles respondessem não, o povo os condenaria. Se eles respondessem sim, estariam reafirmando a autoridade divina de Jesus.

Em quarto lugar, *uma farsa dolorosa* (11.31-33). Os principais sacerdotes, escribas e anciãos, encurralados pela pergunta de Jesus, preferiram mentir para não enfrentar a verdade. Abafaram a voz da consciência, taparam os ouvidos à verdade e mergulharam nas sombras espessas da hipocrisia.

Em quinto lugar, *uma firmeza gloriosa.* Jesus não entrou numa discussão infrutífera com os inimigos nem perdeu tempo com suas perguntas de algibeira.

Notas do capítulo 37

[845] Wiersbe, Warren W., *Be Diligent,* 1987: p. 107.

[846] Ryle, John Charles, *Mark,* 1993: p. 165,166.

[847] Wiersbe, Warren W., *Be Diligent,* 1987: p. 109.

[848] Mulholland, Dewey M., *Marcos: Introdução e Comentário,* 2005: p. 171.

[849] Trenchard, Ernesto, *Una Exposición del Evangelio según Marcos,* 1971: p. 140.

[850] Hendriksen, William, *Marcos,* 2003: p. 554.

[851] Hendriksen, William, *Marcos,* 2003: p. 554.

[852] Wiersbe, Warren W., *Be Diligent,* 1987: p. 109,110.

[853] Barclay, William, *Marcos,* 1974: p. 281,282.

[854] Pohl, Adolf, *Evangelho de Marcos,* 1998: p. 327.

[855] Wiersbe, Warren W., *Be Diligent,* 1987: p. 110.

[856] Wiersbe, Warren W., *Be Diligent,* 1987: p. 111.

[857] Barclay, William, *Marcos,* 1974: p. 283,284.

[858] Hendriksen, William, *Marcos,* 2003: p. 557.

[859] Wiersbe, Warren W., *Be Diligent,* 1987: p. 113.

[860] Hendriksen, William, *Marcos,* 2003: p. 572,573.

[861] Jeremias, Joaquim, *New Testament Theology,* 1971: p. 145.

[862] Mulholland, Dewey M., *Marcos: Introdução e Comentário,* 2005: p. 175.

[863] Hendriksen, William, *Marcos,* 2003: p. 561.

Capítulo 38

O drama de Jesus em Jerusalém

(Mc 12.1-44)

TRÊS VERDADES PODEM SER apresentadas na introdução desse assunto:

Em primeiro lugar, *as oportunidades podem ser perdidas para sempre.* Israel foi escolhido por Deus para desempenhar um papel importante na História: ser luz para as nações. Contudo, esse povo desobedeceu a Deus, perseguiu os seus profetas, rejeitou a mensagem e perdeu sua oportunidade. Jesus conta essa parábola para revelar aos líderes aonde seus pecados iriam conduzi-los. Eles já tinham permitido que João Batista fosse morto, mas em breve, eles mesmos iriam clamar pela morte do Filho de Deus.[864]

Em segundo lugar, *a religião pode transformar-se num sistema corrompido.* Os líderes religiosos, em vez de promoverem a verdadeira adoração a Deus, transformaram a estrutura religiosa num esquema para buscarem o lucro. O templo perdeu seu sentido. O culto foi secularizado. Os rituais sagrados foram esvaziados e o povo afastado de Deus.

Em terceiro lugar, *os homens jamais podem frustrar os planos de Deus.* Israel fracassou no seu propósito, mas Deus não. Ele escolheu para si um povo, procedente de todas as nações para adorar o seu nome e proclamar sua Palavra até os confins da terra.

Uma parábola de Jesus sobre o amor rejeitado (12.1-12)

Essa parábola, contada por Jesus, tem algumas lições solenes:

Em primeiro lugar, *o privilégio de Israel, o povo amado de Deus* (12.1). Depois de entrar no templo (11.11), purificá-lo (11.15) e discutir a questão da autoridade no templo (11.27), a parábola da vinha também gira em torno dele, pois, de acordo com os escritores antigos, como Josefo e Tácito, havia por sobre o pórtico do santuário herodiano uma grande videira dourada. O Talmude também aplicava o ramo da videira ao templo de Jerusalém. Portanto, os endereçados são os representantes do templo.[865]

Israel é a vinha de Deus. Ele chamou esse povo não porque era o mais numeroso, mas por causa do seu amor incondicional. Deus cercou Israel com seu cuidado: libertou, sustentou, guiou e o abençoou. Deus plantou essa vinha. Cercou-a com uma sebe. Construiu nela um lagar.

Colocou uma torre. Toda a estrutura estava pronta. Nada ficou por fazer. Tudo Deus fez pelo seu povo.

John Charles Ryle diz que Deus deu a Israel suas boas leis e ordenanças. Enviou-o a uma boa terra. Expulsou dela as sete nações. Deus passou por alto os grandes impérios e demonstrou seu profundo amor a esse pequeno povo. Nenhuma família debaixo do céu recebeu tantos privilégios quanto a família de Abraão (Am 3.2). De igual forma, Deus tem revelado a nós também o seu amor sendo nós pecadores. Nada merecemos de Deus e ainda assim, ele demonstra a nós sua imensa bondade e misericórdia.[866]

Em segundo lugar, *Deus tem direito de buscar frutos na vida do seu povo* (12.2). A graça nos responsabiliza. Deus esperava frutos de Israel. Mas Israel tornou-se uma videira brava (Is 5.1-7). Servo após servo veio a Israel procurando frutos e foi despedido vazio. Profeta após profeta foi enviado a eles, mas em vão. Milagre após milagre foi operado entre eles sem nenhum resultado. Israel só tinha folhas e não frutos (11.12-14). Deus nos escolheu em Cristo para darmos frutos (Jo 15.8).

Em terceiro lugar, *a rejeição contínua e deliberada do amor de Deus* (12.3-8). Ao longo dos séculos, Deus mandou seus profetas para falar à nação de Israel, mas eles rejeitaram a mensagem, perseguiram e mataram os mensageiros (2Cr 36.16). Quanto mais Deus demonstrava a eles seu amor, mais o povo se afastava de Deus e endurecia a sua cerviz. Finalmente, Deus enviou o seu Filho, mas eles não o receberam (Jo 1.12). Estavam prestes a matar o Filho enviado pelo Pai. Os ouvintes de Jesus, ao mesmo tempo em que ouviam essa parábola, estavam urdindo um plano para matarem o Filho de Deus.

Em quarto lugar, *o juízo de Deus aos que rejeitam seu amor* (12.9-11). Deus pune os rebeldes e passa a vinha a outros. A oportunidade de Israel cessa e aos gentios é aberta a porta da graça. Israel rejeitou o tempo da sua visitação. Rejeitou aquele que poderia resgatá-lo. A Pedra era um conhecido símbolo do Messias (Êx 17.6; Dn 2.34; Zc 4.7; Rm 9.32,33; 1Co 10.4; 1Pe 2.6-8). Jesus anunciou um duplo veredicto: eles não apenas tinham rejeitado o Filho, mas também tinham rejeitado a Pedra. Só lhes restava então o julgamento.[867] Dewey Mulholland afirma que se corretamente entendida, essa passagem os ajudaria a reconhecer que o Filho, rejeitado pelas autoridades do Templo, virá a ser a "pedra angular" do novo Templo de Deus. Com essa guinada de ênfase na metáfora, Jesus olha para além de sua morte, para a sua vindicação na ressurreição, e a edificação de uma nova "casa para todas as nações".[868]

Em quinto lugar, *o endurecimento em vez de quebrantamento* (12.12). Os líderes religiosos interpretaram corretamente a parábola de Jesus, mas não se dispuseram a obedecer a Jesus. Ao contrário, endureceram ainda mais o coração e buscaram uma forma de eliminar Jesus. A retirada deles é apenas para buscar novas estratégias para matarem o Messias. John Charles Ryle alerta para o fato de que esse episódio nos ensina que conhecimento e convicção somente não podem nos salvar. É perfeitamente possível saber que estamos errados e ainda assim estarmos obstinadamente agarrados ao nosso pecado e perecer miseravelmente no inferno.[869]

William Hendriksen sintetiza essa parábola, falando sobre três coisas: os preceitos, a paciência e a punição de

Deus. Deus nos plantou para darmos fruto. Ele tem sido paciente na busca desses frutos em nossa vida. Se rejeitarmos a sua Palavra e seus mensageiros, seremos, então, julgados inexoravelmente.[870]

Um plano malfadado para apanhar Jesus em contradição (12.13-34)

Os líderes têm um propósito, matar a Jesus. Precisam encontrar o modo certo de fazê-lo. Decidem, então, fazer-lhe perguntas embaraçosas, com o fim de colhê-lo em alguma contradição. Dessa maneira, poderiam acusá-lo e levá-lo à morte. Os líderes fizeram três tentativas malfadadas:

Em primeiro lugar, *a questão do tributo.* Essa abordagem propicia-nos algumas lições importantes:

As forças opostas se unem para atacarem Jesus (12.13). Os fariseus e os herodianos eram inimigos irreconciliáveis. Estavam em lados opostos, mas quando se tratou de condenar Jesus, eles se uniram. Forças opostas se unem contra a verdade. Têm uma ameaça em comum, diz Warren Wiersbe, forçou dois inimigos a se unirem. Os herodianos apoiavam a família de Herodes que recebera poder de Roma para governar e cobrar impostos. Os fariseus, contudo, consideravam Herodes um usurpador do trono de Davi. Eles se opunham à taxa de impostos que os romanos tinham colocado sobre a Judeia e assim ressentiam da presença de Roma em sua terra.[871] John Charles Ryle diz que as pessoas do mundo e aquelas que professam uma religião vazia e formal não têm nenhuma simpatia um pelo outro. Eles não gostam dos princípios uns dos outros e desprezam o caminho uns dos outros. Contudo, há uma coisa que ambos desgostam mais, que é o puro evangelho de Jesus Cristo. E, então, onde quer que haja uma chance de se opor ao evangelho, veremos esses dois grupos antagônicos agindo juntos em aliança para resistirem a Cristo.[872]

A bajulação é uma arma do inimigo (12.14,15). A armadilha é camuflada com lisonja.[873] Os inimigos de Jesus rasgam-lhe desabridos elogios, numa linguagem insincera e hipócrita. Jesus, porém, tira a máscara de seus inquiridores e expõe sua hipocrisia.

Uma pergunta maliciosa (12.12-14). Eles estavam seguros de que qual fosse a resposta de Jesus, ele estaria em situação embaraçosa. Se Jesus respondesse sim, o povo estaria contra ele, pois seria visto como alguém que apoia o sistema romano idólatra. Se respondesse não, Roma estaria contra ele e os herodianos se apressariam em denunciá-lo às autoridades romanas, acusando-o de rebelião (Lc 23.2).[874] Se sua resposta fosse sim, perderia sua credibilidade junto ao povo. Se sua resposta fosse não, seria acusado de insubordinado e rebelde contra Roma.

Uma resposta desconcertante (12.16,17). Jesus não absolutiza o poder de Roma nem isenta de responsabilidade o povo do seu compromisso com Deus. Somos cidadãos de dois reinos. Devemos lealdade tanto a um quanto ao outro. Devemos pagar nossos tributos, bem como devolver o que é de Deus. O governo humano é estabelecido por Deus para o nosso bem (Rm 13.1; 1Tm 2.1-6; 1Pe 2.13-17). Mesmo que a pessoa que ocupa o ofício não seja digna de respeito, o ofício que ela ocupa deve ser respeitado.[875] Adolf Pohl diz que Jesus rejeitou a tendência de ver o diabo no Estado tanto quanto a de divinizá-lo. Demonizar pessoas ou instituições humanas são atitudes injustas.[876]

Dewey Mulholland corretamente comenta que Jesus não responde à pergunta deles: "Devemos pagar *didomi*? Antes, ele ordena: "Dai *(apodidomi, devolvei)*"; a implicação é de que o tributo é uma dívida (Rm 13.7). Jesus reconhece que o imperador tem direitos e que o cidadão tem deveres para com o governo em troca dos benefícios recebidos. Isso significa que os cidadãos devem lealdade e apoio ao Estado em troca de seu serviço para o bem comum. "E a Deus o que é de Deus", diz Jesus, completando sua resposta. Não há dúvida de que ele pretende recordar aos fariseus que Deus criou o homem à sua imagem (Gn 1.27). Tudo que tem a imagem de Deus pertence a ele, o Sustentador da vida e a fonte de toda boa dádiva (Rm 14.7-12; Tg 1.17).[877] William Barclay nessa mesma linha de pensamento diz:

> A moeda tinha gravada a imagem de César, consequentemente pertencia a César. O homem leva sobre si a imagem de Deus – Deus o criou à sua imagem (Gn 1.26,27) – portanto, ele pertence a Deus. A conclusão inevitável é que, se o Estado permanece dentro de seus próprios limites e faz as demandas que lhe são próprias, o indivíduo deve dar-lhe lealdade e seu serviço, mas em última análise, tanto o Estado quanto o homem pertencem a Deus.[878]

Assim, a armadilha deles falhou e eles não podem acusar Jesus nem de sedição nem de se curvar a Roma. Jesus rejeitou todas as tentativas de divinizar o Estado ou atribuir divindade a uma pessoa. Jesus reconhece a legitimidade do poder político constituído sem absolutizá-lo. Nessa mesma trilha de pensamento, Lane afirma que os deveres em relação a Deus e a César, mesmo que distintos, não estão completamente separados, mas unidos e governados pelo princípio superior de se fazer a vontade de Deus em todas as coisas.[879] Em síntese, Jesus diz para os orgulhosos fariseus não se omitirem em seu dever com César e aos mundanos herodianos a não se omitirem em seu dever com Deus.[880]

Em segundo lugar, *a questão da ressurreição* (12.18-27). Dewey Mulholland diz que uma delegação de saduceus espera que uma pergunta teológica possa ter sucesso onde uma armadilha política falhou.[881] Essa passagem ensina-nos várias lições solenes:

O perigo de os hereges assumirem a liderança religiosa da nação (12.8). Esse é o único lugar no evangelho de Marcos em que os saduceus são mencionados. Os saduceus formavam a classe aristocrática da religião judaica. Muitos deles eram sacerdotes e ricos. Essa aristocracia sacerdotal colaborou com as autoridades romanas e, no processo, ficou rica e orgulhosa da posição secular que conquistou. Contrariamente aos fariseus, que aceitavam tanto a Lei escrita quanto a Lei oral, eles só aceitavam o Pentateuco e negavam as tradições orais. Eles sentiam-se ameaçados pelas ações de Jesus no Templo, pois o poder deles e a manutenção de sua riqueza dependiam do Templo.[882] Aqueles que ocupavam as funções mais importantes da religião judaica eram hereges doutrinariamente: negavam a vida depois da morte, a doutrina da ressurreição, a existência da alma, a existência dos anjos e demônios, e o julgamento final (At 23.8). Os saduceus eram os liberais de hoje. Eles eram tidos como os intelectuais da época, mas negavam os fundamentos essenciais da fé.

Uma pergunta maliciosa (12.19-23). Eles fazem uma pergunta, usando um caso hipotético e absolutamente improvável, referindo-se à prática do levirato. Sete irmãos casaram-se com a mesma mulher. Na ressurreição, perguntam, quem vai ser o marido dessa mulher, visto que os sete a desposaram? A pergunta hipotética deles não era sincera. Eles nem acreditavam na doutrina da ressurreição. Eles estavam propondo um enigma para Jesus para colocá-lo num beco sem saída. John Charles Ryle diz que nós devemos estar apercebidos acerca de três coisas em relação aos incrédulos: Primeiro, eles sempre vão procurar nos pressionar com dificuldades e coisas espirituais difíceis de explicar; segundo, eles vão lançar mão de argumentos desonestos. Esses contendores negam a Bíblia sem conhecê-la. Terceiro, eles têm uma consciência e muitas vezes enquanto falam sabem que estão errados.[883]

Uma resposta esclarecedora (12.24-27). A resposta de Jesus sinaliza vários fatos importantes:

A primeira coisa é que a heresia é consequência do desconhecimento das Escrituras, bem como do poder de Deus. Os saduceus pensaram que eram espertos, mas Jesus revelou a ignorância deles em duas coisas: o poder de Deus e a verdade da Escritura. William Hendriksen diz que se eles conhecessem as Escrituras, saberiam que não existe nada em Deuteronômio 25.5,6 que se aplique à vida futura, e também saberiam que o Antigo Testamento, em várias passagens, ensina a ressurreição do corpo. E, se conhecessem o poder de Deus (Rm 4.17; Hb 11.19), teriam entendido que Deus é capaz de ressuscitar os mortos de tal modo que o casamento não seja mais necessário.[884] Eles laboravam em erro porque não conheciam as Escrituras nem o poder de Deus. A verdade desse princípio pode ser constatada ao longo da História. A reforma nos dias do rei Josias foi intimamente relacionada com o livro da Lei. As falsas doutrinas dos judeus nos dias de Jesus foram resultado da negligência da Escritura. A idade das trevas na história da igreja aconteceu quando a Palavra de Deus foi retirada das mãos do povo. A Reforma Protestante vingou quando a Palavra de Deus foi traduzida e colocada nas mãos do povo. As igrejas mais consistentes na vida e no testemunho são aquelas que estão comprometidas com a Palavra de Deus. As pessoas mais piedosas são aquelas que mais se dedicam ao estudo e observância da Palavra de Deus.[885]

Os saduceus professavam crer na Lei de Moisés, mas desconheciam seu ensino sobre a doutrina da ressurreição. A ressurreição não é a restauração da vida como nós a conhecemos, mas a entrada em uma nova vida que é diferente.[886] Na ressurreição há uma continuidade e uma descontinuidade. É a mesma pessoa quem ressuscita, mas com um novo corpo, glorioso, poderoso e celestial. Os saduceus, porém, estavam apegados às tradições humanas e não à Palavra de Deus. Eles desconheciam o ensino bíblico sobre ressurreição, vida futura e também sobre o casamento. Eles eram analfabetos da Bíblia e queriam embaraçar o Mestre dos mestres com perguntas capciosas.

A segunda coisa é que a morte coloca um fim no relacionamento conjugal. O casamento é uma relação apenas para esta vida. Não existe casamento eterno. A morte é o fim do relacionamento conjugal. Marido e mulher são uma só carne, mas não são um só espírito. Se fossem, a morte não poderia dissolver a relação conjugal. O ensino mórmon sobre casamento eterno, portanto, é uma heresia. Na vida futura não haverá relacionamento conjugal, nem necessidade de procriação para a preservação da raça.

A terceira coisa é que a morte, porém, não coloca um fim ao nosso relacionamento com Deus. Jesus corrige a teologia distorcida dos saduceus que entendiam ser a morte um sinônimo de extinção. Abraão, Isaque e Jacó já estavam mortos, quando Deus se revelou a Moisés na sarça ardente, dizendo: *Eu sou o Deus de Abraão, Isaque e Jacó* (Mt 22.32). Para Deus, eles estão vivos. A morte não interrompeu a relação de Deus com eles, como interrompeu o relacionamento deles com seus respectivos cônjuges. Esse registro de Moisés revela que Moisés acreditava piamente na vida depois da morte. Os mesmos saduceus que professavam crer em Moisés erravam por não conhecer o ensino de Moisés.

Em terceiro lugar, *a questão do maior mandamento da Lei* (12.28-34). Veremos alguns pontos de destaque:

Uma pergunta nevrálgica. Tendo silenciado os saduceus e fariseus, quem se aproxima agora para interrogar Jesus é um escriba. Os escribas tinham determinado que os judeus eram obrigados a obedecer a 613 preceitos da lei; 365 preceitos negativos e 248 positivos. Um de seus exercícios favoritos era discutir qual desses mandamentos era o mais importante.[887] Esse doutor da lei quer saber qual é o principal mandamento da Lei de Deus.

Uma resposta magnífica. A resposta de Jesus não consiste em um pensamento novo, mas na recordação daquilo que todo homem judeu pronunciava a cada manhã e a cada noite, *o shema* (Dt 6.4-6). Ao dizer o *shema* para esse homem, Jesus o remete de volta à sua existência como Israel. Você continua sendo Israel, simplesmente por parar para ouvir: *Ouve, ó Israel!* A partir disso, você vive em uma relação especial com Deus: *o Senhor, nosso Deus.* A partir dele, você recebe a instrução sobre o que fazer. Depois que você é o Israel amado, você amará.[888] Jesus sintetizou a Lei no amor e não em preceitos e rituais. Amor a Deus e ao próximo é o fim último da Lei. Quem ama cumpre a Lei. Jesus foge do legalismo dos fariseus que impunha fardos pesados sobre os homens e os atormentava com uma infinidade de regras e preceitos. O fato novo abordado por Jesus foi unir esses dois mandamentos. Isso nenhum rabino havia feito até então, diz William Barclay.[889]

Uma constatação iluminadora. Mediante a resposta de Jesus, o escriba compreendeu que o amor é mais importante que todos os holocaustos e sacrifícios. O véu estava sendo removido da face desse doutor da lei. Ele estava enxergando com os olhos da fé a verdade divina. Deus está mais interessado em pessoas do que em rituais.

Uma afirmação surpreendente. Jesus disse que aquele escriba não estava longe do reino de Deus. A compreensão exata das coisas de Deus aproxima as pessoas do reino, mas não é suficiente para introduzi-las nele. Nicodemos era mestre em Israel, mas não tinha nascido de novo e por isso ainda estava fora do reino de Deus (Jo 3.3,5).

A pergunta de Jesus (12.35-37)

Jesus, de inquirido, passa a inquiridor (12.35). Ele, agora, parte para o contra-ataque. Ele começa a interrogar os escribas. E nesse ponto ele chegou ao apogeu da discussão. As perguntas versaram sobre tributo, ressurreição e amor. Contudo, agora toca na Pessoa de Cristo. Essa é a maior questão: quem é Jesus? Warren Wiersbe diz que essa é a maior questão porque se nós estivermos errados sobre Jesus, estaremos errados sobre a salvação, perdendo, assim, nossa própria alma.[890]

Jesus é ao mesmo tempo filho de Davi e Senhor de Davi. Ele veio da descendência de Davi segundo a carne, mas ele precede a Davi, é o Senhor de Davi e seu reino jamais terá fim.

O mesmo Jesus que ocultou durante o seu ministério a sua verdadeira identidade, rogando às pessoas para não dizerem ao povo quem ele era, agora, revela-a com diáfana clareza. Chegara o tempo de cumprir cabalmente a sua missão. Ele está indo para a cruz, mas sabe que é o Filho de Davi, o Messias prometido, cujo reinado não tem fim.

A advertência de Jesus (12.38-40)

Jesus alerta para três fatos:

Em primeiro lugar, *o exibicionismo religioso condenado por Jesus* (12.38-40). Os escribas tentavam demonstrar sua espiritualidade no vestuário e nas palavras. Vestiam-se impecavelmente e falavam de forma muito piedosa. Eles gostavam de aparecer, por isso tomavam as primeiras cadeiras nas sinagogas e os primeiros lugares nos banquetes. Jesus, porém, adverte: *Guardai-vos dos escribas.*

Em segundo lugar, *a hipocrisia religiosa desmascarada por Jesus* (12.40). Depois de mostrar os enganos teológicos e os erros dos vários grupos de líderes religiosos, Jesus adverte sobre a hipocrisia.[891] Os escribas com todo esse aparato de piedade externa devoravam as casas das viúvas. Adolf Pohl diz que como as viúvas, por serem mulheres, não eram emancipadas perante a lei, precisavam do auxílio de um homem para administrar legalmente o inventário do marido morto. Nessas circunstâncias, os professores da lei, versados no direito, em vez de defender a causa das viúvas, roubavam os seus bens.[892] Eles quebravam o mandamento mais importante da Lei que é o amor. Eles eram gananciosos.

Eles viviam para explorar os fracos em vez de ensiná-los. Os escribas tentavam acobertar os seus pecados de avareza e exploração, fazendo longas orações. Eles estavam no lado oposto daquele escriba que chegara à conclusão que o amor é melhor do que todos os holocaustos e sacrifícios (12.33).

Em terceiro lugar, *o juízo inevitável proclamado por Jesus* (12.40). Os escribas sofrerão maior juízo, porque eles eram os doutores da lei. Eles tinham um profundo conhecimento da verdade. Eles eram mestres. Eles tinham a cabeça cheia de luz, mas o coração vazio de amor.

A observância de Jesus (12.41-44)

Esse texto destaca três lições importantes:

Em primeiro lugar, *Jesus observa aqueles que vão ao gazofilácio* (12.41). Jesus não apenas está presente no templo, mas ele observa os adoradores. E ele observa atentamente como o povo traz suas ofertas. Ele vê o coração e o bolso. Ele vê o quanto cada um entrega e também a motivação que cada um oferta.

Em segundo lugar, *Jesus não se impressiona com quantidade, ele espera proporcionalidade* (12.41-44). Jesus não se impressionou com as grandes quantias depositadas pelos ricos no gazofilácio, mas destacou as duas moedas da viúva. A questão não é o quanto damos, mas o quanto retemos. A questão não é a porção que damos, mas a proporção. Cole diz que Jesus qualifica o sacrifício como grande ou pequeno não pela quantia dada, mas pela quantia retida para nós mesmos.[893] O sistema de valores de Jesus inverte completamente conceitos como "maior é melhor" e "dar com vistas a receber".[894] Os ricos deram a sobra, mas a viúva deu uma oferta sacrifical. A Bíblia nos ensina a trazer a Deus as primícias. Devemos honrá-lo com as primícias de toda a nossa renda (Pv 3.9). O dízimo não é sobra, é primícias. O dízimo não é oferta, é dívida. Não damos dízimo, pagamo-lo. Retê-lo é roubo (Ml 3.9). O dízimo não é o máximo, é o mínimo. Não fazemos nenhum favor para Deus entregando o que é dele. Não temos o direito de reter o dízimo nem de subtraí-lo. Não temos o direito de administrar o dízimo nem de subestimá-lo.

Jesus continua observando aqueles que trazem suas ofertas ao gazofilácio. Ele conhece nossa renda. Ele conhece o nosso salário. Ele sabe se estamos trazendo o dízimo e se estamos sendo generosos nas ofertas.

Em terceiro lugar, *o que é desprezível aos olhos humanos, é grandioso aos olhos de Deus* (12.44). Jesus disse que aquela viúva deu mais que os ricos, porque ela deu tudo. Sua confiança estava no provedor e não na provisão. Não devemos comparecer diante de Deus de mãos vazias. Ele não vê apenas o que temos em nossas mãos, mas o que trazemos em nosso coração. Na matemática de Deus o pouco pode ser muito e o muito pouco. Na matemática de Deus o que conta não é a quantidade, mas a fidelidade, a prodigalidade do amor.

NOTAS DO CAPÍTULO 38

[864] WIERSBE, Warren W., *Be Diligent,* 1987: p. 115.

[865] POHL, Adolf, *Evangelho de Marcos,* 1998: p. 336.

[866] RYLE, John Charles, *Mark,* 1993: p. 181.

[867] WIERSBE, Warren W., *Be Diligent,* 1987: p. 115,116.

[868] MULHOLLAND, Dewey M., *Marcos: Introdução e Comentário,* 2005: p. 181.

[869] RYLE, John Charles, *Mark,* 1993: p. 184.

[870] HENDRIKSEN, William, *Marcos,* 2003: p. 601-603.

[871] WIERSBE, Warren W., *Be Diligent,* 1987: p. 116.

[872] RYLE, John Charles, *Mark,* 1993: p. 184.

[873] MULHOLLAND, Dewey M., *Marcos: Introdução e Comentário,* 2005: p. 182.

[874] MULHOLLAND, Dewey M., *Marcos: Introdução e Comentário,* 2005: p. 182

[875] WIERSBE, Warren W., *Be Diligent,* 1987: p. 117.

[876] POHL, Adolf, *Evangelho de Marcos,* 1998: p. 346.

[877] MULHOLLAND, Dewey M., *Marcos: Introdução e Comentário,* 2005: p. 183.

[878] BARCLAY, William, *Marcos,* 1974: p. 298.

[879] LANE, Williams, *Gospel according to Mark.* Eerdmans, 1974: p. 425.

[880] RYLE, John Charles, *Mark,* 1993: p. 186.

[881] MULHOLLAND, Dewey M., *Marcos: Introdução e Comentário,* 2005: p. 184.

[882] MULHOLLAND, Dewey M., *Marcos. Introdução e Comentário,* 2005: p. 185.

[883] RYLE, John Charles, *Mark,* 1993: p. 188.

[884] HENDRIKSEN, William, *Marcos,* 2003: p. 616.

[885] RYLE, John Charles, *Mark,* 1993: p. 189.

[886] WIERSBE, Warren W., *Be Diligent,* 1987: p. 117.

[887] WIERSBE, Warren W., *Be Diligent,* 1987: p. 118.

[888] POHL, Adolf, *Evangelho de Marcos,* 1998: p. 351,352.

[889] BARCLAY, William, *Marcos,* 1974: p. 306.

[890] WIERSBE, Warren W., *Be Diligent,* 1987: p. 119.

[891] MULHOLLAND, Dewey M., *Marcos: Introdução e Comentário,* 2005: p. 191.

[892] POHL, Adolf, *Evangelho de Marcos,* 1998: p. 358.

[893] COLE, R. A., *Gospel according to Mark.* Tyndale Press, 1961: p. 166.

[894] MULHOLLAND, Dewey M., *Marcos: Introdução e Comentário,* 2005: p. 193.

Capítulo 39

A segunda vinda de Cristo

(Mc 13.1-37)

A SEGUNDA VINDA DE CRISTO é o assunto mais enfatizado em toda a Bíblia. Há cerca de trezentas referências sobre a primeira vinda de Cristo na Escritura e oito vezes mais sobre a segunda vinda, ou seja, há mais de 2.400 referências sobre a segunda vinda em toda a Bíblia.

A segunda vinda de Cristo é o assunto mais distorcido e o mais desacreditado. Muitos falsos mestres negam que Jesus voltará. Outros tentam enganar as pessoas marcando datas. Contudo, outros dizem crer na segunda vinda de Cristo, mas vivem como se ele jamais fosse voltar.

O deslumbramento dos discípulos e a declaração de Jesus (13.1,2)

Os discípulos ficaram admirados com a magnificência do templo. Ele não tinha paralelos em seu tempo quanto à arquitetura e magnificência. Aquele majestoso templo de mármore branco, bordejado de ouro, o terceiro templo de Jerusalém era um dos mais belos monumentos arquitetônicos do mundo. O grande e belo templo era o centro da vida nacional de Israel, o símbolo da relação da nação com Deus.

Adolf Pohl diz que o discípulo anônimo revela mais do que admiração arquitetônica, mas expressa seu assombro religioso, sua fé na indestrutibilidade desse templo.[895]

Dewey Mulholland diz que, na sua primeira visita, Jesus dá uma olhada e logo se retira do templo (11.11). Nas visitas subsequentes, ele interrompe as atividades (11.12-25), define e defende sua autoridade acima e contra àquela do templo (11.17–12.44). Agora, ao deixar o templo pela última vez (13.1), Jesus prepara os seus seguidores para a destruição do mesmo.[896] O mesmo escritor esclarece: A liderança do templo em Jerusalém era irreverente nos rituais (11.15s.), confusa na teologia (11.27–12.37) e corrompida na ética (12.38-40).[897]

A predição de Jesus de que não ficaria pedra sobre pedra cumpriu-se no ano 70 d.C., literalmente. O templo foi arrasado pelos romanos quarenta anos depois no terrível cerco de Jerusalém.

John Charles Ryle diz que nós devemos aprender dessa solene profecia de Jesus que a verdadeira glória da igreja não consiste em seus prédios de adoração pública, mas na fé e piedade de seus membros.[898]

A profecia acerca da destruição de Jerusalém e da segunda vinda (13.3,4)

Os discípulos perguntam quando e que sinal haveria quando todas essas coisas estivessem para acontecer. A resposta de Jesus tem a ver com a destruição de Jerusalém e também com a segunda vinda, a consumação dos séculos. William Hendriksen diz que Jesus fez uma conexão entre o julgamento sobre a nação judaica e o julgamento final. O primeiro era um tipo, uma sombra do segundo.[899] A destruição do templo é um símbolo do que vai acontecer na segunda vinda.

William Hendriksen diz que o cumprimento dessa profecia de Jesus da destruição do templo aconteceu quando os judeus se rebelaram contra os romanos. Jerusalém foi invadida e dominada por Tito, filho do imperador Vespasiano (69-79 d.C.). O templo foi destruído. Alguns historiadores creem que mais de um milhão de judeus, que tinham ocupado a cidade como refugiados, pereceram. Ernesto Trenchard diz que essa invasão romana deu-se na época da Páscoa, quando a cidade estava abarrotada de gente.[900] Israel deixou de existir como unidade política. Como uma nação especialmente favorecida por Deus, ela havia chegado ao fim da estrada, mesmo antes do começo da Guerra Judaica.[901] Flavio Josefo, no seu livro *História da Guerra Judaica,* diz que enquanto o santuário ardia em chamas [...] não se demonstrava nenhuma piedade ou respeito para com a idade das pessoas. Muito ao contrário. Crianças e anciãos, leigos e sacerdotes, todos eram massacrados (VI. 271).

Os sinais da segunda vinda de Cristo

Os sinais da segunda vinda de Cristo podem ser classificados como segue:

Em primeiro lugar, *o sinal que mostra a graça de Deus* (13.10). Jesus disse: *Mas é necessário que primeiro o evangelho seja pregado a todas as nações.* Observe alguns pontos importantes aqui:

O que deve ser pregado é o evangelho. O evangelho é a mensagem de salvação divina, pela graça, por meio da fé em Cristo Jesus.

O evangelho deve ser pregado a todas as nações. Desde o início, os gentios foram incluídos no plano de Deus. Cristo morreu para salvar os que procedem de todas as nações. A igreja precisa fazer discípulos de todas as nações. O campo de ação da igreja é o mundo.

A pregação do evangelho é um mandamento claro de Jesus. Jesus diz que a pregação é necessária antes que venha a consumação de todas as coisas. A pregação é o instrumento estabelecido por Deus para chamar os eleitos.

Jesus morreu para comprar aqueles que procedem de toda tribo, raça, povo, língua e nação (Ap 5.9). A evangelização das nações é um sinal que deve preceder a segunda vinda de Cristo. A igreja deve aguardar e apressar o dia da vinda de Cristo (2Pe 3.12). Não há uma promessa de que toda pessoa receberá uma oportunidade de ser salva. Jesus está falando das nações do mundo. Está falando que cada uma dessas nações em uma ou outra ocasião durante o curso da História ouvirá o evangelho. Esse evangelho será um testemunho. Aqui não há promessa de segunda oportunidade.

A história das missões mostra que o evangelho tem se estendido do Oriente até o Ocidente. Vejamos:

De Constantino até Carlos Magno (313-800) – as boas-novas da salvação são levadas aos países da Europa ocidental. Nesse tempo os maometanos apagam a luz do evangelho em muitos países da Ásia e África.

De Carlos Magno até Lutero (800-1517) – Noruega, Islândia e Groenlândia são evangelizados e os escravos da Europa oriental se convertem como um só corpo ao cristianismo.

De 1517 até 1792 – Originaram-se muitas sociedades missionárias e o evangelho é levado até o Ocidente.

De 1792 até o presente – É no ano de 1792 que William Carey começa as missões modernas. A evangelização dos povos é ainda uma tarefa inacabada.

Hoje, os meios de comunicação de massa têm acelerado o cumprimento dessa profecia. Bíblias têm sido traduzidas. Missionários têm se levantado. Podemos apressar o dia da vinda de Cristo.

Em segundo lugar, *sinais que indicam oposição a Deus.* Destacamos dois sinais que indicam oposição a Deus:

A perseguição religiosa (13.9,11,12,13,19,20). A vinda de Cristo será precedida de um tempo de profunda angústia e dor. Esse tempo é ilustrado com o tempo do cerco de Jerusalém, onde o povo foi encurralado pelos exércitos romanos e muitos foram mortos à espada. Esse tempo será abreviado por amor aos eleitos. A igreja passará pela grande tribulação. Será o tempo da angústia de Jacó.

A perseguição religiosa (13.9) tem estado presente em toda a História: os judaizantes, os romanos, a intolerância romana, os governos totalitários, o nazismo, o comunismo, o islamismo, as religiões extremistas. No século 20, tivemos o maior número de mártires da História.

A igreja, porém, não precisa temer a perseguição, seja oficial (13.9-11), seja pessoal (13.12,13), pois mesmo que Deus não nos livre da perseguição, ele nos livrará na perseguição e através dela testemunhamos o evangelho, cumprindo a missão. A pregação e o testemunho desenrolam-se num ambiente hostil. Warren Wiersbe diz que embora não seja fácil para essas pessoas comuns enfrentarem coortes, governadores e reis, elas não precisam temer, porque o Espírito Santo há de ministrar por intermédio delas, onde quer que elas tenham a oportunidade de testemunhar.[902]

A real causa da perseguição é afirmada em Marcos 13.13: *Sereis odiados de todos por causa do meu nome.* Quando nos identificarmos com Jesus Cristo, o mundo passará a nos odiar como odiou a Cristo (Jo 15.20). Dewey Mulholland diz que ódio, conflito e guerra continuarão caracterizando esta era até a vinda do Filho do homem. O período inteiro da História que segue o julgamento do templo é caracterizado por aflição para a humanidade em geral (13.5-8), e por perseguição da igreja que cumpre sua missão entre todas as nações (13.9-13).[903]

O engano religioso (13.5,6,21-23). É significativo que o primeiro sinal que Cristo apontou para a sua segunda vinda tenha sido o surgimento de falsos messias, falsos profetas, falsos cristãos, falsos ministros, falsos irmãos, pregando e promovendo um falso evangelho nos últimos dias. Cristo declarou que um falso cristianismo vai marcar os últimos dias. Estamos vendo o ressurgimento do antigo gnosticismo, de um novo evangelho, de outro evangelho, de um falso evangelho nestes dias.

A segunda vinda será precedida por um abandono da fé verdadeira. O engano religioso vai estar em alta. Novas seitas, novas igrejas, novas doutrinas se multiplicarão. Haverá falsos profetas, falsos cristos, falsas doutrinas e falsos milagres.

Vivemos hoje a explosão da falsa religião. O islamismo domina mais de um bilhão de pessoas. O catolicismo romano também tem um bilhão de seguidores. O espiritismo Kardecista e os cultos afro-brasileiros proliferam. As grandes religiões orientais: budismo, hinduísmo e xintoísmo mantêm milhões de pessoas num berço de cegueira espiritual.

As seitas orientais e ocidentais têm florescido com grande força. Os desvios teológicos são graves: Liberalismo, Misticismo, Sincretismo. Muitos dos grandes seminários ortodoxos que formaram teólogos e missionários que influenciaram o mundo hoje estão vendidos aos liberais. Muitas igrejas históricas já se renderam ao liberalismo. Há igrejas mortas na Europa, na América e no Brasil, vitimadas pelo liberalismo.

O misticismo está tomando conta das igrejas hoje. A verdade é torcida. A igreja está se transformando numa empresa, o púlpito num balcão, o templo numa praça de barganha, o evangelho num produto de consumo, e os crentes em consumidores.

Em terceiro lugar, *sinais que indicam o juízo divino*. Três são os sinais que indicam o juízo de Deus:

As guerras (13.7,8). Ao longo da História tem havido treze anos de guerra para cada ano de paz. Desde 1945, após a Segunda Guerra Mundial, o número de guerras tem aumentado vertiginosamente. Registra-se mais de 300 guerras desde então, na formação de nações emergentes e na queda de antigos impérios. A despeito dos milhares de tratados de paz, os últimos cem anos foram denominados o século da guerra. Nos últimos cem anos já morreram mais de 200 milhões de pessoas nas guerras.

Segundo pesquisa do *Reshaping International Order Report,* quase 50% de todos os cientistas do mundo (500.000) estão trabalhando em pesquisas de armas de destruição. Quase 40% dos recursos das nações são colocados na pesquisa e fabricação de armas. Falamos de paz, mas gastamos com a guerra. Gastamos mais de um trilhão de dólares por ano em armas e guerras. Poderíamos resolver o problema da fome, do saneamento básico, da saúde pública e da moradia do terceiro mundo com esse dinheiro.

O mundo está encharcado de sangue. Houve mais tempo de guerra do que de paz. A aparente paz do império romano foi subjugada por séculos de conflitos, tensões, e guerras sangrentas. A Europa foi um palco tingido de sangue das guerras encarniçadas. O século 20 foi batizado como o século da guerra.

Na Primeira Guerra Mundial (1914-1918), 30 milhões de pessoas foram trucidadas. Ninguém poderia imaginar que no mesmo palco dessa barbárie, vinte anos depois, explodisse outra guerra mundial. A Segunda Guerra Mundial (1939-1945) ceifou 60 milhões de pessoas. Foram gastos mais de um trilhão de dólares.

Hoje, falamos em armas atômicas, nucleares, químicas e biológicas. O mundo está em pé de guerra. Temos visto irmãos lutando contra irmãos e tribo contra tribo na Albânia, Ruanda, Bósnia, Kosovo, Chechênia, Sudão e Oriente Médio. São guerras tribais na África. Guerras étnicas na Europa e Ásia. Guerras religiosas na Europa. A cada guerra, erguemos um monumento de paz para começar outra encarniçada batalha.

Os terremotos (13.8,24,25). Os terremotos sempre existiram, mas alguns deles devem ser vistos como evidência da ira de Deus (Ap 6.12; 8.5; 11.13; 16.18). De acordo com a pesquisa geológica dos Estados Unidos:

a) De 1890 a 1930 – houve apenas 8 terremotos medindo 6.0 na escala Rischter.
b) De 1930 a 1960 – Houve 18.
c) De 1960 a 1979 – Houve 64 terremotos catastróficos.
d) De 1980 a 1996 – Houve mais de 200 terremotos dramáticos.

O mundo está sendo sacudido por terremotos em vários lugares. Os tufões e maremotos têm sepultado cidades inteiras: Desde o ano 79 d.C., no século 1, quando a cidade de Pompeia, na Itália, foi sepultada pelas cinzas do Vesúvio, o mundo está sendo sacudido por terremotos, maremotos, tufões, furacões e tempestades. Em 1755, 60 mil pessoas morreram por um terrível terremoto em Lisboa. Em 1906, um terremoto avassalador destruiu a cidade de São Francisco, na Califórnia. Em 1920, a província de Kansu, na China, foi arrasada por um terremoto. Em 1923, Tóquio foi devastada por um terremoto. Em 1960, o Chile foi abalado por um terremoto que deixou milhares de vítimas. Em 1970, o Peru foi arrasado por um imenso terremoto.

Nos últimos anos, vimos o tsunami na Ásia, invadindo com ondas gigantes cidades inteiras. O furacão Katrina deixou a cidade de New Orleans debaixo de água. Dezenas de outros tufões, furacões, maremotos e terremotos têm sacudido os alicerces do planeta Terra, destruído cidades e levado milhares de pessoas à morte.

Só no século 20, houve mais terremotos do que em todo o restante da História. A natureza está gemendo e entrando em convulsão. O aquecimento do planeta está levando os polos a um derretimento que pode provocar grandes inundações, conforme matéria da Revista *Veja* de junho de 2006.

Apocalipse 6.12-17 fala que as colunas do universo são todas abaladas. O universo entra em colapso. Tudo o que é sólido é balançado. Não há refúgio nem esconderijo para o homem em nenhum lugar do universo. O homem desesperado busca fugir de Deus, esconder-se em cavernas e procurar a própria morte, mas nada nem ninguém podem oferecer refúgio para o homem. Ele terá de enfrentar a ira de Deus.

Quando Cristo vier, os céus se desfarão em estrepitoso estrondo. Deus vai redimir a própria natureza do seu cativeiro. Nesse tempo a natureza vai estar harmonizada. Então as tensões vão acabar. A natureza será totalmente transformada.

As fomes (13.8). A fome é um subproduto das guerras (2Rs 25.1-3; Ez 6.11). A fome é causada também por abusar da natureza ou enviada como um juízo de Deus (1Rs 17.1). Gastamos hoje mais de um trilhão de dólares com armas de destruição. Esse dinheiro daria para resolver o problema da miséria no mundo. A fome hoje mata mais do que a guerra. O presidente norte-americano Eisenhower, em 1953, disse: "O mundo não está gastando apenas o dinheiro nas armas. Ele está despendendo o suor de seus trabalhadores, a inteligência dos seus cientistas e a esperança das suas crianças. Nós gastamos num único avião de guerra 500 mil sacos de trigo e num único míssil o equivalente a casas novas para 800 pessoas".

A fome é um retrato vergonhoso da perversa distribuição de renda. Enquanto uns acumulam muito, outros passam fome. A fome alcança quase 50% da população do mundo. Crianças e velhos, com o rosto cabisbaixo de vergonha, com o ventre fuzilado pela dor da fome estonteante, disputam com os cães leprosos os restos apodrecidos das feiras.

Os sinais do aparecimento do anticristo (13.14-23)

Destacamos cinco fatos ligados ao aparecimento do anticristo:

Em primeiro lugar, *o anticristo é prefigurado e descrito* (13.14). O sacrílego desolador de que fala Daniel (Dn 9.27; 11.31; 12.11) aplicou-se primeiro a Antíoco Epifânio no século 2 a.C., precisamente no ano 168 a.C. Ele sacrificou um porco a Zeus no altar do templo de Jerusalém. Esse fato provocou a guerra dos Macabeus. O segundo cumprimento ocorreu quando as legiões romanas invadiram Jerusalém em 70 d.C. e atearam fogo e destruíram o templo. O terceiro cumprimento ainda está por vir. Ele se dará quando o anticristo cometerá o último sacrilégio, exigindo adoração de si mesmo como se fosse Deus (2Ts 2.4; Ap 13.14,15).[904] Os dois primeiros são um símbolo e um tipo do anticristo que virá no tempo do fim. Um oráculo divino pode aplicar-se a mais de uma situação histórica, diz William Hendriksen.[905]

O espírito do anticristo já está operando no mundo. Ele se opõe e se levanta contra tudo o que é Deus. Ele vai se levantar para perseguir a igreja. Ninguém vai resistir ao seu poder e autoridade. Ele vai perseguir, matar, controlar. Muitos crentes vão ser mortos e selar seu testemunho com a própria morte (Ap 13.7).

O anticristo não é um partido, não é uma instituição nem mesmo uma religião. É um homem sem lei, uma espécie de encarnação de Satanás, que vai agir na força e no poder de Satanás. Ele será levantado em tempo de apostasia. Vai governar com mão de ferro. Vai perseguir cruelmente a igreja. Vai blasfemar contra Deus. Contudo, no auge do seu poder, Cristo virá em glória e o matará com o sopro da sua boca. Ele será quebrado sem esforço humano. Nessa batalha final, o Armagedom, a única arma usada, será a espada afiada que sairá da boca do Senhor Jesus.

Em segundo lugar, *os cuidados preventivos contra a perseguição* (13.15-18). Quando os romanos invadiram Jerusalém, no ano 70 d.C., todos os que estavam dentro da cidade pereceram. A única maneira de pouparem a vida era fugir ou não entrar na cidade (13.14-16). Com isso, Jesus nos ensina que a prudência para poupar nossa vida é uma atitude recomendável. Vemos essa atitude na vida de Jacó (Gn 32.9-15), do rei Ezequias (2Cr 32.8) e do apóstolo Paulo (At 9.25; 27.31).

O coração compassivo de Jesus revela um cuidado especial com as mulheres (13.17). As grávidas e as mães com bebês em fase de aleitamento estarão em situação mais adversa para fugir do cerco romano. De igual forma, Jesus alerta para o perigo desse ataque se dar num período de inverno, quando a fuga seria quase impossível (13.18).

Em terceiro lugar, *a grande tribulação* (13.19). Os filhos de Deus experimentam tribulações durante a sua vida na Terra

(Jo 16.33; Rm 8.18; 2Co 4.17; 2Tm 3.12), mas em Marcos 13.19,20, Jesus está falando acerca de uma tribulação que caracteriza "aqueles dias", ou seja, um período definido de profunda angústia, de curta duração, que ocorrerá imediatamente antes do retorno do Senhor.[906] Essa grande tribulação acontece no mesmo período do aparecimento do homem da iniquidade (2Ts 2.3), no período descrito como "a apostasia" (2Ts 2.3) e o "pouco tempo de Satanás" (Ap 20.3).

Em quarto lugar, *o cuidado de Deus com seus eleitos* (13.20). Essa tribulação será grande em intensidade e curta em duração. Esse será o tempo mais sombrio e dramático da história da humanidade. Satanás estará solto, o anticristo estará em ação e a apostasia campeará fortemente. Nesse tempo, muitos filhos de Deus selarão seu testemunho com a morte. O próprio Deus fez uma intervenção abreviando esse tempo por amor dos eleitos. Adolf Pohl diz que com o Pai do nosso Senhor Jesus Cristo há adiamentos com misericórdia (Lc 13.6-9) assim como abreviações misericordiosas (13.20).[907]

Esse fato enseja-nos algumas lições importantes:

Deus tem os seus eleitos. A igreja de Deus é o povo escolhido antes dos tempos eternos (2Tm 1.9), eleito em Cristo antes da fundação do mundo (Ef 1.4), escolhido em Cristo para a salvação desde o princípio pela santificação do Espírito e fé na verdade (2Ts 2.13).

Deus poupa seus eleitos. Deus abreviou essa grande tribulação por amor aos seus eleitos. Ele os trata com especial amor. Quem toca nos filhos de Deus, toca na menina dos seus olhos.

Os eleitos de Deus não podem perecer (13.22). O anticristo pode até matá-los, mas mesmo que eles morram, os eleitos vencerão (Ap 12.11). Nada pode separar o eleito de Deus (Rm 8.31-39). Ele está seguro e salvo eternamente.

Em quinto lugar, *o perigo da sedução* (13.21-23). O tempo da grande tribulação será também um tempo de grande sedução religiosa. O diabo enviará os seus agentes: falsos profetas e falsos cristos, com vestes sagradas, operando sinais e prodígios para enganar se possível os eleitos. Tanto Jesus quanto os apóstolos Paulo e João advertiram sobre os falsos profetas (Mt 7.15-20; At 20.28-31; 1Jo 4.1-6). Warren Wiersbe diz que há alguma coisa na natureza humana que ama a mentira e se recusa a crer nas lições do passado.[908] A busca ensandecida dos milagres na atualidade pavimenta o caminho desses falsos profetas e falsos cristos.

A descrição da segunda vinda de Cristo

Destacamos alguns pontos importantes sobre a segunda vinda de Cristo:

Em primeiro lugar, *será precedida por grandes convulsões cósmicas* (13.24,25). A segunda vinda de Cristo será precedida por grandes convulsões naturais. Tudo aquilo que é firme e sólido no universo estará abalado. As colunas do universo estarão bambas e o universo inteiro estará cambaleando. O apóstolo Pedro descreve essa cena assim: *Virá, entretanto, como ladrão, o Dia do Senhor, no qual os céus passarão com estrepitoso estrondo, e os elementos se desfarão abrasados; também a terra e as obras que nela existem serão atingidas* (2Pe 3.10).

Adolf Pohl diz que Deus encerra as funções dos astros e dá início ao julgamento do mundo. O tempo da ação humana na História passou. É hora do balanço. O firmamento do céu, com os astros fixos nele, que parecia eternamente confiável, natural e protetor, estremece, balança, perde a segurança e não funciona mais. Isso atinge e causa pânico em pessoas que tinham nos elementos da criação o seu deus (Lc 21.25s.; Ap 6.12-17). Deus vem julgar. O abalo do mundo traz o juiz.[909]

Em segundo lugar, *será visível* (13.26). A segunda vinda de Jesus será pessoal, visível e pública. Todo o olho o verá (Ap 1.7). Adolf Pohl diz que depois que o telhado do mundo tiver sido abalado e retirado, as pessoas olharão fixamente como que para um buraco negro. *Então, verão o Filho do Homem vir nas nuvens* (13.26). Aqui as nuvens não ocultam como a nuvem de Marcos 9.7; antes revelam *grande poder e glória* (13.26). Na sua primeira vinda, muitas pessoas não o reconheceram. Mas na sua segunda vinda, todos o verão. Ninguém precisa primeiro apresentá-lo, falar ou fazê-lo conhecido. Isso será uma forma de juízo para um mundo que não quis ouvi-lo (13.10).[910]

Em terceiro lugar, *será gloriosa* (13.26). Não haverá um arrebatamento secreto e só depois uma vinda visível. Sua vinda é única, poderosa e gloriosa. Jesus aparecerá no céu. Ele estará montado em um cavalo branco. Ele virá acompanhado de um séquito celestial. Virá do céu ao soar da trombeta de Deus. Ele descerá nas nuvens, acompanhado de seus santos anjos e dos remidos. Ele virá com grande esplendor. Todos os povos que o rejeitaram vão se lamentar. Aquele será um dia de trevas e não de luz para eles. Será o dia do juízo, onde sofrerão penalidade de eterna destruição. As tribos da terra, conscientes de sua condição de perdidas, se golpearão nos peitos atemorizadas pela exibição da majestade de Cristo em toda a sua glória. O terror dos iníquos descreve-se graficamente em Apocalipse 6.15-17.

Em quarto lugar, *será vitoriosa* (13.27). Adolf Pohl diz que a manifestação do Filho do homem não traz só condenação, mas também recompensa. *Ele enviará os anjos e reunirá os seus escolhidos dos quatro ventos, da extremidade da terra até à extremidade do céu* (13.27). Os anjos são como trabalhadores na colheita, que vasculham a terra por bons frutos. Agora os eleitos finalmente saboreiam a sua eleição. Com a manifestação do seu Senhor, eles também se tornam manifestos como amados por ele e reunidos para um novo templo (Ap 3.9).[911]

Jesus virá para arrebatar a igreja. Os anjos recolherão os escolhidos dos quatro ventos, de uma a outra extremidade dos céus. Os eleitos de Deus serão chamados. A Bíblia diz que quando Cristo vier, os mortos em Cristo ressuscitarão primeiro, com corpos incorruptíveis, poderosos, gloriosos, semelhantes ao corpo da glória de Cristo. Então, os que estiverem vivos serão transformados e arrebatados para encontrar o Senhor nos ares e assim estaremos para sempre com o Senhor.

A preparação para a segunda vinda de Cristo

Destacamos quatro pontos para análise:

Em primeiro lugar, *será precedida por avisos claros* (13.28-31). Quando essas coisas começarem a acontecer devemos saber que está próxima a nossa redenção. A figueira já começou a brotar, os sinais já estão gritando aos nossos ouvidos. O livro de Apocalipse nos mostra que Deus não derrama as taças do seu juízo sem antes tocar a trombeta. Os sinais da segunda vinda são trombetas de Deus embocadas para a História. Ele está avisando que ele vem. Ele prometeu que vem. "Eis que venho sem demora" (Ap 22.12). Os seus anjos disseram que assim como ele foi para o céu, voltará (At 1.11).

A Bíblia diz que Jesus virá em breve. Os sinais da sua vinda apontam que sua vinda está próxima. A Palavra de Deus não pode falhar. Passa o céu e a terra, mas a sua Palavra não passará. Essa Palavra é verdadeira. Prepare-se para encontrar-se com o Senhor seu Deus!

Em segundo lugar, *será imprevisível* (13.32). Ninguém pode decifrar esse dia. Ele pertence exclusivamente à soberania de Deus. Quando os discípulos perguntaram a Jesus sobre esse assunto, ele respondeu: *A vós não vos compete saber os tempos ou as épocas, que o Pai reservou à sua própria autoridade* (At 1.6,7). Daquele dia nem os anjos nem o Filho sabem. Aqueles que marcaram datas fracassaram. Aqueles que se aproximam das profecias com curiosidade frívola e com o mapa escatológico nas mãos são apanhados laborando em grave erro. Se nós não sabemos o dia nem a hora, seremos tidos por loucos se vivermos despercebidamente.

Em terceiro lugar, *será inesperada* (13.33-36). Jesus contou a parábola do homem que saiu de casa e deu ordens e obrigações aos seus servos e ordem ao porteiro para vigiar. Ele diz que o porteiro deve vigiar porque não sabe se seu senhor vem na primeira, segunda, terceira ou quarta vigília da noite. Achar o porteiro dormindo na volta seria um sinal de negligência e despreparo do porteiro.

Quando Jesus voltar, os homens vão estar desatentos como a geração diluviana (Mt 24.38,39). Vão estar entregues aos seus próprios interesses sem se aperceberem da hora. Comer, beber, casar e dar-se em casamento não são coisas más. Fazem parte da rotina da vida. Contudo, viver a vida sem se aperceber que Jesus está prestes a voltar é viver como a geração diluviana. Quando o dilúvio chegou, pegou a todos de surpresa.

Muitos hoje estão comprando, vendendo, casando, viajando, descansando, jogando, brincando, pecando; esses vão continuar vivendo despercebidamente até o dia que Jesus virá. Então, será tarde demais. Não há nada de errado no que estão fazendo. Mas quando os homens estiverem tão envolvidos em coisas boas em si, a ponto de esquecerem de Deus, estarão então maduros para o juízo.

Adolf Pohl diz que por não saberem qual é o dia, em consequência, eles precisam estar alerta todos os dias. Senão seria só colocar o despertador e ir dormir.[912]

Em quarto lugar, *será necessária vigilância* (13.37). A palavra de ordem de Jesus é: Vigiai! A vigília aqui não tem o sentido de ficar esperando meio adormecido na sala de espera, pois no versículo 34 Jesus a deixou como "obrigação", "trabalho", caracterizando-a como função muito ativa e cheia de responsabilidade.[913] Esse dia será como a chegada de um ladrão: Jesus vem de surpresa, sem aviso prévio, sem telegrama. É preciso vigiar. É preciso estar preparado. Não sabemos nem o dia nem a hora. Precisamos viver apercebidos. Aqueles que andam em trevas serão apanhados de surpresa. Nós, porém, somos filhos da luz. Devemos viver em santa expectativa da segunda vinda de Cristo, orando sempre, "Maranata, ora vem, Senhor Jesus".

NOTAS DO CAPÍTULO 39

[895] POHL, Adolf, *Evangelho de Marcos,* 1998: p. 363.

[896] MULHOLLAND, Dewey M., *Marcos: Introdução e Comentário,* 2005: p. 193.

[897] MULHOLLAND, Dewey M., *Marcos: Introdução e Comentário,* 2005: p. 205.

[898] RYLE, John Charles, *Mark,* 1993: p. 201.

[899] HENDRIKSEN, William, *Marcos,* 2003: p. 651.

[900] TRENCHARD, Ernesto, *Una Exposición del Evangelio según Marcos,* 1971: p. 167.

[901] HENDRIKSEN, William, *Marcos,* 2003: p. 648.

[902] WIERSBE, Warren W., *Be Diligent,* 1987: p. 125.

[903] MULHOLLAND, Dewey M., *Marcos: Introdução e Comentário,* 2005: p. 197,200.

[904] BARTON, Bruce B., at all. *Life Application Bible Commentary on Mark,* 1994: p. 381.

[905] HENDRIKSEN, William, *Marcos,* 2003: p. 666.

[906] HENDRIKSEN, William, *Marcos,* 2003: p. 671.

[907] POHL, Adolf, *Evangelho de Marcos,* 1998: p. 374.

[908] WIERSBE, Warren W., *Be Diligent,* 1987: p. 123.

[909] POHL, Adolf, *Evangelho de Marcos,* 1998: p. 377.

[910] POHL, Adolf, *Evangelho de Marcos,* 1998: p. 377.

[911] POHL, Adolf, *Evangelho de Marcos,* 1998: p. 377.

[912] POHL, Adolf, *Evangelho de Marcos,* 1998: p. 381.

[913] POHL, Adolf, *Evangelho de Marcos,* 1998: p. 382.

Capítulo 40

Diferentes reações a Jesus

(Mc 14.1-31)

Jesus está vivendo sua última semana em Jerusalém. Essa semana é a culminação de todo o seu ministério e a concretização do projeto eterno de Deus. Ele veio para esse fim.

Diferentes reações a Jesus são vistas nessa semana: as autoridades religiosas querem matá-lo, enquanto o povo simpatiza-se com ele; uma mulher anônima demonstra seu amor a ele, enquanto Judas o trai e Pedro é advertido sobre sua arrogante autoconfiança. Dessa maneira, Marcos confronta o leitor com a necessidade de tomar uma posição; ninguém pode ficar neutro diante de Jesus.[914]

O texto aborda vários aspectos apontando para o fato de que Jesus já está vivendo à sombra da cruz.

Um plano frustrado (14.1,2)

Três coisas nos chamam a atenção:

Em primeiro lugar, *o cenário já estava pronto* (14.1). A entrada triunfal de Jesus a Jerusalém deu-se no período de maior fluxo de gente na cidade santa, a festa da Páscoa. A população da cidade multiplicava-se cinco vezes. Judeus de todos os recantos do Império Romano subiam a Jerusalém para uma semana inteira de festejos. Nesse tempo, o povo judeu celebrava a sua libertação do Egito. A festa girava em torno do cordeiro que deveria ser morto bem como dos Pães Asmos que relembravam os sofrimentos do êxodo.

Jesus escolheu essa festa para morrer, pois ele é o Cordeiro de Deus que tira o pecado do mundo (Jo 1.29), o nosso cordeiro pascal que foi imolado (1Co 5.7). William Hendriksen diz que o dia em que acontecia o sacrifício do cordeiro era seguido pela festa dos Pães Asmos, que se prolongava por sete dias de celebração. A ligação entre a ceia da Páscoa e a Festa dos Pães Asmos é tão grande que o termo "páscoa", algumas vezes, cobre ambas (Lc 22.1).[915] Dewey Mulholland diz que no tempo de Jesus, a Páscoa e a Festa dos Pães Asmos tinham sido reunidas numa única "Festa da Páscoa" com a duração de sete dias.[916]

Jesus queria morrer no dia da Páscoa. Adolf Pohl diz que a relação da morte de Jesus com a Páscoa faz parte evidente dos pensamentos de Deus, e assim, das suas disposições. Por isso Paulo pôde escrever mais tarde: *Pois também Cristo, nosso Cordeiro pascal, foi imolado* (1Co 5.7).[917]

Em segundo lugar, *a conspiração já estava armada* (14.1). Os principais sacerdotes e os escribas estavam mancomunados para prenderem e matarem a Jesus. Esse plano não era novo. Ele já vinha de certo tempo (3.6; 12.7; Jo 5.18; 7.1,19,25; 8.37,40; 11.53). Eles já tinham escolhido a forma de fazê-lo, à traição. Mas eles aguardavam uma ocasião oportuna para o matarem e decidiram que deveria ser depois da festa. Isto não porque tivessem escrúpulos, mas porque temiam o povo.

William Hendriksen diz que quando a corrupção invade a igreja, o processo, normalmente, começa no topo. Nenhuma política é tão suja quanto a eclesiástica.[918]

Em terceiro lugar, *o plano de Deus já estava determinado* (14.2). Os líderes religiosos de Israel decidiram que Jesus seria morto depois da Páscoa, mas Deus já havia determinado que seria durante a Páscoa, na época em que a cidade estava mais apinhada de gente. As coisas não aconteceram como haviam planejado. "Não durante a festa", diziam os conspiradores. "Na festa", disse o Todo-poderoso. Esse era o decreto divino, afirma William Hendriksen.[919]

Um amor demonstrado (14.3-9)

Cinco fatos nos chamam a atenção acerca de Maria:

Em primeiro lugar, *Maria deu o seu melhor para Jesus* (14.3). Nem Marcos nem Mateus nos informam o nome da mulher que ungiu Jesus, mas João nos conta que ela era Maria de Betânia, a irmã de Marta e Lázaro (Jo 12.1-3). Jesus estava em casa de Simão, o leproso, na cidade de Betânia, participando de um jantar. Simão, certamente, não era mais leproso. Se o fosse, não poderia estar servindo um jantar em sua casa. Se ele ainda fosse leproso, deveria estar isolado numa aldeia, longe da família e da sociedade. Possivelmente o próprio Jesus o tenha curado de sua lepra. Esse jantar, portanto, deve ter sido motivado pela gratidão de Simão e Maria. Esta, num gesto pródigo de gratidão, e amor quebrou um vaso de alabastro e derramou o preciosíssimo perfume de nardo puro sobre a cabeça de Jesus. O perfume havia sido extraído do puro nardo, isto é, das folhas secas de uma planta natural do Himalaia.[920]

Maria aparece apenas três vezes nos evangelhos e em todas as ocasiões estava aos pés de Jesus para aprender (Lc 10.39), para chorar (Jo 11.32,33) e para agradecer (Jo 12.1-3).

Em segundo lugar, *Maria deu sacrificalmente* (14.4,5). Aquele perfume foi avaliado por Judas em trezentos denários (Jo 12.5). Representava o salário de um ano de trabalho. Judas e os demais discípulos ficaram indignados com Maria, considerando o seu gesto de amor a Jesus um desperdício. Eles culparam Maria de ser perdulária e de administrar mal os recursos. Eles murmuraram contra ela, dizendo que aquele alto valor deveria ser dado aos pobres. Warren Wiersbe diz que Judas criticou Maria por desperdiçar dinheiro, mas ele desperdiçou sua própria vida.[921] O que Maria fez foi único em criatividade, régio em sua generosidade e maravilhoso em sua atemporalidade, diz William Hendriksen.[922]

Em terceiro lugar, *Maria buscou agradar só ao Senhor* (14.3-7). Maria demonstrou seu amor a Jesus de forma sincera e não ficou preocupada com a opinião das pessoas à sua volta. Ela não buscou aprovação ou aplauso das pessoas nem recuou diante das suas críticas. O amor é extravagante, ele sempre excede! A devoção de Maria se destaca em vivo contraste com a malignidade dos principais sacerdotes e a vil traição de Judas.[923]

Em quarto lugar, *Maria demonstrou amor em tempo oportuno* (14.7,8). Maria demonstrou seu amor generoso a Jesus antes da sua morte e antecipou-se a ungi-lo para a sepultura (14.8). As outras mulheres também foram ungir o corpo de Jesus, mas quando elas chegaram lá, ele já não estava mais lá, pois havia ressuscitado (16.1-6). Muitas vezes, demonstramos o nosso amor como Davi a Absalão, tarde demais. Muitas vezes enviamos flores depois que a pessoa morre, quando já não pode mais sentir o seu aroma.

Em quinto lugar, *Maria foi elogiada pelo Senhor* (14.6,9). Jesus chamou o ato de Maria de boa ação (14.6) e disse que seu gesto deveria ser contado no mundo inteiro para que sua memória não fosse apagada (14.9). William Barclay comenta esse episódio assim,

> Jesus disse que o que a mulher havia feito era bom, *kalos*. No grego, há duas palavras diferentes para definir *bom*. A primeira é *agathos* que descreve uma coisa moralmente boa. A segunda é *kalos* que descreve algo que não só é bom, mas também formoso. Uma coisa pode ser *agathos* e ainda ser dura, austera e sem atrativo. Mas uma coisa que é *kalos* é atrativa e bela, com certo aspecto de encanto.[924]

Um traidor apontado – (14.10,11,17-21)

Destacamos quatro atitudes de Judas, o traidor:

Em primeiro lugar, *Judas, o entreguista* (14.10). Judas Iscariotes era um dos doze. Foi amado por Jesus, andou com ele, ouviu-o, viu os milagres de Jesus, mas perdeu a maior oportunidade da sua vida. Sabendo da trama dos principais sacerdotes em prender e matar Jesus, o entregou.

Em segundo lugar, *Judas, o avarento* (14.11). O evangelista Mateus aponta a motivação de Judas em procurar os principais sacerdotes: *Que me quereis dar, e eu vo-lo entregarei? E pagaram-lhe trinta moedas de prata* (Mt 26.15). A motivação de Judas em entregar Jesus era o amor ao dinheiro. Ele era ladrão (Jo 12.6). Seu deus era o dinheiro. Ele vendeu sua alma, seu ministério, suas convicções, sua lealdade. Tornou-se um traidor. Adolf Pohl diz que a recompensa pela traição representou somente um décimo do valor do óleo da unção usado por Maria para ungir Jesus.[925] O dinheiro recebido por Judas era o preço de um escravo ferido por um boi (Êx 21.32). Por essa insignificante soma de dinheiro, Judas traiu o seu Mestre!

Em terceiro lugar, *Judas, o dissimulado* (14.17,18). Jesus vai com seus discípulos ao Cenáculo, para comer a Páscoa. E Judas está entre eles. No Cenáculo, Jesus demonstrou seu amor por Judas, lavando-lhe os pés (Jo 13.5), mesmo sabendo que o diabo já tinha posto no coração de Judas o propósito de traí-lo (Jo 13.2). Judas não se quebranta nem se arrepende, ao contrário, finge ter plena comunhão com Cristo, ao comer com ele (14.18). Nesse momento, o próprio Satanás entra em Judas (Jo 13.27) e ele sai da mesa para unir-se aos inimigos de Cristo e entregá-lo a eles. William Hendriksen diz que o que causou a ruína de Judas foi sua indisposição de orar pela renovação da sua vida. A sua destruição deveu-se à sua impenitência.[926]

Jesus já havia dito que seria traído (9.31; 10.33), mas agora declara especificamente que será traído por um amigo. O traidor não é nomeado; ao contrário, a ênfase está na participação dele na comunhão como um dos doze. Toda comunhão à mesa é, para o oriental, concessão de paz, fraternidade e confiança. Comunhão à mesa é comunhão de vida. A comunhão à mesa com Jesus tinha o significado de salvação e comunhão com o próprio Deus.[927] Abalados e entristecidos com isso, os discípulos estão confusos. Cada um preocupa-se com a acusação como se fosse contra si. Um a um perguntam: *Porventura sou eu?* (14.19). Sua autoconfiança fora abalada.[928]

Em quarto lugar, *Judas, o advertido* (14.20,21). Judas trai a Jesus na surdina, na calada da noite, mas Jesus o desmascara na mesa da comunhão. Jesus acentua sua ingratidão, de estar traindo a seu Mestre. Jesus declara que ele sofrerá severa penalidade por atitude tão hostil ao seu amor: [...] *ai daquele por intermédio de quem o Filho do homem está sendo traído! Melhor lhe fora não haver nascido!* (14.20,21).

Mulholland diz que o traidor participa cumprindo o plano de Deus. Ele o faz por livre vontade, não como um robô. A soberania divina não diminui a responsabilidade humana.[929] Somos responsáveis pelos nossos próprios pecados. Judas foi seduzido pelo amor ao dinheiro; Pedro pela autoconfiança. Uma lenda grega nos ajuda a entender a necessidade de nos acautelarmos contra a sedução do pecado:

> A lenda grega conta a história de dois famosos viajantes que passaram pelas rochas aonde cantavam as sereias. Essas se sentavam nas rochas e cantavam com tal doçura que atraíam irresistivelmente os marinheiros para sua ruína. Ulisses navegou a salvo frente a essas rochas. Seu método foi tapar os ouvidos dos marinheiros para que não pudessem ouvir, e ordenou que o atassem firmemente com cordas no mastro do

> navio a fim de que em hipótese alguma pudesse desvencilhar-se. O outro viajante foi Orfeu, o mais encantador dos músicos. Seu método foi tocar e cantar com tal doçura que mesmo o barco passando em frente às rochas das sereias, o canto dessas não era ouvido diante da música excelente que ele entoava. Seu método foi responder ao atrativo da sedução com um atrativo maior ainda. Esse método é o método divino. Deus não nos impede forçosamente de pecar, mas nos insta a amá-lo de tal forma que sua voz seja mais doce aos nossos ouvidos que a voz de sedução.[930]

Um pacto selado (14.22-26)

Destacamos três pontos importantes sobre a Ceia do Senhor.

Em primeiro lugar, *o símbolo do pacto* (14.22,23). Esta cena é um dos pontos teológicos mais vibrantes no Evangelho de Marcos. Aqui Jesus interpreta o significado último da sua morte, diz Donald Senior.[931]

Jesus abençoa e parte o pão; toma o cálice e dá graças. Pão e vinho são os símbolos do seu corpo e de seu sangue. Com esses elementos Jesus instituiu a Ceia do Senhor.

A questão da Ceia tem sido motivo de acirrados debates na história da igreja. Não é unânime o entendimento desses símbolos. Há quatro linhas de interpretação:

A transubstanciação. A igreja romana crê que o pão e o vinho transubstanciam-se na hora da consagração dos elementos e se transformam em corpo, sangue, nervos, ossos e divindade de Cristo.

A consubstanciação. O luteranismo crê que os elementos não mudam de substância, mas Cristo está presente fisicamente nos elementos e sob os elementos.

O memorial. O reformador Zwinglio entendia que os elementos da Ceia são apenas símbolos e que ela é apenas um memorial para trazer-nos à lembrança o sacrifício de Cristo.

O meio de graça. O calvinismo entende que a Ceia é mais do que um memorial, mas também, um meio de graça, de tal forma que somos edificados pela participação da Ceia.

Em segundo lugar, *o significado do pacto* (14.24). O que Jesus quis dizer quando afirmou que o cálice representava um novo pacto? A palavra *pacto* é comum na religião judaica. A base da religião judaica consistia no fato de Deus ter entrado num pacto com Israel. A aceitação do antigo pacto está registrada em Êxodo 24.3-8. O pacto dependia inteiramente de Israel guardar a Lei. A quebra da Lei implicava na quebra do pacto entre Deus e Israel. Era uma relação totalmente dependente da Lei e da obediência à mesma. Deus era o juiz. E visto que ninguém podia guardar a Lei, o povo sempre estava em débito. Mas Jesus introduz e ratifica um novo pacto, uma nova classe de relacionamento entre Deus e o homem. E não depende da Lei, depende do sangue que Jesus derramou.[932] O antigo pacto era ratificado com o sangue dos animais, mas o novo pacto é ratificado no sangue de Cristo.

A nova aliança está firmada no sangue de Jesus, derramado a favor de muitos. Na velha aliança, o homem buscava fazer o melhor para Deus e fracassava. Na nova aliança, Deus fez tudo pelo homem. Jesus se fez pecado e maldição por nós. Seu corpo foi partido, seu sangue vertido. Ele levou sobre o seu corpo, no madeiro, nossos pecados.

A redenção não é universal. Ele derramou seu sangue para remir a muitos e não para remir a todos (Is 53.12;

Mt 1.21; 20.28; Mc 10.45; Jo 10.11,14,15,27,28; 17.9; At 20.28; Rm 8.32-35; Ef 5.25-27). Se fosse para remir a todos, ninguém poderia se perder.

Em terceiro lugar, *a consumação do pacto* (14.25). A Ceia do Senhor aponta para o passado e ali vemos a cruz de Cristo e seu sacrifício vicário a nosso favor. Mas ela também aponta para o futuro e ali vemos o céu, a festa das bodas do Cordeiro, quando ele vai nos receber como Anfitrião para o grande banquete celestial. Adolf Pohl diz que a ênfase está na reunião festiva com ele, não na duração ou dificuldade do tempo de espera. O crucificado, agora ressurreto, glorificado e entronizado será o centro do banquete que Deus vai oferecer (Is 25.6; 65.13; Ap 2.7), e o sem-número de Ceias desembocará na "ceia das bodas do Cordeiro" (Ap 19.9).[933]

Um fracasso destacado (14.27-31)

Três fatos nos chamam a atenção nessa passagem:

Em primeiro lugar, *um alerta solene* (14.27). Jesus, citando o profeta Zacarias, fala que todos os apóstolos, sem exceção, vão se escandalizar com ele, quando ele for ferido. A atitude covarde dos discípulos fugindo no Getsêmani, depois da sua prisão, não apanhou Jesus de surpresa.

Jesus predisse que todos se escandalizariam dele (14.27). Todos disseram que isso nunca aconteceria (14.31). Um pouco mais tarde, todos o abandonaram e fugiram (14.50).

Em segundo lugar, *uma promessa consoladora* (14.28). Jesus destaca aqui três verdades importantes:

A sua morte. Jesus veio para morrer e ele caminha para a cruz como um rei caminha para a coroação.

A sua ressurreição. A morte não teria o poder de retê-lo na sepultura. Ele triunfaria sobre a morte.

O seu plano na vida dos apóstolos. Jesus se apressa em acrescentar que nem sua morte nem a fuga dos discípulos serão definitivas. Ele ressuscitará e irá antes deles para a Galileia. "O lugar do começo deles (3.14) haveria de ser também o lugar do novo começo deles (16.7)".[934] O cristianismo não é um corolário de crenças e dogmas, mas uma Pessoa. Ser cristão é seguir a Cristo. Ele vai adiante de nós. Ele nos encontra e nos restaura nos lugares comuns da nossa vida.

Em terceiro lugar, *uma pretensão vaidosa* (14.29-31). Pedro considerou-se uma exceção. Ele julgou-se melhor que os seus condiscípulos. Ele pensou ser mais crente, mais forte, mais confiável que seus pares. Ele queria ser uma exceção na totalidade apontada por Jesus. Pensou jamais se escandalizar com Cristo. Achou que estava pronto para ir para a prisão e até para a morte. Jesus, entretanto, revela a Pedro que naquela mesma noite, sua fraqueza seria demonstrada e suas promessas seriam quebradas. Os outros falharam, mas a falta de Pedro foi maior. Nas palavras de Schweizer: *Aquele que se sente seguro e se considera diferente de todos os demais cairá ainda mais profundamente.*[935] O apóstolo Paulo exorta: *Aquele, pois, que pensa estar em pé, veja que não caia* (1Co 10.12). A Palavra de Deus alerta: *O que confia no seu próprio coração é insensato* (Pv 28.26).

Notas do capítulo 40

[914] Mulholland, Dewey M., *Marcos: Introdução e Comentário,* 2005: p. 206.

[915] Hendriksen, William, *Marcos,* 2003: p. 698,699.

[916] Mulholland, Dewey M., *Marcos: Introdução e Comentário,* 2005: p. 207.

[917] Pohl, Adolf, *Evangelho de Marcos,* 1998: p. 387.

[918] Hendriksen, William, *Marcos,* 2003: p. 699.

[919] Hendriksen, William, *Marcos,* 2003: p. 700.

[920] Hendriksen, William, *Marcos,* 2003: p. 704.

[921] Wiersbe, Warren W., *Be Diligent,* 1987: p. 133.

[922] Hendriksen, William, *Marcos,* 2003: p. 705.

[923] Trenchard, Ernesto, *Una Exposición del Evangelio según Marcos,* 1971: p. 176.

[924] Barclay, William, *Marcos,* 1974: p. 336.

[925] Pohl, Adolf, *Evangelho de Marcos,* 1998: p. 393.

[926] Hendriksen, William, *Marcos,* 2003: p. 710.

[927] Pohl, Adolf, *Evangelho de Marcos,* 1998: p. 397.

[928] Mulholland, Dewey M., *Marcos: Introdução e Comentário,* 2005: p. 210.

[929] Mulholland, Dewey M., *Marcos: Introdução e Comentário,* 2005: p. 210.

[930] Barclay, William, *Marcos,* 1974: p. 345,346.

[931] Senior, Donald, *The Passion of Jesus in the Gospel of Mark.* Liturgical Press, 1991: p. 53.

[932] Barclay, William, *Marcos,* 1974: p. 349.

[933] Pohl, Adolf, *Evangelho de Marcos,* 1998: p. 404.

[934] Pohl, Adolf, *Evangelho de Marcos,* 1998: p. 406.

[935] Schweizer, Eduard, *The Good News according to Mark.* John Know Press, 1970: p. 308.

Capítulo 41

Getsêmani, a hora decisiva

(Mc 14.32-42)

John Charles Ryle afirma que o relato da agonia do Senhor Jesus no Jardim do Getsêmani é uma profunda e misteriosa passagem da Escritura. Ela contém coisas que os mais sábios expositores não puderam expor plenamente.[936] William Hendriksen diz que ninguém jamais passou pelo que Jesus experimentou no Getsêmani. Seu sacrifício total, em completa obediência à vontade do Pai, era o único tipo de morte que poderia salvar os pecadores.[937] Falando ainda da singularidade desse sofrimento de Jesus, Hendriksen acrescenta que o inferno, como ele é, veio até Jesus no Getsêmani e no Gólgota, e o Senhor desceu até ele, experimentando todos os seus terrores.[938]

O local onde Jesus agonizou é indicado

O Jardim do Getsêmani fica nas fraldas do monte das Oliveiras, do outro lado do ribeiro Cedrom, defronte ao monte Sião, onde estava o glorioso templo. Getsêmani significa "prensa de azeite, lagar de azeite".[939]

Foi nesse lagar de azeite, onde as azeitonas eram esmagadas, que Jesus experimentou a mais intensa agonia. Ali, ele travou uma luta de sangrento suor. Ali, o eterno Deus feito carne, dobrou sua fronte e com o rosto em terra, orou com forte clamor e lágrimas. Ali, o bendito Filho de Deus rendeu-se incondicionalmente à vontade do Pai para remir um povo por meio do seu sangue. Ali, ele foi traspassado, esmagado e moído pelos nossos pecados. Seu corpo foi golpeado. Seu suor transformou-se em sangue. Ali, ele desceu ao inferno. Enquanto o primeiro Adão perdeu o paraíso num jardim, o segundo Adão o reconquista noutro.

O contexto da agonia é descrito

O evangelista João nos informa que Jesus saiu do cenáculo para o jardim (Jo 18.1). Não foi uma saída de fuga, mas de enfrentamento. Ele não saiu para esconder-se, mas para preparar-se. Ele não saiu para distanciar-se da cruz, mas para caminhar em sua direção.

No cenáculo, Jesus ensinou seus discípulos sobre a humildade, lavando-lhes os pés. No cenáculo, Jesus lhes deu um novo mandamento. No cenáculo, Jesus desmascarou o traidor e alertou a Pedro acerca de sua negação. No cenáculo, Jesus consola seus discípulos, falando-lhes acerca do envio do Espírito Santo e de sua gloriosa segunda vinda. No cenáculo, Jesus orou por eles. Só depois desse cuidado pastoral de Jesus é que ele travou a sua mais renhida luta no Jardim do Getsêmani.

O propósito da agonia é evidenciado

Jesus sabia que a hora agendada na eternidade havia chegado (14.35). Não havia improvisação nem surpresa. Dewey Mulholland ensina que a "hora" refere-se ao sofrimento de Jesus nas mãos dos pecadores (14.41), com ênfase na sua agonia final na cruz.[940] Para esse fim ele havia vindo ao mundo. Sua morte já estava selada desde a fundação do mundo (Ap 13.8). No decreto eterno, no conselho da redenção, o Pai o entregara para morrer no lugar dos pecadores (Jo 3.16; Rm 5.8; 8.32) e ele mesmo, voluntariamente, havia se disposto a morrer.

Vamos destacar as mensagens centrais desse drama doloroso de Jesus no Getsêmani.

A tristeza assoladora – (14.33,34)

O profeta Isaías descreveu Jesus como homem de dores e que sabe o que é padecer. Jesus teve tristeza e não foi só no Getsêmani. Ele ficou triste com a morte de Lázaro e essa tristeza o levou a chorar. Quantas vezes você já ficou triste e chorou pela morte de um parente, de um amigo?

Contemplando a impenitente cidade de Jerusalém, assassina de profetas, rebelde e impenitente, Jesus chorou com profundos soluços sobre ela. Quantas vezes você também já chorou por um parente ou amigo recusar o Senhor Jesus até a morte?

Agora, entre a ramagem soturna das oliveiras, sob o manto da noite trevosa, Jesus começou a sentir-se tomado de pavor e de angústia (14.33) e declara: *A minha alma está profundamente triste até à morte* (14.34). Fritz Rienecker, citando Cranfield, afirma que essa expressão de Jesus denota que ele estava dominado por um horror que o fazia tremer diante da terrível perspectiva à sua frente.[941] Egidio Gioia diz que no Getsêmani Jesus viu a escura nuvem da tormenta que se aproximava, célere, ao seu encontro, e, tão aterrorizantes eram os seus prenúncios, que o Senhor, na sua natureza humana, sentiu profunda necessidade até da companhia e simpatia de seus queridos discípulos, a quem disse: *ficai aqui e vigiai comigo* (Mt 26.38).[942]

Destacamos dois pontos aqui:

a) *O que não consistia a essência da tristeza de Jesus.* Havia toda uma orquestração das forças das trevas contra Jesus. Isso não era surpresa para o nosso Senhor. Ele estava plenamente consciente das implicações daquela noite fatídica. Mas sua tristeza e pavor não foram do medo do sofrimento, tortura e morte.

Por que Jesus estava triste? Era porque sabia que Judas estava se aproximando com a turba assassina? Era porque estava dolorosamente consciente de que Pedro o negaria? Era porque sabia que o sinédrio o condenaria? Era porque sabia que Pilatos o sentenciaria? Era porque sabia que o povo gritaria diante do pretório romano: *Crucifica-o, crucifica-o*? Era porque sabia que seus inimigos cuspiriam em seu rosto e lhe dariam bofetadas? Era porque sabia que o seu povo preferiria Barrabás a ele? Era porque sabia que os soldados romanos rasgariam sua carne com açoites, feririam sua fronte com uma zombeteira coroa de espinhos e o encravariam na cruz no topo do Gólgota? Era porque sabia que seus discípulos o abandonariam na hora da sua agonia e morte? Certamente essas coisas estavam incluídas na sua tristeza, mas não era por essa razão que Jesus estava triste até a morte.

Warren Wiersbe delineia claramente que não foi por causa do sofrimento físico que Jesus estava tomado de pavor e angústia, mas pela antevisão de que seria desamparado pelo Pai (15.34). Esse era o cálice amargo que estava para beber (Jo 18.11) e que o levou ao forte clamor e lágrimas (Hb 5.7).[943]

b) *O que consistia a profunda tristeza de Jesus*. Egidio Gioia disse que a essência da profundíssima tristeza de Jesus estava no seu extremo horror ao pecado. Sentia que a pureza imaculada de sua alma ia ser manchada e completamente escurecida pelo pecado, não dele, mas do mundo. Sentia a realidade da maldição da cruz. Sentia que ia ser maldito pela justíssima lei de Deus. Sentia que a espada da justiça divina ia cair, inexorável, sobre ele, trespassando-lhe o coração.[944] William Hendriksen afirma que muitas pessoas já o haviam deixado (Jo 6.66), e os seus discípulos o abandonariam (14.50). Pior de tudo era que, na cruz, ele estaria clamando: *Deus meu, Deus meu, por que me desamparaste?* (15.34).[945]

A tristeza de Jesus era porque sua alma pura estava recebendo toda a carga do nosso pecado. O Getsêmani foi o prelúdio do Calvário. Ele foi a porta de entrada para a cruz. Foi no Getsêmani que Jesus travou a maior de todas as guerras. Ali o destino da humanidade foi selado, e ele se dispôs a cumprir plenamente o plano do Pai e humilhar--se até a morte e morte de cruz.

Jesus ficou triste porque Deus escondeu o seu rosto do seu Filho, e ele foi feito pecado e maldição por nós. Naquele lugar, Deus se afastou dele e o desamparou para nos amparar. Nosso pecado foi lançado sobre ele. Ele foi ferido, traspassado e moído pelas nossas iniquidades, e ele desceu ao inferno. Ele entristeceu-se porque sorveu o cálice da ira de Deus e sofreu a condenação que deveríamos sofrer. Entristeceu-se porque expiou nossa culpa e sozinho sofreu, sangrou e morreu.

A solidão perturbadora

No Getsêmani, Jesus sofreu sozinho. Muitas coisas ele disse às multidões. Quando, porém, falou de um traidor, já foi apenas para os doze. E unicamente para três desses doze é que ele disse: *A minha alma está profundamente triste até à morte* (Mc 14.34). E por fim, quando começou a suar sangue, já estava completamente sozinho. Os discípulos estavam dormindo. Mas ali ele ganhou a batalha.

Muitas coisas você poderá dizer a muitos. Outras há que só poderá dizer a poucos. Algumas, porém, existem que você não vai dizer a ninguém. Então, você estará mesmo sozinho: sem um amigo que o acompanhe, ninguém que o compreenda. E o cálice de fel e amargura será todo seu.

Quando o apóstolo Paulo estava na prisão romana, na antessala do seu martírio, disse: *Na minha primeira defesa, ninguém foi a meu favor; antes, todos me abandonaram* (2Tm 4.16). Porém, foi nessa arena da solidão que contemplou a coroa e ganhou a sua mais esplêndida vitória.

Quando o apóstolo João foi exilado na Ilha de Patmos, o imperador Domiciano o jogou no ostracismo da solidão, mas Deus lhe abriu o céu. No vale escuro da sua solidão, ele contemplou as glórias do céu.

A oração triunfadora

Esta é a terceira ocasião em que Jesus orou sozinho, à noite, em momentos críticos no seu ministério (1.35; 6.46 e 14.35). No Getsêmani, Jesus orou humildemente, agonicamente, perseverantemente, triunfantemente. Ele foi um homem de oração. Adolf Pohl enfatiza que a cada versículo é Jesus quem vigia, quem ora e, também por isso, quem é preservado. Por causa da sua condição de testemunhas é que eles deveriam ficar com ele; de acordo com o versículo 38, no máximo orar por si mesmos.[946]

Jesus é o nosso maior exemplo de oração em tempos de angústia. Duas vezes somos informados que quando sua alma estava angustiada, ele orou (14.35,39). A primeira pessoa para quem devemos nos tornar na hora da aflição é Deus. Nosso primeiro grito na hora da dor deveria sair em forma de oração. O conselho de Tiago, irmão de Jesus é: *Está alguém entre vós sofrendo? Faça oração* (Tg 5.13).[947]

Jesus não apenas orou no Getsêmani, ele também ordenou aos discípulos a orarem e apontou a vigilância e a oração como um modo de escapar da tentação (14.38). Consideremos alguns aspectos especiais desta oração de Jesus:

a) *A posição em que Jesus orou.* O Deus eterno, Criador do universo, sustentador da vida, está de joelhos, com o rosto em terra, prostrado em humílima posição. Jesus esvaziou-se descendo do céu à terra. Agora, aquele que sempre esteve em glória com o Pai, está de joelhos, prostrado, angustiado, orando com forte clamor e lágrimas.

Muitos se desesperam quando chegam os dramas da vida, quando pisam o lagar da dor. Outros tentam fugir. Outros, amargurados, cerram os punhos em revolta contra Deus, como a mulher de Jó. Jesus caiu sobre seus joelhos e orou, e na oração prevaleceu.

b) *A atitude que que Jesus orou.* Três coisas nos chamam a atenção sobre a atitude de Jesus na oração:

Em primeiro lugar, *a submissão.* Jesus orou: *Pai, tudo te é possível; passa de mim este cálice; contudo, não seja o que eu quero, e sim o que tu queres* (14.36). Lucas registra assim: *Pai, se queres, passa de mim este cálice; contudo, não se faça a minha vontade, e sim a tua* (Lc 22.42). Tanto a "hora" como o "cálice" referem-se à mesma coisa. O derramar-se da ira de Deus é descrito no Antigo Testamento como *cálice de atordoamento* (Is 51.17,22).[948] Na mesma trilha, Adolf Pohl informa que do versículo 35 sabemos em que cálice Jesus está pensando. É "esta hora", que no versículo 41 "chegou", isto é, a entrega do Filho do homem nas mãos dos pecadores, à mercê da ação deles (9.31). Aquele que estava ligado a Deus como nenhum outro, haveria de tornar-se alguém abandonado por Deus como nenhum outro.[949]

Seja feita a minha vontade e não a tua levou o primeiro Adão a cair. Porém, seja feita a tua vontade e não a minha abriu a porta de salvação para os pecadores. Oração não é a tentativa de fazer Deus mudar sua vontade a fim de atender aos planos do homem. É, ao contrário, a sujeição dos planos humanos à vontade soberana de Deus. Adolf Pohl diz que Jesus não simplesmente teve de sofrer, mas no fim também quis sofrer. Sua cruz foi a cada momento, apesar das lutas imensas, sua própria ação e seu caminho trilhado conscientemente (Jo 10.18; 17.19). Ele foi entregue, mas também entregou a si mesmo (Gl 1.4; 2.20).[950]

Em segundo lugar, *a persistência.* Jesus orou três vezes, sempre focando o mesmo aspecto. Ele suou sangue não para fugir da vontade de Deus, mas para fazer a vontade de Deus. Oração é buscar que a vontade do homem seja feita no céu, mas desejar que a vontade de Deus seja feita na terra. O evangelista Lucas esclarece que a persistência de Jesus era dupla: ele orou não apenas três vezes (14.39), mas mais intensamente (Lc 22.44).

Em terceiro lugar, *a agonia.* Jesus não apenas foi tomado de pavor e angústia (14.33); não apenas disse que sua alma estava profundamente triste até a morte (14.34), mas o evangelista Lucas registra: *E, estando em agonia, orava mais intensamente. E aconteceu que o seu suor se tornou como gotas de sangue caindo sobre a terra* (Lc 22.44). A ciência médica denomina esse fenômeno de *diapédesi,* dando como causa uma violenta comoção mental. E foi esse, realmente, o ponto culminante do sofrimento de Jesus, à sombra da cruz.[951]

c) *A intimidade na oração.* Jesus orou e dizia: *Aba, Pai* (14.36). Esse termo aramaico significa, "meu Pai" ou "Papai". Ele denota intimidade, confiança. Bruce Barton diz que o termo aramaico *Abba* implica familiaridade e proximidade.[952] Jesus não está orando a uma divindade distante, indiferente, mas ao seu Pai. Ele é onipotente e também amoroso. O mesmo que pode fazer todas as coisas também tem um relacionamento íntimo e estreito conosco. William Barclay afirma que se podemos chamar a Deus de Pai, então, tudo se torna suportável, pois a mão do Pai nunca ocasionará a seu filho uma lágrima desnecessária.[953] Joaquim Jeremias acrescenta que Jesus fala a Deus "como uma criança com seu pai: confiantemente e com firmeza, e ainda, ao mesmo tempo, reverente e obedientemente".[954] O mesmo escritor ainda esclarece que não possuímos um único exemplo do uso de *Abba* em relação a Deus no judaísmo, mas Jesus sempre falou com Deus desse modo em suas orações.[955]

d) *O triunfo da oração.* Depois de orar três vezes e mais intensamente pelo mesmo assunto, Jesus apropriou-se da vitória. Ele encontra paz para o seu coração e está pronto a enfrentar a prisão, os açoites, o escárnio, a morte. Ele disse para os seus discípulos: *Basta! Chegou a hora* (14.41). Jesus levantou-se não para fugir, mas para ir ao encontro da turba (Jo 18.4-8). Ele estava preparado para o confronto. Quando oramos, Deus nos prepara! Jesus sem hesitar vai adiante em direção à cruz. Com firme resolução, ele beberá o cálice e sofrerá o horror que temeu no Getsêmani. Esta é a vontade do Pai, e fazer a vontade de Deus é um compromisso inegociável (14.36). Jesus não mais falará de seu sofrimento. A preparação para o sofrimento e morte de Jesus está concluída; a paixão começa.[956] Adolf Pohl narra que as mãos de Deus se retiram, os pecadores põem as mãos nele (14.46). Como único que nesta noite não foi vencido pela escuridão, ele é entregue à escuridão.[957]

Os discípulos de Jesus não oraram nem vigiaram (14.38), por isso, dormiram. Os seus olhos estavam pesados de sono, porque o coração estava vazio de oração. Porque não oraram, caíram em tentação e fugiram (14.50). Sem oração, a tristeza nos domina (Lc 22.45). Sem oração, agiremos na força da carne (Jo 18.10). Pedro, aquele que acabara de se apresentar para o martírio, não possui nem mesmo a força de manter os olhos abertos. Ele começou a sua queda no versículo 27. Ela teve vários degraus: a justiça própria (14.30), o sono (14.37), a fuga (14.50) e a negação (14.71).[958]

Nós devemos orar e vigiar; vigiar e orar. John Charles Ryle diz que vigilância sem oração é autoconfiança e autoengano. Oração sem vigilância é apenas entusiasmo e fanatismo. Aqueles que conhecem suas próprias fraquezas, e conhecem a necessidade de orar e vigiar, são aqueles que são fortalecidos para não cair em tentação.[959]

A consolação restauradora

Jesus entrou cheio de pavor e angustiado no Jardim do Getsêmani e saiu consolado. Sua oração tríplice e insistente trouxe-lhe paz depois da grande tempestade. Quais foram as fontes de consolação que ele encontrou nessa hora de maior drama da sua vida?

a) *A consolação da comunhão com o Pai.* A oração é uma fonte de consolação. Através dela, derramamos nossa alma diante de Deus. Por intermédio dela, temos intimidade com Deus. Jesus se dirigiu a Deus, chamando-o de Aba, Pai. Quando estamos na presença daquele que governa os céus e a terra, e temos a consciência que ele é o nosso Pai, nossos temores se vão e paz enche a nossa alma.

b) *A consolação do anjo de Deus.* O evangelista Lucas é o único que nos fala do suor de sangue e também da consolação angelical. No instante em que Jesus orava, buscando a vontade do Pai para beber o cálice, símbolo do seu sofrimento e morte vicária, *apareceu-lhe um anjo do céu que o confortava* (Lc 22.43). William Hendriksen enfatiza que a angústia que levou Jesus a suar sangue foi "por nós". Era uma indicação do eterno amor do Salvador pelos pobres pecadores perdidos que viera salvar.[960]

c) *A consolação da firmeza de propósito.* Jesus levanta-se da oração sem pavor, sem tristeza, sem angústia. Ele, a partir de agora, caminha para a cruz como um rei caminha para a coroação. Ele triunfou de joelhos no Getsêmani e está pronto a enfrentar os inimigos e a morrer vicariamente na cruz.

Notas do capítulo 41

[936] John Charles Ryle. *Mark.* 1993: p. 232.

[937] William Hendriksen. *Marcos.* 2003: p. 736.

[938] William Hendriksen. *Marcos.* 2003: p. 536.

[939] Ernesto Trenchard. *Una Exposición del Evangelio según Marcos.* 1971: p. 184.

[940] Dewey M. Mulholland. *Marcos: Introdução e Comentário.* 2005: p. 216.

[941] Fritz Rienecker e Cleon Rogers. *Chave Linguística do Novo Testamento Grego.* 1985: p. 96.

[942] Egidio Gioia. *Notas e Comentários à Harmonia dos Evangelhos.* 1969. 344.

[943] Warren W. Wiersbe. *Be Diligent.* 1987: p. 139.

[944] Egidio Gioia. *Notas e Comentários à Harmonia dos Evangelhos.* 1969: p. 344.

[945] William Hendriksen. *Marcos.* 2003: p. 740.

[946] Adolf Pohl. *Evangelho de Marcos.* 1998: p. 409.

[947] John Charles Ryle. *Mark.* 1993: p. 233.

[948] Dewey M. Mulholland. *Marcos: Introdução e Comentário.* 2005: p. 216.

[949] Adolf Pohl. *Evangelho de Marcos.* 1998: p. 409.

[950] Adolf Pohl. *Evangelho de Marcos.* 1998: p. 410.

[951] Egidio Gioia. *Notas e Comentários à Harmonia dos Evangelhos.* 1969: p. 345.

[952] Bruce B. Barton et all. *Life Application Bible Commentary on Mark.* 1994: p. 425.

[953] William Barclay. *Marcos.* 1974: p. 353,354.

[954] Joaquim Jeremias. *New Testament Theology.* Charles Scribner Sons. 1971: p. 67.

[955] Joaquim Jeremias. *New Testament Theology.* 1971: p. 66.

[956] Dewey M. Mulholland. *Marcos: Introdução e Comentário.* 2005: p. 217.

[957] Adolf Pohl. *Evangelho de Marcos.* 1998: p. 411.

[958] Adolf Pohl. *Evangelho de Marcos.* 1998: p. 410.

[959] John Charles Ryle. *Mark.* 1993: p. 236.

[960] William Hendriksen. *Lucas Vol. 2.* Editora Cultura Cristã. São Paulo, SP. 2003: p. 592.

Capítulo 42

A prisão, o processo e a negação

(Mc 14.43-72)

À GUISA DE INTRODUÇÃO, destacamos dois fatos importantes:

Em primeiro lugar, *depois da tristeza vem a firmeza de propósito.* Jesus entrou no Jardim do Getsêmani angustiado e saiu dele firmemente decidido a enfrentar seus inimigos e entregar sua vida nas mãos dos pecadores. O Deus-Homem há de ser o Cordeiro imolado, mas o magno sacrifício se realizará segundo o plano determinado desde a eternidade (At 2.23; 1Pe 1.19,20; Ap 13.8).

Em segundo lugar, *a maldade humana jamais pode frustrar os planos de Deus.* Os homens maus estavam com tochas, lanternas, espadas e porretes para prenderem a Jesus como se ele fosse um bandido ou um revolucionário. Mas agindo assim, estavam cumprindo rigorosamente a Escritura (14.49).

A prisão de Jesus no Getsêmani (14.43-52)

Várias pessoas fizeram parte da trágica cena da prisão de Jesus no Getsêmani. Vamos analisar a participação de cada uma delas para o nosso ensino.

Em primeiro lugar, *o próprio Jesus* (14.48,49). Tanto os inimigos quanto os discípulos de Jesus tinham ideias distorcidas a seu respeito. Seus inimigos pensavam que ele fosse um impostor, um blasfemo, que arrogava para si o título de Messias. Seus discípulos, por sua vez, pensavam que ele era um Messias político que restauraria a nação de Israel e os colocaria numa posição de privilégios. Jesus, por sua vez, mostrou à turba bem como aos seus discípulos que nada estava acontecendo de improviso nem de forma acidental, mas essas coisas estavam acontecendo para que se cumprissem as Escrituras (14.49).

John Charles Ryle diz que todas as etapas da caminhada de Jesus do Getsêmani ao Calvário foram preanunciadas séculos antes de Jesus vir ao mundo (Sl 22 e Is 53). A ira de seus inimigos, a rejeição pelo seu próprio povo, o tratamento que recebeu como um criminoso, tudo foi conhecido e profetizado antes.[961]

Jesus revela que o seu reino é espiritual e suas armas não são carnais. A hora da sua paixão havia chegado, por isso, ele não foi preso, mas entregou-se (Jo 18.4-6). William Barclay diz que em toda essa desordenada cena Jesus é o único oásis de serenidade. Ao lermos o relato, temos a impressão de que fora ele, e não a polícia do sinédrio, quem dirigia as coisas. Para ele havia terminado a luta no Jardim do Getsêmani, e agora experimentava a paz de quem tinha a convicção que estava fazendo a vontade de Deus.[962]

Em segundo lugar, *Judas* (14.43-45). Destacamos quatro fatos acerca de Judas:

Judas, o ingrato (14.43). Marcos diz que Judas era um dos doze. Ele foi chamado por Cristo. Recebeu deferência especial entre os doze a ponto de cuidar da bolsa como tesoureiro do grupo. Ele ouviu os ensinos de Jesus e viu os seus milagres. Ele foi amado por Cristo e desfrutou o súbito privilégio de ter comunhão com ele. Jesus lavou-lhe os pés e advertiu-o na mesa da comunhão. Contudo, Judas dominado pelo pecado da avareza, abriu brecha para o diabo entrar na sua vida e ele agora, associa-se aos inimigos de Cristo para prendê-lo.

Judas, o traidor (14.44). A traição é uma das atitudes mais abomináveis e repugnantes. O traidor é alguém que aparenta ser inofensivo. Ele é um lobo em pele de ovelha. Ele traz nos lábios palavras aveludadas, mas no coração carrega setas venenosas. Adolf Pohl diz que já na primeira menção de sua pessoa, em 3.19, ele foi marcado como aquele que entregaria a Jesus. Na segunda referência a ele, o encontramos de tocaia, aguardando sua oportunidade (14.10,11). Nessa terceira e última vez, ele tem a sua chance. O momento da sua vida! Fica evidente o que havia dentro dele. Depois, ele sai de cena, pois nos interrogatórios já não precisam mais dele. Assim, ele é totalmente "aquele que entregou".[963]

Judas, o enganado (14.44b). Judas disse aos líderes religiosos e à turba que os acompanhava: *Aquele a quem eu beijar, é esse; prendei-o, levai-o com segurança.* Judas sabia que todas as tentativas utilizadas até então para prender Jesus em palavras ou mesmo matá-lo tinham fracassado. Ele pensou que Jesus reagiria à prisão ou seus discípulos lutariam por ele. Ele não havia compreendido ainda que Jesus havia vindo ao mundo para essa hora. Ele nada compreendia do plano eterno de Jesus de dar sua vida para a salvação dos pecadores.

Judas, o dissimulado (14.45). A senha de Judas para entregar Jesus era um beijo (14.44). William Barclay diz que era costume saudar a um rabi com um beijo. Era um sinal de afeto e respeito para um superior amado.[964] Quando Judas disse: *Aquele a quem eu beijar, é esse; prendei-o, e levai-o com segurança* (14.44), usa a palavra *filein* que é o termo comum. Mas quando diz que Judas se aproximando o beijou (14.45), a palavra é *katafilein*. O sufixo *kata* é uma forma intensiva e *katafilein* é a palavra para beijar como um amante beija a sua amada.[965] Assim, Judas não apenas beija Jesus, mas beija-o efusiva e demoradamente.[966] A palavra *katafilein* significa não apenas beijar fervorosamente, mas, também, prolongadamente. O beijo prolongado de Judas tinha a intenção de dar à multidão uma oportunidade de ver a pessoa que deveria ser presa.[967] Judas usa o símbolo da amizade e do amor para trair o Filho de Deus e Jesus, mais uma vez, tirou sua máscara, dizendo-lhe: *Judas, com um beijo trais o Filho do homem?* (Lc 22.48). Essa frase deve ter ressoado nos ouvidos de Judas como uma marcha fúnebre durante o breve período de estéril remorso que precedeu sua vergonhosa morte.

É digno observar que na mesa da comunhão, todos os discípulos chamaram Jesus de Senhor, apenas Judas o chamou de Mestre. Agora, Judas não ousa novamente chamá-lo de Senhor. Na verdade, nenhum homem pode dizer que Jesus é o Senhor, senão pelo Espírito Santo (1Co 12.3). Enquanto Judas trai Jesus com um beijo, este o chama de amigo. De fato, Jesus era amigo dos pecadores. O amor divino estava abrindo a porta da última oportunidade de arrependimento e salvação para Judas. Mas ele estava completamente obcecado pelo diabo, ao qual havia voluntariamente permitido entrar em seu coração.[968]

Em terceiro lugar, *a turba* (14.43). A turba capitaneada por Judas destacada para prender a Jesus era composta dos principais sacerdotes, escribas e anciãos bem como dos guardas do templo. O sinédrio tinha a seu dispor um grupo de soldados para manter a ordem do templo. João 18.3, menciona uma "escolta" que consistia de seiscentos homens, um décimo de uma legião. O sinédrio entendeu que um destacamento de soldados seria prudente e necessário. As autoridades romanas, de outro lado, estavam muito desejosas de evitar tumultos em Jerusalém durante a celebração das festividades, e rapidamente concordaram em fornecer o apoio da escolta de soldados.[969]

Esse grupo foi armado até os dentes com tochas, lanternas, espadas e porretes para prender a Jesus (14.43). Até então não tinham conseguido "apanhá-lo" nem com palavras (12.13); agora o próprio Deus o entrega. Jesus encara sozinho aos seus inimigos, sofre sozinho nas mãos deles, e, sozinho, vai dar a sua vida para que aqueles que o aceitem como Senhor e Salvador nunca estejam sozinhos.[970]

Em quarto lugar, *Pedro* (14.47). O Pedro dorminhoco é agora o Pedro valente. Porque não orou nem vigiou está travando a batalha errada, com as armas erradas. Warren Wiersbe esclarece esse ponto dizendo que Pedro fez uma coisa tola atacando Malco (Jo 18.10), pois não lutamos batalhas espirituais com armas físicas (2Co 10.3-5). Ele usou a arma errada, no tempo errado, para o propósito errado e com a motivação errada. Não tivesse Jesus curado Malco, Pedro poderia ter sido preso também; e em vez de três, poderia ter quatro cruzes no Calvário.[971] Ele ainda não havia compreendido que Jesus havia vindo para aquela hora e que estava decidido a beber o cálice que o Pai lhe dera (Jo 18.11).

Em quinto lugar, *os discípulos* (14.50). A falta de oração, vigilância e discernimento dos discípulos transformou-se em medo e covardia. Eles, que haviam prometido fidelidade irrestrita a Jesus horas antes (14.31), agora fogem assombrados na penumbra daquela noite fatídica. A promessa deles foi quebrada. Abandonaram Jesus no coração e distanciaram-se dele geograficamente.

Em sexto lugar, *o jovem vestido com um lençol* (14.51,52). A cidade de Jerusalém estava vivendo a noite mais dramática da sua história. Judas liderava a turba de sacerdotes e soldados que vão prender a Jesus. Ouvia-se pelas ruas o tropel dos cascos dos cavalos. Muitas pessoas, movidas pela curiosidade, abriram suas janelas. Outras, olharam assustadas de dentro de suas casas. Contudo, um jovem, não se conteve. Do jeito que estava, enrolado em um lençol, pulou de sua cama e infiltrou-se no meio da turba para ver aquele dramático espetáculo da prisão de Jesus. Não se apercebeu que lençol não é roupa. Não se deu conta de que estava indevidamente vestido e que poderia ser desmascarado, denunciado e exposto a um vexame.

Esse jovem é mais do que uma estatística na multidão, ele é um símbolo. Representa os seguidores ocasionais, os discípulos de plantão. Ele decidiu seguir a Jesus sem medir as consequências. Nem se apercebeu que estava apenas enrolado em um lençol, sem roupas próprias. Deu uma amnésia moral naquele moço. Curiosidade, pressa e improvisação foram as misturas que fizeram daquele moço um discípulo sem compromisso.

Esse texto nos ensina algumas lições práticas.

Aqueles que se cobrem com um lençol são um símbolo dos seguidores de Jesus, mas sem compromisso. Ele se tornou um discípulo casual, mas não era um verdadeiro discípulo. Faltava-lhe o compromisso com Jesus. Ele era um discípulo de improviso. Seguia a Jesus movido pela curiosidade, mas não tinha aliança com ele.

Aqueles que se cobrem com um lençol são um símbolo daqueles que vivem a superficialidade da vida cristã. O lençol era a única cobertura que aquele jovem possuía. Era, portanto, um arranjo, uma proteção superficial. Não havia mais nada além daquilo que era aparente. Quando arrancaram-lhe o lençol, não havia mais nada para lhe proteger a vergonha.

Aqueles que se cobrem com um lençol são um símbolo daqueles que preferem o que dá certo em lugar do que é certo. O moço do lençol fez exatamente isso. Não era certo sair de lençol, mas naquele momento deu certo. Era noite, e como diz o ditado: "à noite, todos os gatos são pardos". Naquela época, os homens usavam roupas compridas. O lençol enrolado no corpo, à noite, parecia-se com a vestimenta de qualquer homem naquele momento. A escuridão favorecia esse tipo de arranjo e jeitinho. O moço raciocinou: "Como ninguém sabe, nem está vendo, então eu vou fazer". Nem sempre o que dá certo é certo. Sua ética era a ética do momento, da conveniência.

Aqueles que se cobrem com um lençol são um símbolo daqueles que querem ser diferentes, mas não fazem diferença. Aquele jovem foi identificado como um seguidor de Jesus. Ele não estava no grupo que prendia a Jesus. Então, pensaram: ele é seguidor de Jesus. Mas quando lançaram mão dele, ele estava se cobrindo com um lençol e saiu correndo nu. Na verdade, ele não era um discípulo, era um carona da fé.

Aqueles que se cobrem com um lençol são um símbolo daqueles que estão desprovidos de poder quando precisam se defender. O jovem precisou se defender quando foi atacado. Precisou usar as mãos. Mas eram suas mãos que faziam o lençol aderir ao seu corpo. Ao liberar as mãos, o lençol caiu. Ficou vulnerável, exposto, desprotegido, nu. O inimigo agarrou o lençol, a única coisa que o cobria. Ficou nu. Fugiu nu. Que vergonha! Ninguém pode vestir-se com um lençol sem ser exposto à vergonha na hora da batalha.

O processo contra Jesus no Sinédrio (14.53-65)

O processo que culminou na sentença da morte de Jesus estava eivado de muitos e gritantes erros. As autoridades judaicas tropeçaram nas suas próprias leis e atropelaram todas as normas no julgamento de Jesus. Tanto a sua prisão no Getsêmani, quanto seu interrogatório diante de Anás e diante do sinédrio pleno revelaram grandes deficiências na condução do processo.

Na verdade, as autoridades já haviam decidido matar Jesus antes mesmo de interrogá-lo (14.1; Jo 11.47-53). Eles haviam planejado fazer isso depois da festa, para evitarem uma revolta popular (14.2), mas a atitude de Judas de entregá-lo adiantou o intento deles (14.10,11). Ernesto Trenchard disse que o processo não era senão um simulacro de justiça desde o princípio até o fim, pois não tinha outra finalidade que a de dar uma aparência de legalidade ao crime já predeterminado.[972]

Suas leis não permitiam um prisioneiro ser interrogado pelo sinédrio à noite. No dia antes de um sábado ou de uma festa todas as sessões estavam proibidas.[973] Nenhuma pessoa podia ser condenada senão por meio do testemunho de duas testemunhas, mas eles contrataram testemunhas falsas. O anúncio de uma pena de morte só poderia ser feito um dia depois do processo. Nenhuma condenação poderia ser executada no mesmo dia, mas eles sentenciaram Jesus à morte durante a noite e logo cedo levaram-no a Pilatos para que este lavrasse sua pena de morte. Corroborando com essa mesma linha de pensamento, J. Vernon McGee diz que a reunião do sinédrio foi ilegal, uma vez que foi à noite e o método usado também foi ilegal, visto que eles ouviram apenas testemunhas contra Jesus.[974]

William Hendriksen diz que Jesus passou por dois julgamentos: um eclesiástico e outro civil; o primeiro aconteceu nas mãos dos judeus, o segundo, nas mãos dos romanos.[975] Warren Wiersbe diz que tanto o julgamento judaico quanto o romano tiveram três estágios. O julgamento judaico foi aberto por Anás, o antigo sumo sacerdote (Jo 18.13-24). Em seguida, Jesus foi levado ao tribunal pleno para ouvir as testemunhas (14.53-65), e então na sessão matutina do dia seguinte para o voto final de condenação (15.1). Jesus foi então enviado a Pilatos (15.1-5; Jo 18.28-38), que o enviou a Herodes (Lc 23.6-12), que o mandou de volta a Pilatos (15.6-15; Jo 18.39-19.6). Pilatos atendeu ao clamor da multidão e entregou Jesus para ser crucificado.[976]

Os juízes de Jesus foram: Anás, o ganancioso, venenoso como uma serpente e vingativo (Jo 18.13); Caifás, rude, hipócrita e dissimulado (Jo 11.49,50); Pilatos, supersticioso e egoísta (Jo 18.29); e Herodes Antipas, imoral, ambicioso e superficial. Esses foram seus juízes, diz William Hendriksen.[977] Vejamos quais foram os passos nesse processo:

Em primeiro lugar, *Jesus diante de Anás* (Jo 18.13). Antes de Jesus ser levado ao sinédrio, foi conduzido manietado pela escolta, o comandante e os guardas dos judeus até Anás. Este era sogro de Caifás, o sumo sacerdote. Apesar de haver sido destituído pelos romanos, muitos judeus consideravam a Anás como o verdadeiro sumo sacerdote, pois esse cargo era vitalício e sumamente honroso e como cabeça de toda a família, exercia enorme influência na direção da política da nação por meio do seu genro Caifás. O interrogatório de Jesus por esse potentado tinha por objeto orientar o sumo sacerdote, ao mesmo tempo em que oferecia tempo suficiente para a convocação de um quórum do sinédrio durante as altas horas da noite.[978]

Em segundo lugar, *Jesus diante do Sinédrio* (14.53-65). O sinédrio era a suprema corte dos judeus, composta de 71 membros. Entre eles havia saduceus, fariseus, escribas e os homens respeitáveis, que eram os anciãos. O sumo sacerdote presidia o tribunal. Nessa época, os poderes do sinédrio eram limitados porque os romanos governavam o país. O sinédrio tinha plenos poderes nas questões religiosas. Parece que tinha também certo poder de polícia, embora, não tivesse poder para infligir a pena de morte. Sua função não era condenar, mas preparar uma acusação pela qual o réu pudesse ser julgado pelo governador romano.[979]

Embora ilegalmente, o sinédrio reuniu-se naquela noite da prisão de Jesus para o interrogatório. Eles já tinham a sentença, mas precisavam de uma forma para efetivá-la. Os membros do sinédrio estavam movidos pela inveja (15.10), pela mentira (14.55,56), pelo engano (14.61) e pela violência (14.65). Os que interrogaram Jesus não buscavam a verdade, e sim evidência contra ele, diz Dewey Mulholland.[980]

Vamos destacar alguns pontos importantes:

As testemunhas (14.56-59). Segundo a lei, não era lícito condenar a ninguém à morte senão pelo testemunho concordante de duas testemunhas (Nm 35.30), de modo que não havia "causa legal" contra ninguém até que se houvesse cumprido esse requisito. As primeiras testemunhas desqualificam-se, pois suas histórias não concordam entre si (Dt 17.6). Quão trágico é que um grupo de líderes religiosos estivessem encorajando o povo a mentir, e isso durante uma sessão muito especial.

O testemunho (14.56-59). O sinédrio procurou testemunho contra Jesus, mas não achou (14.55). Muitos testemunharam contra Jesus, mas os testemunhos não eram coerentes (14.56). Outros testemunharam falsamente, baseando-se nas palavras do Senhor em João 2.19: *Jesus lhes respondeu: Destruí este santuário, e em três dias o reconstruirei.* O próprio evangelista João interpreta as palavras de Jesus: *Ele, porém, se referia ao santuário do seu corpo* (Jo 2.21).

Contudo, os acusadores torceram as palavras de Jesus, acrescentando palavras que Jesus não havia dito: "Nós o ouvimos declarar: Eu destruirei este santuário *edificado por mãos humanas* e, em três dias, construirei *outro, não por mãos humanas*" (14.58; grifos do autor).

Essas falsas testemunhas mantiveram a velha e falsa versão dos judeus (Jo 2.20), dando a ideia que Jesus havia planejado uma conspiração, um atentado militar contra o santuário de Jerusalém, destruindo, assim, o centro religioso da nação. Adolf Pohl diz que essa acusação foi explosiva porque naquele tempo, a profanação de templos era um dos delitos mais monstruosos.[981] Marcos nos informa que nem assim o testemunho deles era coerente (14.59). Aliás, Marcos classifica essas acusações de "falso testemunho" (14.57-59), porque Jesus nunca dissera que ele destruiria o Templo em Jerusalém. Não havendo testemunho contra Jesus, ele deveria ser solto.

O juramento solene (14.60-62). Diante das falsas acusações, Jesus guardou silêncio e não se defendeu, cumprindo, assim, a profecia: [...] *como ovelha muda perante os seus tosquiadores, ele não abriu a boca* (Is 53.7; 1Pe 2.23). O complô estava em perigo de fracassar, mas Caifás estava determinado a condenar Jesus. Então, deixa de lado toda diplomacia e sob juramento faz a pergunta decisiva a Jesus: *És tu o Cristo, o Filho do Deus Bendito? Jesus respondeu: Eu sou, e vereis o Filho do homem assentado à direita do Todo-poderoso e vindo com as nuvens do céu* (14.61,62). O evangelista Mateus registra esta pergunta sob juramento: *Eu te conjuro pelo Deus vivo que nos digas se tu és o Cristo, o Filho de Deus* (Mt 26.63). Ernesto Trenchard diz que a resposta tão elevada e digna do Senhor a Caifás foi a primeira declaração pública na qualidade de Messias que o Senhor dera ao povo, e, isso no momento em que, humanamente falando, a afirmação significava a morte.[982] À declaração acrescentou o Senhor a profecia da sua segunda vinda em glória. Com essa resposta, Jesus demonstra seu valor e sua confiança, pois sabia que sua resposta significava sua morte, mas não titubeou em dá-la com clareza, pois tinha a total confiança do seu triunfo final. Nessa mesma trilha de pensamento, Dewey Mulholland afirma que pela primeira e única vez no Evangelho de Marcos, Jesus proclama abertamente ser o Messias de Deus, cujo destino é poder e glória. Assim, Jesus proporciona ao sinédrio todas as evidências que buscavam para o condenarem à morte.[983]

A condenação (14.63,64). A condenação de Jesus por blasfêmia da parte do sinédrio foi tão ilegal quanto a pergunta sob juramento feita por Caifás, pois a Lei exigia larga meditação antes de promulgar-se uma sentença condenatória. Não deram a Jesus nenhum direito de defesa, pois já haviam fechado seus olhos contra a luz que resplandecia da vida do Senhor como também seus ouvidos contra a palavra divina que saía da sua boca (At 13.27), diz Ernesto Trenchard.[984]

Os insultos (14.65). Havia pouca consideração para um réu condenado, e imediatamente depois da sentença condenatória os servidores dos sacerdotes começaram a esbofetear o Senhor, cuspindo-lhe, escarnecendo dele, iniciando, assim, o cumprimento dos desprezos e dos sofrimentos físicos que ele havia de sofrer (Is 50.6; 52.14 –53.10). Dewey Mulholland diz que embora Roma proibisse o sinédrio de exercitar a penalidade de morte, seus membros manifestam sua ira contra Jesus. Alguns cospem nele; outros batem nele.

Alguns zombam dele e exigem que profetize. Os guardas o espancam. Ironicamente, as ações deles só confirmam o papel profético e messiânico de Jesus, cumprindo as predições que ele fizera (8.31; 10.33,34).[985]

A negação de Pedro no pátio da casa do sumo sacerdote – (14.54,66-72)

Pedro foi um homem de fortes contrastes. Ele tinha arroubos de intensa ousadia e atitudes de extrema covardia. Era um homem de altos e baixos, de escaladas e quedas, de bravura e fraqueza. Esse texto nos fala sobre alguns aspectos da vida de Pedro:

Em primeiro lugar, *Pedro, o fugitivo* (14.50). O mesmo Pedro que prometera fidelidade irrestrita, num grau maior do que seus condiscípulos (14.29,31), agora, abandona a Jesus e foge com eles na noite fatídica da prisão de Cristo. Ele abandonou ao seu Senhor, quebrou seus votos e tornou--se fraco.

Em segundo lugar, *Pedro, o que segue a Jesus de longe* (14.54). A queda de Pedro foi progressiva. Ele desceu o primeiro degrau nessa queda quando, fundamentado na autoconfiança, quis ser mais espiritual que os outros. Agora, ele desce mais um degrau quando depois da fuga covarde, tenta remediar a situação, seguindo a Jesus de longe.

Em terceiro lugar, *Pedro, o que se assenta na roda dos escarnecedores* (14.66,67). Pedro desce mais um degrau na sua queda, quando esgueira-se na noite escura e infiltra--se no pátio da casa do sumo sacerdote, onde Jesus estava sendo interrogado e busca o aconchego de uma fogueira, na presença dos escarnecedores. Aquele ambiente tornou-se um terreno escorregadio para os seus pés e um laço para a sua alma. Enquanto Jesus está sofrendo abuso físico e psicológico, não longe dali, no pátio do palácio, Pedro está se esquentando ao fogo. A Palavra de Deus nos exorta a não andarmos no caminho dos ímpios, a não nos determos no caminho dos pecadores nem nos assentarmos na rodas dos escarnecedores (Sl 1.1).

Em quarto lugar, *Pedro, o covarde* (14.67,68). Uma criada identifica Pedro e o aponta como discípulo de Cristo, mas ele nega isso peremptoriamente. O Pedro seguro do Cenáculo torna-se um homem medroso, covarde no pátio da casa do sumo sacerdote. O Pedro autoconfiante, que prometeu ir com Jesus à prisão e sofrer com ele até à morte, agora nega a Jesus. O Pedro que pensou ser mais forte do que seus colegas, agora, cava um abismo na sua alma, agredindo sua consciência, e negando o que de mais sagrado possuía. Ele estava negando seu nome, sua fé, seu apostolado, seu Senhor.

Em quinto lugar, *Pedro, o perjuro* (14.69,70). Pedro não apenas nega que é discípulo de Cristo, mas faz isso com juramento (Mt 26.72). Ele nega com forte ênfase. Ele empenha sua palavra, sua honra e sua fé para negar sua relação com o Filho de Deus. Quanto mais alto fala, mais demonstra que está mentindo.

Em sexto lugar, *Pedro, o praguejador* (14.71). Além de negar a Cristo com juramento, Pedro desce o último degrau da sua queda, quando começa a praguejar e a falar impropérios na tentativa de esquivar-se de Cristo (Mt 26.74). Ele quis ser o mais forte e tornou-se o mais fraco. Ele quis ser melhor que os outros, e tornou-se o pior. Ele quis colocar seu nome no topo da lista dos fiéis e caiu de forma mais vergonhosa para o último lugar. Pedro, abalado com as acusações, começa a amaldiçoar e jurar, negando o seu mais sagrado relacionamento.

Em sétimo lugar, *Pedro, o arrependido* (14.72). Mesmo não tendo falado contra Jesus, Pedro o nega de três modos: pleiteando ignorância, negando fazer parte da comunidade dos discípulos, e negando qualquer relação com Jesus.[986] Diferente de Judas, Pedro e os outros discípulos não tentam destruir Jesus para se salvar. "Eles não estão contra Jesus. Eles falham em ser por ele".[987]

John Charles Ryle alerta-nos acerca de três lições sobre a negação de Pedro. A primeira delas é quão profunda e vergonhosamente um cristão pode cair. Pedro era um apóstolo, um homem que conhecia o Senhor e tinha intimidade com ele, mas negou o seu Senhor. A segunda lição é como uma pequena tentação pode provocar uma grande queda (14.66,67). Pedro nega o Senhor diante de uma servente e não diante de um austero tribunal. A terceira lição é que a queda traz aos salvos grande sofrimento. Pedro chorou e chorou amargamente.[988]

Três fatos aconteceram que conduziram Pedro ao arrependimento. O primeiro deles foi o olhar penetrante de Jesus (Lc 22.61). O olhar de Cristo foi de repreensão e também de amor. Jesus tirou uma radiografia da alma de Pedro com seu olhar. O segundo fato foi lembrar-se da Palavra de Cristo ao cantar do galo (14.72). Jesus havia alertado Pedro naquela noite que, antes do galo cantar, ele o negaria. Isso de fato aconteceu. O terceiro fato é que Pedro caiu em si mesmo e desatou a chorar e chorou amargamente. Em vez de engolir o veneno como Judas, Pedro o vomitou. Esse foi o choro do arrependimento, da vergonha pelo pecado, da tristeza segundo Deus. Pedro foi restabelecido na comunhão e no ministério, o que está implícito em 16.7 e João 21.15-17.

Nós fechamos este capítulo com Jesus nas mãos de seus inimigos. Seus próprios discípulos estão dispersos. Um deles o traiu; o outro o negou. Essa é a noite do pecado, diz J. Vernon McGee.[989]

Notas do capítulo 42

[961] Ryle, John Charles, *Mark,* 1993: p. 237.

[962] Barclay, William, *Marcos,* 1974: p. 355.

[963] Pohl, Adolf, *Evangelho de Marcos,* 1998: p. 413.

[964] Barclay, William, *Marcos,* 1974: p. 354,355.

[965] Barclay, William, *Marcos,* 1974: p. 355.

[966] Trenchard, Ernesto, *Una Exposición del Evangelio según Marcos,* 1971: p. 190.

[967] Rienecker, Fritz e Roger, Cleon. *Chave Linguística do Novo Testamento Grego,* 1985: p. 96.

[968] Gioia, Egidio, *Notas e Comentários à Harmonia dos Evangelhos,* 1969: p. 346.

[969] Hendriksen, William, *Marcos,* 2003: p. 750.

[970] Hendriksen, William, *Marcos,* 2003: p. 761.

[971] Wiersbe, Warren W., *Be Diligent,* 1987: p. 140.

[972] Trenchard, Ernesto, *Una Exposición del Evangelio según Marcos,* 1971: p. 192,193.

[973] Pohl, Adolf, *Evangelho de Marcos,* 1998: p. 417.

[974] McGee, J. Vernon, *Mark,* 1991: p. 179.

[975] Hendriksen, William, *Marcos,* 2003: p. 762.

[976] Wiersbe, Warren W., *Be Diligent,* 1987: p. 140,141.

[977] Hendriksen, William, *Marcos,* 2003: p. 766.

[978] Trenchard, Ernesto, *Una Exposición del Evangelio según Marcos,* 1971: p. 193,194.

[979] Barclay, William, *Marcos,* 1974: p. 358.

[980] Mulholland, Dewey M., *Marcos: Introdução e Comentário,* 2005: p. 220.

[981] Pohl, Adolf, *Evangelho de Marcos,* 1998: p. 419.

[982] Trenchard, Ernesto, *Una Exposición del Evangelio según Marcos,* 1971: p. 195.

[983] Mulholland, Dewey M., *Marcos: Introdução e Comentário,* 2005: p. 220.

[984] Trenchard, Ernesto, *Una Exposición del Evangelio según Marcos,* 1971: p. 195,196.

[985] Mulholland, Dewey M., *Marcos: Introdução e Comentário,* 2005: p. 222.

[986] Mulholland, Dewey M., *Marcos: Introdução e Comentário,* 2005: p. 223.

[987] Rhoads, David e Michie, Donald, *Mark as Story: An Introduction to the Narrative of a Gospel.* Fortress Press, 1984: p. 128.

[988] Ryle, John Charles, *Mark,* 1993: p. 143,244.

[989] McGee, J. Vernon, *Mark,* 1991: p. 182.

Capítulo 43

A humilhação do Filho de Deus
(Mc 15.1-47)

J. Vernon McGee diz que a cruz é um dos maiores paradoxos da fé cristã. Ao mesmo tempo em que ela é a maior tragédia de todos os tempos, é também, a mais gloriosa vitória.[990] Marcos é o evangelho da ação, e esse capítulo 15 nos conduz à suprema ação de Cristo. Para essa suprema ação, todos os propósitos de Deus apontavam desde a eternidade, pois ele é o Cordeiro que foi morto desde a fundação do mundo (Ap 13.8).

A humilhação de Cristo passou por vários degraus. Ele desceu do céu a terra; sendo Deus, se fez homem; sendo rei se fez servo; sendo juiz, se fez vítima indefesa; sendo santo se fez pecado; sendo bendito, se fez maldição; sendo glorificado pelos anjos, foi cuspido pelos homens. No Getsêmani, suou sangue; no sinédrio foi cuspido, acusado falsamente e espancado; no pretório foi condenado à morte e açoitado; no calvário foi pregado na cruz. O apóstolo Paulo, diz que ele se humilhou até a morte e morte de cruz (Fp 2.8).

Jesus foi para a cruz não apenas porque os judeus o entregaram por inveja; ou porque Judas o traiu por dinheiro nem mesmo porque Pilatos o condenou por covardia. Cristo foi para a cruz porque o Pai o entregou por amor. Cristo foi para a cruz porque ele se entregou a si mesmo por nós.

Vejamos alguns pontos sobre a humilhação de Cristo:

Jesus no Sinédrio (15.1)

Haim Cohn, em seu livro, *O julgamento de Jesus, o nazareno,* afirma que no século 20 cerca de sessenta mil livros foram escritos sobre a vida de Jesus, porém, poucos dedicaram atenção especial ao seu julgamento e pouquíssimos foram escritos por juristas e de um ponto de vista jurídico. Isso é intrigante porque não existe nenhum outro julgamento que tenha tido consequências tão profundas, concretas e reais quanto esse.[991]

Dois fatos nos chamam a atenção:

Em primeiro lugar, *a ilegalidade da reunião anterior do sinédrio* (14.54-65). Pelas leis dos judeus, o sinédrio não poderia reunir-se à noite para interrogar uma pessoa nem mesmo para ouvir testemunhas contra ela. Mas Jesus foi preso, interrogado e sentenciado à morte numa reunião feita às pressas na calada da noite. Por ganância, Judas o entregou. Por inveja, os sacerdotes o prenderam e o condenaram à morte por blasfêmia (14.63,64).

Em segundo lugar, *a formalização de uma nova acusação* (15.1). O sinédrio voltou a reunir-se na manhã de sexta-feira para planejar sua estratégia. Precisavam dar validade à reunião ilegal da noite anterior e também formalizar uma nova acusação contra Jesus que pudesse encontrar guarida diante da corte romana.[992] As autoridades religiosas julgaram Jesus digno de morte por causa de blasfêmia, mas essa era uma questão teológica que não tinha importância para os romanos. Então, os principais sacerdotes com os anciãos, os escribas e todo o sinédrio formalizaram uma acusação política contra Jesus. Eles tomaram a decisão de acusar Jesus de conduzir uma rebelião civil contra Roma.[993] Acusaram Jesus diante de Pilatos de promover sedição e de querer ser rei.

Adolf Pohl disse que Caifás considerava Jesus culpado de antemão e somente buscou um pretexto; Pilatos considerou Jesus inocente e buscou uma saída. Nos dois casos, Jesus foi "entregue", ficou em silêncio diante das acusações, recebeu a sentença de morte e foi cuspido e escarnecido.[994]

No tribunal judaico, apresentou-se uma acusação teológica contra Jesus: Blasfêmia. No tribunal romano, a acusação era política: Sedição. Assim, acusaram Jesus de delito contra Deus e contra César. John Stott diz que tanto no tribunal judaico, quanto no romano, seguiu-se certo procedimento legal: 1) A vítima foi presa; 2) A vítima foi acusada e examinada; 3) Chamaram-se testemunhas; 4) Então, o juiz deu o seu veredicto e pronunciou a sentença. Mas Marcos esclarece que: 1) Jesus não era culpado das acusações; 2) as testemunhas eram falsas; 3) a sentença de morte foi um horrendo erro judicial.[995]

Jesus no pretório (15.2-20)

Destacamos alguns pontos importantes sobre o julgamento de Jesus no palácio de Herodes:

Em primeiro lugar, *os judeus acusam Jesus diante de Pilatos* (15.3,4). Os homens da religião e da Lei, por ciúmes e inveja, acusaram Jesus porque não queriam perder a popularidade nem queriam abrir mão do poder. Jeitosamente haviam criado mecanismos para se enriquecerem por meio da religião e estavam mais interessados na glória pessoal do que na salvação. Como eles não tinham poder para matar ninguém (Jo 18.31), levaram Jesus ao governador Pilatos.

Logo que levaram Jesus ao pretório, Pilatos saiu para falar e disse: *Que acusação trazeis contra este homem?* (Jo 18.29). Os principais sacerdotes acusaram Jesus de muitas coisas (15.3) e com grande veemência (Lc 23.10). Porém, Jesus ficou em silêncio e não abriu sua boca. William Barclay diz que há momentos que o silêncio é mais eloquente que as palavras, porque o silêncio pode dizer coisas que as palavras não podem.[996] William Hendriksen diz que durante as últimas horas de sua vida, em quatro ocasiões diferentes, Jesus "não abriu a sua boca": Na presença de Caifás (14.60,61), de Pilatos (15.4,5), de Herodes (Lc 23.9) e, novamente, de Pilatos (Jo 19.9). Isso falou mais alto do que qualquer palavra que pudesse ter dito. Esse silêncio se transformou em condenação dos seus atormentadores, e era prova de sua identidade como o Messias.[997]

O evangelista Marcos não nos informa sobre o conteúdo dessas acusações, mas podemos buscá-las nos outros evangelistas.

Acusaram Jesus de ser um malfeitor (Jo 18.30). Os acusadores inverteram a situação. Eles eram malfeitores, mas Jesus havia andado por toda parte fazendo o bem (At 10.38).

Acusaram Jesus de insubordinação (Lc 23.2). Eles disseram para Pilatos que encontraram Jesus pervertendo a nação, vedando pagar tributo a César e afirmando ser ele o Cristo, o Rei.

Acusaram Jesus de agitador do povo (Lc 23.5,14). Eles afirmaram: "Ele alvoroça o povo, ensinando por toda a Judeia, desde a Galileia, onde começou, até aqui".

Acusaram Jesus de blasfêmia (Jo 19.7). Eles disseram a Pilatos que Jesus se fazia a si mesmo Filho de Deus e, segundo a lei judaica isso era blasfêmia, um crime capital para os judeus.

Acusaram Jesus de sedição (Jo 19.12). Os judeus clamavam a Pilatos: *Se soltas a este, não és amigo de César; todo aquele que se faz rei é contra César.* Os judeus por inveja acusaram Jesus de sedição política. Colocaram-no contra o Estado, contra Roma, contra César. Questionaram as suas motivações e a sua missão. Acusaram-no de querer um trono, em lugar de abraçar uma cruz. A acusação contra Cristo é que ele era o "Rei dos judeus". Embora Jesus tenha admitido que era Rei, explicou que o seu reino não era deste mundo, de forma que não constituía nenhum perigo para César em Roma.[998] Adolf Pohl diz que seja o que for que "rei dos judeus" tenha significado para Jesus, pelo menos não era derramar o sangue de outros, mas o seu próprio pelos outros (10.45; 14.24).[999] Essa acusação foi pregada em sua cruz em três idiomas: hebraico, grego e latim (Jo 19.19,20). O hebraico é a língua da religião. O grego é a língua da filosofia e o latim é a língua da lei romana. Tanto a religião, quanto a filosofia e a lei se uniram para condenar a Jesus.

Antônio Vieira, comentando sobre esse episódio, afirma que Jesus é acusado de que queria ser rei dos judeus, mas foi precisamente condenado porque não quis ser rei dos judeus. No pretório, Pilatos pergunta a Jesus se ele era rei. Qual o conceito de rei para Pilatos, para os acusadores, para o povo e para o próprio Jesus? Se o conceito de realeza era o entendido pelos acusadores, o crime era religioso. Se o conceito de realeza era o entendido por Pilatos, caracterizava-se o crime político. Havia, pois, o conceito de realeza do próprio Jesus, quando diz solenemente que o seu reino não é deste mundo. Ali, não era uma escola filosófica ou academia jurídica para discutir os conceitos doutrinários sobre realeza. Jesus estava ali para construir com o seu próprio sangue este reinado de amor e justiça. O primeiro governo e autoridade existente no mundo foi instalado por Deus, ainda no Paraíso, quando criou o homem à sua imagem e semelhança, mandou que dominasse os peixes do mar, as aves do céu, os animais da selva. Para governar animais irracionais quis Deus que o homem tivesse entranhas divinas, fosse feito à sua imagem e semelhança. Tão sublime e tão grande era aos olhos de Deus a missão de governar. Mas Adão foi contaminado pelo orgulho e autossuficiência e quis ser igual a Deus. Esse é o grande pecado dos que governam: tornarem-se grandes como deuses para governarem os homens como demônios. Historicamente, todos aqueles que se atribuíram poderes divinos e se tornaram absolutos governaram como se Deus não existisse. Quando Jesus disse diante de Pilatos que seu Reino não era deste mundo, traçava as coordenadas que o distinguiam de todos os poderes terrenos, ou seja, o seu reino não teria as características dos impérios humanos.[1000]

Em segundo lugar, *Pilatos estava convencido da inocência de Jesus* (15.10,14). Pilatos estava convencido da inocência de Jesus e ele demonstrou isso três vezes. Pilatos percebeu a intenção maldosa dos sacerdotes. Ele sabia que as acusações contra Jesus eram meramente para proteger a instituição religiosa, não o trono de César.[1001] Warren Wiersbe diz que o que faltou em Pilatos foi coragem para sustentar o que ele acreditava.[1002] Mais uma vez, Marcos não nos dá os detalhes, mas os outros evangelistas elucidam essa questão da inocência de Jesus.

No início do julgamento (Lc 23.4). Quando o sinédrio lhe levou o caso, Pilatos disse: *Não vejo neste homem crime algum.*

No meio do julgamento (Lc 23.13-15). Quando Jesus voltou, depois de ter sido examinado por Herodes, Pilatos disse aos sacerdotes e ao povo: *Apresentastes-me este homem como agitador do povo; mas, tendo-o interrogado na vossa presença, nada verifiquei contra ele dos crimes de que o acusais. Nem tampouco Herodes, pois no-lo tornou a enviar. É, pois, claro que nada contra ele se verificou digno de morte.*

No final do julgamento (Lc 23.22). O evangelista Lucas nos informa que pela terceira vez Pilatos perguntou ao povo: *Que mal fez este? De fato, nada achei contra ele para condená-lo à morte.* O evangelista João registra com grande ênfase o drama vivenciado por Herodes nesse julgamento. Chegou um momento em que ele temeu (Jo 19.8) e procurou soltar Jesus (Jo 19.12).

Em terceiro lugar, *Pilatos tentou soltar Jesus e pacificar os judeus* (15.6-15). Pilatos estava plenamente convencido de duas coisas: a inocência de Jesus e a inveja dos judeus (15.10). Mas por covardia e conveniência política abafou a voz da consciência e condenou a Jesus, antes, porém, fez quatro tentativas evasivas, segundo John Stott.[1003]

Ele transferiu a responsabilidade da decisão (Lc 23.5-12). Ao ouvir que Jesus era da Galileia, enviou-o para Herodes. Este, porém, devolveu Jesus sem sentença.

Ele tentou meias-medidas (Lc 23.16,22). Pilatos disse aos judeus: *Portanto, depois de castigá-lo, soltá-lo-ei.* Essa foi uma ação covarde, pois se Jesus era inocente, tinha de ser imediatamente solto e não primeiramente açoitado. O açoite romano era algo terrível. O réu era atado e dobrado, de tal maneira que suas costas ficavam expostas. O chicote era uma larga tira de couro, com pedaços de chumbo, bronze e ossos nas pontas. Por meio desses açoites as vítimas tinham seus corpos rasgados; às vezes, um olho chegava a ser arrancado. Alguns morriam durante os próprios açoites e outros ficavam loucos. Poucos eram os que suportavam esses açoites sem desmaiar. Isso foi o que fizeram com Jesus, diz William Barclay.[1004] Nesta mesma trilha, Adolf Pohl diz que a flagelação romana era executada de maneira bárbara. O delinquente era desnudado e amarrado a uma estaca ou coluna, às vezes também, simplesmente jogado no chão e chicoteado por vários carrascos até estarem cansados e pedaços de carne ensanguentada ficavam pendurados.[1005]

Ele tentou a coisa certa pela forma errada (15.6-11). Pilatos tentou fazer a coisa certa (soltar Jesus), pela forma errada (pela escolha da multidão). Propôs anistiar um prisioneiro criminoso esperando, que a multidão escolhesse Jesus, mas o povo preferiu Barrabás. Marcos descreve Barrabás como um homicida e tumultuador (15.7), enquanto Mateus o chama de "um preso muito conhecido" (Mt 27.16) e João o descreve como um salteador (Jo 18.40). William Barclay diz que a escolha da multidão por Barrabás revela as escolhas do homem sem Deus: Ilegalidade em lugar da lei; a guerra em lugar da paz; o ódio e a violência em lugar do amor.[1006]

Ele tentou protestar sua inocência (Mt 27.24). Pilatos lavou as mãos, dizendo: *Estou inocente do sangue deste justo.*

Em quarto lugar, *Pilatos cedeu, entregando Jesus para ser crucificado* (15.15-20). Dewey Mulholland diz que embora Pilatos considere Jesus inocente de qualquer crime, sucumbe à pressão e entrega Jesus para ser crucificado (Lc 23.23-25).[1007]

John Stott diz que foram quatro as razões que levaram Pilatos a entregar Jesus para ser crucificado: Primeira, o clamor da multidão (Lc 23.23). O clamor da multidão prevaleceu. Segunda, o pedido da multidão (Lc 23.24). Pilatos decidiu atender-lhes o pedido. Terceira, a vontade da multidão (Lc 23.25). Quanto a Jesus, entregou-o à vontade deles. Quarta, a pressão da multidão (Jo 19.12). Os judeus disseram para Pilatos: *Se soltas a este, não és amigo de César.* A escolha é entre a verdade e a ambição, entre a consciência e a conveniência.[1008]

Em quinto lugar, *os soldados escarnecem de Jesus* (15.16-20). Os soldados escarneceram de Jesus principalmente em relação às duas principais acusações apresentadas contra ele: a acusação política de que ele se fazia rei e a acusação religiosa de que ele se fazia Filho de Deus. Jesus foi escarnecido pelas acusações de blasfêmia e sedição.

Primeiro, zombaram dele como rei (15.17,18). A vestimenta púrpura e a coroa de espinhos eram uma maneira de ridicularizar a Jesus como rei.

Segundo, zombaram dele como Filho de Deus (15.19,20). Esbordoaram-lhe a cabeça e cuspiram nele e, pondo-se de joelhos, o adoravam. Depois de o terem escarnecido, conduziram Jesus para fora, com o fim de crucificá-lo.

Jesus no Calvário (15.21-41)

Há vários pontos dignos de destaque aqui:

Em primeiro lugar, *a caminhada para a cruz* (15.21-23). Jesus já estava com suas forças esgotadas. Desde a noite anterior ele estivera preso, sendo castigado. No pretório de Pilatos acabara de ser açoitado e escarnecido. Seu corpo estava sangrando. Sob o peso da cruz, Jesus marcha do pretório para o Gólgota sob os apupos da multidão tresloucada e sedenta de sangue e os açoites crudelíssimos dos soldados (Jo 19.16,17). Não aguentando mais o desmesurado castigo, Jesus cai exangue sob o lenho maldito.

Nesse ínterim, os soldados obrigaram Simão Cireneu a carregar a cruz. Simão Pedro orgulhosamente disse que iria com Jesus até a prisão e até a morte (Lc 22.33), mas foi Simão Cireneu, e não Simão Pedro, quem veio ajudar o Mestre.[1009] Esse homem vai a Jerusalém para participar da Festa da Páscoa e encontra-se com o Cordeiro de Deus. Sua vida é transformada e seus filhos Alexandre e Rufo são convertidos ao evangelho e sua esposa torna-se como mãe do apóstolo Paulo (Rm 16.13).

Em segundo lugar, *a crucificação* (15.22-32). A morte de Cristo foi o mais horrendo crime. Judeus e gentios, religiosos e políticos se uniram para condenarem a Jesus. Pedro denunciou as autoridades judaicas por matarem o Autor da vida (At 3.15) e o crucificarem por mãos de iníquos (At 2.23). Destacamos alguns pontos importantes aqui:

O local da crucificação (15.22). Gólgota, o local onde Jesus foi crucificado era também conhecido como Lugar da Caveira. Naquele tempo, os criminosos condenados à morte de cruz não tinham o direito de um sepultamento digno. Muitos deles eram deixados apodrecendo na cruz. Talvez esse monte tenha recebido esse nome não apenas por causa da sua aparência de caveira, mas também, por causa do horror de ter sempre ali, corpos putrefatos.

A dor física da crucificação. A morte de cruz era a forma de os romanos aplicarem a pena de morte. Os judeus consideravam maldito aquele que era dependurado na cruz (Gl 3.13). A pessoa morria de cãibras, asfixiado e com dores crudelíssimas. Dewey Mulholland diz que a morte vinha por sufocação, esgotamento ou hemorragia.[1010]

A dor moral e espiritual da crucificação. Jesus foi escarnecido como profeta (15.29), como salvador (15.31) e como rei (15.32). Ele foi crucificado entre dois ladrões como um criminoso. Jesus foi despido de suas vestes e elas foram repartidas pelos soldados. Ele foi zombado quando pregaram em sua cruz a acusação que o levou à morte (15.26). Ele foi escarnecido pelos transeuntes que ainda alimentavam as mentiras espalhadas pelas falsas testemunhas (15.29). Ele foi vilipendiado pelos principais sacerdotes e escribas que o acusaram de incapaz de ajudar a si mesmo (15.31). Ele foi insultado até mesmo por aqueles que com ele foram crucificados (15.32).

A última cartada de Satanás (15.30,32). Satanás sempre tentou desviar Jesus da cruz. Agora, dá sua última cartada. O povo gritou para Jesus salvar-se a si mesmo (15.30) e os principais sacerdotes e escribas disseram-lhe: *Desça agora da cruz o Cristo, o rei de Israel, para que vejamos e creiamos* (15.32). Se Jesus salvasse a si mesmo não poderia salvar a nós. Se ele descesse da cruz, nós desceríamos ao inferno. Porque ele não desceu da cruz, nós podemos subir ao céu.

As trevas sobre a terra (15.33). A penúltima praga que assolou o Egito antes da morte do cordeiro pascal foram três dias de trevas. Agora, antes de Jesus, o nosso Cordeiro Pascal, ser imolado na cruz, também houve três horas de trevas sobre a terra. É conhecida a expressão de Douglas Webster que disse: "No nascimento do Filho de Deus, houve luz à meia-noite; na morte do Filho de Deus, houve trevas ao meio-dia".[1011] William Hendriksen diz que a escuridão simbolizou julgamento: o julgamento de Deus sobre o nosso pecado; sua ira consumindo-se no coração de Jesus, para que ele, como nosso substituto, pudesse sofrer a agonia mais intensa, a aflição mais indescritível e o desamparo e isolamento mais terrível. O inferno veio até o Calvário nesse dia, e o Salvador desceu a ele, experimentando os seus horrores em nosso lugar.[1012]

O grito de desamparo (34-36). Jesus já havia sido desamparado pelo povo, pelos líderes, pelos ladrões e agora estava sendo também desamparado pelo próprio Pai. Diz o evangelista Marcos: *À hora nona, clamou Jesus em alta voz:*

Eloí, Eloí, lamá sabactâni? Que quer dizer: Deus meu, Deus meu, por que me desamparaste? (15.34). Nesse momento, o universo inteiro se contorce de dores. O sol escondeu o seu rosto e houve trevas sobre a terra ao meio- dia. Sede, desamparo e agonia são símbolos do próprio inferno. Foi na cruz que Cristo desceu ao inferno. Foi na cruz que se fez pecado e maldição por nós. Foi na cruz que sorveu o cálice da ira de Deus contra o pecado. O que ele temeu no Getsêmani, agora experimenta na cruz. Deus fez cair sobre ele a iniquidade de todos nós. Ele foi ferido e traspassado. Terra e céu desamparam Jesus.

Em terceiro lugar, *a morte* (15.37-41). Jesus foi crucificado na terceira hora do dia, ou seja, às nove horas da manhã (15.25). Da hora sexta à hora nona, ou seja, do meio-dia às três horas da tarde houve trevas sobre a terra (15.33). Nessas seis horas que Jesus ficou na cruz, ele proferiu sete palavras: três delas em relação às pessoas: 1) Palavra de perdão – *Pai, perdoa-lhes, porque não sabem o que fazem* (Lc 23.34); 2) Palavra de salvação – *Hoje estarás comigo no paraíso* (Lc 23.43); 3) Palavra de afeição – *Mulher, eis aí teu filho* [...] *eis aí tua mãe.* Uma palavra em relação a Deus: *Deus meu, Deus meu, por que me desamparaste?* (15.34) e três palavras em relação a si mesmo: 1) Palavra de agonia: *Tenho sede* (Jo 19.28); 2) Palavra de vitória: *Está consumado* (Jo 19.30) e 3) Palavra de rendição: *Pai, nas tuas mãos entrego o meu espírito* (Lc 23.46).

A morte de Cristo é o fato mais importante no cristianismo, diz John Charles Ryle.[1013] Dela depende a esperança de todos os pecadores salvos.

Em quarto lugar, *o brado de triunfo* (15.37). O evangelista Marcos não nos informa sobre qualquer palavra proferida por Jesus na cruz senão a palavra do desamparo (15.34), porém está implícita nesse brado, a palavra de vitória e a palavra de rendição. Ernesto Trenchard afirma que esse grande brado inclui o *está consumado* (Jo 19.30) e o *Pai, nas tuas mãos entrego o meu espírito* (Lc 23.46), de modo que não devemos entender esse brado como um grito de desespero, mas de uma voz de triunfo de quem estava consumando a obra da redenção ao custo infinito de sua agonia.[1014] Jesus estava consumando sua obra, esmagando a cabeça da serpente, triunfando sobre o diabo e suas hostes, e comprando-nos para Deus. Ele morre como um vencedor. Jesus não foi morto, ele voluntariamente deu sua vida (Jo 10.11,15,17,18). Ele não morreu como um mártir; ele se entregou como sacrifício pelos pecados do seu povo, diz Warren Wiersbe.[1015] Dewey Mulholland diz que qualquer pensamento de derrota é abafado pela força surpreendente do grito de Jesus. As trevas acabam no momento em que Jesus morre. Com a sua morte, ele quebrou o poder das trevas (15.33).[1016]

Em quinto lugar, *o véu do santuário rasgado* (15.38). O véu rasgado significa a abolição e o término de toda a lei cerimonial judaica. Significa que o santo dos santos está aberto para toda a humanidade por meio da morte de Cristo (Hb 9.8).[1017] O caminho para Deus foi aberto. Jesus abriu um novo e vivo caminho para Deus (Hb 10.12-22). Ele mesmo é o caminho (Jo 14.6). Estava abolido o antigo sistema de ritos e sacrifícios. As restrições étnicas do Templo em Jerusalém não mais vigoram.[1018] O resgate pago por Jesus (10.45) é válido tanto para gentios quanto para judeus. Seu sacrifício foi perfeito, cabal e irrepetível. A porta do céu está aberta a todos em Cristo. Judeus e gentios têm livre acesso a Deus por meio de Cristo.

Em sexto lugar, *o reconhecimento do centurião romano* (15.39). O homem encarregado da centúria, a corporação de cem soldados romanos que acompanharam o séquito até o Calvário, ao ouvir as palavras de Jesus teve seu coração tocado e reconheceu que verdadeiramente Jesus, é o Filho de Deus.

Em sétimo lugar, *o testemunho das mulheres* (15.40,41). Enquanto os discípulos de Jesus fugiram, com exceção de João, as mulheres estavam observando o drama do Calvário. Elas demonstraram mais coragem e mais compromisso que aqueles que prometeram ir com Jesus para a prisão e para a morte. Elas assistiram Jesus em seu ministério e o acompanharam até a cruz. Elas observaram onde o corpo de Jesus foi sepultado e compraram aromas para embalsamar o seu corpo. Elas foram as primeiras a ver o Cristo ressuscitado e as primeiras a anunciar sua ressurreição.

Jesus na sepultura (15.42-47)

Destacamos três verdades importantes aqui:

Em primeiro lugar, *a coragem de José de Arimateia* (15.42,43). Pela lei romana, os condenados à morte perdiam o direito à propriedade e até mesmo o direito de serem enterrados. Frequentemente, os corpos dos acusados de traição permaneciam apodrecendo na cruz.[1019] É digno observar que nenhum parente ou discípulo veio reivindicar o corpo de Jesus.

José de Arimateia era um ilustre membro do sinédrio, o tribunal que havia condenado Jesus à morte. Ele certamente não fez parte daquela decisão ensandecida. Ele era um homem rico, mas esperava o reino de Deus.

Ele sabia quem era Jesus. Por isso, dirigiu-se resolutamente a Pilatos e pediu o seu corpo para ser sepultado. Quando José de Arimateia pediu o corpo de Jesus, usou a palavra grega *soma;* porém, quando Pilatos cedeu o corpo, usou a palavra grega *ptoma*. A primeira palavra fala acerca da personalidade total, fato que implica no cuidado e amor de José de Arimateia. A palavra usada por Pilatos dá ao corpo apenas o significado de cadáver ou carcaça. Essas diferentes palavras representam diferentes atitudes dos homens acerca da vida e da morte.[1020]

Depois de baixar o corpo da cruz, envolveu-o em um lençol e o depositou em um túmulo que tinha sido aberto numa rocha; e rolou uma pedra para a entrada do túmulo. Ele não se intimidou de ser vinculado a Jesus, um homem sentenciado à morte. Ele teve coragem para se posicionar.

John Charles Ryle diz que outros tinham honrado e confessado nosso Senhor quando eles o viram fazendo milagres, mas José o honrou e confessou ser seu discípulo, quando ele o viu frio, ensanguentado e morto. Outros tinham demonstrado amor a Jesus enquanto ele estava falando e vivendo, mas José de Arimateia mostrou amor quando ele estava silencioso e morto. Há verdadeiros cristãos sobre a terra de quem nós nada conhecemos, e em lugares que nós jamais esperávamos encontrá-los.[1021]

Em segundo lugar, *a admiração de Pilatos* (15.44,45). A morte de cruz era crudelíssima e também lenta. Muitos criminosos ficavam vários dias suspensos no madeiro. Pilatos admirou-se de que Jesus em apenas seis horas já estivesse morto.

Em terceiro lugar, *a presença das mulheres* (15.47). Algumas mulheres não apenas subiram ao Gólgota, mas desceram ao lugar da tumba. Elas tudo viram, tudo testemunharam.

Podemos afirmar com segurança que a morte de Cristo reforça-nos duas verdades com implicações profundas, diz John Stott:

O nosso pecado é extremamente horrível. Nada revela tanto a gravidade do pecado quanto a cruz. Cristo morreu não porque Judas o traiu por dinheiro, ou porque os sacerdotes o entregaram por inveja ou mesmo porque Pilatos o condenou por covardia. Ele morreu pelos nossos pecados, segundo as Escrituras (1Co 15.3).

O amor de Deus é incompreensível. Deus poderia nos abandonar à nossa própria sorte, visto que o salário do pecado é a morte, mas ele não poupou ao seu próprio Filho, antes por todos nós o entregou (Rm 8.32).[1022]

Notas do capítulo 43

[990] McGee, J. Vernon, *Mark,* 1991: p. 183.

[991] Cohn, Haim, *O Julgamento de Jesus, o Nazareno* Imago Editora, Rio de Janeiro, RJ, 1990: p. 9.

[992] McGee, J. Vernon, *Mark,* 1991: p. 184.

[992] Mulholland, Dewey M., *Marcos: Introdução e Comentário,* 2005: p. 224.

[994] Pohl, Adolf, *Evangelho de Marcos,* 1998: p. 426.

[995] Stott, John, *A Cruz de Cristo.* Editora Vida. Miami, FL, 1991: p. 40,41.

[996] Barclay, William, *Marcos,* 1974: p. 363.

[997] Hendriksen, William, *Marcos,* 2003: p. 796.

[998] Trenchard, Ernesto, *Una Exposición del Evangelio según Marcos,* 1971: p. 202.

[999] Pohl, Adolf, *Evangelho de Marcos,* 1998: p. 428.

[1000] Vieira, Antônio, *Mensagem de Fé para quem não tem Fé,* 1981: p. 144-147.

[1001] Mulholland, Dewey M., *Marcos: Introdução e Comentário,* 2005: p. 225.

[1002] Wiersbe, Warren W., *Be Content,* 1987: p. 143.

[1003] Stott, John, *A Cruz de Cristo,* 1991: p. 43,44.

[1004] Barclay, William, *Marcos,* 1987: p. 367.

[1005] Pohl, Adolf, *Evangelho de Marcos,* 1998: p. 430.

[1006] Barclay, William, *Marcos,* 1987: p. 366.

[1007] Mulholland, Dewey M., *Marcos: Introdução e Comentário,* 2005: p. 224.

[1008] Stott, John, *A Cruz de Cristo,* 1991: p. 44.

[1009] Wiersbe, Warren W., *Be Diligent,* 1987: p. 146.

[1010] Mulholland, Dewey M., *Marcos: Introdução e Comentário,* 2005: p. 228.

[1011] Webster, Douglas, *In the Debt of Christ.* Highway Press, 1957: p. 46.

[1012] Hendriksen, William, *Marcos,* 2003: p. 832.

[1013] Ryle, John Charles, *Mark,* 1993: p. 256.

[1014] Trenchard, Ernesto, *Una Exposición del Evangelio según Marcos,* 1971: p. 209.

[1015] Wiersbe, Warren, *Be Diligent,* 1987: p. 149.

[1016] Mulholland, Dewey M., *Marcos: Introdução e Comentário,* 2005: p. 231.

[1017] Ryle, John Charles, *Mark,* 1993: p. 254.

[1018] Mulholland, Dewey M., *Marcos: Introdução e Comentário,* 2005: p. 232.

[1019] Mulholland, Dewey M., *Marcos: Introdução e Comentário,* 2005: p. 234.

[1020] McGee, J. Vernon, *Mark,* 1991: p. 196.

[1021] Ryle, John Charles, *Mark,* 1993: p. 258.

[1022] Stott, John, *A Cruz de Cristo,* 1991: p. 72,73.

Capítulo 44

A ressurreição do Filho de Deus

(Mc 16.1-20)

As melhores notícias que o mundo já ouviu vieram do túmulo vazio de Jesus. Dewey Mulholland diz que sem a ressurreição, o evangelho teria terminado como "más notícias".[1023] A história da Páscoa não termina com um funeral, mas, sim, com uma festa. O túmulo vazio de Cristo foi o berço da igreja. William Barclay diz que a melhor prova da ressurreição é a existência da igreja. Nenhuma outra coisa poderia ter transformado homens e mulheres tristes e desesperados em pessoas radiantes de alegria e inflamadas de um novo valor.[1024]

Nós pregamos o Cristo que esteve morto e está vivo e não o Cristo que esteve vivo e está morto. Paul Beasley-Murray diz que sem a ressurreição de Jesus não haveria nem cristianismo nem igreja, pois ela é o coração da nossa fé. O cristianismo é acima de tudo a religião da ressurreição. A Igreja é primariamente chamada a comunidade da ressurreição.[1025]

A conclusão do Evangelho de Marcos é um dos textos mais controvertidos do Novo Testamento. É quase universalmente aceito entre os estudiosos do Novo Testamento que os versículos 9 a 20, desse capítulo 16, não foram escritos por Marcos. Tanto o estilo quanto o vocabulário desses versículos são bem diferentes do restante do livro, diz Paul Beasley-Murray.[1026] Dewey Mulholland e Hooker, por defenderem essa versão, nem chegam a comentar os versículos 9 a 20.[1027] Nessa mesma linha de pensamento, Cole diz que "não seria sábio construir qualquer posição teológica com base somente nesses versículos; e isso nenhum grupo cristão responsável fez".[1028] O comentarista reformado William Hendriksen também não crê que Marcos tenha escrito os versículos 9 a 20; por isso, não aceita que a discussão, em torno da conclusão do Evangelho de Marcos possa ser encarada como um conflito entre "ortodoxia" e "liberalismo".[1029] Osmundo Afonso Miranda afirma que os dois melhores e mais antigos manuscritos que conhecemos, o *Vaticano* e o *Sinaítico,* omitem os versículos 9 a 20, embora defenda firmemente que esses versículos não são apócrifos; antes são testemunhos da Igreja primitiva.[1030] Há aqueles que defendem uma conclusão abrupta do Evangelho de Marcos no versículo 8, e outros que até mesmo postulam que a conclusão desse livro foi perdida.[1031] Já John Burgon defende a integridade e autenticidade do *Textus Receptus,* de todo o capítulo 16 de Marcos, apoiando sua autoria.[1032] O que importa para nós é que os versículos 9 a 20 fazem parte do cânon sagrado e é Palavra de Deus inspirada, inerrante e infalível. Fato semelhante acontece com o livro de Deuteronômio. A maioria dos estudiosos crê, de igual forma, que a conclusão do livro de Deuteronômio, onde se descreve a morte de Moisés, também foi escrita por outro escritor que não Moisés; nem por isso a credibilidade de Deuteronômio ficou comprometida.

O texto em apreço tem várias lições importantes que vamos considerar.

Um profundo amor manifestado (16.1,2)

As mesmas mulheres que assistiram Jesus durante o seu ministério, que estiveram com ele no Calvário e, que acompanharam o seu sepultamento, agora, nas primeiras horas do domingo vão ao seu túmulo para embalsamar o seu corpo. J. Vernon McGee diz que as mulheres foram as últimas a saírem do Calvário e as primeiras a chegarem no sepulcro.[1033] Mesmo sabendo que José de Arimateia e Nicodemos já haviam usado cerca de cem libras, ou seja, 45 quilos de unguentos, composto de mirra e aloés para ungir o corpo de Cristo (Jo 19.38-40), elas ainda querem manifestar a Jesus o seu pródigo amor. O gesto dessas mulheres pode ser comparado a alguém que hoje leve flores ao túmulo de uma pessoa querida.

Ernesto Trenchard menciona quatro experiências vividas pelas mulheres naquela manhã de Páscoa: um desejo (16.6), uma dificuldade (16.3), uma consolação (16.6) e uma comissão (16.7,8).[1034]

É digno observar que as mulheres vão ao sepulcro no primeiro dia da semana (16.2). Jesus levantou-se da morte no primeiro dia da semana (16.6). Ele derramou o seu Espírito no Pentecostes no primeiro dia da semana (At 2.1-4). No primeiro dia da semana a igreja passou a reunir-se para a comunhão (At 20.7) e para fazer suas ofertas (1Co 16.2). João viu o Cristo glorificado na Ilha de Patmos no primeiro dia da semana (Ap 1.10). O primeiro dia da semana tornou-se o dia da celebração do povo de Deus, a celebração da vitória sobre a morte.[1035]

Uma preocupação desnecessária (16.3,4)

As mulheres, enquanto caminham para o túmulo de Jesus, se desgastam com uma preocupação desnecessária: "Quem nos removerá a pedra da entrada do túmulo?" De acordo com o manuscrito do Novo Testamento (*Codex Bezae*), era preciso a força de vinte homens para remover aquela pedra.[1036] Ernesto Trenchard afirma corretamente que o anjo não removeu a pedra para deixar o Senhor sair, mas para demonstrar que ele já não estava mais no sepulcro.[1037] A porta foi removida não de fora para dentro, mas de dentro para fora.

A preocupação tem a capacidade de roubar nossas energias e tirar os nossos olhos do foco. As mulheres bem como os discípulos não discerniram as palavras de Jesus, quando este, várias vezes, falou sobre sua ressurreição. A falta de compreensão da Palavra de Deus gera em nós preocupação. Gastamos nossas forças pensando em problemas hipotéticos. Gememos sob os nossos minúsculos problemas quando, na verdade, tudo já está solucionado pelo Deus "que ressuscita os mortos". John Charles Ryle diz que uma grande parte da ansiedade que esmaga os cristãos procede de coisas que jamais acontecerão.[1038]

Um fato incontroverso (16.5-7)

Destacamos três pontos importantes:

Em primeiro lugar, *a pedra removida* (16.4). A pedra removida deve ser considerada a porta do sepulcro removida. A casa da morte estava fortemente guardada por uma grande pedra e pelo sinete de Pilatos. A pedra foi removida e Cristo saiu vivo, vitorioso e triunfante. A pedra do túmulo foi removida e não meramente aberta. Não há mais porta para abrir. A morte foi vencida.

A pedra removida é um memorial da vitória de Cristo sobre a morte. Jesus arrancou o aguilhão da morte e triunfou sobre ela. O túmulo não é o fim da nossa existência. A morte não tem mais a última palavra. A cruz não é o fim da História. A sexta-feira da paixão não é o fim do drama. Cristo ressuscitou!

A pedra removida é o fundamento lançado sobre o qual erigimos a nossa vida. A ressurreição de Cristo é a pedra de esquina da fé cristã, a coluna mestra do cristianismo. Nosso redentor não está no túmulo. Você pode visitar o túmulo de Buda, Confúcio, Maomé e Alan Kardec, mas o túmulo de Jesus está vazio. O apóstolo Paulo diz que se Cristo não ressuscitou, é vã a nossa pregação; é vã a nossa fé. Então, somos tidos por falsas testemunhas de Deus e ainda permanecemos em nossos pecados; os que dormiram em Cristo pereceram e somos os mais infelizes de todos os homens (1Co 15.14-19).

Em segundo lugar, *o testemunho angelical* (16.5,6). O anjo vestido de branco está assentado ao lado direito do túmulo. Mateus nos informa que está assentado na própria pedra removida do túmulo. Enquanto os guardas estão desmaiados, o anjo está sobranceiro proclamando que Jesus não está mais no túmulo. O túmulo foi aberto de dentro para fora. Nenhum poder pôde deter o Filho de Deus (Sl 16.10). A ressurreição de Jesus é uma obra do próprio Deus Pai (At 3.15; 4.10; Rm 4.24; 8.11; 10.9; 1Co 6.14; 15.15; 2Co 4.14; 1Pe 1.21).

Em terceiro lugar, *o túmulo vazio* (16.6). Todos os quatro evangelistas concordam que as mulheres foram as primeiras a descobrirem o túmulo vazio e a receberem as boas-novas da ressurreição. A única mulher, entretanto que é comum nos quatro relatos é Maria Madalena. É importante frisar que não é nome que conta, mas o sexo, visto que naquele tempo o testemunho das mulheres não era aceito.[1039]

O anjo disse às mulheres: *Vede o lugar onde o tinham posto.* As mulheres entraram no túmulo e viram o lugar vazio (16.6). Mateus diz que Pedro ao ser informado sobre a ressurreição de Cristo correu ao sepulcro. E, abaixando-se, nada mais viu, senão os lençóis de linho; e retirou-se para casa, maravilhado do que havia acontecido (Lc 24.12). Os líderes judeus subornaram os soldados, dando-lhes altas somas de dinheiro para espalhar uma mentira, afirmando que os discípulos haviam roubado o corpo de Cristo (Mt 28.11-15). Ao mesmo tempo em que Jesus dá aos seus discípulos a grande comissão; Satanás, também, envia seus emissários para anunciar uma mentira. Onde um templo da verdade é levantado, Satanás constrói também uma sinagoga da mentira.

Uma mensagem consoladora (16.7)

Três fatos merecem destaque aqui:

Em primeiro lugar, *o Cristo ressurreto é o Deus da restauração* (16.7). Os mesmos discípulos que prometeram fidelidade até a morte (14.31) e fugiram (14.50), são alvos do cuidado restaurador de Jesus (16.7). Ele como o bom, o grande e o supremo pastor busca as ovelhas desviadas para restaurá-las.

Mas há uma menção especial a Pedro. Isso, não porque Pedro fosse um discípulo mais importante do que os outros, mas porque Pedro deveria estar se sentindo excluído, por ter tido a queda mais vexatória. Nessa mesma linha de pensamento, Dewey Mulholland diz que Pedro é mencionado por nome, não como um ataque à sua pessoa ou indicando uma posição superior entre os apóstolos. Ele é mencionado para assegurar que ele não sofrerá discriminação alguma pela sua negação de Jesus.[1040]

A boa nova do túmulo vazio fala sobre um novo começo. Fala de perdão, esperança e restauração. Àqueles homens covardes e medrosos, Jesus os chama de irmãos (Jo 20.17). Àqueles que fugiram vergonhosamente, e possivelmente não se sentiam mais discípulos, o anjo reafirma que Jesus os considera como discípulos (16.7). Pedro, que havia negado a Jesus com juramento e praguejamentos, agora, recebe uma menção especial (16.7). William Barclay chega a dizer que Jesus estava mais ansioso para consolar o pecador penitente do que castigar o pecado.[1041]

Em segundo lugar, *o Cristo ressurreto é o Deus que vai à nossa frente* (16.7). Não precisamos temer o futuro, porque aquele que morreu e venceu a morte por nós vai à nossa frente. O cristianismo não é apenas um corolário de doutrinas e dogmas, mas a pessoa bendita do Cristo ressurreto. O cristão não é aquele que apenas recita um credo, mas é aquele que segue uma pessoa. Como cristãos, pertencemos a um movimento e não apenas a uma instituição. Ser cristão é seguir as pegadas do Cristo ressurreto que vai à nossa frente. Ser cristão é estar a caminho. O cristianismo é a religião do Caminho e Cristo é esse caminho.

Jesus já havia dito aos seus discípulos que depois da sua ressurreição encontraria com eles na Galileia (14.28). Agora, confirma seu encontro na Galileia, onde eles viviam. Jesus se encontra conosco dentro da nossa rotina diária. Ele está presente com seu povo não apenas quando eles estão juntos em adoração, mas também quando estão dispersos na jornada da vida.[1042]

Em terceiro lugar, *o Cristo ressurreto é aquele que nos enche de espanto e santo temor* (16.8). Marcos apresenta a complexidade de emoções manifestadas pelas mulheres com: *tromos* (tremendo); *ekstasis* (atônitas); *phobeo* (temer) e *exethambethesan* (alarmadas).[1043] Temor e assombro tomaram conta das mulheres após receberem a mensagem angelical. Aquelas que amavam a Jesus e que estavam preparadas para dar o seu melhor para ele, não esperavam o milagre da ressurreição naquela manhã da Páscoa. Por isso, como os discípulos no Jardim do Getsêmani, elas fugiram do sepulcro. Inicialmente, elas nada disseram a ninguém por causa do medo que as dominou. Porém, o silêncio delas não foi permanente. Imediatamente, após o espanto, elas com grande alegria correram para comunicar a mensagem da ressurreição aos discípulos (Mt 28.8). Lucas registra: *E, voltando do túmulo, anunciaram todas estas cousas aos onze e a todos os mais que com eles estavam* (Lc 24.9).

Essas mulheres foram as grandes heroínas no relato dos quatro evangelistas. Enquanto os discípulos de Cristo se escondem, elas se manifestam. Enquanto eles fogem, elas aparecem. Enquanto eles estão trancados entre quatro paredes, elas estão subindo o Gólgota, descendo à tumba, vendo anjos, contemplando ao Cristo ressurreto e correndo para anunciá-lo. O amor e a devoção dessas mulheres devem nos estimular, diz Paul Beasley-Murray.[1044]

Um aparecimento surpreendente (16.9-14)

Destacamos três pontos importantes:

Em primeiro lugar, *o milagre da transformação* (16.9). A primeira testemunha da ressurreição de Jesus, não foi Maria ou Pedro, ou João nem mesmo os onze discípulos, mas Maria Madalena, aquela de quem Jesus expulsara sete demônios. Naquele tempo, o testemunho das mulheres não era aceito pelos judeus, mas Jesus quebra esse paradigma e manifesta-se a essa mulher, evidenciando o milagre da transformação operada em sua vida. Aquele a quem muito é perdoado, muito ama. Jesus restaurou essa mulher do submundo demoníaco para a visão beatífica da sua gloriosa ressurreição.

Em segundo lugar, *a prodigalidade da graça* (16.10). Maria Madalena não foi apenas a primeira pessoa a ver o Cristo ressurreto, mas foi a primeira a anunciar a sua ressurreição. Aquela que estava possuída de demônios, agora se transforma em embaixadora das boas-novas do evangelho. Warren Wiersbe diz que quando você se encontra com Cristo, você tem alguma coisa a compartilhar com os outros.[1045]

Em terceiro lugar, *a resistência da incredulidade* (16.11-14). Os discípulos de Jesus fugiram quando Jesus foi preso no Getsêmani (14.50); estiveram ausentes no Calvário (exceto João); não compareceram diante de Pilatos para reivindicar o seu corpo para o sepultamento; estiveram ausentes no seu sepultamento; mas, agora, não acreditam na mensagem da sua ressurreição.

Marcos nos informa que eles não deram crédito ao testemunho de Maria Madalena (16.9-11) e não creram no testemunho dos dois discípulos que estavam de caminho para o campo (16.12,13). Jesus, então, aparece a eles quando estavam à mesa e censura-lhes a incredulidade e dureza de coração (16.14).

Uma comissão universal (16.15-20)

Paul Beasley-Murray comentando esse passo bíblico faz algumas considerações oportunas que vamos considerar.[1046]

Em primeiro lugar, *a boa nova é o próprio Jesus* (16.15). As boas-novas (*euangelion*) é uma das palavras favoritas de Marcos. Ele a usa sete vezes (1.1,14,15; 8.35; 10.29; 13.10; 14.9). Para Marcos, a história de Jesus é a boa nova a ser proclamada. O evangelho é a mensagem de que Deus está agindo por meio de Jesus, seu Filho, trazendo libertação ao cativo, quebrando o poder do diabo, do pecado e da morte. Pelo evangelho proclamamos que em Jesus o curso da História tem sido mudado. Jesus pela sua morte e ressurreição estabeleceu o seu Reino. Isso é a grande boa nova do evangelho, diz Paul Beasley-Murray.[1047]

Em segundo lugar, *a boa nova de Jesus precisa ser pregada* (16.15). O verbo *pregar* é outra palavra favorita de Marcos. Ela é encontrada quatorze vezes nesse evangelho, enquanto só aparece nove vezes em Mateus e Lucas. Marcos enfatiza que Cristo veio pregando (1.14). Marcos sabe que Jesus é mais do que um pregador, por isso, relata vários dos seus milagres, porém destaca a primazia do ministério de pregação de Jesus (1.38). Embora Jesus tenha se ocupado em atender as necessidades físicas das pessoas, ele focou primordialmente as necessidades espirituais. Jesus chamou seus discípulos para pregar (3.14) e os enviou a pregar (6.12). Agora, Jesus ordena seus discípulos a pregar em todo o mundo. Dewey Mulholland diz que estar calado é um perigo maior que perseguição e morte. O evangelho só é boas-novas se for compartilhado.[1048]

O propósito de Deus é o evangelho todo, por toda a igreja, em todo o mundo, a todas as criaturas. O evangelho deve ser pregado a todas as nações (13.10), em todo o mundo, a toda criatura (16.15). A igreja precisa ser uma agência missionária. Ela precisa ser luz para as nações. Uma igreja que não evangeliza precisa ser evangelizada. A igreja é um corpo missionário ou um campo missionário.

A evangelização é uma tarefa imperativa, intransferível e impostergável. O mundo precisa do evangelho e a salvação do evangelho precisa ser oferecida livremente a toda a humanidade, diz John Charles Ryle.[1049]

Em terceiro lugar, *a boa nova de Jesus precisa ser recebida* (16.16). O evangelho somente é experimentado como boas-novas quando é recebido e crido. A Palavra de Deus é como espada de dois gumes, ao mesmo tempo em que traz vida, também sentencia com a morte. A igreja é perfume de vida e também de morte, pois ninguém pode ficar neutro diante da mensagem do evangelho que ela proclama. Aos que recebem a mensagem, a igreja é cheiro de vida para a vida, porém, àqueles que rejeitam as boas-novas, ela é cheiro de morte para a morte.

Aquele que crê deve ser batizado e introduzido na comunhão da igreja. A fé, porém, precede ao batismo. O batismo não faz o cristão, mas demonstra-o. Uma pessoa pode ser salva sem o batismo, como o foi o ladrão que se arrependeu na cruz, mas jamais alguém pode ser salvo sem crer em Jesus. É a descrença e não a ausência do batismo a razão da condenação (16.16).[1050] John Charles Ryle corretamente afirma que milhares de pessoas são lavadas em águas sacramentais, mas jamais foram lavadas no sangue de Cristo. Isso, contudo, não significa que o batismo deve ser desprezado ou negligenciado.[1051]

Certamente, Jesus não está dizendo que o batismo é necessário para a salvação, mas a pessoa que é salva deve ser batizada. É a rejeição de Cristo que traz a condenação eterna. Jesus foi claro, quando disse: *Por isso, quem crê no Filho tem a vida eterna; o que, todavia, se mantém rebelde contra o Filho não verá a vida, mas sobre ele permanece a ira de Deus* (Jo 3.36). Adolf Pohl diz que o vínculo direto entre os termos não é "batismo e salvação", mas "fé e salvação", ou "incredulidade e condenação".[1052]

Em quarto lugar, *a boa nova de Jesus precisa ser confirmada* (16.17,18). Adolf Pohl corretamente afirma que os sinais não estão vinculados a cargos, mas em primeiro lugar à fé que deixa Deus ser Deus (5.36; 9.23; 11.22). Em segundo lugar, eles fazem parte do contexto missionário, pois o fato de eles "acompanharem" pressupõe que os discípulos estão a caminho para difundir o evangelho.[1053]

Paul Beasley-Murray diz que o que temos aqui é descritivo e não prescritivo. O que temos aqui é um sumário da vida da igreja primitiva. Os cristãos primitivos expulsaram demônios em nome de Jesus (3.15; 6.7,13; At 8.7,16,18; 19.12). Eles falaram em línguas (At 2.4; 10.46; 19.6; 1Co 12.10,28; 14.2-40). Paulo foi picado por uma víbora sem sofrer o dano de seu veneno letal (At 28.3-6). Eles impuseram as mãos sobre os enfermos para curá-los (At 28.8). Não há, porém, nenhuma alusão no Novo Testamento sobre a ingestão de veneno. O único registro que temos na história é de Eusébio, historiador da igreja, que fala sobre Justus Barsabas, um cristão que, forçado a beber veneno, pela graça de Deus não morreu.[1054]

Warren Wiersbe diz que alguns sinais descritos em Marcos 16.17,18 ocorreram durante o período apostólico descrito no livro de Atos. Eles foram as credenciais dos apóstolos (Hb 2.1-4; Rm 15.19; 2Co 12.12), mas não devemos presumir que eles pertencem a todos os crentes hoje. É insensatez tentar a Deus bebendo veneno, mas não é tolice confiar em Deus quando a obediência à sua vontade nos levar a situações perigosas. A presunção nos mata, mas a fé nos liberta.[1055]

B. B. Warfield, em conexão com esses dons especiais diz: "Esses dons eram parte das credenciais dos apóstolos, como os agentes autoritativos de Deus, na fundação da igreja... tais dons necessariamente desapareceram, com os apóstolos". Crisóstomo e Agostinho também eram da opinião que esses dons, com a morte dos apóstolos, cessaram de existir. Essa também era a opinião de Jonathan

Edwards: "Esses dons extras foram dados para a fundação e estabelecimento da igreja no mundo. Contudo, desde que o cânon das Escrituras se completou e a igreja foi plenamente fundada e estabelecida, esses dons extraordinários cessaram de existir. Entre outros que expressaram um entendimento semelhante, estão Matthew Henry, George Whitefield, Charles H. Spurgeon, Robert L. Dabney, Abraham Kuiper, e G. T. Shedd.[1056]

Não é esse, porém, o nosso entendimento. Cremos que Deus pode e tem dado seus dons de sinais onde e quando quer, a quem quer, livre e soberanamente, segundo o seu beneplácito, para o louvor da sua própria glória, para a salvação dos eleitos e a edificação dos santos. A grande ênfase de Marcos é que quando a igreja proclama a mensagem de Deus, o próprio Deus confirma essa mensagem com a manifestação do seu poder (1Co 2.4; 1Ts 1.5), transformando vidas, atraindo as pessoas irresistivelmente pelo seu poder sobrenatural. A igreja é chamada para ser um sinal do Cristo vivo e ressurreto no mundo. William Barclay conclui o seu comentário de Marcos afirmando que a vida cristã é a vida vivida na presença e no poder daquele que foi crucificado e ressuscitou.[1057]

O evangelista Marcos fecha as cortinas do seu livro enfatizando duas gloriosas verdades:

Em primeiro lugar, *Cristo é coroado à destra de Deus Pai* (16.19). Sua obra foi consumada. Seu sacrifício foi aceito. Ele que se humilhou foi exaltado sobremaneira (Fp 2.8-11). Agora, ele está entronizado à destra do Pai, de onde intercede pela igreja, de onde governa o universo e de onde vai voltar para buscar a sua noiva.

Em segundo lugar, *a igreja em parceria com o Senhor realiza sua obra* (16.20). Os discípulos partiram e pregaram por toda parte. O Senhor cooperou com eles confirmando a palavra por meio de sinais. A pregação do evangelho foi realizada com palavra e poder. A mensagem foi pregada aos ouvidos e também aos olhos. Esses cristãos, revestidos com o poder do Espírito Santo, mesmo perseguidos, empobrecidos e despojados de poder militar e influência política, empunharam a bandeira do evangelho, proclamaram com desassombro a mensagem da ressurreição e conquistaram o mundo com o poder do evangelho.

Notas do capítulo 44

[1023] Mulholland, Dewey M., *Marcos: Introdução e Comentário,* 2005: p. 235.

[1024] Barclay, William, *Marcos,* 1974: p. 376,377.

[1025] Beasley-Murray, Paul, *The Message of the Resurrection.* Inter-Varsity Press. Downers Grove. Illinois, 2000: p. 17,21.

[1026] Beasley-Murray, Paul, *The Message of the Resurrection,* 2000: p. 22.

[1027] Mulholland, Dewey M., *Marcos: Introdução e Comentário,* 2005: p. 237-240; D. Morna Hooker. *The Message of Mark.* Epworth Press, 1983: p. 118.

[1028] Cole, R. A., *Gospel according to Mark,* 1961: p. 259.

[1029] Hendriksen, William, *Marcos,* 2003: p. 859, 860.

[1030] Miranda, Osmundo Afonso, *Estudos Introdutórios nos Evangelhos Sinóticos.* Editora Cultura Cristã. São Paulo, SP, 1989: p. 214-219.

[1031] Beasley-Murray, Paul, *The Message of the Resurrection,* 2000: p. 22.

[1032] Burgon, John W., *The Last Twelve Verses of the Gospel According to St. Mark.* The Sovereign Grace Book Club, 1959.

[1033] McGee, J. Vernon, *Mark,* 1991: p. 198.

[1034] Trenchard, Ernesto, *Una Exposición del Evangelio según Marcos,* 1971: p. 214-216.

[1035] Beasley-Murray, Paul, *The Message of the Resurrection,* 2000: p. 30.

[1036] Beasley-Murray, Paul, *The Message of the Resurrection,* 2000: p. 28.

[1037] Trenchard, Ernesto, *Una Exposición del Evangelio según Marcos,* 1971: p. 215.

[1038] Ryle, John Charles, *Mark,* 1993: p. 261.

[1039] Beasley-Murray, Paul, *The Message of the Resurrection,* 2000: p. 24.

[1040] Mulholland, Dewey M., *Marcos: Introdução e Comentário,* 2005: p. 237.

[1041] Barclay, William, *Marcos,* 1974: p. 377.

[1042] Beasley-Murray, Paul, *The Message of the Resurrection,* 2000: p. 32.

[1043] Mulholland, Dewey M., *Marcos: Introdução e Comentário,* 2005: p. 237.

[1044] Beasley-Murray, Paul, *The Message of the Resurrection,* 2000: p. 28.

[1045] Wiersbe, Warren W., *Be Diligent,* 1987: p. 153.

[1046] Beasley-Murray, Paul, *The Message of the Resurrection,* 2000: p. 36-42.

[1047] Beasley-Murray, Paul, *The Message of the Resurrection,* 2000: p. 38.

[1048] Beasley-Murray, Dewey M., *Marcos: Introdução e Comentário,* 2005: p. 240.

[1049] Ryle, John Charles, *Mark,* 1993: p. 266.

[1050] Beasley-Murray, Paul, *The Message of the Resurrection,* 2000: p. 41.

[1051] Ryle, John Charles, *Mark,* 1993: p. 267.

[1052] Pohl, Adolf, *Evangelho de Marcos,* 1998: p. 464.

[1053] Pohl, Adolf, *Evangelho de Marcos,* 1998: p. 464.

[1054] Beasley-Murray, Paul, *The Message of the Resurrection,* 2000: p. 42.

[1055] Wiersbe, Warren W., *With the Word.* Thomas Nelson Publishers. Nashville, TN, 1991: p. 666.

[1056] Hendriksen, William, *Marcos.* 2003: p. 868; *The Outlook, a Journal of the Reformed Fellowship.* Grand Rapids, Michigan. October, 1973 (Vol. XXIII, Number 10): p. 22-24.

[1057] Barclay, William, *Marcos,* 1974: p. 379.